ACCESO GRATIS a la Lectura en la Nube

Para visualizar el libro electrónico en la nube de lectura envíe junto a su nombre y apellidos una fotografía del código de barras situado en la contraportada del libro y otra del ticket de compra a la dirección:

ebooktirant@tirant.com

En un máximo de 72 horas laborables le enviaremos el código de acceso con sus instrucciones.

DESISTIMIENTO DELICTIVO Y GÉNERO:
UNA INVESTIGACIÓN CUALITATIVA EN ESPAÑA

Procedimiento de selección de originales, ver página web:
www.tirant.net/index.php/editorial/procedimiento-de-seleccion-de-originales

DESISTIMIENTO DELICTIVO Y GÉNERO:
UNA INVESTIGACIÓN CUALITATIVA EN ESPAÑA

María Izco Rincón

tirant lo blanch
Valencia, 2026

© TIRANT LO BLANCH
EDITA: TIRANT LO BLANCH
C/ Artes Gráficas, 14 - 46010 - Valencia
TELFS.: 96/361 00 48 - 50
FAX: 96/369 41 51
Email: tlb@tirant.com
www.tirant.com
Librería virtual: www.tirant.es
DEPÓSITO LEGAL: V-692-2024
ISBN: 978-84-1197-572-8
MAQUETA: Disset Ediciones

Si tiene alguna queja o sugerencia, envíenos un mail a: *atencioncliente@tirant.com*. En caso de no ser atendida su sugerencia, por favor, lea en *www.tirant.net/index.php/empresa/politicas-de-empresa* nuestro procedimiento de quejas.

Responsabilidad Social Corporativa: http://www.tirant.net/Docs/RSCTirant.pdf

Me hice libre.
Vivo libre
en esta inmensa celda
de castigo que es la tierra.
Decir la verdad
me desencadena.

Gloria Fuertes

Índice

Nota previa

Este trabajo es el resultado de la realización de una tesis doctoral titulada "Desistimiento delictivo y género: un estudio cualitativo en España" llevada a cabo en la Universidad de Málaga bajo la dirección de la Prof. Dra. Ana Isabel Cerezo Domínguez y que contó con la financiación del Ministerio de Universidades a través de las Ayudas para la formación de profesorado universitario (FPU) y del I Plan Propio de Investigación, Transferencia y Divulgación Científica de la Universidad de Málaga.

La defensa de la tesis doctoral tuvo lugar el día 20 enero de 2023 en la Facultad de Derecho de la Universidad de Málaga ante un tribunal presidido por la Prof. Dr. Patricia Laurenzo y compuesto por el Prof. Dr. José Cid y la Prof. Dra. Raquel Bartolomé, obteniendo la calificación de sobresaliente *cum laude.*

En primer lugar, me gustaría agradecer enormemente la confianza, la ayuda y el soporte que la profesora Ana Isabel Cerezo Domínguez ha supuesto para mi durante la que fue mi carrera doctoral. Resultó un camino complicado que logré culminar gracias a ella quien, no solo ha sido un evidente ejemplo académico, sino también un ejemplo personal que me acompañará durante la vida. Cuando hablo de ejemplo, lo hago en un sentido absolutamente literal, desde el inicio del Grado en Criminología, en el que tuve el placer de contar con ella como profesora de varias asignaturas, Anabel resultó para mí una imagen a seguir, su discurso feminista, fundamentado, basado en años de investigación, sensato y su consecuente actuar, siempre fueron una fuente de inspiración para la, por aquel entonces, estudiante de Criminología. Su compromiso con temas sociales que involucran a las mujeres, tanto víctimas como delincuentes, ha sido, sin duda, la principal inspiración y motivación de la investigación que en estas páginas se presenta. Desde mis comienzos en el ámbito académico, Anabel puso sobre mí lo que consideré, y continúo considerando, grandes responsabilidades, permitiéndome ser partícipe de varias investigaciones en las que se encontraba al frente, relativas a la violencia de género y a las mujeres delincuentes.

No puedo dejar de mostrar mi agradecimiento a todos mis compañeros y compañeras del Instituto andaluz interuniversitario de Criminología y del Área de Derecho penal de la Universidad de Málaga, quienes, desde mi llegada, me hicieron partícipe de sus proyectos de investigación, en los que he aprendido de mano de grandes investigadores sobre política criminal, exclusión social, inmigración y género, entre muchas otras áreas temáticas. Por acompañarme todos ellos, también, en los inicios de una andadura docente de la que he disfrutado plenamente teniendo como ejemplo a excelentes e implicados profesores universitarios.

Por último, y sin quienes esta investigación no hubiese resultado posible, agradezco de una manera sincera a todas las mujeres que asumieron el reto de relatar sus experiencias de vida a la investigadora, entendiendo que su testimonio y su narrativa podrían resultar en un avance en el ámbito del conocimiento sobre el desistimiento que, aunque limitado, tiene, en último término, como objetivo detectar los factores que lograrán que la prisión suponga un verdadero instrumento para la reinserción y la resocialización. Gracias a ellas por trasladarme sus experiencias de vida, algunas especialmente complicadas, pero que ayudaron a generar un cierto vínculo que harán que no pueda olvidar mi primera experiencia en la investigación en los centros penitenciarios y que, espero, no sea la última, principalmente por el aprendizaje vital que para mí también supone. Gracias también a la Dirección y al personal de los centros penitenciarios y Centros de Inserción Social visitados, que me abrieron sus puertas y estuvieron dispuestos a colaborar en esta investigación.

Prólogo

Desafortunadamente no abundan los estudios dedicados al género y a la delincuencia en nuestro país, a pesar de ser una línea de investigación de carácter interdisciplinar de sumo interés no sólo desde el punto de vista teórico, sino principalmente desde un planteamiento práctico basado en la reinserción e integración social de las mujeres que cometen delitos.

La etiología de la delincuencia femenina no ha sido tradicionalmente objeto de estudio por los criminólogos. En la explicación histórica de la delincuencia, se han dado explicaciones desde muy diversos enfoques, pero siempre a remolque de las teorías explicativas de la delincuencia masculina. Nunca ha existido un especial interés en profundizar en las causas sociales, culturales o político-criminales de la delincuencia ocasionada por mujeres. De ahí la imperante necesidad de desarrollar en nuestro país una Criminología feminista, de acuerdo con la cual se ponga a prueba la representatividad de las teorías explicativas de la Criminología convencional, que tradicionalmente han tomado como referencia al delincuente varón.

La presente monografía supone un importante avance científico en el ámbito de la perspectiva de género aplicada al desistimiento delictivo. Se trata de un tema original que presentaba una sorprendente carencia en la escena científica española. Si bien son conocidos diversos trabajos que abordan el fenómeno del desistimiento delictivo en la población masculina, aún no se habían destacado aquellos factores, muy diferentes por cierto a los tradicionalmente expuestos, que explican los motivos por los que las mujeres suelen decidir no volver a cometer delitos. Será un trabajo que se incluirá a partir de hoy entre las obras de referencia obligada en la materia.

El trabajo además afronta este tema proporcionando un trabajo de campo de carácter cualitativo. Para ello su autora, la profesora María Izco Rincón, ha llevado a cabo entrevistas en profundidad a una muestra representativa de mujeres encarceladas en prisiones o en centros de inserción social, en una primera tanda, y a mujeres excarceladas, con el objeto de conocer su nueva vida en libertad, en una segunda. La labor empírica se ha visto envuelta de enormes dificultades, propiciadas principalmente por las derivadas de las restricciones de movilidad impuestas por la pandemia sanitaria durante los años 2020, 2021 y 2022.

Es para mí por tanto una enorme satisfacción presentar la primera monografía de la profesora María Izco Rincón. Ella es mi primera discípula ex-alumna graduada en criminología en la Universidad de Málaga. Su brillante expediente académico le llevó a conseguir una beca de formación del profesorado, que ha disfrutado durante cuatro años, lo que le ha permitido culminar su tesis doctoral en el seno del Instituto andaluz interuniversitario de Criminología de la Universidad de Málaga. Todo ello hace que nos encontremos ante una excelente investigadora en el ámbito de la criminología en España, muy comprometida además con la defensa de las mujeres y sus derechos, a la que auguro numerosos éxitos profesionales en el futuro.

En Málaga, a 14 de julio de 2023

ANA ISABEL CEREZO DOMÍNGUEZ

Catedrática de Derecho penal y Directora del Instituto andaluz interuniversitario de Criminología de la Universidad de Málaga

Introducción

De forma tradicional la Criminología ha venido centrando sus esfuerzos en alcanzar el conocimiento sobre la etiología delictiva, identificado cuales son los factores que explicarían el inicio de las trayectorias delictivas y el mantenimiento de estas a lo largo del transcurso vital de los individuos. Además, las diferencias existentes en materia de género han recibido un menor interés, de manera que la investigación sobre trayectorias delictivas femeninas ha resultado siempre más reducida que la investigación en materia de trayectorias delictivas masculinas. Dichas limitaciones se acentúan de una manera llamativa en lo que refiere a la finalización o desistimiento del delito de las carreras delictivas de los individuos, campo de estudio aún más reciente y en el que el factor género no siempre se ha visto integrado de una manera sistemática.

En España, el 92,7% de los internos son hombres y el 7,3% de las internas son mujeres[1], provocando que las políticas penitenciarias se diseñen orientadas hacia, casi en exclusiva, las necesidades del grupo mayoritario, dejando a un lado las características y necesidades de las mujeres durante las ejecuciones de las penas privativas a libertad en prisión[2]. Tales significativas diferencias se han venido manteniendo más o menos constantes a lo largo del tiempo, a pesar de que se ha producido una disminución generalizada de la población penitenciaria a nivel nacional en los últimos años, es llamativo observar cómo dicho descenso se observa en lo que refiere al colectivo de hombres y no en el de mujeres. En España, tanto la Ley Orgánica 1/1979, de 26 de septiembre, General Penitenciaria (LOGP) y su Reglamento de desarrollo, el Real Decreto 190/1996, de 9 de febrero, por el que se aprueba el

---

1 Datos proporcionados por la Secretaría General de Instituciones Penitenciarias para el Total Nacional para el mes de diciembre de 2020.

2 Véase, Yagüe Olmos, C. y Cabello Vázquez, M.I. (2005): "Mujeres jóvenes en prisión". *Revista de estudios de juventud, 69,* 30-48.

Reglamento Penitenciario (RP), asumen una ejecución penitenciaria basada en la igualdad entre hombres y mujeres, debiéndose destacar algunas importantes deficiencias dada la falta de atención a las especificidades y necesidades femeninas. El principio de no discriminación que rige la ejecución penitenciaria y que legislativamente se plasma en la normativa de aplicación en ella, no logra una real adaptación al colectivo femenino, asentándose sobre esa idea de "género neutro" que, aunque popularizada, no logra sino invisibilizar a las mujeres. Con ello, solo a partir de una verdadera aplicación de la perspectiva de género en la ejecución de las penas de prisión se lograría un adecuado fin rehabilitador y resocializador de estas[3], aunque no puede negarse el consenso criminológico existente en cuanto al contraproducente papel que la misma tiene sobre el fin de las trayectorias delictivas del individuo.

Además de lo anterior, resulta interesante observar que las tipologías delictivas de los internos difieren en función del sexo. Así, son los delitos contra el patrimonio y los delitos contra la salud pública los predominantes para ambos grupos, siendo la tipología delictiva que ocupa el tercer lugar diferente para ambos, en el caso del varón, los delitos y faltas de violencia de género y en el caso de la mujer, el homicidio y sus formas. Todo lo anterior permite apuntar hacia diferencias significativas en lo que refiere a las trayectorias delictivas, etiología y mantenimiento de estas entre hombres y mujeres.

La pregunta de investigación que da pie a la presente investigación es, por tanto, cuáles son los factores de principal influencia en el proceso de desistimiento en el colectivo femenino para poder establecer comparativas con el proceso en el colectivo de hombres en el futuro.

Si bien es cierto, la principal problemática surgida en torno a la investigación sobre desistimiento del delito encuentra su expo-

---

3 Véase, Serrano Tárraga, M.D. (2010): "La consideración del género en la ejecución de las penas privativas de libertad". *Estudios Penales y Criminológicos, 30,* 481-544.

nente máximo en lo referente a la definición de dicho concepto y la correcta forma de medición del fenómeno.

Tradicionalmente, la investigación en el ámbito criminológico ha señalado la importancia de la idea del delincuente incorregible o crónico. Los primeros estudios de carácter positivista aludían al hecho de que este tipo de delincuentes no habían evolucionado de forma completa como ser humano. Como consecuencia de ello, la idea del delincuente permanente resultaba incompatible con la posibilidad de cambio hacia la no delincuencia. En este sentido, Lombroso señalaba la ineficacia del castigo para el criminal nato y la inevitabilidad de las recaídas criminales periódicas[4]. No puede obviarse que la ciencia criminológica, en su progresivo desarrollo, ha abandonado estas ideas al introducirse una perspectiva psicológica y social en lo relativo a la comprensión de la etiología del delito. No obstante, la noción de delincuencia permanente e intratable continúa encontrándose hoy muy presente en la creencia popular.

La mayoría de los delincuentes adultos han mostrado signos reveladores durante la infancia, sin embargo, la mayor parte de los jóvenes delincuentes abandonan la trayectoria delictiva en el momento en que alcanzan la edad adulta. El 85% de los "jóvenes delincuentes" dan comienzo al inicio del proceso de desistimiento del delito y del comportamiento antisocial en torno a la edad de 28 años. Habitualmente, la delincuencia callejera comienza en los primeros años de la adolescencia, alcanzando elevadas tasas durante los últimos años de la adolescencia o durante los primeros años de la edad adulta, para, posteriormente, desaparecer antes de que el sujeto alcance la edad de 30 años. Esta curva que relaciona el delito con la edad ha permanecido inalterable durante 150 años aproximadamente[5].

---

4 Véase, Lombroso, C. (1911). *Crime: it causes and remedies.* Boston: Little, Brown. Citado en Maruna, S. (2006): *Making good: how ex – convicts reform and rebuild their lives.* 5° edición. Washington, D. C.: American Psychological Association.

5 Véase, Maruna, S.: Op. cit. 2006.

La curva edad-delito es considerada como uno de los "hechos brutos" en el saber criminológico[6], caracterizada por una curva en forma de campana asimétrica. Para casi todos los grupos de individuos, el comportamiento de carácter antisocial normalmente da comienzo en la infancia, alcanza su máximo exponente durante la adolescencia y, posteriormente, comienza a disminuir a partir de los 20 años[7].

En el apartado destinado al paradigma ontogénico como primer grupo de teorías explicativas del desistimiento delictivo se desarrollará con mayor grado de detalle todo lo concerniente a la curva que relaciona edad y delito. Sin embargo, es conveniente aclarar en este punto que no existe un consenso absoluto sobre los motivos del descenso de los niveles delictivos a lo largo de la edad. Algunos autores han considerado que la principal causa es la disminución de la prevalencia o la disminución del número de delincuente[8]. En definitiva, pudiera aceptarse que el número de delitos llevados a cabo por un sujeto no disminuye, sino que son menos los individuos que continúan con la carrera delictiva en edades más adultas[9]. Por el contrario, otro sector de la doctrina considera que esa curva descendiente a partir de la primera edad adulta implica una disminución o cese real de la carrera delictiva

---

6 Véase, Hirschi, T., y Gottfredson, M. R. (1983): "Age and the explanation of crime". *American Journal of Sociology, 89*(3), 552–584.

7 Véase, Farrington, D. P. (1986): "Age and crime". *Crime and justice: A review of research*, 7, 189-250; Loeber, R., y Farrington, D. P. (2014): "Age-crime curve". En Bruinsma, D. y Weisburd, D. (eds.). *Encyclopedia of criminology and criminal justice.* New York: Springer.

8 Véase, Blumstein, A., Cohen, J., Roth, J. A. y Visher, C. (eds.). (1986). *Criminal careers and "career criminals"* (Vol. 1). Washington, D.C.: National Academies Press. y Moffit, T.E. (1993): "Adolescence-Limited and Life-Course-Persistent Antisocial Behavior: A Developmental Taxonomy". *Psychological Review, 100*(4), 674-701. Citados en Rocque, M. y Slivken L. (2019): "Desistance from Crime: Past to Present". En Krohn, M., Hendrix, N., Penly, H. G. y Lizotte, A. (eds). *Handbook on Crime and Deviance.* Suiza: Springer Nature Switzerland.

9 Véase, Rocque, M. y Slivken, L.: Op. cit. 2019.

de aquellos sujetos que cometieron hechos delictivos en la adolescencia y primera parte de la edad adulta, representando ello el proceso de desistimiento del delito[10].

Conviene aclarar, siguiendo la idea de Loeber, Farrington y Redondo, que, en realidad, cualquier curva de edad de un determinado grupo incluye numerosas curvas individuales. Algunos de los casos muestran un aumento constante de la tasa delictiva durante los primeros 30 años de la vida del sujeto mientras que en otros observa un aumento temprano y una posterior disminución. No obstante, en la inmensa mayoría de ellas, se concluye que, independientemente de la edad de comienzo, el desistimiento ocurre siempre a partir de la etapa adulta temprana, no pudiendo negarse que en esta última fase resulta común encontrar formas graves de delincuencia, incluso violenta[11].

En aquellos casos en los que se observa que los individuos delincuentes no logran abandonar la carrera delictiva, se puede aludir al hecho, por ejemplo, de que a medida que envejecen, adquieren mayor habilidad para evitar ser capturados por la policía o, simplemente, pasan a desarrollar tipos delictivos "menos arriesgados"[12].

A lo largo del presente trabajo se tratarán cuestiones como el concepto de desistimiento delictivo, los principales problemas generados en torno a su medición, la necesidad de su comprensión como proceso y su medición desde un enfoque dinámico, las diferencias terminológicas en cuanto a desistimiento primario, secun-

---

10 Véase, Bushway, S.D., Piquero, A.R., Broidy, L.M., Cauffman, E. y Mazerolle, P. (2001): "An empirical framework for studying desistance as a process". *Criminology 39*(2), 491-516 y Sampson, R.J y Laub, J.H. (2003): "Desistance from crime over the life course". En Mortimer, J.T. y Shanahan, M.J. (eds.). *Handbook of the life course.* New York: Springer. Citado en Rocque, M. y Slivken, L.: Op. cit. 2019.

11 Véase, Loeber, R., Farrington, D. y Redondo Illescas, S. (2011): "La transición desde la delincuencia juvenil a la delincuencia adulta". *Revista Española de Investigación Criminológica, 9*, 1-41.

12 Véase, Maruna, S.: Op. cit. 2006.

dario y terciario, las principales teorías explicativas en la materia y los paradigmas en los que pueden encuadrarse, y, por último, los principales factores de influencia sobre el proceso de desistimiento delictivo femenino, realizando un recorrido sobre las principales investigaciones criminológicas en la materia.

Capítulo 1.

El desistimiento delictivo como objeto de estudio de la Criminología

1.1. ALGUNOS PROBLEMAS RESPECTO A SU DEFINICIÓN

Una primera cuestión de interés recae sobre el propio término de desistimiento del delito. Autores como Laub y Sampson iniciaron una ferviente crítica hacia este término, aludiendo a la inexistencia de este, no aceptando que estemos ante un vocablo real. El desistimiento aparecía como una nueva área de estudio y, en consecuencia, muchos investigadores en Criminología aún no habían oído hablar de tal término. Se planteaban los autores si realmente se trataba de un nuevo ámbito de estudio dentro del conocimiento criminológico o si, por el contrario, este ya había sido ampliamente estudiado desde otra perspectiva[13]. En las investigaciones longitudinales sobre edad y delito se halla la respuesta a tal cuestión. En estas, ya se había descubierto, tal y cómo se ha desarrollado en los párrafos anteriores, que existe una relación entre el envejecimiento del individuo y la disminución de la trayectoria delictiva, aunque es cierto que no puede confirmarse el factor edad como el único capacitado para lograr dar una explicación a ello. Rocque y Slivken atribuyen el nacimiento del concepto de desistimiento a la investigación llevada a cabo por Wolfgang y sus colaboradores en 1972 sobre una muestra de niños nacidos en 1945 que habían residido en Filadelfia entre los 10 años y la mayoría de edad. Estos autores emplearon el término de desisti-

---

13 Véase, Laub, J.H. y Sampson, R.J. (2001): "Understanding desistance from crime". *Crime and Justice 28,* 1-69.

miento para describir el alejamiento del individuo con respecto a la carrera delictiva[14]/[15].

Maruna apuntó a la necesidad de una conceptualización clara del fenómeno del desistimiento del delito para su análisis[16], y en este sentido Laub y Sampson aseguraron que aún se conoce muy poco acerca de este fenómeno[17]. Uggen y Massoglia aseguraban que "debido a que las definiciones conceptuales y operativas del desistimiento varían entre los estudios existentes, es difícil extraer generalizaciones empíricas de la creciente literatura sobre el desistimiento del delito"[18].

En definitiva, nos encontramos con una definición que presenta una serie de inconsistencias[19] que se mantienen hasta la actualidad. Los investigadores no logran acordar una definición de desistimiento única, lo que conduce a una diversidad de opiniones en lo referente a la manera más adecuada de operacionalizar el proceso de cese del delito y a una amplia gama de opciones analíticas para la investigación de este. De otro lado, aunque es cierto que hay una serie de factores sobre cuya influencia en la terminación de la carrera delictiva no cabe discusión, lo cierto es

---

14 Véase, Wolfgang, M. E., Figlio, R. M. y Sellin, T. (1972/1987). *Delinquency in a birth cohort.* Chicago, IL: University of Chicago Press; Wolfgang, M. E., Thornberry, T. P. y Figlio, R. M. (1987). *From boy to man, from delinquency to crime.* Chicago, IL: University of Chicago Press. Citados en: Rocque, M. y Slivken, L.: Op. cit. 2019.

15 Véase, Rocque, M. y Slivken, L.: Op. cit. 2019.

16 Véase, Maruna, S.: Op. cit. 2006.

17 Véase, Laub, J. H. y Sampson, R.J.: Op. cit. 2001.

18 Véase, Uggen, C. y Massoglia, M. (2003): "Desistance from crime and deviance as a turning point in thelife course". En Mortimer, J. T. y Shanahan, M.J. (eds.). *Handbook of the life course.* New York: Kluwer Academic/Plenum. Citado en Kazemian, L. (2007): "Desistance from crime: Theoretical, empirical, methodological, and policy considerations". *Journal of Contemporary Criminal Justice, 23*(1), 5–27.

19 Véase, Walker, K., Bowen, E. y Brown, S. (2013): "Psychological and criminological factors associated with desistance from violence: a review of the literature". *Agression and Violent Behavior, 18,* 286-299.

que, todavía en la actualidad, se mantiene un importante debate sobre el significado y definición de estos[20]. Sobre estos factores de influencia se hablará en los siguientes apartados.

El concepto de desistimiento ha ido cambiando con el tiempo[21] y en los últimos años se ha producido una auténtica "explosión" en lo que se refiere a la investigación, análisis y creación de teorías explicativas del desistimiento delictivo[22] que ha permitido una gran evolución en lo referente a su concepto.

Tradicionalmente, el desistimiento se contemplaba desde el punto de vista del individuo no delincuente, como un mero cese de la trayectoria delictiva, un estado en el que el sujeto había abandonado de forma absoluta la delincuencia, o bien, había reducido la frecuencia de esta[23]. Algunos autores han mantenido esta idea de desistimiento delictivo como evento[24]. En este sentido, Meisenhelder, en 1977, definió el desistimiento del delito como "la desconexión exitosa de un patrón previamente desarrollado y subjetivamente reconocido de comportamiento criminal"[25].

La Criminología tradicionalmente ha contemplado el desistimiento como un abrupto cese de la conducta delictiva, refiriendo

---

20 Véase, Rocque, M. y Slivken, L.: Op. cit. 2019.

21 Véase, Blasco Romera, C., Fuentes-Peláez, N. y Pastor Vicente, C. (2014): "Aproximación a los factores explicativos del desistimiento en jóvenes infractores". *Educació Social. Revista d'Intervenció Socioeducativa, 58,* 186-203.

22 Véase, Rocque, M., y Slivken, L.: Op. cit. 2019.

23 Véase, Blasco Romera, C., Fuentes-Peláez, N. y Pastor Vicente, C.: Op. cit. 2014.

24 Véase, Weitekamp, E. y Kerner, H.J. (1994). *Cross-national longitudinal research on human development and criminal behavior.* Dordrecht: Kluwer Academic. Citado en Healy, D. (2012). *The dynamics of desistance: charting pathaways through change (2° ed.).* New York: Routledge. Taylor & Francis Group.

25 Véase, Meisenhelder, T. (1977): "An explanatory study of exiting from criminal careers". *Criminology, 15*(3), 319-334.

"remisión espontánea" o "agotamiento"[26]. Por su parte, Farral y Bowling concebían el desistimiento delictivo como el exacto momento en el que una carrera criminal finaliza[27].

Sin embargo, conforme aumentó el análisis del fenómeno, este pasó a contemplarse como un proceso que implica una desaceleración progresiva de la delincuencia que podría llegar a finalizar con la carrera delictiva del individuo[28]. Entendiendo el desistimiento delictivo como un proceso, resulta imprescindible el uso de metodologías de carácter longitudinal que se extiendan a lo largo de los años para alcanzar a observar todos los cambios comportamentales que aparecen durante el curso de la vida[29]. Sobre esto se desarrollará en páginas posteriores.

Loeber y Le Blanc señalaban que se incluían tres subprocesos dentro del proceso de desistimiento. En primer lugar, se produce la progresiva disminución en lo que a la frecuencia del delito se refiere, es la llamada desaceleración. En segundo lugar, aparece una reducción en la gravedad de los delitos llevados a cabo por el individuo, lo que llamaron *de-escalation*[30]. Finalmente, ocurre una disminución en la variedad de tipos delictivos llevados a cabo, es la denominada especialización delictiva[31].

Otros autores, como Laub y Sampson apuntaron hacia la necesaria distinción entre el cese de la carrera delictiva y el fin del compromiso con la carrera criminal. Los autores mantenían que la finalización de la carrera criminal es el punto en el que se de-

---

26 Véase, Maruna, S.: Op. cit. 2006.

27 Véase, Farral, S. y Bowling, B. (1999): "Structuration, human development and desistance for crime". *British Journal of Criminology, 39*, 253-268. Citado en Maruna, S.: Op. cit. 2006.

28 Véase, Blasco Romera, C., Fuentes-Peláez, N. y Pastor Vicente, C.: Op. cit. 2014.

29 Véase, Rocque, M. y Slivken, L.: Op. cit. 2019.

30 El término no tiene traducción al español según el diccionario de la Real Academia de la Lengua Española.

31 Véase, Loeber, R. y Le Blanc, M. (1990): "Towards a developmental criminology". *Crime and justice, 12*, 375-473.

tiene, mientras que el desistimiento delictivo es el proceso causal que subyace en el mismo[32].

En la actualidad, autores como Rocque y Slivken continúan con una definición de desistimiento delictivo como proceso en el que el delito disminuye gradualmente para, finalmente, producirse una detención completa del mismo durante el curso de la vida[33].

En lo que refiere al momento en el que puede determinarse que el desistimiento delictivo ha tenido efectivamente lugar, algunos investigadores apuntaron hacia una definición de desistimiento delictivo como fenómeno esporádico, y que, por tanto, tiene lugar a lo largo del tiempo, pudiéndose determinar dicha permanencia solo de forma retrospectiva[34].

Cabe destacar que, incluso realizando un análisis sobre los casos de delincuentes ya fallecidos, seguiría resultando extremadamente complicado alcanzar a conocer cuál es el momento exacto en el que el desistimiento ocurrió.

Otra explicación sobre el momento en el que se puede determinar la aparición del fenómeno de desistimiento delictivo parte de entender que el punto de terminación de la trayectoria criminal coincide con el exacto momento en el que el sujeto adopta la decisión de abandonarla. Este modelo referente a la importancia de la toma de decisiones del individuo forma parte del llamado modelo de elección racional del desistimiento. Resulta habitual que aquellas investigaciones orientadas a conocer, a partir del testimonio de los propios exdelincuentes, cuáles fueron las razones principales que propiciaron el cese de la trayectoria delictiva, encuentren que la mayor parte de respuestas refieren hacia una serie de decisiones racionales que fueron adoptadas por ellos mis-

---

32 Véase, Laub, J. H. y Sampson, R.J.: Op. cit. 2001.

33 Véase, Rocque M. y Slivken L.: Op. cit. 2019.

34 Véase, Maruna, S.: Op. cit. 2006.

mos, por ejemplo: "porque estaba harto de ese estilo de vida" o "era el momento de hacer cosas diferentes".

Maruna apunta hacia una posible sobredimensionalización de la influencia que los "puntos de inflexión" y las decisiones racionales tienen sobre la finalización de la trayectoria delictiva, aunque no niega una función de carácter simbólico y psicológico relevante[35].

Tratando de concluir el debate, se considera la más acertada, por su trascendencia en el cuerpo literario sobre desistimiento, la definición propuesta por Maruna, como la abstinencia en la comisión de hechos delictivos, durante un largo periodo de tiempo, por parte de sujetos que previamente habían participado en patrones persistentes de delito. Lo importante no es el cambio o la transición, sino el mantenimiento del comportamiento alejado de la delincuencia a pesar de los muy diversos obstáculos ante los cuales pueda encontrarse el individuo exdelincuente.

En definitiva, el hecho de comprender el desistimiento del delito no como un mero "cese" de la carrera delictiva, sino como un mantenimiento en el tiempo de ese comportamiento, provoca que a su vez el interés pase a centrarse en el modo en que el sujeto logra mantener a lo largo del tiempo esa situación de abstinencia delictiva[36].

1.2. EL DESISTIMIENTO DELICTIVO COMO PROCESO Y SU MEDICIÓN DESDE UN ENFOQUE DINÁMICO

Tal y cómo se ha planteado en el apartado anterior, un problema que continúa en la actualidad, en lo que refiere a la investigación sobre desistimiento del delito, es la falta de acuerdo sobre la manera óptima de medir el concepto u operacionalizarlo. Las primeras investigaciones asumían una concepción del desistimiento

---

35 Véase, Maruna, S.: Op. cit. 2006.

36 Véase, Maruna. S.: Op.cit. 2006.

como la permanencia sin comisión delictiva tras el transcurso de otro ciclo en el que se desarrolló la trayectoria delictiva[37]. Este tipo de definiciones se consideraban "estáticas"[38]. Lo cierto es que no es posible llegar a conocer si efectivamente ha tenido lugar el desistimiento delictivo partiendo de esta perspectiva[39], ya que puede ocurrir que los individuos, tras un largo periodo de abstinencia delictiva, retomen la trayectoria criminal[40].

Resulta ciertamente habitual que los delincuentes se mantengan durante determinados periodos de tiempo en una situación de abstinencia delictiva, y que esa situación, en un momento dado, se revierta[41]. Glaser, en su estudio, detectó un camino en forma de zigzag en el que el proceso de desistimiento se manifiesta a través de ciclos intermitentes de delincuencia y no delincuencia. El autor defendió que las características, la frecuencia de aparición y la duración de los mencionados ciclos son diferentes para cada delincuente. Esta circunstancia ha situado a los investigadores sobre desistimiento en la necesidad de detectar determinados casos en los que un extenso periodo de abstinencia delictiva pudiera confundirse con un efectivo desistimiento de la carrera criminal[42].

Es cierto también que la intermitencia delictiva no es un fenómeno que haya sido objeto de estudio mayoritariamente, quizá por

---

37 Véase, Warr, M. (1998): "Life- course transitions and desistance from crime". *Criminology, 36*(2), 183-215.

38 Véase, Kazemian, L.: Op. cit. 2007.

39 Véase, Maruna, S. y Toch, H. (2005): "The impact of imprisonment on the desistance process". En. Travis, J. y Visher, C. (eds.). *Prisoner reentry and crime in America.* New York: Cambridge University Press. Citado en: Rocque, M. y Slivken, L.: Op. cit. 2019.

40 Véase, Rocque, M. y Slivken, L.: Op. cit. 2019.

41 Véase, Matza, D. (1964). *Delinquency & drift.* New York, NY: Transaction Publishers. Citado en: Ouellet, F. (2019): "Stop and go: Explaining the timing of intermittency in criminal careers". *Crime & Delinquency, 65*(5), 630-656.

42 Véase, Glaser, D. (1969). *The effectiveness of a prison and parole system (Abridged ed.).* Indianapolis, IN: Bobbs-Merrill. Citado en Ouellet, F.: Op. cit. 2019.

la dificultad en su detección[43]. Para evitar confusiones, algunos autores refieren a estos eventos como "desistimiento temporal"[44], o bien, como episodios de desistimiento primario. El desistimiento secundario, sin embargo, sería el proceso por el cual el individuo adopta la identidad de no delincuente y permitiría asegurar el cese total de la carrera criminal[45]. Otros autores, como Uggen y Kruttschnitt, consideraron dos definiciones diferentes de desistimiento delictivo para hacer frente a la cuestión sobre el momento en el que este realmente ocurre. En primer lugar, estos autores usaron el concepto desistimiento conductual para referirse al proceso por el cual un individuo, mediante un procedimiento de autoinforme, reconoce una transición desde la delincuencia hacia la no delincuencia. En segundo lugar, hablaban del desistimiento oficial para referirse al desistimiento delictivo conforme a lo previsto por la normativa penal y reflejado en las estadísticas oficiales a partir del número de arrestos y de condenas[46].

Por todo ello, se considera que el número de investigaciones basadas en seguimientos a largo plazo sobre las muestras a partir de la información obtenida sobre delincuencia autoinformada son escasas y que resultaría extremadamente positivo establecer una comparativa entre los factores predictores del desistimiento en lo que se refiere a la delincuencia oficial y en lo que se refiere a la delincuencia autoinformada. Kazemian asegura además que

---

43 Véase, Piquero, A. R. (2004): "Somewhere between persistence and desistance: The intermittency of criminal careers". En Maruna, S. e Immarigeon, R. (eds.). *After crime and punishment: Pathways to offender reintegration.* Portland, OR: Willan Publishing. Citado en Ouellet, F: Op. cit. 2019.

44 Véase, Tunnell, K. D. (1992). *Choosing crime: The criminal calculus of property offenders.* Chicago, IL: Nelson-Hall Publishers. Citado en Ouellet, F.: Op. cit. 2019.

45 Véase, Maruna, S. y Farral, S. (2004): "Desistance from Crime: A Theoretical Reformulation ". *Kölner Zeitschrift für Soziologie und Sozialpsychologie 43,* 171–94. Citado en Ouellet, F: Op. cit. 2019.

46 Véase, Uggen, C. y Kruttschnitt, C. (1998): "Crime in the breaking: gender differences in desistance". *Law and society review, 32*(2), 339- 366.

los resultados basados en las cifras oficiales sobre delincuencia reflejan, en último término, la reacción de la sociedad a la conducta delictiva. Los factores predictores del desistimiento oficial pueden mostrar algunos de los criterios que los productores de decisiones penales usan para señalar el riesgo de comisión delictiva. Continúa la autora valorando la posibilidad de que las predisposiciones cognitivas o los vínculos sociales pueden ser factores de predicción más fiables en lo que refiere a la delincuencia oficial que en el caso de la delincuencia autoinformada. Ejemplifica Kazemian del siguiente modo: las personas que tienen un historial de desempleo, consumo abusivo de determinadas sustancias o un mayor número de antecedentes penales pueden percibirse como individuos carentes de integración social y, por ende, con mayor probabilidad de reincidencia delictiva. Por el lado contrario, para los casos de aquellos individuos que cuentan con vínculos familiares o empleo estable se presupone que el riesgo de reincidencia es menor. Del mismo modo, las instituciones penales pueden mostrar un mayor grado de indulgencia con quienes asumen su parcela de responsabilidad en el delito y se disculpan por el comportamiento, que con respecto a aquellos que adoptan una posición de víctima y que responsabilizan al entorno. La realización de investigaciones tendentes a determinar las diferencias existentes entre los predictores de mayor influencia para el desistimiento oficial y el autoinformado, continúa la autora, permitiría responder a las preguntas anteriores y conocer si diferentes formas de medir la realidad del desistimiento generarían resultados dispares[47].

En cualquiera de los casos, puede concluirse que la mejor forma de acercarse al fenómeno del desistimiento delictivo es mediante su entendimiento como proceso, rechazando la concepción binaria o estática de desistimiento que asume el fenómeno como evento, para pasar a aceptar una conceptualización procesal[48].

---

47 Véase, Kazemian, L.: Op. cit. 2007.

48 Véase, Bushway, S.D., Piquero, A.R., Broidy, L.M., Cauffman, E. y Mazerolle, P.: Op. cit. 2001 y Bushway, S.D., Thornberry, T. y Krohn, M. (2003): "Desistance as a developmental process: A comparison of sta-

Fagan apuntaba hacia el hecho de que la falta de conceptualización del desistimiento delictivo como proceso lleva a no considerar determinados procesos sociales y psicológicos que favorecen el cese de la conducta delictiva, las circunstancias en que se produce la terminación espontánea o la determinación de las sanciones más efectivas y los antecedentes conductuales de dicho proceso[49].

Tal y como se desarrollará en los siguientes apartados de un modo más exhaustivo, la investigación sobre desistimiento ha concluido dos grandes paradigmas explicativos. Por un lado, el paradigma ontogénico asume la importancia del factor edad en el cese delictivo y, por otro, el paradigma *sociogénico,* que parte de la importancia de los eventos externos en el mismo.

La consideración del desistimiento como proceso tiene implicaciones directas sobre el debate justamente arriba señalado. Así, partiendo de la idea ontogénica la edad pasa a considerarse como un variable dependiente a través de la cual la conducta cambia. Sin embargo, la idea de desistimiento como proceso resulta coherente con las explicaciones *sociogénicas,* en la medida en que se parte de la idea de que conforme el sujeto envejece comienza a establecer vínculos prosociales con el entorno que favorecen el cambio.

Las investigaciones tradicionales sobre desistimiento delictivo desatendieron la concepción de este como proceso, centrándose en su definición como mero evento. Estos estudios, y así lo han asegurado autores como Bushway y sus colaboradores, generalmente se orientaban hacia muestras compuestas por individuos que habían permanecido en una situación de abstinencia delictiva durante un número determinado de años, generalmente entre 1 y 11 años, a partir de una edad de corte concretada en la inves-

---

tic and dynamic approaches". *Journal of Quantitative Criminology, 19*(2), 129-153.

49 Véase, Fagan, J. (1989): "Cessation of family violence: Deterrence and dissuasion". *Crime and Justice, 11,* 377-425.

tigación. Tratar de comprobar si el fenómeno de cese delictivo ha tenido lugar mediante la simple selección de una edad de corte y la determinación de un periodo de abstinencia para considerar efectivamente ocurrido el fenómeno, resulta insuficiente.

Los autores señalaron tres limitaciones en este tipo de estudios: la arbitrariedad en la sección de la edad de corte, la falta de atención a la heterogeneidad de los delincuentes y a su incapacidad para concretar el momento en que el desistimiento daba comienzo.

En lo que refiere a la primera de las limitaciones, los autores señalan que la selección del punto de corte para los estudios es generalmente arbitraria y suele determinarse en función a las características de la muestra del estudio. La principal consecuencia de esto es que impide establecer comparativas entre las muy diversas investigaciones al partir cada una de ellas de puntos de corte diferentes para el análisis. Además, no logran concretar una diferenciación entre el momento en que finaliza la trayectoria delictiva y el momento en el que da comienzo el proceso de desistimiento para un individuo concreto, ya que el proceso, según el estudio, siempre dará comienzo a partir del momento que, aleatoriamente, se ha señalado como punto de corte.

En segundo lugar, los análisis estáticos parecen negar las diferencias existentes entre las carreras criminales de los individuos en lo relativo a la perdurabilidad en el tiempo, la frecuencia de comisión delictiva o la gravedad de los actos llevados a cabo. Se entiende que las diferencias entre unas y otras han de tener efecto directo sobre las características del proceso de desistimiento para cada uno de los individuos. En este sentido, los delincuentes ocasionales o "delincuentes de baja frecuencia" permanecen largos periodos entre la comisión de un delito y el siguiente. Por tanto, estas investigaciones tienden a observar en mayor grado a delincuentes de "elevado nivel" durante sus periodos de observación.

Por último, los estudios estáticos resultan incapaces de concretar si el periodo de tiempo de seguimiento que en la investigación se selecciona para el análisis resulta suficiente para determinar la ocurrencia efectiva del desistimiento en los individuos de la muestra[50].

Una vez asumida la necesidad de atender al desistimiento como proceso, no puede dejar de aludirse a la diferenciación que Bushway y sus colaboradores puntualizaron en lo referente al modo en el que este puede tener lugar. Así, aseguraban la posibilidad de que el proceso ocurriera de una manera abrupta, o bien, de forma gradual, a través de una disminución de la frecuencia y gravedad de los actos criminales hasta alcanzar el desistimiento total[51]. Concluyeron asimismo que el proceso de desistimiento puede dar lugar de forma más temprana o tardía y que, además, ello no dependía del momento en el que la trayectoria delictiva hubiese dado comienzo[52].

Como consecuencia de todas las limitaciones anteriores, los autores plantean una propuesta para la medición del desistimiento como proceso de finalización de la trayectoria delictiva y aluden a la necesidad de que esta tenga capacidad para alcanzar tres objetivos. En primer lugar, debe alcanzar a establecer una distinción entre aquellos sujetos que continúan inmersos en la trayectoria delictiva con respecto de aquellos que, tras algunas nuevas involucraciones delictivas, logran cesar en la actividad criminal. En segundo lugar, la medición sobre desistimiento debe tener capacidad para determinar si el cese tendrá un carácter permanen-

---

50 Véase, Bushway, S.D. Piquero, A.R., Broidy, L.M, Cauffman, E. y Mazerolle, P.: Op. cit. 2001.

51 Bushway y sus colaboradores concluyeron que el desistimiento delictivo no debía entenderse desde un punto de vista puramente cualitativo en tanto que el sujeto pasa de delinquir a no hacer, sino que, por el contrario, debe comprenderse desde una perspectiva con un marcado carácter cuantitativo, en tanto que el sujeto reduce la frecuencia delictiva hasta lograr finalmente el cese total de la carrera criminal. Véase, Bushway, S.D. Piquero, A.R., Broidy, L.M, Cauffman, E. y Mazerolle, P.: Op. cit. 2001.

52 Véase, Bushway, S.D. Piquero, A.R., Broidy, L.M, Cauffman, E. y Mazerolle, P.: Op. cit. 2001.

te, o al menos de larga duración o, por el contrario, aparecerán algunos nuevos episodios delictivos transcurrido un determinado periodo de tiempo. Por último, debe tener capacidad para describir las características del proceso de transición acaecido desde el delito hacia el estado de no delincuencia. Con ello, se lograría el análisis del desistimiento que es gradual, además de comprender cómo este proceso tiene lugar en las diferentes etapas de la carrera delictiva y en las del curso vital del sujeto.

Puede concluirse, de este modo, la necesidad del uso de un enfoque dinámico en la medición del proceso de desistimiento para alcanzar a comprender el cambio comportamental que subyace y destacándolo como elemento principal. El enfoque dinámico que proponen es descriptivo y pretende identificar el nivel comportamental en diferentes puntos del curso de la vida del sujeto en los que ha experimentado un cambio significativo en lo que se refiere a delincuencia y que ha llegado, o al menos se encuentra en proceso, al cese del delito[53].

Es importante además partir de la posibilidad de que los factores influyentes en el primer momento de desistimiento del delito no tienen por qué coincidir con los que favorecen que este fin de la trayectoria delictiva se mantenga a lo largo del tiempo[54]. Maruna indicaba que los motivos por los cuales una persona abandona la carrera delictiva parecen sencillos de comprender ya que generalmente el delito conlleva escasos beneficios. Por ello, lo realmente relevante es entender qué factores explican que el sujeto mantenga la abstinencia a lo largo del tiempo pese a las adversidades[55].

Kazemian, en un sentido similar, apuntaba hacia varias recomendaciones para el logro de una medición y operacionalización adecuada del concepto de desistimiento delictivo. En primer lugar, la atención debe recaer en los cambios internos que tienen

---

53 Véase, Bushway, S.D., Thornberry, T. y Krohn, M.: Op. cit. 2003.

54 Véase, Maruna, S.: Op. cit. 2006.

55 Véase, Maruna, S.: Op. cit. 2006.

lugar en el individuo con el fin último de guiar posteriores intervenciones, máxime porque esta perspectiva permite supervisar qué progresos tienen lugar y garantizar el apoyo en periodos de importancia. En tal sentido, el desistimiento del delito debe ir más allá del mero establecimiento de comparaciones entre individuos. En segundo lugar, el fenómeno debe ser contemplado desde el punto de vista de un proceso y es preciso convenir que resulta difícil que ocurra de un modo abrupto, sobre todo en el caso de individuos con trayectorias delictivas de alta tasa. Si la atención investigadora tan solo recae en el estado final, pueden no verse atendidos aquellos cambios que ocurren durante el transcurso vital del individuo y en el desarrollo de su carrera delictiva a lo largo del tiempo. En palabras de la autora "en lugar de centrarse exclusivamente en el punto de terminación, puede valer la pena invertir esfuerzos para explicar mejor los mecanismos que entran en juego durante los periodos en los que los delincuentes se encuentran en el proceso de desistimiento". En último lugar, señala la importancia de integrar diferentes parámetros de medición del hecho delictivo, como la frecuencia con la que ocurre o la gravedad de este para llegar a alcanzar una mejor comprensión del fenómeno. La autora va aún más allá en cuanto a las necesidades de mejora de medición del desistimiento, y establece una propuesta de desarrollo de análisis que trate de establecer comparativas entre patrones criminales en muestras diversas[56].

En el sentido de la necesidad de atención a las características de los individuos delincuentes en lo que refiere al análisis del desistimiento, Farrington y Wikström ya apuntaron hacia la importancia de la toma en consideración de factores a nivel intercultural, y a la necesidad de estudios de corte longitudinal capaces de confrontar las trayectorias delictivas de sujetos originarios de países diferentes a partir de autoinformes y estadísticas oficiales[57].

---

56 Véase, Kazemian, L.: Op. cit. 2007.

57 Véase, Farrington, D. P. y Wikström, P.-O. H. (1994): "Criminal careers in London and Stockholm: A cross-national comparative study". En Weitekamp, E.G.M. y Kerner, H.J. (eds.). *Cross-national longitudi-nal research*

Con ello, se lograría determinar la universalidad de los factores de influencia en el proceso de fin de la trayectoria delictiva.

Los estudios comparativos permiten obtener resultados más sólidos, primero, porque permiten replicarlos entre poblaciones diferentes y segundo, porque la agregación de datos diversos permite obtener análisis más íntegros. Los datos se complementan entre sí ofreciendo una visión sobre el desistimiento del delito mucho más correcta y fiable.

Aboga Kazemian por la necesidad de medición del fenómeno mediante la unión de herramientas cuantitativas y cualitativas para lograr alcanzar un mejor conocimiento sobre los factores de influencia y los procesos latentes que se desarrollan durante el fenómeno. Las investigaciones mixtas permiten determinar los procesos emocionales, motivacionales y subjetivos que experimentan los individuos que desisten. Los datos cualitativos permiten alcanzar a conocer algunos elementos de carácter subjetivo que, de otro modo resultarían imposibles de observar, mientras que los datos de carácter cuantitativo permiten aceptar o rechazar hipótesis y generar datos que pueden extrapolarse a poblaciones más amplias[58].

1.3. DESISTIMIENTO PRIMARIO, SECUNDARIO Y TERCIARIO

En el año 2004, Maruna y Farral apuntaron hacia otra cuestión de gran trascendencia en lo referente al desistimiento delictivo. Concretaron los autores la necesidad de establecer una distinción entre el concepto de desistimiento primario y secundario. Desde esta perspectiva, los autores entendían que existe una diferencia reseñable entre el mero cese del delito y el mantenimiento de

on human development and criminal behavior. Dordrecht, the Netherlands: Kluwer Academic. Citado en Kazemian, L.: Op. cit. 2007.

58 Véase, Kazemian, L.: Op. cit. 2007.

tal abstinencia a lo largo del tiempo. El desistimiento primario, por tanto, implicaría que el individuo logra permanecer un determinado periodo de tiempo sin cometer hechos delictivos. Sin embargo, el secundario, supondría un proceso más complejo en el que el individuo logra mantener la abstinencia en el tiempo al modificar su identidad y pasar a considerarse a sí mismo como no delincuente. Los autores partieron de los conceptos de Lemert sobre desviación primaria y secundaria y establecieron una analogía con el desistimiento del delito[59]. La desviación primaria suponía la primera toma de contacto con el delito, mientras que la secundaria implicaría la asunción de la etiqueta de delincuente[60].

Maruna y sus colaboradores resaltaron el escaso interés teórico del desistimiento primario resaltando la importancia de la modificación de los roles y la identidad del individuo que ocurre en el desistimiento secundario[61]. Concluyen los autores que si bien todos o, al menos, la mayoría de los delincuentes experimentan en algún punto de su trayectoria vital una pausa o cese de la actividad criminal, en caso de que la sociedad proporcione apoyo al individuo, valorando su esfuerzo y reconociéndolo como sujeto rehabilitado o exdelincuente, resultará más probable que este logre alcanzar la segunda etapa de desistimiento, el desistimiento secundario. De este modo, el reconocimiento social de un cambio en el sujeto conducirá inexorablemente a la asunción de la nueva

---

59 Véase, Maruna, S. y Farral, S.: Op cit: 2004. Citado en McNeill, F. (2012): "Paradigma del desistimiento para la gestión de delincuentes". *Documento de trabajo nº 27, Unidad de Defensa Penal Juvenil.*

60 Véase, Lemert, E. M. (1948): "Some aspects of a general theory of sociopathic behavior. Proceedings of the Pacific Sociological Society". *Research Studies, State College of Washington, 16,* 23-29. Citado en Maruna, S., LeBel, T.P., Mitchell, N. y Naples, M. (2004): "Pygmalion in the reintegration process: desistance from crime through the looking glass". *Psychology, Crime and Law, 10*(3), 271-281.

61 Véase, Maruna, S., Immarigeon, R. y Lebel, T. (2011): "Ex – offender reintegration: theory and practice". En S. Maruna y R. Immarigeon (eds). *After crime and punishment: pathways to offender reintegration (2º ed.).* New York: Routledge. Taylor & Francis Group.

identidad como no delincuente por parte del propio individuo, facilitando con ello que el desistimiento delictivo efectivamente ocurra. El proceso de "desetiquetamiento", plantean los autores, conforma la etapa de certificación del desistimiento y, además, en ocasiones, tiende a adoptar la forma de rituales sociales en los que determinados miembros de la comunidad anuncian de forma pública la rehabilitación del individuo[62].

Como sociedad, los individuos suelen realizar toda una serie de llamativos rituales generados en torno a la sanción de la delincuencia, como las dramáticas situaciones experimentadas en las salas de audiencia de los juicios hasta la gran elaboración de los procesos en las instituciones. No obstante, señala Maruna, cuando se refiere a la reinserción del sujeto exdelincuente en la comunidad pasando a ser considerado de nuevo ciudadano de pleno derecho, esta rehúsa llevar a cabo este tipo de "ceremonias" convirtiendo el proceso en algo privado y oculto. Este hecho podría generar una explicación sobre por qué la sociedad tiene asumida la privación de libertad de los individuos como algo "normal" y, sin embargo, es el momento en el que el excondenado regresa a la sociedad el que genera un mayor nivel de alarma social y polémica. El regreso a la sociedad, según el autor, incluye dos fenómenos diferentes. En primer lugar, supone un regreso a la misma en el sentido más tangible y físico del término, resultando necesario, por ejemplo, que el individuo obtenga un trabajo estable o una vivienda en la que residir para lograr participar en la dinámica social y volver a ser aceptado. Pero también se requiere un factor de corte simbólico de inclusión, un sentimiento de pertenencia[63], que conlleva, en el terreno expresivo, conceptos como expiación, redención o perdón[64]. En este sentido, resulta de gran interés referenciar el trabajo de Braithwaite y Mugford en el que aluden a las

---

62 Véase, Maruna, S., LeBel, T.P., Mitchell, N. y Naples, M.: Op. cit. 2004.

63 Véase, Braithwaite, J. (1989). *Crime, shame and reintegration.* Cambridge: Cambridge University Press. Citado en Maruna, S. (2011): "Reentry as a rite of passage". *Punishment & Society, 13*(1), 3-28.

64 Véase, Maruna, S.: Op. cit. 2011.

ceremonias que se generan en torno a los delincuentes. Aseguran que cuanto mayor sea la carga de estigmatización que conllevan, mayores son las probabilidades de situarse ante una "ceremonia de degradación". Por el contrario, cuando las pretensiones del rito no son estigmatizantes, la ceremonia pretenderá reintegrar al individuo en la sociedad[65].

Esta idea ha sido reconocida por parte de otros autores, como Makkai y Braithwaite, quienes consideraban que el reconocimiento por parte de la sociedad de la rehabilitación del individuo exdelincuente podría llegar a promover cambios de corte cognitivo en los sujetos favoreciendo la asunción, por parte de estos, de identidades prosociales en conformidad con la ley[66]. Aseguran Maruna y sus colaboradores que el proceso de "desetiquetamiento" y de generación de una nueva identidad del exdelincuente resultará tanto más eficaz cuando este proceda de fuentes oficiales de la sociedad, por ejemplo, de profesionales de tratamiento o incluso jueces. Este reconocimiento público tendrá consecuencias todavía más relevantes a un nivel psicológico y cognitivo en el individuo[67].

Las conclusiones no fueron compartidas por todos los autores. Así, Bottoms y sus colaboradores consideraban la necesidad de aceptar la importancia del proceso de cambio identitario y de autodefinición, pero atendiendo a ciertos matices y excepciones. De aceptar que resulta imprescindible que la sociedad reconozca oficialmente la transición del individuo hacia la no delincuencia o la necesidad de que se lleve a cabo un cambio en el autoconcepto del individuo para que el desistimiento delictivo tenga lugar, pareciera negarse la existencia de aquellos casos de individuos en

---

65 Véase, Braithwaite, J. y Mugford, S. (1994): "Conditions of successful reintegration ceremonies: Dealing with juvenile offenders". *British Journal of Criminology, 34*(2),139-171.

66 Véase, Makkai, T. y Braithwaite, J. (1993): "Praise, pride and corporate compliance". *International Journal of the Sociology of Law, 21*, 73-91. Citado en Maruna, S., LeBel, T.P., Mitchell, N. y Naples, M.: Op. cit. 2004.

67 Véase, Maruna, S., LeBel, T.P., Mitchell, N. y Naples, M.: Op. cit. 2004.

los que esto no logra alcanzarse pero que, sin embargo, sí llegan a poner fin a la trayectoria delictiva[68].

Maruna, por su parte, logró demostrar en su investigación la existencia de ambos tipos de desistimiento, el desistimiento primario y el secundario. Su análisis se basó en la comprensión de las dimensiones subjetivas que subyacen al proceso de cambio hacia la no delincuencia. Para alcanzar tal objetivo, Maruna comparó las narrativas de 20 individuos que no lograron detener su actividad delictiva con las de 30 individuos que sí lo hicieron, existiendo entre ambos grupos ciertos rasgos criminógenos compartidos, garantizando con ello mayor fiabilidad en los resultados. En el grupo de individuos que mantenían activa la carrera criminal, se observó cierta propensión a responsabilizar a la sociedad de la imposibilidad de desistir, llegando incluso a un convencimiento de que nunca lograrían dar por finalizada su actividad delictiva. Por el contrario, el segundo grupo reconoció en su mayoría que, aunque es cierto que se consideraban víctimas de una sociedad que indirectamente les obligaba a delinquir para lograr alcanzar determinadas metas socialmente impuestas, también les había brindado un apoyo que facilitó el proceso de empoderamiento y de abandono delictivo. Maruna emplea el concepto de agencia para referirse a la capacidad del sujeto que desiste para tomar decisiones sobre su trayectoria y para evitar que ejerzan influencia sobre él las diferentes presiones estructurales a las que se ven sometidos. Sin embargo, también reconoce la influencia positiva de ciertas personas del entorno del sujeto que desiste en la medida en que ofrecen un verdadero apoyo en el proceso de asimilación de la nueva identidad como no delincuente[69].

Otros autores no niegan la trascendencia del desistimiento secundario del delito, pero consideran que la atención prestada so-

---

68 Véase, Bottoms, A., Shapland, J., Costello, A., Holmes, D. y Muir, G. (2004): "Towards desistance: theoretical underpinnings for an empirical study". *The Howard journal, 43*(4), 368-389.

69 Véase, Maruna, S.: Op. cit. 2006.

bre el desistimiento primario por parte de la Criminología resulta todavía escasa. En esa línea, King parte de la relevancia de conocer la forma en la que los sujetos dan comienzo al proceso de desistimiento del delito, así como los principales factores de influencia en esos primeros pasos hacia una vida no delictiva. Comparte King la opinión de la necesidad de que el individuo alcance una concepción nueva de sí mismo como no delincuente para que se produzca el desistimiento secundario. Sin embargo, refiere que la aparición de esta nueva identidad resulta excesivamente difícil en situaciones en las que el sujeto se encuentra en desventaja social, en exclusión o involucrado en algún tipo de adicción a sustancias estupefacientes o alcohol.

El autor llevó a cabo un estudio de carácter exclusivamente cualitativo a partir de entrevistas semiestructuradas sobre una muestra de 20 personas en libertad condicional en Inglaterra. La selección de la muestra se hizo en función del tiempo transcurrido desde el comienzo de la libertad condicional para los individuos. De este modo, los sujetos se encontraban todavía iniciando el proceso de desistimiento primario ya que el tiempo transcurrido desde el abandono del centro penitenciario en el que cumplieron condena fue tan solo de entre un mes y dos años. Concluyó el autor en la aparición de una incipiente narrativa de cambio a partir del testimonio de los exdelincuentes en la medida en que trataban de alejarse de la trayectoria delictiva y comenzaban a vislumbrar nuevas identidades asociadas con la no delincuencia en el futuro. Los sujetos plantearon que la adquisición definitiva de esa nueva identidad como no delincuente dependería de numerosos factores relacionados con cambios en sus contextos personales y sociales, destacando la importancia de la actitud y de la relación que establecieran terceras personas con respecto a ellos. Plantea con ello una serie de elementos clave en la narrativa de desistimiento primario de los individuos que se encuentran iniciando el proceso de cese del delito.

En primer lugar, se observa que los sujetos comienzan a adquirir cierto grado de claridad sobre los sucesos del pasado, entendiendo las conductas delictivas y comportamientos antisociales llevados a cabo, así como las consecuencias que los mismos tuvieron sobre las víctimas.

En segundo lugar, los sujetos muestran una total falta de dominio sobre las acciones llevadas a cabo en el pasado. En muchos casos las actividades delictivas se relacionaban con un consumo excesivo de alcohol o sustancias estupefacientes que generaban una total falta de autonomía en lo referente a los actos cometidos.

En tercer lugar y, como consecuencia del elemento previo, los individuos que iniciaban el proceso de desistimiento delictivo mostraban una incipiente agencia moral mediante la cual los sujetos comenzaban a establecer una diferenciación entre el yo del pasado y el yo del futuro. Los individuos entrevistados mostraban el inicio de la construcción de una nueva identidad, alternativa y diferente a la del pasado a partir de la aparición de un sentimiento de poder, dominio y manejo sobre su historia de vida y experiencias.

En cuarto lugar, los individuos manifestaron una clara concienciación sobre la necesidad de sostener los cambios que estaban empezando a manifestar en cuanto a la carrera delictiva a lo largo del tiempo. Las narrativas de desistimiento primario de los entrevistados permitían vislumbrar las exigencias que estos sostenían con respecto a sus entornos, argumentaban que serían necesarios una serie de cambios en sus contextos sociales para lograr que el desistimiento delictivo se mantuviera a lo largo del tiempo. Los individuos aludían a la importancia de la obtención de un empleo, lo cual representaba no solo la posibilidad de obtener recursos suficientes para garantizar su subsistencia e independencia económica, sino que, además, para ellos implicaba una importante manifestación simbólica del proceso de desistimiento. Otro grupo, por su parte, reseñó la importancia del establecimiento de nuevas relaciones con grupos de amigos, compañeros y pares con características prosociales, con personas, en definitiva, no vinculadas a la delincuencia.

En quinto lugar, las narrativas de desistimiento primario de los exdelincuentes resaltaban la importancia que de cara al éxito del proceso tenía la aprobación por parte de terceras personas. Los individuos anhelaban recibir el apoyo de otras personas y sentir referencias positivas hacia ellos. Sin embargo, también eran plenamente conscientes de que para recibir tal apoyo primero deberían demostrar que habían sido capaces, efectivamente, de dar comienzo al cambio hacia la no delincuencia. Los individuos aseguraban que precisaban recibir esta ayuda por parte de sus familiares y amigos, pero también por parte del personal supervisor de la libertad condicional. No obstante, conocían sus limitaciones, eran sabedores de que el proceso hasta recibir el apoyo resultaría aún arduo, en la medida en que eran muy numerosas las demostraciones de cambio que debían ofrecer al entorno.

Por el momento, King no logró determinar si los individuos lograrían alcanzar el desistimiento secundario. Sin embargo, su estudio resultó útil a la hora de identificar determinados indicadores y factores de influencia durante la primera etapa del proceso de finalización de la trayectoria delictiva. Cabe concluir, de este modo, que los sujetos que se encuentran en el proceso de desistimiento primario empiezan a generar una serie de narrativas que conllevan la configuración de una identidad diferente con respecto a la pasada y que ello se encuentra íntimamente relacionado con la aparición de agencia moral. El proceso da comienzo cuando el sujeto genera una comprensión de los sucesos del pasado sobre los que carecía de dominio o capacidad de decisión en aquel momento.

La conclusión de mayor relevancia de la investigación es que la idea de desistimiento primario que se ha venido desarrollando en la literatura criminológica no ha sido del todo acertada. Se ha concebido, tradicionalmente, el desistimiento primario como un simple periodo de tiempo de abstinencia delictiva, en el que no aparecían otro tipo de cambios subyacentes ni se generaban narrativas de desistimiento, siendo estos elementos propios del desistimiento secundario. Lo que se muestra en el estudio llevado a cabo por King es, en definitiva, que desde las primeras etapas del proceso de desistimiento del delito aparecen unas narrativas de cambio en el sujeto y que sobre ellas tienen una gran capacidad de intervención la justicia penal y el entorno social favoreciendo que el individuo logre alcanzar el desistimiento secundario[70].

McNeill propuso recientemente un nuevo término, el desistimiento terciario, para hacer frente, más allá de los cambios identitarios y comportamentales, a las variaciones en los sentimientos de las personas que pasan a percibirse como parte de la sociedad y que son aceptados por ella. Este nuevo término tiene una connotación moral. El autor mantiene que, si la identidad se construye a partir de la sociedad, la mejor manera para asegurar el cambio a largo plazo es lograr que la comunidad tenga una buena opinión del individuo[71]. En definitiva, no solo resulta de gran transcendencia el autoconcepto del individuo, sino la manera en la que este es percibido por el conjunto de la sociedad. Para el autor el proceso de desistimiento delictivo no tiene solo un carácter individual, sino también social y político[72].

1.4. TEORÍAS EXPLICATIVAS DEL DESISTIMIENTO DELICTIVO

Son tres los grupos en los que pueden clasificarse las teorías existentes sobre el desistimiento delictivo en la literatura criminológica según Maruna: en primer lugar, el paradigma ontogénico, en segundo lugar, el paradigma s*ociogénico* y, por último, la teoría narrativa. El primero parte de la idea de que el delincuente joven tiende al agotamiento del delito con el simple paso del tiempo, al-

---

70 Véase, King, S. (2013): "Early desistance narratives: a qualitative analysis of probationers 'transitions towards desistance". *Punishment and society, 15*(2), 147-165.

71 Las relaciones existentes entre el comportamiento del sujeto, el cambio de identidad y el sentimiento de pertenencia a un grupo forman ya parte de las teorías explicativas del desistimiento delictivo.

72 Véase, McNeill, F. (2017): "Las consecuencias colaterales del riesgo". (Javier Velásquez Valenzuela. Trad). *InDret: Revista para el análisis del derecho, 1,* 1-19. (Obra original publicada en 2016).

canzando a ser un adulto responsable. Sin embargo, el paradigma *sociogénico* parte de la necesidad de que, para que esta abstinencia delictiva se mantenga, el sujeto debe poseer un trabajo estable y el amor de una buena mujer (o el de un hombre, en su caso)[73].

Se observa cómo tanto las teorías ontogénicas como las *sociogénicas* parten de la relación entre cese delictivo y edad. No obstante, cada una de ellas afronta la explicación desde perspectivas distintas, la primera simplemente alude al paso del tiempo y al envejecimiento del individuo como causantes del abandono de la carrera delictiva, mientras que la segunda otorga la importancia a determinados factores como los vínculos y eventos estructurales que, durante el crecimiento aparecen en la trayectoria vital del individuo favoreciendo el cambio[74].

La teoría narrativa, por su parte, alude a la importancia de la aparición de una narrativa en el individuo como consecuencia de cambios que, a nivel subjetivo, tienen lugar en el sujeto con el fin de favorecer el proceso de cese del delito, entre estas modificaciones se encuentra un aumento del nivel de agencia y cambios en la identidad[75]. Dentro de este paradigma, he considerado imprescindible aludir a otra serie de teorías más recientes que aluden a la gran influencia que otros factores subjetivos tienen sobre el proceso del delito. Estas explicaciones refieren la importancia de la aparición de nuevas identidades no vinculadas con la delincuencia, así como a la aparición de una serie de transformaciones cognitivas en el individuo que facilitarían el proceso de finalización de la trayectoria delictiva.

A continuación, y mediante el alejamiento de la clasificación propuesta por Maruna, se atenderá a algunas explicaciones que

---

73 Véase, Maruna, S.: Op. cit. 2006.

74 Véase, Bushway, S.D. Piquero, A.R., Broidy, L.M, Cauffman, E. y Mazerolle, P.: Op. cit. 2001.

75 Véase Paternoster, R. y Bushway, S. (2009): "Desistance and the feared self: toward an identity theory of criminal desistance". *Journal of criminal law and criminology, 99*, 1103-1156.

han tratado de conjugar la influencia de los factores subjetivos y objetivos en el desistimiento. Ello partiendo de que los cambios a nivel interno resultan imprescindibles para que el individuo muestre el grado de apertura necesario para lograr participar de aquellos eventos, vínculos o circunstancias externas que aparezcan a lo largo de su trayectoria vital. Con ello, los factores subjetivos precederían a los factores objetivos, pero su influencia sobre el proceso de desistimiento delictivo es conjunta.

Por último, y dado el gran consenso criminológico sobre las negativas influencias que el paso por prisión tiene sobre la reincidencia, se procederá a proporcionar algunas de las principales explicaciones y teorías que han vinculado la disuasión específica generada por la prisión u otras sanciones y el cese del delito.

1.4.1. El paradigma ontogénico

El paradigma ontogénico, también denominado perspectiva estática o "maduracional"[76], parte de la relación entre edad y delito, es decir, sugiere que la inclinación hacia el delito disminuye conforme aumenta la edad. En definitiva, parte de la idea de que durante la infancia se genera una predisposición inicial hacia el delito que permanece estática durante el desarrollo de la vida del individuo, resultando con ello irrelevantes determinados factores externos que aparecen durante la trayectoria vital del individuo a la hora de explicar el comportamiento de este[77].

Dentro de esta línea, el estudio pionero es el llevado a cabo en el siglo XIX por Quetelet, quien empleó los datos judiciales franceses para concretar las tasas delictivas por grupos de edad, con el objetivo de alcanzar un conocimiento sobre sus causas. Quetelet sugirió que los individuos jóvenes muestran una tendencia a ser

---

76 Véase, Vigna, A. (2012): "¿Cuán universal es la curva de edad del delito? Reflexiones a partir de las diferencias de género y del tipo de ofensa". *Revista de Ciencias Sociales, DS-FCS, 25,* 13-36.

77 Véase, Vigna, A.: Op. cit. 2012.

más pasionales y emocionales, conduciendo esto a un mayor nivel de riesgo de comisión de comportamientos antisociales. Concluyó el autor que la variable edad es la que tiene mayor capacidad de predicción del cese de la propensión delictiva, desarrollándose esta última, a su vez, de acuerdo con las características físicas del hombre, principalmente la fuerza y sus emociones. La tendencia criminal, continuando con este planteamiento, alcanza su máximo esplendor en el momento de mayor desarrollo físico del sujeto, lo que ocurre en la edad aproximada de los 25 años. Es el desarrollo moral e intelectual el que se produce de forma más tardía y el causante, a su vez, de que el impulso o la tendencia criminal se vea moderada, de ahí que, a partir de esa edad, el nivel de delincuencia llevado a cabo por el individuo comience a descender progresivamente[78].

En 1883, Guerry elaboró un ensayo en el que concluyó de modo similar a Quetelet, a pesar de realizar un análisis de los datos franceses diferente. Aseguró el investigador que los máximos niveles de delincuencia, tanto en el hombre como en la mujer se encontraban entre los 25 y los 30 años[79].

Esta idea fue defendida más tarde por Goring, quien describió el proceso de envejecimiento del individuo alejado de la delincuencia como una "ley natural"[80]. En este sentido debe reseñarse la teoría propuesta por Sheldon y Eleanor Glueck para referirse a esta relación entre edad y desistimiento delictivo, la reforma "ma-

---

78 Véase, Quetelet, A. (1831/1984). *Research on the propensity for crime at different ages* (S. F. Sylvester, Trans.). Cincinnati, OH: Anderson. Citado en Rocque, M. y Slivken, L.: Op. cit. 2019.

79 Véase, Guerry, A. M. (2002). *A translation of Andre-Michel Guerry's essay on the moral statistics of france (1883): a sociological report to the french academy of science* (Vol. 26). Edwin Mellen Press. Citado en Rocque, M. y Slivken, L.: Op. cit. 2019.

80 Véase, Goring, C. (1919). *The english convict.* London: HMSO. Citado en Maruna, S. (2007): "After prison, what? The ex – prisoner´s struggle to desist from crime". En Jewked, Y. (ed.). *Handbook on prisons.* New York: William Publishing.

duracional", en la que argumentaban que el impulso delictivo intrínseco tiende a declinar de forma natural a los 25 años de edad del sujeto[81], de acuerdo ambos con lo planteado previamente por Quetelet.

No obstante, estudios posteriores han permitido demostrar que la curva que correlaciona edad con delincuencia no resulta aplicable para todos los casos, ya que difiere en función de las características de los delitos y de los autores de estos. Por ejemplo, la curva para los delitos de carácter más grave o violento suele tender a alcanzar sus puntos más elevados de modo más tardío que en el caso de los delitos contra la propiedad[82]. En este sentido, no todas las tipologías delictivas presentan la misma persistencia a lo largo de la trayectoria vital del sujeto. Rosenfeld y sus colaboradores concluyeron que los delitos relacionados con el tráfico de drogas, por ejemplo, mostraban mayor continuidad a lo largo del desarrollo de la vida adulta, mientras que los delitos relacionados con la pertenencia a pandillas o grupos delictivos presentaban una menor continuidad en el tiempo[83].También se ha demostrado que la curva alcanza su máximo punto de una forma más temprana en el caso de las mujeres que en el de los hombres. Además, la curva es más elevada y amplia para aquellos varones pertenecientes a clases sociales más bajas que se han criado en barrios más desfavorecidos[84]. Es interesante señalar que existe una equiparación entre la curva que relaciona edad y delito con la curva que relaciona edad

---

81 Véase, Glueck, S. y Glueck, E. (1940). *Juvenile delinquents grown up*. New York: Commonwealth Fund. Citado en Maruna, S.: Op. cit. 2007.

82 Véase, Kershaw, C., Nicholas, S. y Walker, A. (2008). *Crime in England and Wales 2007/08*. London: Home Office. Citado en Loeber, R. y Farrington, D. P.: Op. cit. 2014.

83 Véase, Rosenfeld, R., White, H. y Esbensen, F. A. (2012): "5 Special categories of serious and violent offenders: Drug dealers, gang members, homicide offenders, and sex offenders". En Loeber, R. y Farrington, D. (eds.). *From juvenile delinquency to adult crime: criminal careers, justice policy and prevention*. Oxford: Oxford University Press (en prensa). Citado en Loeber, R., Farrington, D. y Redondo Illescas, S.: Op. cit. 2011.

84 Véase, Farrington, D. P.: Op. cit. 1986.

y victimización, debido esto, principalmente, a que la mayor parte de la violencia tiende a dirigirse contra persona de la misma edad, siendo además el periodo de entre los 16 y los 24 años de edad en el que la posibilidad de convertirse en víctima es más elevada[85].

Conviene destacar que la gran mayoría de curvas del delito generadas a partir de investigaciones se encuentran fundamentadas en datos de carácter transversal, esto implica que los grupos de edad a los que se refieren son también múltiples y variados. Todo ello dificulta enormemente la posibilidad de establecer comparativas entre los diferentes estudios de corte longitudinal. Por ende, Loeber y Farrington aseguran que son recomendables los estudios sobre edad y delincuencia basados en autoinformes y registros oficiales, ya que estos se suelen basar en un único grupo de edad. No obstante, los estudios que emplean exclusivamente datos procedentes de registros oficiales suelen minusvalorar el número de delincuentes. Por ello, resulta indispensable que los estudios se complementen con información de carácter cualitativo basada en autoinformes y entrevistas con el entorno de los individuos objeto de estudio, debiendo dirigirse estas entrevistas, en el caso de individuos jóvenes, hacia los padres o profesores y directores de las escuelas[86].

Otro dato de interés en lo que refiere a la representación de la curva de edad y delito, es que, en numerosas ocasiones, la delincuencia detectada a partir de los autoinformes aparece antes que la delincuencia determinada a partir de registros oficiales. La

---

85 Véase, Kershaw, C., Nicholas, S. y Walker, A.: Op. cit. 2008. Citado en Loeber, R. y Farrington, D. P.: Op. cit. 2014.

86 Véase, Loeber, R., y Farrington, D. P.: Op. cit. 2014. Los autores citan como ejemplo de estudio basado en autoinformes y registros oficiales que relacionan curva de la edad y delincuencia el llevado a cabo en el año 2008 por Loeber y sus colaboradores. Véase, Loeber, R., Farrington, D.P., Stouthamer-Loeber, M. y White, H.R. (2008). *Violence and serious theft: development and prediction from childhood to adulthood.* Lawrence Erlbaum, Mahwah. Citado en Loeber, R. y Farrington, D. P.: Op. cit. 2014.

explicación a este hecho se debe a que existe un importante porcentaje de conductas antisociales que son llevadas a cabo por los delincuentes en edades tempranas que no llegan a ser detectadas por las instancias oficiales y que, por ende, no aparecen en los registros oficiales de la delincuencia.

El desistimiento del delito ocurre generalmente durante la adolescencia tardía y la primera edad adulta, correspondiendo esto con la pendiente descendiente que se observa en la curva que relaciona edad y delito. Cuando esta pendiente es más elevada y extensa significa que puede haber un grupo de jóvenes que no ha logrado superar la delincuencia. Es importante tener en cuenta que la mayoría de las formas más graves de criminalidad ocurre precisamente en ese periodo de descendencia de la curva[87].

Algunos autores han tratado de determinar cuáles son los factores que lograrían alcanzar una explicación a la pendiente indicada. Loeber y Farrington señalan la importancia de las diferencias a nivel de autocontrol que se dan entre los sujetos, el nivel de maduración alcanzado por el individuo, la aparición de cambios de carácter cognitivo, la existencia de determinados factores de riesgo y de factores protectores, el nivel de riesgo social y factores de protección a este nivel (familia estructura, escuela, etc.), la presencia de enfermedades mentales o consumo abusivo de determinadas sustancias estupefacientes o alcohol, determinadas circunstancias de la vida, el contexto que rodea a algunos hechos delictivos (lugar y tiempo), las características de la comunidad de origen y lugar de residencia y la respuesta judicial ante los delitos detectados previamente[88]. Se considera que muchos de estos factores cuentan con capacidad para explicar no solo la pendiente descendiente de la curva delictiva, sino también la ascendente.

---

87 Véase, Loeber, R., y Farrington, D. P.: Op. cit. 2014.

88 Véase Loeber, R., y Farrington, D. P. (2012). *From juvenile delinquency to adult crime: criminal careers, justice policy and prevention.* New York: Oxford University Press. Citado en Loeber, R. y Farrington, D. P.: Op. cit. 2014.

Los mismos elementos podrían orientar sobre las causas de la etiología delictiva, así como de su cese[89].

El estudio sobre delincuencia juvenil del matrimonio Glueck permitió comparar la actividad delictiva de 500 niños no delincuentes con la de otros 500, clasificados oficialmente como delincuentes por parte del sistema correccional de Massachusetts. Los delincuentes eran varones jóvenes blancos de entre diez y diecisiete años que se encontraban en los centros *Lyman School for Boys* en Westboro, Massachusetts y en el *Industrial School for Boys* en Shirley, Massachusetts[90]. Los individuos no delincuentes también eran varones blancos de entre diez y diecisiete años que fueron elegidos de entre los diferentes colegios públicos de Boston a partir del análisis de datos oficiales, registros y entrevistas con los profesores, padres, policías locales, trabajadores sociales y los propios niños[91]. Una característica de gran interés de esta investigación fue su diseño metodológico ya que ambos grupos de estudio fueron emparejados, caso por caso, en función de diferentes variables como la edad, la nacionalidad, el vecindario o el nivel de inteligencia media. Se recopilaron datos atendiendo a las características sociales, psicológicas y biológicas de los adolescentes, así como a aspectos de la vida familiar, rendimiento escolar o la experiencia en el ámbito laboral. Se realizó un seguimiento desde los 14 años de edad de los sujetos hasta los 25 y 32 años, obteniendo durante este periodo información sobre elementos relacionados con los antecedentes penales de los sujetos en diferentes Estados, cuestiones relacionadas con determinados eventos externos (matrimonio, divorcio, paternidad, etc.), experiencia militar, experiencia laboral y el historial escolar. Los principales resultados

---

89 Véase, Loeber, R. y Farrington, D. P.: Op. cit. 2014.

90 Véase, Glueck, S. y Glueck, E.: Op. cit. 1940. Citado en Piquero, A., Farrington, D. y Blumstein, A. (2003). "The criminal career paradigm". *Crime and Justice, 30*, 359-506.

91 Véase, Sampson, R.J. y Laub, J.H. (1993). *Crime in the making: pathways and turning points through life.* Cambridge, M.A.: Harvard University Press.

mostraron la existencia de un estrecho vínculo entre edad y delito, exactamente hallaron que, a medida que la muestra de adolescentes delincuentes envejecía, las tasas de delincuencia individual disminuían. En segundo lugar, determinaron que el comienzo temprano de la actividad criminal se relacionaba directamente con una carrera delictiva más duradera y persistente. En último término, el matrimonio Glueck encontró que el mejor predictor del comportamiento delictivo en el futuro es el comportamiento antisocial en el pasado[92].

De forma paralela, uno de los profesores de Sheldon Glueck en la Universidad de Harvard, Richard Clarke, llevó a cabo su Estudio sobre la Juventud Cambridge-Somerville en el año 1935. Los jóvenes que componían la muestra, un total de 650, fueron evaluados 3 veces a lo largo del desarrollo del estudio. Entre las principales conclusiones, cabe destacarse que el grupo de control (no delincuente) vivió peores experiencias al convertirse en adultos de mediana edad. Es cierto que el estudio también demostró lo mismo que la investigación llevada a cabo por el matrimonio Glueck, y es que las tasas de delito disminuyeron notablemente en la medida en que era la edad de los jóvenes la que aumentaba[93].

No obstante, autores como Blokland y Nieuwbeerta, planteaban que, dentro de las teorías que relacionan delito y edad, era necesario distinguir entre las teorías estáticas, las teorías tipológicas y las teorías dinámicas[94]. Siguiendo esta clasificación, las teorías estáticas atribuyen el comportamiento delictivo a una característica latente, una propensión delictiva del sujeto que se desarrolla

---

92 Véase, Piquero, A., Farrington, D. y Blumstein, A.: Op. cit. 2003.

93 Welsh, Zane y Rocque analizaron en profundidad el estudio de Clarke. Véase, Welsh, B. C., Zane, S. N. y Rocque, M. (2017): "Delinquency prevention for individual change: Richard Clarke Cabot and the making of the Cambridge-Somerville Youth Study". *Journal of Criminal Justice, 52*, 79-89.

94 Las últimas de las teorías señaladas, las teorías de tipo dinámico se corresponden con el paradigma *sociogénico* que señaló Maruna. Es por ello por lo que serán desarrolladas a lo largo del siguiente subepígrafe.

antes o durante la primera infancia. Una vez formada tal propensión, esta influye tanto en el comportamiento delictivo del sujeto como en otros aspectos vitales, como, por ejemplo, el empleo o el matrimonio. No obstante, los autores defensores de estas teorías indican que esta propensión no se ve ciertamente influida por los cambios importantes que se desarrollan a lo largo de la vida del individuo. Estas teorías no explican la relación entre la edad y la delincuencia, solo logran afirmar que la primera ejerce un efecto directo sobre la segunda, y que este se observa mejor como un resultado del proceso de envejecimiento que hasta ahora no ha logrado verse especificado[95].

Se puede concluir que las hipótesis sostenidas por Hirschi y Gottfredson en su obra *Age and the explanation of crime* son, en primer lugar, que la distribución por edad del delito no varía en función de las condiciones de carácter social o cultural. En segundo lugar, que esa relación no logra verse explicada a través de ninguna variable ni combinación de variables planteadas desde la Criminología. En tercer lugar, que los sistemas conceptuales que tratan de explicar el efecto de la edad sobre el delito resultan redundantes y provocan errores. En cuarto lugar, la identificación de las causas del delito en una determinada edad es suficiente para identificarlas en cualquier otra, resultando con esto innecesarios los estudios de carácter longitudinal. Los autores rechazan también la existencia de curvas diferentes en función del sexo y de la edad[96].

Según Bartusch y sus colaboradores, los autores Gottfredson y Hirschi atribuyen un papel meramente superfluo a la edad, no

---

95 Véase, Hirschi, T. y Gottfredson, M.R. (1995): "Control theory and the life-course perspective". *Studies on crime and crimen prevention, 4*(2), 131-142. Citado en: Blokland, A. y Nieuwbeerta, P. (2005): "The effects of life circumstances on longitudinal trajectories of offending". *Criminology 43*(4), 1203-1240.

96 Véase, Hirschi, T. y Gottfredson, M. (1983): "Age and the Explanation of Crime". *American Journal of Sociology, 89*(3), 552-84. Citado en Vigna, A.: Op. cit. 2012.

porque la consideren un elemento carente de relevancia dentro de su marco conceptual, sino precisamente por todo lo contrario, para ellos su efecto es de una magnitud tal que ninguna teoría puede llegar a dar cuenta de ello[97].

El concepto de edad refiere cambios de tipo fisiológico que forman parte del envejecimiento del individuo y que, a su vez, conforman una explicación del cambio hacia la no delincuencia. Un ejemplo de esto es la disminución de la producción de testosterona durante el proceso vital. Una explicación podría plantear que la progresiva disminución de la hormona de la testosterona en el individuo favorecería que este se abstuviera de delinquir. Sin embargo, desde la Criminología no resulta clara la evidencia de la existencia de esta relación entre los niveles de testosterona y el delito.

Dannefer planteó que algunas explicaciones, como la teoría de la reforma "maduracional" del matrimonio Glueck, suponían una "falacia ontogénica" en tanto que resulta falsa la presunción de que los procesos biológicos tienen capacidad para anular la influencia de los procesos sociales e institucionales en el proceso de cese del delito[98].

Retomando la clasificación propuesta por Blokland y Nieuwbeerta, las teorías tipológicas suponen que puede señalarse la existencia de diferentes grupos dentro de la curva que relaciona edad y delito como consecuencia de ciertas diferencias etiológicas que provocan que los individuos sigan diferentes trayectorias delictivas[99].

Uno de los autores destacables en el ámbito de las teorías tipológicas es Moffitt, quien diferenció entre los delincuentes persis-

---

97 Véase, Bartusch, D. et al. (1997): "Is age important? Testing a general versus a developmental theory of antisocial behavior". *Criminology, 35*(1), 13-47.

98 Véase, Dannefer, D. (1984): "Adult development and social theory: a paradigmatic reappraisal". *American Sociological Review, 49*, 100-116.

99 Véase, Blokland, A. y Nieuwbeerta, P.: Op. cit. 2005.

tentes y los delincuentes adolescentes[100] en su teoría del desarrollo[101]. El autor afirma que el comportamiento delictivo persistente del primero es el resultado de la influencia de ciertos déficits de tipo neurológico y de una educación defectuosa, mientras que las carreras delictivas del grupo de delincuentes adolescentes son más limitadas, ya que derivan de una imitación de carácter temporal del comportamiento antisocial de los primeros, asentado todo ello sobre una base de un estado de desajuste que se produce entre el proceso de maduración fisiológica y la inmadurez característica de la edad a un nivel social. También señala que, como consecuencia del inicio temprano del comportamiento delictivo en los miembros del grupo de delincuentes persistentes, estos no tienen acceso a la oportunidad de adquirir y practicar el comportamiento prosocial durante la primera infancia. Como consecuencia de todo ello, se espera que la influencia de las circunstancias que se desarrollen a lo largo de la vida de los sujetos tenga un efecto inhibidor limitado en lo que refiere a la carrera delictiva. Por el contrario, los delincuentes adolescentes cuentan con capacidad de responder a las contingencias de refuerzos variables a medida que alcanzan la edad adulta a través de vías como el matrimonio, la escuela o el trabajo[102]. En definitiva, Moffitt lo que sugiere es que el desistimiento delictivo es un fenómeno que ocurre generalmente en el colectivo de delincuentes adolescentes, pero no

---

100 Véase, Moffit, T. E.: Op. cit. 1993 y Moffit, T.E (1994): "Natural histories of delinquency". En Weitekamp, E. y Kerner, H.J. (eds.). *Cross-National Longitudinal Research on Human Development and Criminal Behavior.* Dordrecht: Kluwer. Citado en Blokland, A. y Nieuwbeerta, P.: Op. cit. 2005.

101 Véase, Vigna, A.: Op. cit. 2012.

102 Véase, Moffitt, T.E. (1997): "Adolescence-limited and life-course-persistent offending: A complementary pair of developmental theories". En Thornberry, T. (ed.). *Developmental Theories of Crime and Delinquency, vol. 7.* New Brunswick: Transaction. Citado en Blokland, A. y Nieuwbeerta, P.: Op. cit. 2005.

descarta totalmente la posibilidad de que este también tenga lugar entre los miembros del grupo de delincuentes persistentes[103].

Otra de las teorías que se insertan dentro de las llamadas tipológicas es la teoría de las carreras delictivas de Blumstein, Cohen y Farrington, quienes centraron el análisis en las trayectorias delictivas en virtud del tipo, frecuencia y gravedad de las infracciones, principalmente a través de tres etapas: el involucramiento, la persistencia y el desistimiento. Se parte de la idea de que existe un grupo de delincuentes de "alto rango" que dan comienzo a la carrera delictiva de forma temprana y que, además, muestran patrones mucho más persistentes del delito[104].

Por todo lo señalado previamente, una de las cuestiones más problemáticas en el ámbito de la Criminología es el binomio edad y delito. En este sentido, Moffitt, llegó a afirmar que el fenómeno del envejecimiento continúa siendo "la observación empírica más robusta y a la vez menos entendida en el campo de la Criminología" *105*. La explicación ontogénica no llega a alcanzar a conocer los factores sociales y vitales que influyen en el desistimiento[106].

1.4.2. El paradigma **sociogénico**

El paradigma *sociogénico* se opone al paradigma ontogénico en la medida en que sostiene que existen procesos sociales que influyen sobre el proceso del desistimiento del delito conforme se desarrolla la madurez de los individuos[107]. El factor edad deja

---

103 Véase, Moffitt, T.E.: Op. cit. 1993. Citado en Padilla Jorge, R.A. (2015): "Término Crimipedia: Turning point". *Crimina: Centro para el estudio y prevención de la delincuencia.*

104 Véase, Blumstein, A. Cohen, J. y Farrington, D. P. (1988): "Criminal career research: its value for criminology". *Criminology, 26*, 1-35.

105 Véase Moffitt, T.E.: Op. cit. 1993.

106 Véase, Maruna, S.: Op. cit. 2006.

107 Véase, Vigna, A.: Op. cit. 2012.

de ser entendido como una variable independiente que tiene influencia por sí misma en el cese del delito, pasando a recaer la importancia en aquellos procesos y acontecimientos sociales que tienen lugar durante el desarrollo y el proceso de madurez del sujeto[108]. Por ello, estas teorías de carácter dinámico, siguiendo la clasificación proporcionada por Blokland y Nieuwbeerta, que se encuadran dentro del paradigma *sociogénico*, difieren de las teorías estáticas en que indican que los cambios en determinadas circunstancias de la vida, tras la adolescencia, tienen influencia en el comportamiento delictivo[109]. No dejan, por tanto, de reconocer la existencia de ciertas tendencias individuales en la propensión criminal, pero argumentando que los efectos reales de la edad sobre el delito dependen, en gran medida, de las circunstancias que tienen lugar en la trayectoria de vida del sujeto[110]. Desde esta perspectiva, se apunta hacia la importancia de atender al desarrollo de la persona como socialmente organizada, y sobre el cual poseen influencia la estructura y la interacción social[111].

Hirschi, en 1969, en su teoría del vínculo social o teoría del control social informal, planteó que el nivel de apego del individuo con su entorno (familia, amigos, escuela, etc.) y los niveles de compromiso alcanzados tenían una gran capacidad de influencia sobre el proceso de la delincuencia[112].

En 1987, la investigación llevada a cabo por Rand encontró que el matrimonio influía negativamente en la continuación de

---

108 Véase, Bushway, S.D. Piquero, A.R., Broidy, L.M, Cauffman, E. y Mazerolle, P.: Op. cit. 2001.

109 Véase, Blokland, A. y Nieuwbeerta, P.: Op. cit. 2005.

110 Véase, Kanazawa, S. y Still, M.C. (2000): "Why men commit crimes (and why they desist)". *Sociological Theory, 18*(3), 434-447.

111 Véase, Vigna, A.: Op.cit. 2012.

112 Véase, Hirschi, T. (1969). *Causes of delinquency*. Berkeley, CA: University of California Press. Citado en Rocque, M. y Slivken, L.: Op. cit. 2019.

la carrera delictiva del individuo, mientras que el hecho de que el sujeto varón conviviese con una novia, lo haría de forma positiva[113].

Siguiendo la idea de Hirschi, Laub y Sampson plantearon que el desistimiento delictivo ocurre, generalmente, en el periodo que conduce a la edad adulta debido al establecimiento de vínculos sociales incompatibles con el delito[114]. Tales lazos favorecían que el individuo actuara de forma legítima, mientras que aquellos sujetos carentes de los mismos muestran mayor propensión delictiva como consecuencia del aislamiento padecido[115].

En el estudio llevado a cabo por Sampson y Laub se reconstruyeron las carreras criminales de un grupo de varones desde su infancia hasta la edad de 70 años en la ciudad de Boston. En concreto, la muestra utilizada coincidía con la del estudio del matrimonio Glueck, ya que se trataba de una muestra de delincuentes y no delincuentes nacidos entre 1924 y 1932. Resulta este estudio la primera explicación a nivel individual del desarrollo de la trayectoria delictiva de un sujeto a lo largo de casi toda su vida. Entre sus principales hallazgos se encuentra la imposibilidad de determinarse una relación invariable entre edad y delincuencia[116]. Los autores continúan con el enfoque de trayectoria definido por Nagin[117], encontrando una serie de grupos de delincuentes con

---

113 Véase, Rand, A. (1987): "Transitional life events and desistance from delinquency and crime". En Wolfgang, M.E., Thornberry, T.P. y Figlio, R.M. (eds.), *From boy to man, from delinquency to crime.* Chicago, IL: University of Chicago Press. Citado en Rocque, M. y Slivken, L.: Op. cit. 2019.

114 Véase, Sampson, R.J. y Laub, J.H. (2003): "Life-course desister? Trajectories of crime among delinquent boys followed to age 70 ". *Criminology, 41*(3), 555-592.

115 Véase, Sampson, R.J. y Laub, J.H.: Op. cit. 1993.

116 Véase, Sampson, R.J. y Laub, J.H. (2003): "Desistance from crime over the life course". In Mortimer, J.T. y Shanaban, M.J. (eds.). *Handbook of the Life Course.* New York: Kluwer Academic/ Plenum Publishers. Citado en Blokland, A. y Nieuwbeerta, P.: Op. cit. 2005.

117 Véase, Nagin, D.S. (1999): "Analyzing developmental trajectories: A semiparametric, groupbased approach". *Psychological Methods, 4*(2), 139-157.

características homogéneas que siguen diferentes caminos. Sin embargo, no logran un acuerdo con lo planteado por las teorías estáticas u ontogénicas en la medida en que no hallan una trayectoria plana. Encuentran que la delincuencia se ve reducida con la edad para todos los grupos de delincuentes, incluso en aquellos casos en los que la tasa delictiva es muy elevada, concluyendo que la norma es el desistimiento. Sin embargo, mediante el uso de modelos jerárquicos que les permiten modelar de forma simultánea el cambio ocurrido en el individuo y entre las diferencias de propensión delictiva, descubren que las variaciones en la tasa de delitos se encuentran relacionadas de forma sistemática con algunos cambios ocurridos en las circunstancias de la vida de los individuos. Los resultados obtenidos por los autores coindicen con algunos estudios previos, tanto de carácter cuantitativo como cualitativo, en la relevancia que sobre el cese de la trayectoria delictiva tienen el empleo[118], el servicio militar[119] y el matrimonio[120]/[121].

Conviene puntualizar que la selección de la muestra y el contexto de esta puede comprometer algunos de los hallazgos obtenidos.

---

118 Véase, Uggen, C. (2000): "Work as a turning point in the life course of criminals: a duration model of age, employment and recidivism". *American Sociological Review, 65*(4), 529-546 y Horney, J., Osgood, D.W. y Marshall, I.H. (1995): "Criminal careers in the short-term: Intra-individual variability in crime and its relation to local life circumstances". *American Sociological Review, 60*(5), 655-673.

119 Véase, Mattick, H.W. (1960): "Parolees in the army during World War II". *Federal Probation, 24,* 49-55; Allen Bouffard, L. (2003): "Examining the relationship between military service and criminal behavior during the vietnam era: a research note". *Criminology, 41*(2), 491-510; y Wright, J.P., Carter, D.E. y Cullen, F.T. (2005): "A life-course analysis of military service in Vietnam". *Journal of Research in Crime and Delinquency, 42*(1), 55-83. Citados en Blokland, A. y Nieuwbeerta, P.: Op. cit. 2005.

120 Véase, Piquero, A. R., MacDonald, J. M., y Parker, K. F. (2002): "Race, local life circumstances, and criminal activity". *Social Science Quarterly, 83*(3), 654-670; Warr, M.: Op.cit.1998; Horney, J., Osgood, D.W. y Marshall, I.H.: Op. cit. 1995.

121 Véase, Sampson, R.J. y Laub, J.H.: Op. cit. 2003. Citado en Blokland, A. y Nieuwbeerta, P.: Op. cit. 2005.

Tal y cómo se ha mencionado previamente, los individuos objeto de investigación habían nacido entre 1927 y 1932, un contexto social bien diferente al contemporáneo. Se trata aquel de un periodo en el que el ejército poseía una situación principal dentro de la estructura social y además se le atribuía un importante papel de control. Se trata también de un momento en el que el rol de la familia era mucho más importante que en la actualidad, y en el que las tasas de divorcio no resultaban siquiera comparables. Podría, por tanto, suponerse que los lazos o vínculos sociales en aquel momento cumplían un papel más importante en el proceso de abandono de la carrera delictiva de los individuos que en la actualidad[122]. En este sentido, estudios previos demostraron que el matrimonio tiene un efecto más positivo sobre el fin de la trayectoria delictiva en comparación con la mera convivencia con una pareja sentimental[123]. Sin embargo, en la actualidad la convivencia tiene lugar con más frecuencia en los individuos más jóvenes y estos tienden a contraer matrimonio en edades más avanzadas.

Una situación similar es la que se puede detectar en lo que refiere al empleo. Actualmente el mercado laboral resulta más competitivo y exige una mayor formación a los trabajadores. Por tanto, la tendencia a cursar un mayor número de años de estudios también es más elevada, de modo que los individuos pasan a formar parte del mercado de trabajo en edades más adultas. Por todo ello, los vínculos con el empleo que desarrollaron Sampson y Laub, quizás fueran de gran importancia sobre el proceso de desistimiento delictivo en la época en la que se generó tal explicación, sin embargo, hoy en día la situación puede diferir. Generalmente, los individuos que cursan estudios universitarios, por ejemplo, pueden mantener a la vez un empleo a tiempo parcial, por lo que el nivel de vinculación con el mismo es reducido.

---

122 Véase, Kazemian, L.: Op. cit. 2007.

123 Véase, Farrington, D. P. y West, D. J. (1995): "Effects of marriage, separation, and children on offending by adult males". En Blau, Z.S. y Hagan, J. (eds.). *Current perspectives on aging and the life cycle.* Greenwich, CT: JAI. Citado en Kazemian, L.: Op. cit. 2007.

Puede ser que en la época contemporánea resulte más preciso aludir a la ambición desde el punto de vista académico o profesional en lugar de al nivel de apego con el trabajo. En conclusión, sugiere Kazemian la necesidad de tener en cuenta que no siempre son extrapolables los datos obtenidos con relación al desistimiento delictivo a todos los contextos, llegando incluso a afirmar que los procesos subyacentes al desistimiento delictivo pudieran no ser generalizables a los diferentes tipos de sociedad. La mayor parte de la investigación criminológica existente se ha basado en muestras obtenidas en países occidentales e industrializados, pudiendo no poder verse generalizados los resultados obtenidos en tales estudios a contextos de países con sistemas políticos totalitarios, por ejemplo, sistemas económicos diferentes o aquellos con un grado superior de desorganización social[124].

Continuando con la explicación, dentro del paradigma *sociogénico* se encuentra la llamada perspectiva del curso de la vida que señala como dimensión fundamental del estudio el significado que es atribuido a la edad. La edad cronológica es comprendida como una variable carente de contenido en sí misma que no puede observarse como elemento causal de la remisión delictiva, sino que actúa como un indicador de la madurez física y emocional de las personas[125]. Como consecuencia de esta cuestión, Settersten y Mayer establecieron una diferenciación entre el concepto de edad y el concepto de estructuración por edad, señalando este último como el modo en que las diferentes sociedades utilizan la edad para lograr organizar las experiencias, roles y estatus de los individuos. Según los autores, tal estructuración puede ser de carácter formal o institucional, o bien de carácter informal, es decir, aquella encargada de determinar qué comportamientos son esperables para una cierta edad, así como las nociones presentes

---

124 Véase, Kazemian, L.: Op. cit. 2007.

125 Véase, Vigna. A.: Op. cit. 2012.

en la sociedad sobre el momento adecuado y la secuencia de los eventos que ocurren en la vida del sujeto[126].

No obstante, y así lo asegura Maruna, la principal crítica que puede realizarse sobre la teoría *sociogénica* es que esta tiende a la minimización de los efectos de selección del individuo. Además, los eventos no pueden ser ordenados de un modo secuencial, sino que constituyen interacciones a las que hay que atender a lo largo del tiempo[127].

Sampson y Laub, años más tarde de su primera propuesta, matizaron la idea planteada y sugirieron, en primer lugar, que el empleo por sí mismo no tiene una influencia cierta sobre el abandono de la carrera delictiva, sino que son los muchos elementos que rodean al empleo los que ejercen el influjo en tal fenómeno, como, por ejemplo, la estabilidad laboral, el compromiso con el puesto o las relaciones y vínculos que unen a los trabajadores con empleadores[128].

En definitiva, el desistimiento delictivo no depende solo de la existencia de vínculos sociales, sino de su calidad, fuerza y mantenimiento a lo largo del tiempo[129].

En un sentido similar concluyeron Sampson, Laub y Wimer en relación con el matrimonio. Los motivos por los que este evento influye decisivamente en el desistimiento son tres. En primer lugar, se generan vínculos basados en el apoyo, obligaciones, como el cuidado de la esposa y restricciones que limitan las oportunidades delictivas. En segundo lugar, se modifican las actividades dia-

---

126 Véase, Settersten, R. y Mayer, K. (1997): "The measurement of age, age structuring and the life course". *Annual Review of Sociology, 23*, 233-261.

127 Véase, Maruna, S.: Op. cit. 2006.

128 Véase, Sampson, R.J. y Laub, J.H. (1995): "Understanding variability in lives through time: contributions of life-course criminology". *Studies on Crime and Crime Prevention, 4*, 143-158. Citado en Maruna, S.: Op. cit. 2006.

129 Véase, Maruna, S.: Op. cit. 2006.

rias del individuo. Por último, decían los autores, la esposa pasa a ejercer un férreo control sobre el hombre[130].

En este sentido resulta de gran interés aludir a la investigación llevada a cabo por Capaldi y sus colaboradores. Plantearon, siguiendo las ideas justamente arriba establecidas, que la mujer, como pareja romántica, tiene una gran influencia en el proceso de desistimiento delictivo del hombre delincuente. No obstante, los autores concretaron que, más allá del apego, hay que resaltar la importancia de la estabilidad existente en la relación y la inversión que el hombre realiza sobre el rol en la misma, así como las implicaciones que derivan de ella, por ejemplo, el reparto de las tareas domésticas, el reparto de la obligación de satisfacción de las necesidades económicas, etc. Un individuo puede prolongar una relación sentimental por causas diferentes a la satisfacción o a la felicidad que le genera. A modo de ejemplo, algunas de estas causas pueden ser la falta de otras alternativas o la dependencia económica. Plantean la posibilidad de que individuos con dificultades económicas y mayor riesgo delictivo muestren un nivel de satisfacción con respecto a la relación menor y, a pesar de ello, la mantengan. Los efectos de la estabilidad de la relación y el nivel de apego y de satisfacción son elementos que deben analizarse de forma separada. La afirmación de que el nivel de estabilidad y el apego entre los miembros de la pareja son factores con una influencia positiva sobre el proceso de desistimiento del delito ha sido demostrado escasamente por las investigaciones de corte longitudinal, por lo tanto, resulta necesario indagar sobre ello. Siguiendo con una de las ideas arriba mencionadas, los autores consideran necesario referir en lo que respecta a las relaciones amorosas, no solo al matrimonio sino también a otro tipo de vinculaciones, que en la actualidad se dan con mayor frecuencia. En este estudio, la estabilidad de la relación se midió en función de

---

130 Véase, Sampson, R.J., Laub, J.H. y Wimer, C. (2006): "Does marriage reduce crime? A counterfactual approach to within-individual causal effects". *Criminology*, *44*(3), 465-508.

la duración de esta, independientemente del matrimonio o la cohabitación[131].

En un estudio anterior, Capaldi y sus colaboradores alcanzaron algunas conclusiones de interés en lo referente a las características de la pareja romántica. En ocasiones, las mujeres son violentas y tienden al comportamiento antisocial, de modo que ese factor resulta predictor de la violencia que estas ejercen sobre sus parejas masculinas y viceversa. En su estudio observacional, los autores detectaron que resultaba más probable que las mujeres iniciaran una agresión de tipo físico durante los años de la adolescencia tardía y los primeros años de la adultez que los hombres, sin embargo, las diferencias entre ambos no resultaban significativas a partir de los 26 años[132]. Con ello se indica la importancia de las características de la pareja en lo que refiere a la influencia en el desistimiento.

Los investigadores entendían que la influencia de las mujeres sobre la carrera delictiva de su pareja en la edad adulta podía deberse a tres procesos. En primer lugar, puede darse la situación de que la mujer presente una trayectoria criminal de mayor gravedad que la del hombre, lo cual, a su vez influye sobre este. Otra posibilidad es que las mujeres no participen en la actividad criminal y simplemente acepten los comportamientos delictivos de los hombres sin mostrar intención alguna de impedirlo. Por último, puede ocurrir que la mujer sea conocedora de la actividad delictiva de la pareja y, además, aliente el comportamiento[133]. Son muchas las investigaciones que han demostrado que las parejas delincuentes influyen en el mantenimiento de las carreras delictivas de los hombres. Así, West concluyó que los hombres que contraían ma-

---

131 Véase, Capaldi, D. M., Kim, H. K. y Owen, L. D. (2008): "Romantic partners' influence on men's likelihood of arrest in early adulthood". *Criminology, 46*(2), 267–299.

132 Véase, Capaldi, D.M., Kim, H.K. y Shortt, J.W. (2007): "Observed initiation and reciprocity of physical aggression in young, at-risk couples". *Journal of Family Violence, 22,* 101-111.

133 Véase, Capaldi, D. M., Kim, H. K. y Owen, L. D.: Op. cit. 2008.

trimonio con mujeres condenadas mostraban una mayor propensión a la persistencia del delito[134]. En la misma línea, el estudio de carácter prospectivo longitudinal de Woodward, Fergusson y Horwood permitió concluir que las parejas delincuentes ejercían una gran influencia sobre la probabilidad de comisión de delito en el compañero a la edad de 21 años[135].

Dentro del paradigma *sociogénico* no puede dejar de aludirse a la importancia de los vínculos que el individuo establece con el grupo de iguales en lo que refiere al desistimiento delictivo. En ese sentido, Paternoster y sus colaboradores plantearon la existencia de escasos estudios orientados a determinar la manera en que la exposición del individuo a relaciones con iguales de características antisociales o delincuentes influye en el proceso de desistimiento del delito. Los autores aseguran que las investigaciones de corte cualitativo u observacional generan un conocimiento muy detallado sobre la importancia del grupo de iguales en lo que refiere a la carrera delictiva, sin embargo, la cuestión clave acerca de la causalidad debe ser conocida, según su perspectiva, desde el punto de vista de la experimentación. Desde una primera aproximación, las investigaciones han demostrado la relación existente entre el vínculo del sujeto con grupos de delincuentes y el mantenimiento del delito, llegando incluso a sostener algunos autores que esta sería una de las explicaciones de mayor importancia[136]. Sin embargo, los resultados de estos estudios pueden no ser plenamente fiables en la medida en que basaron sus análisis en las

---

134 Véase, West, D. J. (1982). *Delinquency: Its Roots, Careers, and Prospects.* London, UK: Heinemann. Citado en Capaldi, D. M., Kim, H. K. y Owen, L. D.: Op. cit. 2008.

135 Véase, Woodward, L. J., Fergusson, D. M. y Horwood, L. J. (2002): "Romantic relationships of young people with childhood and adolescent onset antisocial behavior problems". *Journal of Abnormal Child Psychology, 30*(3), 231-243.

136 Véase, Paternoster, R., McGloin, J. M., Nguyen, H. y Thomas, K. J. (2013): "The causal impact of exposure to deviant peers: An experimental investigation". *Journal of Research in Crime and Delinquency, 50*(4), 476-503.

percepciones del sujeto sobre los comportamientos, conductas y características de sus compañeros[137]. El uso de este tipo de técnicas, como se ya se ha señalado, puede generar una medición errónea del fenómeno en la medida en que los sujetos tienden a proyectar su comportamiento en los demás[138].

Algunos estudios, como el llevado a cabo por Meldrum, Young y Weerman a través de la investigación de la delincuencia autoinformada y el empleo de un análisis transversal y longitudinal, analizó los efectos que el autocontrol y el grupo de pares con comportamientos delictivos tenían sobre la trayectoria delictiva del individuo. Una de sus principales conclusiones fue que la influencia que la capacidad de autocontrol tenía sobre el proceso de desistimiento del delito se reducía conforme aumentaba la delincuencia llevada a cabo por el grupo de pares. Con ello, no podían sino negar que el autocontrol tuviese capacidad suficiente para explicar el inicio o fin de la trayectoria criminal del sujeto, así como que la influencia de las relaciones establecidas con grupos de iguales delincuentes es muy elevada[139].

No obstante, cabe también plantear algunos problemas en lo que refiere a la conceptualización de la influencia del grupo de pares. Algunos investigadores han indicado que los vínculos establecidos por parte de un sujeto con un grupo de iguales delincuentes no es la causa de la carrera delictiva o de su mantenimiento, sino que se trata de una consecuencia de esta. Por otra parte, la medición del nivel de exposición de individuos a los grupos de pares delincuentes tampoco logra medir de una forma inequívoca

---

137 Véase, Gottfredson, M.R. y Hirschi, T. (1990). *A general theory of crime.* Standford (CA): Standford University Press. Citado en Paternoster, R., McGloin, J. M., Nguyen, H. y Thomas, K. J.: Op. cit. 2013.

138 Véase, Paternoster, R., McGloin, J. M., Nguyen, H. y Thomas, K. J.: Op. cit. 2013.

139 Véase, Meldrum, R. C., Young, J. T. y Weerman, F. M. (2009): "Reconsidering the effect of self-control and delinquent peers: Implications of measurement for theoretical significance". *Journal of Research in Crime and Delinquency, 46*(3), 353-376.

que esta sea la explicación del cambio comportamental del sujeto hacia la delincuencia[140]. Individuos con una trayectoria delictiva clara pueden dar comienzo a relaciones con otros delincuentes con el fin de aumentar las posibilidades de delinquir, no teniendo estos terceros ningún tipo de influencia sobre las tendencias comportamentales del primero[141].

Con ello, es importante indagar con relación a la influencia de los pares si la exposición a ellos tiene lugar en un momento previo al inicio de la carrera delictiva del sujeto, o bien, se produce durante la misma[142]. Estudios como el de Elliot y Menard, a partir de la Encuesta Nacional de la Juventud permitieron concluir que la mayor parte de los hombres jóvenes aseguraron que sus amigos ya habían participado en conductas delictivas antes de que ellos mismo lo hicieran[143]. En ese mismo sentido, Thornberry y sus colaboradores concluyeron que los sujetos eran reclutados por las pandillas tras su previo delito, aunque la tasa de delitos llevados a cabo por el sujeto incrementaba considerablemente cuando entraba a formar parte del grupo, volviendo a disminuir en el momento en que salía del mismo[144].

Por su parte, el estudio de Paternoster y sus colaboradores se llevó a cabo sobre una muestra de jóvenes pertenecientes a una

---

140 Véase, Paternoster, R., McGloin, J. M., Nguyen, H. y Thomas, K. J.: Op. cit. 2013.

141 Véase, Gottfredson, M. y Hirschi, T.: Op. cit. 1990. Citado en Paternoster, R., McGloin, J. M., Nguyen, H. y Thomas, K. J.: Op. cit. 2013.

142 Véase, Paternoster, R., McGloin, J. M., Nguyen, H. y Thomas, K. J.: Op. cit. 2013.

143 Véase, Elliott, D.S. y Menard, S. (1996): "Delinquent friends and delinquent behavior: temporal and developmental patterns". En Harkins, D. (ed.). *Some current theories of crime and deviance.* Newbury Park, CA: SAGE. Citado en Paternoster, R., McGloin, J. M., Nguyen, H. y Thomas, K. J.: Op. cit. 2013.

144 Véase, Thornberry, T.T., Krohn, M.D. Lizotte, A.J., Smith, C.A. y Tobin, K. (2003). *Gangs and delinquency in developmental perspective.* New York: Cambridge University Press. Citado en: Paternoster, R., McGloin, J. M., Nguyen, H. y Thomas, K. J.: Op. cit. 2013.

Universidad pública de la región del Atlántico Medio en los Estados Unidos. De modo anecdótico cabe señalar que, para promover la participación de los alumnos, el grupo de investigadores ofreció 20 dólares a cada individuo. En total, participaron 91 personas mayores de edad, 47 de ellos participaron como grupo de tratamiento y los 44 restantes constituyeron el grupo de control de la investigación. Las principales conclusiones del estudio permiten aceptar la evidencia de que los compañeros delincuentes pueden conducir a que los sujetos inicien una carrera delictiva[145].

Giordano y sus colaboradores apuntaron también hacia la importancia de las amistades en el proceso de desistimiento. Reconocen que el matrimonio facilita que los individuos se alejen del grupo de amigos. Los autores trabajaron con una muestra compuesta de hombres y mujeres y realizaron dos oleadas de entrevistas. Observaron que la percepción del individuo sobre la influencia que el grupo de iguales pudiera ejercer sobre ellos se veía disminuida entre la primera y la segunda entrevista. Puede afirmarse que en ese periodo de tiempo los individuos detectaron la importancia de establecer vínculos de carácter prosocial y abandonar aquellas relaciones tóxicas y delictivas en el proceso de cese del delito[146].

Un estudio reciente llevado a cabo por Salvatore y Taniguchi trató de alcanzar a comprender la influencia que los principales puntos de inflexión y vínculos sociales señalados por Laub y Sampson (matrimonio, empleo y servicio militar) tenían sobre el proceso de desistimiento delictivo en el periodo de transición de los jóvenes hacia la edad adulta[147], conocida como "adultez

---

145 Véase, Paternoster, R., McGloin, J. M., Nguyen, H., y Thomas, K. J.: Op. cit. 2013.

146 Véase, Giordano, P.C., Cernkovich, S.A. y Holland, D.D. (2003): "Changes in friendship relations over the life course: implications for desistance for crime". *Criminology, 41(2)*, 293-328.

147 Véase, Salvatore, C. y Taniguchi, T.C. (2012): "Do social bonds matter for emerging adults?". *Deviant behavior, 33*(9), 738-756.

emergente"[148]. Se parte de la idea de que las experiencias vitales de los individuos que se encuentran en la primera fase de la adultez son diferentes en relación con las de los individuos más jóvenes o adultos y que esto puede tener consecuencias en lo que refiere al efecto de los puntos de inflexión en la finalización de la trayectoria delictiva. Los datos empleados para la realización del estudio derivaron del Estudio Longitudinal Nacional de Salud del Adolescente, un estudio de carácter longitudinal solicitado por el Congreso de los Estados Unidos y llevado a cabo a partir de entrevistas en profundidad sobre una muestra representativa a nivel nacional de sujetos adolescentes y adultos jóvenes en el periodo de tiempo situado entre 1994 y 1995. En el análisis de este primer estudio cuyos datos se utilizarían por parte de Salvatore y Taniguchi, se preguntó a una muestra de 4.880 hombres y mujeres acerca de temas tan diversos como su experiencia laboral, educativa, sus expectativas vitales, el consumo de drogas, la participación en actividades antisociales o delictivas, parejas románticas o estructura familiar, entre otros. Se realizó un seguimiento de los individuos hasta el año 2001, momento en el que estos tenían una edad comprendida entre los 18 y los 26 años. Los datos utilizados por el estudio de Salvatore y Taniguchi pertenecían a los obtenidos en esa tercera oleada de entrevistas realizadas en el año 2001 ya que es en este momento cuando los individuos se encuentran en la fase de la primera edad adulta.

Las principales conclusiones del estudio mostraron que las mujeres presentaban menores tasas delictivas y que el delito, para ambos géneros, disminuía conforme avanzaba la edad. Por otro lado, los autores concluyeron que las dificultades económicas se conformaron como el principal factor explicativo del aumento de la delincuencia[149], lo que refleja la idea mertoniana de anomia, que argumentaba que la sociedad ejerce presión para que los in-

---

148 Véase, Arnett, J.J (1994): "Are college student adults? their conceptions of the transition to adulthood". *Journal of Adult Development* 1, 154-168. Citado en Salvatore, C. y Taniguchi, T.C.: Op. cit. 2012.

149 Váse, Salvatore, C. y Taniguchi, T.C.: Op. cit. 2012.

dividuos alcancen determinadas metas, principalmente vinculadas al éxito económico, proporcionándoles una serie de recursos y vías limitadas para ello, generando esta situación elevados niveles de tensión en el sujeto. En este sentido, los individuos pueden llegar a buscar formas alternativas de acceder a esos objetivos de la estructura cultural, entre las que se encuentra el delito[150].

En lo que respecta a los lazos y vínculos establecidos por los participantes, como la relación con los progenitores, la satisfacción con el empleo o el grado de participación religiosa se demostró que estos tienen una importante influencia sobre el desistimiento en los adultos jóvenes. Por su parte, el matrimonio y la paternidad también se asociaron con la reducción de la delincuencia llevada a cabo por los participantes. Los datos sobre los vínculos y puntos de inflexión no fueron desagregados por sexos, a pesar de que la muestra era mixta. En lo relativo al servicio militar no se encontró apenas influencia en el fin del delito, pudiendo encontrarse la explicación a ello en el hecho de que solo un grupo reducido del total de muestra se encontraba sirviendo al ejército en el momento en el que la investigación se llevó a cabo. Esto pone de manifiesto, tal y cómo ya se ha establecido previamente, la necesidad de adaptar las investigaciones a los diferentes contextos socioculturales. El servicio militar podría tener una gran influencia sobre el proceso de fin del delito en el contexto de los años 80 y 90, sin embargo, hoy en día la mayor parte de los adultos jóvenes no participan en el ejército siendo, por tanto, de verdadera importancia alcanzar a conocer cuáles son los factores influyentes en el desistimiento en el contexto histórico y político actual[151].

Es conveniente finalizar este apartado apuntando hacia una falta de acuerdo sobre la influencia de los factores de carácter externo, ya que los hallazgos de las muy diversas investigaciones resultan inconsistentes. Así, mientras que para Sampson y Laub

---

150 Véase, Merton, R.K. (1938): "Social structure and anomie." *American Sociological Review, 3*(5), 672 - 682.

151 Véase, Salvatore, C. y Taniguchi, T.C.: Op. cit. 2012.

los controles sociales informales son de gran importancia[152], otros autores no logran encontrar esa influencia directa[153].

1.4.3. La teoría narrativa

Retomando la clasificación sobre las explicaciones del desistimiento delictivo llevada a cabo por Maruna, en lo que refiere a la teoría narrativa, esta alude a la elevada importancia que poseen los cambios en un nivel subjetivo en relación con las modificaciones a nivel identitario, los cuales, a su vez provocan la aparición de nuevas motivaciones para el cambio hacia la no delincuencia, mayor grado de preocupación y compromiso respecto a terceras personas y un mayor nivel de previsión en lo que respecta al futuro[154]. Esta idea puede relacionarse con la teoría criminológica del etiquetado, propuesta por Lemert[155], quien consideró la relación existente entre el autoconcepto de delincuente y la trayectoria criminal del individuo[156]. Continuando con esta línea, resulta lógico

---

152 Véase, Sampson, R.J. y Laub, J.H.: Op. cit. 1993.

153 Véase, Giordano, P.C., Cernkovich, S.A. y Rudolph, J.L. (2002): "Gender, crime and desistance: toward a theory of cognitive transformation". *American Journal of Sociology, 107(4)*, 990-1064.

154 Véase, Arévalo Navarro, C. y Gómez Baeza, F. (2014). *Factores transicionales y narrativas de cambio en jóvenes infractores de ley. Análisis de las narrativas de jóvenes de la zona sur y oriente de Santiago de Chile que se encuentran cumpliendo condena por la Ley de Responsabilidad Penal Adolescente.* Memoria para optar al título de psicóloga, Facultad de Ciencias sociales, Universidad de Chile.

155 Véase, Lemert, E.C. (1967). *Human, deviance, social problems, and social control.* Prentice-Hall. Citado en Arévalo Navarro, C. y Gómez Baeza, F.: Op. cit. 2014.

156 Entre los resultados del estudio llevado a cabo por Maruna se observó cómo los delincuentes persistentes mostraban en su discurso la autodefinición como delincuente, viéndose incapaz de no cometer delitos y como dependientes de las circunstancias externas ante las cuales no resultaba posible el cambio. Sin embargo, las entrevistas a los sujetos que lograron cambiar su conducta delictiva reflejaban cómo estos habían dejado en el pasado su autoconcepto como delincuentes y cómo

el planteamiento de la necesidad de acompañamiento al proceso de cese delictivo del "desetiquetamiento"[157].

Aseguraba Maruna que la manera en la que cada individuo observa su propia historia resulta interesante, no solo por lo que logra revelar con relación a su personalidad, sino que esta autobiografía es capaz de determinar las decisiones y las conductas en el futuro[158].

King, por su parte, logró identificar diversas funciones de las identidades narrativas. En primer lugar, con la aparición de las identidades narrativas, el individuo logra acercarse a los hechos ocurridos durante el pasado, comprenderlos e incluso lograr valorar el grado de daño provocado hacia terceras personas. En segundo lugar, con ellas se logra un condicionamiento de las interacciones sociales del individuo en el futuro y regular su comportamiento. La principal causa de esto es que los individuos tenderán a la actuación futura en base a las narraciones que han generado. No obstante, estas narrativas de cambio se encuentran íntimamente relacionadas con las estructuras sociales y las interacciones[159].

Por su parte, Vaughan consideraba la necesidad de que el recuerdo de los individuos adoptara la forma de narrativa capaz de generar reflexiones de carácter moral sobre los acontecimientos pasados. Caracterizó a la narrativa de la siguiente manera: en primer lugar, esta se basa es una serie de acontecimientos pasados; en segundo lugar, debe existir algún mecanismo que establezca una conexión entre cada uno de los eventos; por último, el sujeto debe ser capaz de entender cuál fue la motivación de tales hechos,

---

su nueva identidad se basada en la normalidad, defendiendo en todo caso su capacidad para establecer un proyecto vital alejados de la delincuencia. Véase, Maruna, S.: Op. cit. 2006.

157 Véase, Arévalo Navarro, C. y Gómez Baeza, F.: Op. cit. 2014.

158 Véase, Maruna, S. (1997): "Desistance and development: the psychosocial process of "going straight"". *The British Criminology conferences: selected proceedings, 2.*

159 Véase, King, S.: Op. cit. 2013.

en definitiva, debe lograr encontrar una justificación de aquellas actividades que llevó a cabo en el pasado. El discurso narrativo exige también que el individuo adopte una perspectiva externa de sus actos, es decir, debe realizar un juicio sobre ellas sobre el que no medie subjetividad alguna[160].

En similar sentido, McAdams sostiene que la conducta humana se encuentra guiada por tres factores, los cuales a su vez conforman la personalidad del individuo.

En primer lugar, destaca la existencia de los factores de carácter psicológico, las estrategias personales y las narrativas sobre la propia identidad o historias del individuo. Con relación al primero de ellos, McAdams sostiene que existen determinados rasgos caracterizadores de la personalidad del sujeto que no logran desaparecer a pesar de que efectivamente ocurra el desistimiento delictivo, tales como las tendencias antisociales[161]. Maruna parte de que, si estos factores tuvieran capacidad para verse modificados con el paso del tiempo, lo cierto es que dejarían de ser rasgos definitorios de la personalidad para pasar a convertirse en eventos de carácter transitorio[162].

El segundo factor que guía la conducta humana refiere a las estrategias o metas personales. Se trata de una serie de objetivos y planificaciones que el individuo realiza y le llevan a actuar para obtenerlos. Las metas determinadas por el individuo mantienen una estrecha relación con las demandas del grupo y no resultan estáticas, sino que van viéndose sustituidas por otras con el paso del tiempo[163]. En relación con estos factores, Maruna indicaba que los individuos que logran dar por finalizada la trayectoria

---

160 Véase, Vaughan, B. (2006): "The internal narrative of desistance". *The British Journal of Criminology, 47*(3), 390-404.

161 Véase, McAdams, D.P. (1994): "Can Personality Change? Levels of Stability and Growth in Personality Across the Life Span". En Heatherton, T.F. y Weinberger, J.L. (eds.). *Can Personality Change?* Washington, DC: American Psychological Association. Citado en Maruna, S.: Op. cit. 1997.

162 Véase, Maruna, S.: Op. cit. 1997.

163 Véase, McAdams, D.P.: Op. cit. 1994. Citado en Maruna, S.: Op. cit. 1997.

delictiva lo hacen como consecuencia del planteamiento de una serie de objetivos y mecanismos de alcance de los mismos más "espirituales y generativos". En uno de sus estudios, logró concluir que para muchos individuos la existencia de una fuerza superior o de un dios, así como el sentimiento de deuda con respecto a la comunidad, habían resultado factores de gran trascendencia para el logro del desistimiento de la carrera delictiva. Esto parece una vía de expiación de la culpa por la trayectoria de delitos, y una manera de crear una nueva identidad alejados del estigma[164].

Con respecto al tercero de los factores propuestos por McAdams, la identidad narrativa hace referencia al discurso interiorizado por parte del individuo que es construido con el fin de lograr una integración de su vida pasada, su vida presente y su vida futura, generando esto la conformación de una nueva identidad que guía el comportamiento del individuo[165]. Giddens partía del hecho de que la identidad del individuo se establece en función de su capacidad para crear una narrativa propia, no teniendo esta nada que ver con la manera en que el sujeto se comporta o reacciona ante los eventos y circunstancias. El autor sostiene que las narraciones poseen capacidad para explicar las diferentes conductas del individuo, permitiendo conocer qué las motiva o qué sentimientos se vinculan a ellas teniendo estas, además, como principal objeto guía el comportamiento futuro[166].

Maruna aseguraba que los cambios que tienen lugar en la esfera subjetiva e interna y que se asocian al cese delictivo pueden ser dibujados y comprendidos en ese nivel narrativo que conforma la personalidad. Algunos autores han venido concluyendo la relación que tienen con la delincuencia aquellos primeros momentos en los que el sujeto da comienzo a la construcción de su primera identidad personal, generalmente durante la adolescencia. Este

---

164 Véase, Maruna, S.: Op. cit. 1997.

165 Véase, McAdams, D.P.: Op. cit. 1994. Citado en Maruna, S.: Op. cit. 1997.

166 Véase, Giddens, A. (1991). *Modernity and Self-Identity: Self and Society in the Late Modern Age.* Stanford, CA: Stanford University Press. Citado en Maruna, S.: Op. cit. 1997.

autoconcepto es generado a partir del contexto del individuo, de las limitaciones y oportunidades a las que tiene acceso. En este sentido, la teoría narrativa planteada por Maruna alude a un modelo de comportamiento determinado por la intención y la capacidad de elección del sujeto. En el momento en que este desiste en el delito, pasa a actuar como su propio agente de cambio dejando de ser una víctima de los elementos y factores externos o de los rasgos que conforman su personalidad[167].

Maruna llevó a cabo en el año 2001 una investigación con un grupo de delincuentes de la ciudad de Liverpool que llevó por título *Liverpool Desistance Study*. Argumentaba el investigador que aquellos sujetos que se encuentran en un proceso de desistimiento delictivo tratan de lograr un equilibrio entre quiénes son en el presente y quiénes fueron en el pasado. Esa labor narrativa y de autoexploración tiene, en su opinión, una labor absolutamente esencial en el proceso de cese del delito[168]. Años más tarde, en 2004, y partiendo de la idea mencionada, Maruna y otros colaboradores lograron establecer una distinción entre los conceptos de desistimiento primario y secundario que se han desarrollado previamente. En este caso, aseguran los autores que es el desistimiento secundario el que garantiza el mantenimiento de la abstinencia delictiva a lo largo del tiempo como consecuencia de la modificación de la identidad del sujeto y de su estilo de vida[169].

Por su parte, Paternoster y Bushway propusieron una explicación al proceso de finalización de la trayectoria delictiva que se oponía frontalmente a las ideas del paradigma *sociogénico*. Para los autores, la explicación *sociogénica* resultaba una visión excesivamente estructural del desistimiento[170], en tanto que consideraba

---

167 Véase, Maruna, S.: Op. cit. 1997.

168 Véase, Maruna, S.: Op. cit. 2006.

169 Véase, Maruna, S., Porter, L. y Carvalho, I. (2004): "The Liverpool Desistance Study and probation practice: Opening the dialogue". *Probation Journal, 51*(3), 221–232.

170 Las teorías estructurales son aquellas que explican el desistimiento delictivo en términos de las estructuras sociales en las que las personas

que determinados eventos externos, como el empleo estable, la vinculación matrimonial o la participación en el servicio militar, limitaban por sí mismas la trayectoria delictiva del sujeto, descartando cualquier tipo de consciencia por parte del individuo sobre el cambio experimentado. En otras palabras, desde esta perspectiva, son los eventos externos los que provocan modificaciones comportamentales en el individuo, sin que resulte necesaria participación alguna del mismo. Se trata de un desistimiento "por defecto" en el que el individuo no modifica su trayectoria delictiva de forma intencional, sino que se ve obligado a ello como consecuencia de los acontecimientos externos. Tras exponer esta realidad en lo referente a las explicaciones basadas en los eventos estructurales, Paternoster y Bushway reconocen que este tipo de desistimiento accidental puede ocurrir de forma ocasional, no resultando sin embargo lo más habitual.

Los autores defendieron que en un momento dado el individuo llega a la convicción de que la identidad como delincuente supone mayores costes que la identidad como no delincuente. En el instante en el que sujeto plantea la posibilidad de autodefinición como no delincuente de forma deliberada, este comienza a adoptar los medios y actitudes que le permitirán alcanzar el cese de la trayectoria delictiva, siendo ese "esfuerzo intencional" el componente fundamental del desistimiento.

Paternoster y Bushway también refieren a otra de las ideas planteadas por el paradigma *sociogénico,* en concreto, a la asunción de que el individuo que comienza en el proceso de desistimiento delictivo lo hace como consecuencia de una suerte de coacción social que deriva, precisamente, de los eventos estructurales a los que tiene acceso, como el matrimonio. Oponiéndose a tal idea, los autores sugieren que es el cambio en la identidad propia el elemento que favorece esa modificación de la propensión criminal. Aseguran que el sujeto que sufre un cambio de identidad aca-

---

viven, tales como puestos laborales, relaciones maritales o las relaciones o vínculos establecidos con grupos de iguales.

ba por transformarse en una persona diferente y esto no deriva de la presión social para que lleve a cabo la transición hacia la no delincuencia[171].

No puede dejar de referirse, dentro del paradigma que defiende la importancia de los factores internos, la teoría propuesta por Giordano, Cernkovich y Rudolph, la teoría de la transformación cognitiva. La base de la explicación eran los cambios cognitivos que con frecuencia forman parte del proceso de desistimiento. La teoría propuesta no resultaba incompatible en su totalidad con las teorías *sociogénicas*. Para los autores, las ideas defendidas por Sampson y Laub no resultaban del todo erróneas, sin embargo, daban cuenta de los fenómenos que subyacen a tal proceso de modo limitado.

Los autores trataron de enfatizar el papel protagonista que el sujeto tiene a la hora de apropiarse de los elementos, eventos o situaciones del entorno, una apropiación selectiva de lo que denominaron "ganchos para el cambio"[172]. La teoría propuesta, al centrar su interés en las transformaciones de carácter cognitivo, los cambios en la identidad y el papel activo del actor en el proceso de cambio, resulta ciertamente compatible con los elementos básicos de la teoría de la interacción simbólica. Esta visión resultaría útil para no dejar de lado la idea de que, a pesar de la exposición a los eventos estructurales, son muchos los casos en los que el individuo no desiste, y logra centrar la atención en los cambios de carácter cognitivo que ocurren, en lugar de tratar de ofrecer una limitada enumeración de predictores. Esta teoría logra explicar el desistimiento delictivo en aquellos casos en los que el individuo no ha logrado acceder a los elementos estructurales que se señalan y, pese a ello, logra modificar su comportamiento.

La primera transformación cognitiva que referían era la apertura básica del individuo hacia el cambio. La segunda se relaciona con la exposición a un "gancho" determinado o a varios. Esta se-

---

171 Véase, Paternoster, R. y Bushway, S.: Op. cit. 2009.

172 El término empleado originalmente fue *hooks for change*.

gunda transformación resulta para los autores de gran importancia ya que atiende a la relación existente entre el sujeto o actor y el medio que le rodea. En definitiva, mientras que la apertura al cambio resulta necesaria, también es insuficiente por sí misma, resultando imprescindible la actitud positiva del individuo hacia el "gancho". Las modificaciones que aparecen en el exterior, como, por ejemplo, las ofertas de trabajo requieren que el individuo perciba la disponibilidad de tal "gancho", su significado o su importancia. El tercer tipo de cambio cognitivo ocurre cuando el sujeto comienza a plantear una nueva identidad no delincuente, lo que los autores denominaron un "yo de reemplazo". Esta nueva identidad puede ejercer como un filtro cognitivo a la hora de tomar decisiones. Por su parte, la cuarta transformación cognitiva referida por los autores implica una modificación en la percepción del sujeto sobre el comportamiento delictivo o sobre el contexto de este. El proceso de desistimiento delictivo daría comienzo, por tanto, en el momento en el individuo dejar de realizar atribuciones positivas sobre el delito y empieza a valorarlo de modo negativo. Todas las transformaciones cognitivas se vinculan entre sí[173].

Tanto la teoría propuesta por Paternoster y Bushway como la explicación de Giordano, Cernkovich y Rudolph ponen de manifiesto la importancia del papel del actor como agente humano capaz de crear el cambio vital. La concepción de Paternoster y Bushway de cambio de identidad corresponde con lo que los otros autores denominaron el "reemplazo de sí mismo". Ambas teorías también coinciden en la necesidad de que el individuo manifieste un deseo realista de desistimiento delictivo y ponga en marcha los medios disponibles para ello.

No obstante, cada una de las teorías mencionadas tiene una capacidad para generalizar los mecanismos de desistimiento delictivo diferente. Así, Paternoster y Bushway consideraron que todos los individuos debían experimentar un cambio identitario en el proceso de finalización de la trayectoria delictiva. Sin embargo,

---

173 Véase, Giordano, P.C., Cernkovich, S.A. y Rudolph, J.L.: Op. cit. 2002.

Giordano y sus colaboradores consideraron que las transformaciones cognitivas como factor explicativo solo resultaban aplicables en los casos menos extremos. En los casos en los que el individuo posee una situación de extrema desventaja social, como por ejemplo la pobreza, los cambios cognitivos no resultan suficientemente operativos para alcanzar el fin de la trayectoria delictiva[174].

En último término, es importante señalar la polémica generada en torno al recurrente concepto empleado en la literatura sobre la teoría narrativa, el concepto de agencia. En un estudio reciente, Paternoster señaló que se trata de un término que, a pesar de haber sido ampliamente manejado en las teorías basadas en la influencia de elementos subjetivos, no deja de ser ciertamente confuso y escasamente desarrollado por los estudiosos del tema. Paternoster aboga por la necesidad, a la hora de explicar la idea de agencia humana, de diferenciar entre sucesos, actos y acciones. Los sucesos son eventos que ocurren en la vida de un individuo sin necesidad de que este ejerza control alguno sobre ellos. Ejemplifica esto mediante una partida de ajedrez, de modo que si un individuo se encuentra jugando al ajedrez y una ráfaga de viento mueve una de las piezas, esto no deja de ser algo que escapa al control del individuo. Asegura el autor que, cuando los individuos experimentan sucesos, se muestran como sujetos pasivos e "indefensos", sin ningún tipo de responsabilidad sobre ellos, simplemente es algo que ocurre.

De otro lado, el acto es definido como aquello que el individuo hace en lugar de algo que sucede. El ejemplo que utiliza en esta ocasión es el de un sujeto que se levanta de la mesa durante su partida de ajedrez, tropieza con una alfombra chocando con la mesa de juego provocando que una de las piezas se mueva. En esta ocasión, el sujeto ha realizado un acto y, de hecho, en última instancia es el responsable de que la ficha se moviera de lugar, aunque en ningún momento tuviera pretensión alguna de hacerlo.

El autor propone entonces el concepto de acciones, en contraposición a los sucesos y actos. Las acciones son actos intencionales que

---

[174] Véase, Paternoster, R. y Bushway, S.: Op. cit. 2009.

derivan de la adopción de una determinada decisión y que tiene un objetivo o razón. Siguiendo el ejemplo del juego de ajedrez, la acción consistirá en el movimiento de una de las fichas para bloquear la figura de la "reina" del contrincante. El autor va más allá y asegura que la acción de mover la figura involucra tanto el momento presente como el momento futuro. El momento presente se ve involucrado en tanto que, efectivamente, se mueve la ficha, mientras que el futuro lo hace en la medida en que se prevé que con ese movimiento se logrará comprometer la jugada del otro participante.

Desde esta perspectiva, Paternoster logra concluir que la agencia humana implica acción y que, los elementos de la acción, a su vez, son: la contemplación de diferentes movimientos alternativos para alcanzar un determinado objetivo o meta, la adopción de una decisión sobre qué comportamiento será el que finalmente se lleve a cabo para el alcance de ese objetivo, la creación de una determinada intención que supone ejecutar un plan mediante el que el comportamiento futuro del individuo se sitúa bajo su control, la ejecución del plan a través de acciones específicas que pretenden alcanzar la meta, el monitoreo del comportamiento considerando los factores externos que pudieran comprometerlo y, por último, el mantenimiento de la intención hasta que el objetivo se haya logrado, o bien haya aparecido un nuevo objetivo que sustituya al que dio inicio al proceso. En definitiva, la agencia consiste en un proceso de deliberación y de adopción de decisiones, la generación de una determinada intención, la ejecución de la intención y la guía de las acciones para obtener la meta.

Paternoster concluye que numerosos estudiosos del desistimiento han planteado una idea de agencia humana que terminaba por ser, incluso, completamente contradictoria con la fundamentación de la teoría que derivaba de sus investigaciones. Así, el autor[175] alude a

---

175 Véase, Paternoster, R. (2017): "Happenings, acts, and actions: Articulating the meaning and implications of human agency for criminology". *Journal of Developmental and Life-Course Criminology, 3*(4), 350-372.

la teoría del desistimiento de Laub y Sampson[176]. Para los últimos, desde la perspectiva de Paternoster, los eventos estructurales y externos se convertían en factores causales y deterministas que obligaban a los individuos a su cumplimiento, teniendo esto una influencia decisiva sobre el proceso de cese del delito, sin que la persona fuese siquiera consciente de ello.

Asegura Paternoster que, aunque no de forma tan evidente, Giordano y sus colaboradores en su teoría de las transformaciones cognitivas[177] tampoco lograron mostrar cierto grado de consistencia en su concepción de la agencia al desarrollar las ideas de deliberación, elección consciente y volición.

Desde esta perspectiva, pareciera que muchas de las principales teorías sobre desistimiento delictivo hubieran negado la posibilidad electiva del individuo. Para el autor, la elección y la capacidad de tomar decisiones están en el epicentro de la cuestión, niega el desistimiento "por defecto".

Toda la idea de la agencia humana como eje central se basa en la actividad mental del individuo, una acción intencional con un propósito, un comportamiento elegido libremente por el individuo para la obtención de tal meta. Encuentra, además, esta idea relación con la definición de desistimiento delictivo como proceso que tiene lugar a lo largo del tiempo. Tal y como señala Paternoster, los sujetos que adoptan determinadas acciones para el momento presente también orientan tal actividad hacia el futuro, extendiéndose la agencia humana temporalmente a lo largo del tiempo. Las acciones de una persona, normalmente, incluyen proyectos a largo plazo, así el desistimiento del delito no ocurre en un momento dado, sino que este debe trabajar sobre el proceso a lo largo del tiempo.

---

176 Véase, Laub, J. H. y Sampson, R. J. (2003). *Shared beginnings, divergent lives: delinquent boys to age 70.* Cambridge: Harvard University Press. Citado en Paternoster, R.: Op. cit. 2017.

177 Véase, Giordano, P.C., Cernkovich, S.A. y Rudolph, J.L.: Op. cit. 2002.

Un concepto que ya ha sido desarrollado a lo largo del presente subapartado y que resulta de elevada importancia en este punto es el de identidad. Según Paternoster, es la identidad del individuo la que permite que este logre que la agencia se mantenga a lo largo del tiempo, es la que logra que los proyectos y planes se mantengan de forma que resistan a lo largo del tiempo[178].

Cullen dio posteriormente una respuesta a Paternoster en la que mostraba su total desacuerdo con su idea. Argumenta Cullen que, en primer lugar, no puede negar la importancia del concepto de voluntad y elección consciente en la decisión de los delincuentes, bien sea, en lo que refiere a la participación en el delito o, por el contrario, en la abstinencia. Sin embargo, el autor plantea, que, si se acepta que el individuo es libre de comportarse de un modo u otro, el saber criminológico debe indagar en el motivo por el que algunos delincuentes toman la decisión de mantener sus trayectorias delictivas, mientras que otros adoptan la decisión contraria.

En segundo lugar, plantea Cullen que la agencia humana posee un carácter eminentemente personal y situacional, sin mantener relación alguna con el desarrollo. Es interesante analizar cómo en el proceso de desistimiento delictivo el concepto de agencia humana se ha venido manejando por los investigadores en relación, exclusivamente, con el grupo de delincuentes adultos y no con el grupo de delincuentes adolescentes ya que, precisamente, son los miembros del primero los que cuentan con capacidad para mostrar sus intenciones y ejecutarlas. El principal problema que plantea la adopción de una explicación basada en la agencia es que genera un distanciamiento de todos los individuos que delinquen con respecto a sus rasgos personales, del contexto en el que se desenvuelven y de la evolución de su trayectoria vital.

El tercero de los argumentos de Cullen se centró en el deficiente método que se emplea para alcanzar a conocer la influencia de la agencia humana sobre el delito. Continua el autor concretan-

---

178 Véase, Paternoster, R.: Op. cit. 2017.

do que la agencia solo puede conocerse a partir del testimonio de los propios individuos a quienes se les solicita que relaten sus experiencias en lo que refiere a la adopción de decisiones. No niega que esta técnica sea adecuada, pero reconoce que, en lo que refiere a la agencia, puede llevar a error. Puede darse el caso de que el individuo delincuente considere que ha sido su decisión la que marcó el cambio de conducta, pero puede ocurrir también que, por ejemplo, en su discurso no manifieste las muy numerosas veces anteriores en las que también adoptó la decisión de comportarse de otro modo y fracasó en tal intento. Es lo que el autor denomina "falsa notoriedad". Otra de las razones aludidas en contra del método es lo que denominó "falsa atribución". Según esta, no puede darse por asegurado que el individuo delincuente resulte conciso y exacto en la explicación de las acciones que llevó a cabo en el pasado. De otra parte, los delincuentes tampoco perciben de modo correcto la realidad, singularmente cuando se trata de sí mismos.

El cuarto argumento se relaciona con la idea de Paternoster acerca de la necesidad de plantear la importancia de la agencia humana en el hecho delictivo como un "supuesto de fondo" en todo el saber criminológico y, por ende, la innecesariedad de su medición y recolección de datos e información sobre la misma en relación, por ejemplo, al desistimiento del delito. Para Cullen, es justamente eso lo que hay hacer, medirla. Continua el autor argumentando que la admisión de la agencia como "supuesto de fondo" puede llevar a los criminólogos a ignorar, por ejemplo, sus factores causales.

Por último, Cullen considera que apoyar la idea de que los delincuentes llevan a cabo actos delictivos porque, en último término, no hacen sino ejercer su voluntad, genera implicaciones de carácter político criminal de gran transcendencia. En este sentido, la idea puede servir de argumento para determinados sectores a la hora de emprender políticas criminales cada vez más punitivas. Desde esa perspectiva, si el delincuente es plenamente responsable de sus conductas, la política criminal deberá actuar imponiendo un castigo, y esto representa un importante peligro para su reinserción[179].

1.4.4. Explicaciones mixtas

Como se ha podido observar hasta el momento, la literatura criminológica sobre desistimiento ha concedido importancia a los factores de tipo objetivo y de tipo subjetivo de modo independiente. Farral y Bowling destacaban tres grandes modelos explicativos en función del grado de influencia que cada tipo de factor tenía sobre el cese del delito. La primera categoría se encontraba conformada por explicaciones que entendían que la motivación y la fortaleza volitiva, elementos subjetivos, eran los factores de mayor influencia. Sería suficiente, desde este enfoque, que el sujeto adoptara la decisión de desistir para que, efectivamente, el cambio tuviera lugar.

Un segundo conjunto de explicaciones, aquellas encuadradas dentro del modelo de carácter social, por el contrario, defiende la importancia de los puntos de inflexión o de los eventos estructurales del desarrollo vital del sujeto en el cese delictivo, entendiendo su suficiencia para garantizar el desistimiento sin la necesidad de que el individuo participe del proceso.

Los autores apuntaban hacia un tercer modelo de explicaciones, aquel que pone de manifiesto que los factores subjetivos y objetivos influyen conjuntamente sobre el proceso de desistimiento, el cual se está abordando en el presente apartado. Ello puede tener lugar de dos modos distintos: como consecuencia de la actuación independiente de cada uno de ellos sobre el proceso de cambio o a través de una influencia conjunta, de forma que la

---

179 Véase, Cullen, F. T. (2017): "Choosing our criminological future: Reservations about human agency as an organizing concept". *Journal of Developmental and Life-Course Criminology, 3*(4), 373-379.

aparición de factores subjetivos propiciará que el individuo participe de los elementos externos[180].

En primer lugar, y como consecuencia de tratarse de una de las primeras grandes teorías mixtas, cabe desarrollar el modelo subjetivo social de Lebel y sus colaboradores.

Lebel y sus colaboradores, atendiendo a los factores de cambio dinámico, consideraban una clasificación de estos en variables sociales y subjetivas, no resultando independientes entre ellas. Dentro de las variables sociales cabe reseñar las instituciones o los eventos externos como, por ejemplo, el matrimonio o la paternidad. Por su parte, las variables subjetivas refieren a factores internos, identitarios o cognoscitivos.

El grado de influencia de los elementos sociales ha sido estudiado previamente de forma extensa, por ejemplo, la influencia negativa que el paso por prisión tiene sobre el desistimiento delictivo en la medida en que condiciona las oportunidades prosociales a las que el individuo tendrá acceso tras el abandono del centro penitenciario.

De otra parte, los elementos subjetivos han sido señalados como de gran importancia en un número importante de investigaciones en lo que refiere a la finalización de la trayectoria delictiva, en la medida en que los cambios de pensamiento y la perspectiva personal se consideran relevantes para el éxito del cambio.

Lebel y sus colaboradores aludieron a la existencia de cuatro factores de carácter subjetivo con influencia destacable con relación al desistimiento. En primer lugar, reseñaron la importancia de la esperanza y la autoeficacia[181]. El concepto de esperanza puede resultar difícil de definir. Así, autores como Snyder y sus

---

180 Véase, Farrall, S. y Bowling, B.: Op. cit. 1999. Citado en LeBel, T. P., Burnett, R., Maruna, S. y Bushway, S. (2008): "The "chicken and egg" of subjective and social factors in desistance from crime". *European Journal of Criminology*, *5*, 131-159.

181 Véase, Lebel, T. P., Burnett, R., Maruna, S. y Bushway, S.: Op. cit. 2008.

colaboradores desarrollaron el término como *un constructo unidimensional que implica una percepción general de que los objetivos pueden ser alcanzados*[182]. Por su parte, autores como Burnett y Maruna apuntaban hacia una definición de esperanza como un deseo real y alcanzable de cambio, contando el individuo con los medios y mecanismos necesarios para ello[183].

En segundo lugar, los autores refirieron el remordimiento y la vergüenza[184]. Encuentra relación esto con la cuarta transformación cognitiva propuesta por Giordano y sus colaboradores, según la cual el individuo comenzaba a tomar conciencia acerca de su pasado delictivo cuando manifestaba una opinión negativa hacia el mismo[185]. Sin embargo, la vergüenza como consecuencia de trayectorias delictivas de especial gravedad puede provocar un sentimiento de impotencia en el sujeto que observa su pasado, lo que le impide el movimiento hacia el cambio.

Un tercer factor subjetivo es la internalización del estigma[186]. Algunos autores, como Braithwaite distinguieron entre un tipo de vergüenza estigmatizante y un tipo de vergüenza con carácter reintegrador. Desde el punto de vista de la primera de ellas, el individuo y la conducta delictiva pasan a ser degradados. Sin embargo, la vergüenza reintegradora, aunque también genera una negación hacia el delito, logra no situar el foco de atención en el rechazo del sujeto que lo llevó a cabo. Desde esta perspectiva, es la vergüenza integradora la que favorece el cese del delito[187].

---

182 Véase, Snyder, C.R. et al. (1991): "The will and the ways: development and validation of an individual differences measure of hope". *Journal of personality and social psychology, 60*(4), 570-585.

183 Véase, Burnett, R. y Maruna, S. (2004): "So "prison works", does it? The criminal careers of 130 men released from prison under home secretary, Michael Howard". *The Howard Journal, 43*(4), 390-404.

184 Véase, Lebel, T. P., Burnett, R., Maruna, S. y Bushway, S.: Op. cit. 2008.

185 Véase, Giordano, P.C., Cernkovich, S.A. y Rudolph, J.L.: Op. cit. 2002.

186 Véase, Lebel, T. P., Burnett, R., Maruna, S. y Bushway, S.: Op. cit. 2008.

187 Véase, Braithwaite, J. (1989). *Crime, shame, and reintegration.* Cambridge: Cambridge University Press. Citado en Lebel, T. P., Burnett, R., Maruna, S. y Bushway, S.: Op. cit. 2008.

Por último, los autores señalaban la aparición de identidades alternativas incompatibles con la delincuencia como, por ejemplo, la idea del buen padre de familia.

El objetivo principal de la investigación llevaba a cabo por los autores era determinar, a través de un estudio de carácter prospectivo, la influencia que factores externos (sociales o estructurales) e internos (subjetivos) tenían en el proceso de desistimiento delictivo. Para lograr el objetivo, los autores incorporaron un estudio de carácter longitudinal, considerando que sería esta la mejor forma de alcanzar los objetivos[188]/[189]. Se llevaron a cabo una serie de entrevistas en Reino Unido sobre una muestra exclusivamente masculina de 130 individuos que se encontraban finalizando una condena a prisión por delitos contra la propiedad. Una vez transcurrido un periodo de entre 4 y 6 meses tras el abandono del centro penitenciario, los individuos volvieron ser objeto de entrevistas. Lograron concluir los autores cierto nivel de apoyo a la importancia sobre la posibilidad de desistimiento que tienen las cogniciones del sujeto y los sistemas de significado

188 Véase, Lebel, T. P., Burnett, R., Maruna, S. y Bushway, S.: Op. cit. 2008.

189 Cabe señalar que los datos longitudinales son aquellos datos recopilados sobre los mismos sujetos en dos o más puntos en el tiempo, pudiendo obtenerse estos datos de modo retrospectivo o de modo prospectivo. La principal diferencia recae en el intervalo de tiempo durante el cual se produce la recopilación de datos. Tal y cómo ejemplifican Blumstein, Cohen y Farrington, en una encuesta longitudinal de tipo retrospectivo sobre delitos llevados a cabo por individuos entre los 10 y los 19 años, se les podría requerir a las personas que hayan cumplido veinte años que recuerden acerca de su trayectoria delictiva en el periodo de tiempo que se señala. En un estudio de carácter prospectivo, por el contrario, la muestra sería entrevistada cada año, desde el periodo de los 1 a los 20 años, solicitándole recordar la frecuencia de delitos en el año justamente anterior. Como consecuencia de ello, cabe destacar una importante desventaja de los diseños retrospectivos y es que el recuerdo del sujeto objeto de análisis puede resultar inexacto o parcial si se refiere a periodos de tiempo muy extensos, justificando, a su vez, el uso de metodologías prospectivas que no generan este tipo de cuestiones problemáticas. Véase, Blumstein, A. Cohen, J. y Farrington, D. P.: Op. cit. 1988.

que se generan en el momento previo al abandono de la prisión. Se observó, además, que los cambios subjetivos tenían lugar antes que los eventos estructurales y que un estado de mentalidad positiva facilita el proceso de abandono de la trayectoria delictiva[190].

En España, y siguiendo la línea de las explicaciones mixtas, Cid y Martí[191] propusieron un modelo teórico integrado que partía de la relevancia que tenían las narrativas de cambio en el cese del delito. El objetivo principal de su investigación fue alcanzar a detectar cuáles eran los factores de influencia en la aparición de tal narrativa. El modelo de partida sugería la existencia de factores no modificables, como la trayectoria vital o su edad, y una serie de factores de corte contingente que dependían de las interacciones entre el sujeto y la sociedad. Además, la influencia que ambos tenían sobre el proceso de remisión delictiva era conjunta.

Los autores partían, de acuerdo con Maruna, de que la narrativa de cambio incluye un cambio de identidad hacia el autoconcepto como no delincuente, así como la eficacia, la cual hacía referencia a la capacidad del sujeto para alcanzar el objetivo. El objetivo era determinar si dichas narrativas promovían el proceso de finalización de la trayectoria delictiva, para lo cual emplearon un diseño de carácter prospectivo[192] mediante el cual la preten-

---

190 Véase, Lebel, T. P., Burnett, R., Maruna, S. y Bushway, S.: Op. cit. 2008.

191 Véase, Cid, J., y Martí, J. (2011): "El proceso de desistimiento de las personas encarceladas. Obstáculos y apoyos". *Documentos de trabajo. Barcelona: Centre d'Estudis Jurídics i Formació Especialitzada.*

192 Para Bottoms y sus colaboradores resulta imprescindible el abordaje del fenómeno del desistimiento del delito a partir de un diseño prospectivo. Los autores sostuvieron, en este sentido, que existe un total de tres líneas conceptuales interconectadas en un estudio prospectivo sobre desistimiento delictivo, a saber, la comprensión interactiva de la estructura, cultura y agencia, una teoría del comportamiento conforme a la norma y por último un enfoque basado en la línea temporal que atiende al pasado menos reciente del individuo (la propensión delictiva), al pasado más reciente (centrando de forma especial la atención en las actividades rutinarias y el estilo de vida del sujeto), al presente (incluyendo las actividades llevadas a cabo en relación con el delito)

sión no era conocer si individuos que ya habían desistido presentaban la narrativa de cambio, sino que se trataba de determinar si ésta ya estaba presente en el momento en que la condena finalizaba y, por tanto, acompañaría al individuo durante todo el proceso de cese[193].

Conocer el grado de influencia de los factores transicionales en el surgimiento de narrativas de cambio era de vital importancia. Sin embargo, no dejó de observarse la posible influencia sobre el desistimiento de factores como el peso de la trayectoria vital y delictiva (experiencias familiares, educación, empleo, experiencias con el sistema de justicia, trayectoria delictiva...). Ello podía tener como consecuencia principal que la manera en que surgían las narrativas de cambio no fuese igual para todos los casos. Incluyeron, también, el análisis de los factores de tipo estructural, como el empleo o los vínculos familiares, cuya influencia en el cese del delito no debía ser descartada en un principio.

La muestra objeto de estudio se encontraba conformada por 67 varones que previamente habían cumplido una condena a pena privativa de libertad en prisión por delitos contra la salud pública o contra la propiedad.

De la primera fase de entrevistas se pudo concluir que la narrativa de cambio se caracterizaba, en primer lugar, por una desvinculación con la identidad delictiva previa. Principalmente en aquellos casos de individuos con una larga e intensa carrera delictiva, se observó el abandono de la etiqueta de delincuente y la aparición de un autoconcepto basado en identidades nuevas, principalmente como exconsumidor de sustancias estupefacien-

---

y al futuro. Véase, Bottoms, A. (2001): "Compliance and community penalties". En Bottoms, A. y Gelsthorpe, L. y Rex, S. (eds.). *Community penalties: change and challenges*. Cullompton: Willan. Citado en Farrall, S. y Maruna, S. (2004): "Desistance-focused criminal justice policy research: Introduction to a special issue on desistance from crime and public policy". *The Howard Journal of Crime and Justice, 43*(4), 358-367.

193 Véase, Cid, J., y Martí, J.: Op. cit. 2011.

tes o la de trabajador. La aparición de esta identidad resultó menos probable para los casos en los que sujetos de más edad y con trayectorias delictivas de mayor duración ya habían asumido la etiqueta como delincuente.

Se observó asimismo la aparición de un plan de vida convencional o normalizado. Los sujetos que mostraban una incipiente narrativa de cambio manifestaban su voluntad de una vida normalizada y prosocial, alejada del delito.

En tercer lugar, el delito dejaba de valorarse como una opción para tener en cuenta. El nuevo proyecto vital planteado e imaginado resultaba incompatible con el delito, de modo que los individuos solo planteaban regresar a la carrera delictiva en casos de extrema necesidad, aunque por el momento lo veían como improbable y lejano en el tiempo.

Otro elemento común en las narrativas de desistimiento era la certeza en el logro de planes de vida convencionales, a pesar de que las situaciones resultaban ciertamente diferentes para cada caso. Así, se detectaron numerosos casos de individuos que habían logrado mantener durante el tiempo de condena en prisión unos vínculos estables y un elevado nivel de apoyo por parte de terceros. Otros, por el contrario, debían enfrentarse a mayores adversidades en lo que refiere a la obtención de empleo y establecimiento de relaciones de apoyo que facilitasen el proceso de cambio.

En último término, las narrativas mostraron que el individuo manifestaba un alto grado de compromiso y de asunción de responsabilidades futuras. La gran mayoría de los sujetos se mostraron seguros como consecuencia de un elevado nivel de agencia. Manifestaron que era a ellos mismos a quienes les correspondía actuar como sus propios agentes de cambio, independientemente del grado de apoyo recibido por parte de amigos, familiares, cónyuges o personal de las instituciones penitenciarias. Atribuían el éxito en el proceso de desistimiento a ellos mismos, a su esfuerzo y a los altos niveles de responsabilidad alcanzados

Otra conclusión de esta primera fase de estudio mostró que la aparición de las narrativas de cambio no se ve en exceso influida por la trayectoria vital de los sujetos, así, individuos con experiencias similares mostraban testimonios distintos.

En relación con los factores externos o estructurales que muestran mayor grado de influencia sobre la aparición de la narrativa de cambio en el proceso de transición desde el encarcelamiento hacia la vida en libertad destacan, en primer lugar, las relaciones sentimentales con mujeres con características prosociales y no delictivas y, en segundo lugar, la existencia de unos lazos con el entorno familiar estables y previos al cumplimiento de la condena[194].

Tuvo lugar una segunda fase de entrevistas tras un periodo de uno o dos años tras el abandono del centro penitenciario de los sujetos que conformaban la muestra. De los 67 individuos que participaron en la primera fase, los investigadores pudieron entrevistar posteriormente a 36. De estos últimos, tan solo 21 personas cesaron en su trayectoria delictiva. El principal objetivo que tenían Cid y sus colaboradores era conocer cuál era la trayectoria vital que había sido seguida por parte de los sujetos y concretar qué explicaciones teóricas sobre el desistimiento recibirían mayor apoyo empírico: la teoría del control social, la teoría de las transformaciones cognitivas o la teoría del apoyo social[195].

Se identificaron cuatro procesos que mantienen el proceso de desistimiento y que permiten vincular los dos elementos an-

---

194 Véase, Cid, J., y Martí, J.: Op. cit. 2011.

195 La teoría de apoyo social propuesta por Cullen resalta la importancia de apoyo emocional e instrumental recibido durante el proceso de desistimiento. Véase, Cullen, F., (1994): "Social support as an organizing concept for criminology: presidential address to the academy of criminal justice sciences". *Justice Quarterly, 11*, 527-59. Citado en Cid, J. et al. (2016): "Estudio longitudinal sobre el proceso de reinserción de personas encarceladas". *Centro de Estudios Jurídicos y Formación Especializada (Departamento de Justicia).*

teriores: 1) el compromiso en el mantenimiento de los vínculos relacionales (relacionado con la teoría del control), 2) el apoyo recibido para participar en programas de tratamiento durante el periodo de condena, 3) los lazos existentes con familiares y parejas, y 4) la disminución de la tensión en el abandono de la prisión. En lo que refiere a la agencia, los individuos que cesaron en sus comportamientos delictivos aseguraban que eran ellos mismos los verdaderos actores del cambio.

La teoría del control social de Sampson y Laub[196] o la teoría de las transformaciones cognitivas[197] aparecen apoyadas parcialmente en el presente estudio. En lo que refiere a la teoría de las transformaciones cognitivas, no se descarta la influencia que los cambios a nivel cognitivo tienen en el inicio del proceso de desistimiento, sin embargo, Cid determinó que estas transformaciones suelen aparecer precedidas de algún tipo de elemento de carácter social, como una relación de pareja.

Por último, fue la teoría explicativa del apoyo social, la que recibió un mayor apoyo en esta segunda etapa de entrevistas. El análisis permite confirmar que el apoyo familiar y el apoyo recibido por parte de la pareja poseen gran importancia en el proceso de desistimiento. Ello facilita que el individuo inicie los cambios a nivel cognitivo que, a su vez, facilitarán el desistimiento[198].

Un estudio más reciente que ha seguido esta línea sobre la influencia conjunta de los factores de carácter externo e interno es el llevado a cabo por Farral y sus colaboradores. Este estudio pretendía rastrear a las personas en libertad condicional y actualmente sigue en curso. Tenía como objeto de estudio a un total de 199 personas que se encontraban cumpliendo libertad condicional y con edades comprendidas entre los 17 y los 35 años. Se trata de una muestra principalmente compuesta por hombres, en un 87%

---

196 Véase, Sampson, R.J. y Laub, J.H.: Op. cit. 1993. y Sampson, R.J. y Laub, J.H.: Op. cit. 2003.

197 Véase, Giordano, P.C., Cernkovich, S.A. y Rudolph, J.L.: Op. cit. 2002.

198 Véase, Cid, J.: Op. cit. 2016.

principalmente jóvenes, y en un 44% por individuos con edades comprendidas entre los 17 y los 23 años. Utilizó una metodología estrictamente cualitativa a partir del uso de entrevistas. El objetivo de la investigación era conocer los factores que influyen en el proceso de fin de la trayectoria delictiva de los sujetos y, concretamente, pretendía determinar qué función cumplen los servicios de libertad condicional sobre el mismo. El estudio constó de cinco rondas de entrevistas llevadas a cabo entre 1997 y 2013 llegando a contar en 2006 con un 25,63% del total de la muestra inicial en ese momento. Los principales hallazgos se pueden resumir en que el 71% de los sujetos llegaron a desistir o, al menos, lograron mostrar signos de un incipiente proceso de desistimiento. Han podido concluir los autores que existe una influencia conjunta de elementos externos al individuo, como las relaciones interpersonales o las estructuras sociales, con elementos internos, por ejemplo, el nivel de agencia o las emociones[199].

No puede dejar de hacerse referencia a la Teoría Integrada de la Maduración propuesta por Rocque en la que se establece una unión entre teorías muy diferentes sobre el desistimiento en la búsqueda de un enfoque holístico. El autor indica la influencia que en tal proceso tienen componentes de carácter cognitivo, psicosocial o de la personalidad, la identidad o las transformaciones cognitivas, la ciudadanía y el papel de la sociedad[200].

Rocque reconoce un aumento del interés por parte de los investigadores en Criminología sobre el curso de la vida o la Criminología del desarrollo. Según el autor, este enfoque aleja la atención de la explicación sobre las causas de la toma de contacto del individuo con el delito y plantea la necesidad de analizar el desa-

---

199 Véase, Farrall, S., Hunter, B., Sharpe, G. y Calverley, A. (2016): "What 'works' when retracing sample members in a qualitative longitudinal study?". *International Journal of Social Research Methodology, 19*(3), 287-300.

200 Véase, Rocque, M. (2015): "The lost concept: The (re) emerging link between maturation and desistance from crime". *Criminology & Criminal Justice, 15*(3), 340-360.

rrollo de la vida para comprender todo el proceso delictivo. Considera también que la doctrina, principalmente a partir de la idea de Maruna[201], ha rechazado la importancia que la maduración del individuo tiene sobre el proceso de cese delictivo. Si bien reconoce el autor que, en un primer momento, el factor "maduracional" se había asociado a factores de tipo biológico exclusivamente, siendo esta una explicación insuficiente. Por todo ello, asegura que el proceso de maduración del individuo implica cambios de tipo social, biológico y psicológico, teniendo todos estos elementos una influencia conjunta sobre la carrera delictiva del sujeto.

Han sido escasos los intentos de desarrollar un concepto amplio y holístico de maduración. Con ello, Rocquc trata de realizar un arduo análisis de las muy diversas dimensiones del concepto de maduración, reconociendo que se trata de un factor integrado que ayuda a la obtención de una visión mucho más realista del proceso de finalización de la trayectoria del delito. Pretende, por tanto, generar una teoría integradora, pero además tiene por objetivo demostrar cómo gran parte del conocimiento que hasta el momento se ha generado en lo que refiere al desistimiento puede integrarse dentro de la teoría de la maduración, de modo que ningún elemento resulte excluyente[202].

Rocque parte de la idea de maduración propuesta por el matrimonio Glueck en los años 40 en la que se defendía que el sujeto mostraba menores tendencias delictivas conforme se producía un aumento de la edad. El argumento principal que proporcionaron los investigadores es que el comportamiento delictivo tiende a disminuir de modo natural. Este momento de madurez no coincide en todos los casos, sino que los individuos muestran los primeros signos de sensatez en instantes diferentes. Defiende el autor que, más allá de lo que se ha reconocido a lo largo del desarrollo del saber criminológico, los Glueck no pretendían justificar una maduración exclusivamente fisiológica, sino que aludían a la impor-

---

201 Véase, Maruna, S.: Op. cit. 2006.

202 Véase, Rocque, M.: Op. cit. 2015.

tancia de factores de carácter intelectual, afectivo, capacidades físicas o personalidad[203]. Con la maduración, el sujeto también muestra mayores niveles de autocontrol, capacidad de establecer previsiones, mayor grado de perseverancia en las actividades, autoestima, mayor respeto por los demás y por las opiniones vertidas por ellos, mayor grado de conformidad con la ley, etc.[204]. El matrimonio precisó que no todas las personas logran alcanzar el grado de madurez idóneo en las edades normativas, generalmente, en torno a la edad de 20 años, como consecuencia de deficiencias en la estructura familiar durante los primeros años de niñez, problemas en el colegio u otros problemas de índole físico como, por ejemplo, la presencia de algún tipo de trastorno mental[205]. Todo este proceso ocurre entre los 25 y los 35 años[206], de modo que aquellos individuos que no logran alcanzarlo muestran la mayor tasa delictiva durante ese periodo, declinando, pese a todo, a partir de los 35 como consecuencia del desgaste de la fuerza y los cambios a nivel físico propios de la edad[207].

Tal y cómo se ha expuesto a lo largo del apartado, la teoría "maduracional" ha recibido un apoyo escasísimo a lo largo del desarrollo del saber sobre desistimiento delictivo. No obstante, quizá son las críticas llevadas a cabo por Wooton las más destacables. La autora defendió, por una parte, que la teoría "maduracional" propuesta por los Glueck no suponía en realidad ninguna aportación al conocimiento criminológico y, por otra parte, que resultaba una explicación redundante. Más allá, Wooton argumentaba que

---

203 Véase, Glueck, S, y Glueck, E.T. (1937). *Later criminal careers*. New York: The Commonwealth Fund. Citado en Rocque, M.: Op. cit. 2015.

204 Véase, Glueck, S, y Glueck, E.T. (1943). *Criminal careers in retrospect*. New York: The Commonwealth Fund. Citado en Rocque, M.: Op. cit. 2015.

205 Véase, Glueck, S, y Glueck, E.T. (1968). *Delinquents and nondelinquents in perspective*. Cambridge, MA: Harvard University Press. Citado en Rocque, M.: Op. cit. 2015.

206 Véase, Glueck, S, y Glueck, E.T.: Op. cit. 1943. Citado en Rocque, M.: Op. cit. 2015.

207 Véase, Glueck, S, y Glueck, E.T.: Op. cit. 1940. Citado en Rocque, M.: Op. cit. 2015.

la idea "maduracional" no logra ser una verdadera explicación del desistimiento del delito, limitándose a realizar una descripción de una realidad que sigue precisando el conocimiento de sus causas[208]. Rocque niega la tautología de la idea de maduración en la medida en que se trataba de dar explicación a un hecho, como es el desistimiento delictivo, a partir de una serie de factores, en concreto los concernientes a la maduración del individuo.

Rocque asegura que la formulación del matrimonio Glueck precisaba de un elemento, en cuya ausencia, probablemente, se fundamente el fracaso de la teoría en lo que refiere a la aceptación por parte de la doctrina. Para el autor, los Glueck deberían haber compilado todos los extremos de la teoría propuesta en un único tomo que albergara la totalidad de la información derivada de sus investigaciones y no en numerosos artículos, como hicieron.

Rocque también asegura que todo el cuerpo de conocimiento que, desde la propuesta de los Glueck, se ha generado sobre el desistimiento delictivo no deja, en el fondo, de contener algunos de los elementos de la idea de maduración. Así las teorías que se encuadran dentro del paradigma ontogénico defendían la curva que explicaba la relación entre edad y delito. Es cierto, que los autores de este paradigma asumían que la curva no resultaba universal y que podía variar a lo largo de los diferentes tipos de sociedades y culturas, sin embargo, argumentaban la fortaleza del concepto considerando su transversalidad, por ejemplo, para los dos sexos[209]. Desde la perspectiva de Rocque, es precisamente la implicación de la edad, entendida como mero envejecimiento en el proceso de finalización de la trayectoria del delito, la que alude a la maduración.

---

208 Véase, Wootton, B. (1962). *Social science and social pathology*. London: Allen and Unwin. Citado en Rocque, M.: Op. cit. 2015.

209 Véase, Wilson, J.Q. y Herrnstein, R.J. (1985). *Crime and human nature*. New York: Simon & Schuster. Citado en Rocque, M.: Op. cit. 2015.

Las teorías explicativas del desistimiento que argumentaban la importancia de factores a nivel subjetivo como la agencia[210], el cambio de la identidad del individuo[211] o la aparición de narrativas de desistimiento[212] también han logrado, en último término, ver reflejada la idea "maduracional". Así, cuando estas teorías consideran que el individuo adopta la decisión de abandono de la carrera criminal en el momento en que pasa a considerarse a sí mismo como no delincuente, o bien en el momento en que aparecen una serie de elementos externos a los que comienza a tener acceso cuando se encuentra preparado y abierto al cambio, en realidad, están reconociendo una suerte de explicación basada en ideas ontogénicas, de desarrollo individual y de capacidad de decisión tras las cuales subyacen algunos de los elementos de la maduración.

Por su parte, las teorías *sociogénicas* se basan en la importancia de los roles que el individuo asume a lo largo de su vida al establecer vínculos como el matrimonio o el empleo, y rechazan la necesidad de que estos lazos aparezcan vinculados a algún cambio a nivel subjetivo[213]. Una nueva explicación del desistimiento delictivo, dentro del paradigma, propone que la preocupación del individuo por la sociedad resulta ser un factor de elevada influencia en el proceso de cambio[214]. En este sentido Farral y Calverley ya habían apuntado a la relevancia de ciertas tendencias del individuo hacia la ciudadanía en el fin del patrón delictivo, ya que quienes ejercen el rol del "buen ciudadano" suelen abstenerse de la delincuencia[215]. Uggen y Massoglia, por su parte, aludían al proceso de "reintegración cívica" para referirse a la situación en la que los

---

210 Véase, Maruna, S.: Op. cit. 2006; Paternoster, R.: Op. cit. 2017.

211 Véase, Paternoster, R. y Bushway, S.: Op. cit. 2009.

212 Véase, Maruna, S.: Op. cit. 2006.

213 Vease, Sampson, R.J. y Laub, J.H: Op. cit. 1993.

214 Véase, Rocque, M.: Op. cit. 2015.

215 Véase, Farrall, S. y Calverley, A. (2006). *Understanding desistance from crime: theoretical directions in rehabilitation and resettlement.* Maidenhead: Open University Press. Citado en Rocque, M.: Op. cit. 2015.

sujetos volvían a la sociedad y normalizaban su situación como ciudadano medio[216]. Rocque considera que, aunque no se puede negar una verdadera influencia de algunos de los elementos eventuales indicados dentro de este paradigma, ninguno de ellos logra explicar por sí mismo el proceso de desistimiento. Partiendo de esa base, el autor propone que una perspectiva integradora de la idea de maduración permite agregar las diferentes partes de las explicaciones existentes hasta el momento en un conjunto más rico y coherente.

Rocque, en su intención de generar una teoría integradora, plantea la existencia de cinco "dominios de maduración" (véase, Figura 1). En primer lugar, el autor desarrolla la llamada dimensión de la ciudadanía o la madurez cívica, dentro de las cuales se detectan siete elementos para su medición: *votación o participación en actividades gubernamentales/políticas; actitudes hacia el estado o el gobierno; servicio comunitario o actividad en organizaciones comunitarias; pago de impuestos; trabajo voluntario; tolerancia a la diversidad; y preocupación por intereses más amplios de la comunidad.* La maduración, desde el punto de vista del autor, implica que el individuo comience a participar en la sociedad, asumiendo los deberes que de la organización de la misma se derivan.

En segundo lugar, Rocque alude a la dimensión de la maduración de los roles sociales, cuyos indicadores principales son los siguientes: *la presencia y calidad de las relaciones adultas como el matrimonio y los hijos; marcadores de independencia (no vivir con los padres, ser autosuficiente); finalización de la escuela (bachillerato o título universitario); y satisfacción y consistencia del empleo.*

En tercer lugar, la dimensión de la madurez psicosocial o de la personalidad viene determinada por los siguientes indicadores: *actitudes hacia los roles adultos; expectativas de futuros roles de adultos; impulsividad; orientación actual; responsabilidad; inhibiciones; la bús-*

---

216 Véase, Uggen, C. y Massoglia, M.: Op. cit. 2003. Citado en Rocque, M.: Op. cit. 2015.

queda de sensaciones; racionalidad o toma de decisiones racional; amabilidad; escrupulosidad; y neuroticismo.

La cuarta dimensión corresponde a la identidad o la transformación cognitiva, medida en función de: *actitudes prosociales hacia la desviación o el crimen; visión prosocial de uno mismo; y apertura al cambio.*

La última dimensión se identifica con la maduración cognitiva o neurológica y se mide de forma directa a través del *aumento del desarrollo neurológico, la disminución de la densidad de la corteza gris de la material frontal y aumento de la materia blanca.* De modo indirecto se tendrán en cuenta: *medidas neuropsicológicas del funcionamiento ejecutivo; memoria; dominio del vocabulario y razonamiento abstracto*[217].

En definitiva, la teoría explicativa integrada sobre desistimiento del delito basada en los dominios de maduración propuesta por Rocque en el año 2015, pretende proponer las dimensiones e indicaciones necesarias para garantizar un acercamiento empírico al concepto de maduración. Aunque se trata de un proceso que no comienza a desarrollarse en el mismo momento para todos los individuos, se asume que conforme los sujetos aumentan en edad, resulta esperable que comiencen a experimentar determinados cambios en lo referente a mayor capacidad de previsión con respecto a eventos futuros, que comiencen a establecer vínculos con otras personas propias de la adultez y que su participación en actividades características de la ciudadanía comiencen a ser más frecuentes. Rocque asume que este procedimiento se debe, en parte, a elementos de carácter biológico, por ejemplo, en términos de maduración cerebral, la cual se da, en cualquier caso, en todos los individuos, y que aparecen relacionados con otros dominios de maduración. Así, factores propios de la maduración psicosocial descritos por Rocque, como la capacidad de autocontrol, dependerán o, al menos, se verán influidos por cambios neurocognitivos y de desarrollo del cerebro del individuo. Los primeros años del desarrollo del individuo durante la infancia se consideran de gran

---

217 Véase, Rocque, M.: Op. cit. 2015.

relevancia para promover este tipo de maduración. De este modo, una familia estructurada, unos padres implicados en la educación de sus hijos, padres que imparten disciplina a través del amor y del respeto, padres que protegen, no abusan y no sitúan a sus hijos en una exposición a situaciones violentas, resultan elementos de gran significación dentro del proceso de maduración a nivel social, biológico y psicológico.

Plantea también el autor, siguiendo la idea de Moffit sobre delincuentes persistentes[218], que el comportamiento de tipo antisocial que tiene lugar durante la infancia y la primera adolescencia del sujeto es un predictor de que la carrera delictiva se mantenga a lo largo del curso vital y se convierta en persistente. Con todo ello, los dominios de maduración referidos tienen capacidad de influirse entre ellos, de esto modo, por ejemplo, resulta probable que los dominios relacionados con la edad del sujeto dependan directamente de la aparición de otro tipo de dominios como los relacionados con la asunción de roles adultos o aquellos de corte biológico[219]. Indica que aquellas personas que desisten del comportamiento delictivo lo hacen como consecuencia del desarrollo madurativo, lo que a su vez depende de otros muchos factores como, por ejemplo, el paso por el sistema penal, el sistema judicial o penitenciario.

Rocque defendía que los dominios de maduración propuestos en su teoría no exigen orden de aparición, de modo que en cada caso los dominios podrán darse por existentes en un momento determinado y cada uno de ellos influirá y propiciará la aparición del otro. Asegura el autor que en una sociedad más individualista en la que los sujetos tienden menos al matrimonio y a las relaciones románticas, es probable que aparezcan más tempranamente otros dominios con respecto a los referidos a las relaciones sociales.

---

218 Véase, Moffit, T.E.: Op. cit. 1993. Citado en Rocque, M.: Op. cit. 2015 y véase subapartado relativo al paradigma ontogénico.

219 Véase, Rocque, M.: Op. cit. 2015.

Es importante señalar que el propio autor reconoce la importancia de la aparición de un mayor número de dominios sobre el proceso de desistimiento delictivo. De este modo, el hecho de que a lo largo de la trayectoria de vida de un sujeto tan solo pueda determinarse la existencia de dos de los dominios, puede no ser suficiente para garantizar el desistimiento de la trayectoria delictiva. Debe considerarse, por tanto, una visión integrada y holística del proceso de maduración.

Finaliza su trabajo Rocque planteando el método que debe ser empleado para medir el proceso de maduración de los individuos y su influencia en el proceso de desistimiento delictivo. Será imprescindible la obtención de datos a lo largo del transcurso de la vida del sujeto, incluyendo en estos varios indicadores de cada uno de los dominios de maduración, medidos en diferentes puntos a lo largo del desarrollo del individuo. En primer lugar, para comprobar si la maduración existe, debe determinarse si entre un punto de análisis y el siguiente han aparecido algunos de los indicadores, de hacerlo, podrá confirmarse un proceso de maduración. En segundo lugar, será imprescindible comprobar si los dominios resultan interactivos entre ellos, o bien tienen un efecto agregativo de uno sobre otro. Aboga el autor por el uso de curvas de crecimiento longitudinal a lo largo del tiempo en las que se plasme la relación entre el aumento de los indicadores que conforman los dominios y la reducción de delincuencia llevada a cabo por el individuo.

Concluye su obra Rocque asegurando que la visión de la maduración que propone se asocia a un tipo de sociedad occidental y postindustrial, lo cual genera consecuencias, principalmente, en lo que refiere a los roles sociales, aunque no, por ejemplo, a los indicadores de maduración biológica que sí pueden resultar transversales a lo largo del tiempo y en diferentes países[220].

---

220 Véase, Rocque, M.: Op. cit. 2015.

Figura 1. Dominios de la maduración y relaciones según la Teoría Integrada de la Maduración de Rocque[221].

Fuente: Elaboración propia.

1.4.5. La disuasión específica: la influencia de la prisión y otras sanciones en el desistimiento del delito

Tal y como se ha desarrollado a lo largo de los subapartados precedentes, el cuerpo de estudio que se ha generado en torno al fenómeno del desistimiento delictivo y sobre la posibilidad de

---

221 Véase, Rocque, M.: Op. cit. 2015.

influencia en el mismo de factores de carácter externo, interno o como consecuencia de un efecto combinado entre ambos es amplio y consistente, no obstante, no resultan tan abundantes aquellas investigaciones orientadas hacia la determinación del papel que el sistema penitenciario tiene sobre este proceso.

Tradicionalmente, los investigadores han proporcionado tres perspectivas diferentes sobre el impacto que el paso por prisión tiene en lo que refiere a reincidencia. En primer lugar, desde algunos sectores, se ha asegurado que el marcado carácter punitivo de la prisión genera un resultado disuasorio de la delincuencia[222], la cárcel como castigo[223]. En segundo lugar, se ha defendido que la prisión resulta criminógena y aumentan las probabilidades de delito tras su paso por ella[224], actuando con una "escuela de delincuencia"[225]. En tercer lugar, algunas investigaciones han determinado que la prisión carece de impacto alguno sobre la conducta delictiva[226].

En lo que refiere al primer sector, el que considera la prisión como un elemento punitivo, este parte del hecho de que el paso por los centros penitenciarios supone una experiencia ciertamente desagradable, e incluso traumática, que provoca que los costes que aparecen asociados al encarcelamiento provoquen una reducción de la delincuencia[227]. La opinión de que la prisión por sí misma actúa como un elemento de disuasión se basa en la llama-

---

222 Véase, Meade, B., Steiner, B., Makarios, M. y Travis, L. (2013): "Estimating a dose–response relationship between time served in prison and recidivism". *Journal of Research in Crime and Delinquency, 50*(4), 525-550.

223 Véase, Gendreau, P., Goggin, C. y Cullen, F.T. (1999). *The effects of prison sentences on recidivism.* Ottawa: Solicitor General Canada.

224 Véase, Meade, B., Steiner, B., Makarios, M. y Travis, L.: Op. cit. 2013.

225 Véase, Gendreau, P., Goggin, C. y Cullen, F.T.: Op. cit. 1999.

226 Véase, Meade, B., Steiner, B., Makarios, M. y Travis, L.: Op. cit. 2013.

227 Véase, Nagin, D., Cullen, F.T. y Jonson, C.L. (2009): "Imprisonment and reoffending". En Tonry, M. (ed.) *Crime and Justice: A Review of Research, Vol. 38.* Chicago, IL: University of Chicago Press. Citado en Meade, B., Steiner, B., Makarios, M., y Travis, L.: Op. cit. 2013.

da Teoría de la disuasión específica[228]. Tanto las estimaciones que los individuos, a nivel general, hacen sobre la probabilidad de que las sanciones tras la comisión delictiva sean impuestas, como la idea sobre la severidad de estas, provocan que los ciudadanos establezcan un cálculo de costes y beneficios sobre el delito[229]. La idea mencionada corresponde con el concepto de disuasión general, es decir, la amenaza de castigo se dirige hacia todos los individuos de la sociedad. Esta amenaza se ve reforzada con el conocimiento acerca del Derecho penal, la actividad policial o la actividad de los tribunales de justicia. En la medida en que el conocimiento de este castigo posee capacidad para reducir la delincuencia, la prisión tiene capacidad de disuasión general[230]. Además, las penas privativas de libertad en prisión son percibidas como más duras que las sanciones que no requieren este tipo de internamiento, y se consideran más severas las condenas largas de prisión con respecto a las condenas más cortas[231]. Los antecedentes penales suponen un agravante de las condenas de prisión para aquellos individuos con trayectorias delictivas, por tanto, se presupone que este es uno de los factores disuasorios con respecto a los sujetos que han finalizado una condena[232]. Se predice que aquellos sujetos que han experimentado sanciones de mayor gravedad tienden a la reducción de las prácticas delictivas en el futuro, atendiendo esta idea al concepto de disuasión específica[233].

Por su parte, los autores que asumen que la prisión resulta criminógena hacen referencia al carácter deshumanizante que tie-

---

228 Véase, Andenaes, J. (1968): "Does punishment deter crime?". *Criminal Law Quarterly, 11*(1), 76-93.

229 Véase, Meade, B., Steiner, B., Makarios, M. y Travis, L.: Op. cit. 2013.

230 Véase, Andenaes, J.: Op. cit. 1968.

231 Véase, Nagin, D., Cullen, F.T. y Jonson, C.L.: Op. cit. 2009. Citado en Meade, B., Steiner, B., Makarios, M. y Travis, L.: Op. cit. 2013.

232 Véase, Gendreau, P., Goggin, C. y Cullen, F.T.: Op. cit. 2009; Nagin, D., Cullen, F.T. y Jonson, C.L.: Op. cit. 2009. Citado en Meade, B., Steiner, B., Makarios, M. y Travis, L.: Op. cit. 2013.

233 Véase, Gendreau, P., Goggin, C. y Cullen, F.T.: Op. cit 1999.

ne la realidad penitenciaria, así como a la dificultad que conlleva para el individuo la adaptación a la subcultura carcelaria[234]. En el interior de los centros penitenciarios se genera una cultura altamente violenta que se opone a la autoridad institucional como respuesta al carácter traumático que supone la experiencia del desarrollo de la vida en prisión[235]. Crespo y Bolaños aluden a la existencia de un código de conducta o sistema normativo de carácter informal que dirige el sistema de vida de los reclusos y se articula en torno a una serie de valores de elevada significación en la vida penitenciaria y cuya no aceptación por parte de algún individuo puede conllevar la expulsión del subgrupo u otras consecuencias de carácter más violento[236]. Desde esta perspectiva, la influencia criminógena de la prisión se observa en el modo en el que los sujetos, una vez se adaptan a la subcultura carcelaria, encuentran aún mayores dificultades a la hora de intentar reintegrarse en la sociedad tras el abandono del centro penitenciario e intentar adaptarse a la vida en libertad[237]. Otros autores han aludido a las cárceles como "escuelas para la delincuencia", asumiendo que la cultura imperante en el interior de las prisiones tiende al refuerzo de valores y comportamientos contrarios a ley, lo que, de nuevo, disminuye las posibilidades de reinserción de los reclusos[238]. Los primeros estudios sobre las prisiones sugirieron que esta resulta-

---

234 Véase, Gendreau, P., Goggin, C. y Cullen, F.T.: Op. cit 1999.; Nagin, D., Cullen, F.T. y Jonson, C.L.: Op. cit. 2009. Citado en Meade, B., Steiner, B., Makarios, M. y Travis, L.: Op. cit. 2013.

235 Véase, Sykes, G. M. (1958). *The society of captives. princeton*, NJ: Princeton University Press. Citado en Meade, B., Steiner, B., Makarios, M. y Travis, L.: Op. cit. 2013.

236 Véase, Crespo, F. y Bolaños, M. (2009): "Código del preso: acerca de los efectos de la subcultura del prisionero". *Capitulo criminológico, 37*(2), 54-72.

237 Véase, Irwin, J. y Cressey, D. (1962): "Thieves, Convicts, and the Inmate Culture". *Social Problems, 10*,142-155. Citado en Meade, B., Steiner, B., Makarios, M. y Travis, L.: Op. cit. 2013.

238 Véase, Gendreau, P., Goggin, C. y Cullen, F.T.: Op. cit. 1999; Nagin, D., Cullen, F.T. y Jonson, C.L.: Op. cit. 2009. Citado en Meade, B., Steiner, B., Makarios, M. y Travis, L.: Op. cit. 2013.

ba un "caldo de cultivo para la delincuencia[239]. La literatura de carácter cualitativo y fenomenológico considera que el paso por prisión genera una influencia negativa a nivel emocional y a nivel psicológico sobre los internos[240] que dificulta que el individuo logre reinsertarse en la sociedad tras la finalización de la condena, siendo, por tanto, mucho más probable que el individuo retome la trayectoria delictiva[241].

En tercer lugar, el enfoque minimalista sobre la influencia de la prisión en el proceso de reincidencia sitúa el foco de atención en la escasa capacidad que tiene el encarcelamiento para influir de modo alguno sobre la carrera delictiva[242]. Continuando en este enfoque, la mayor parte de los investigadores del dcsistimiento han consensuado que el papel de la prisión puede llegar a resultar incluso irrelevante en la remisión del delito[243]. La idea de partida es que los internos en centros penitenciarios presentaban, antes de su entrada, numerosas deficiencias en cuanto a habilidades para enfrentar una amplia gama de problemas que, generalmente, facilitaban la adopción del delito como medio para la resolución de los mismos ante la falta de otras alternativas conocidas[244]. Zamble y Porporino referían un "estado de congelación" de su

---

239 Véase, Lilly, J. R., Cullen, F. T. y Ball, R. A. (1995). *Criminological theory: Context and consequences.* Thousand Oaks, CA: Sage Publications. Citado en Gendreau, P., Goggin, C. y Cullen, F.T.: Op. cit. 1999.

240 Véase, Cohen, S. y Taylor, L. (1972). *Psychological survival.* Hammondsworth: Penguin y Bonta, J., y Gendreau, P. (1990): "Reexamining the cruel and unusual punishment of prison life". *Law and Human Behavior, 14,* 347-366. Citados en Gendreau, P., Goggin, C. y Cullen, F.T.: Op. cit. 1999.

241 Véase, Gendreau, P., Goggin, C. y Cullen, F.T.: Op. cit. 1999.

242 Véase, Meade, B., Steiner, B., Makarios, M. y Travis, L.: Op. cit. 2013.

243 Véase, Liebling, A. y Maruna, S. (2013): "Los efectos del encarcelamiento reexaminados". *Informes en Derecho. Estudios de Derecho Penal Juvenil IV.*

244 Véase, Johnson, R. (2002). *Hard time: understanding and reforming the prison.* Belmont, CA: Wadsworth. Citado en Meade, B., Steiner, B., Makarios, M. y Travis, L.: Op. cit. 2013.

catálogo comportamental que vuelve a activarse en el momento en que el sujeto abandona el centro penitenciario[245].

Gendreau señala diferentes marcos teóricos que contribuían a este enfoque minimalista. En primer lugar, asegura que ha habido numerosos estudios que han determinado qué tipos de castigos o qué factores del castigo resultan más eficaces en lo referente a la reducción de la delincuencia, y los eventos propios de la vida penitenciaria no se incluyen entre ellos. Además, para considerar un determinado castigo como efectivo este debe aplicarse de modo inmediato, de la forma más intensa posible y debe ser esperable por parte del individuo que lleva a cabo la conducta antisocial. Según el autor, las penas privativas de libertad en prisión no cumplirían con esos requisitos. Por otra parte, el castigo sirve para indicarle al sujeto qué comportamientos se espera no realice en el futuro, pero no enseña acerca de cómo sustituirlos por otros de carácter prosocial. En el caso de los delincuentes de mayor actividad, al no conocer cómo sustituir el comportamiento delictivo llevado a cabo, simplemente lo sustituirán por otro tipo de conductas antisociales[246]. La importancia, entonces, del paso por prisión será si logra que el individuo logre sustituir unos comportamientos por otros nuevos no antisociales[247].

En segundo lugar, existen numerosos estudios que cuestionan la verdadera influencia de la amenaza sobre el castigo en prisión. Se asegura que para que tenga lugar la persuasión debe darse el conocido como principio de reciprocidad positiva, de forma que la fuente que genera la persuasión debe ser considerada por el re-

---

245 Véase, Zamble, E. y Porporino, F.J. (1988). *Coping, behavior, and adaptation in prison inmates.* New York: Springer-Verlag. Citado en Meade, B., Steiner, B., Makarios, M. y Travis, L.: Op. cit. 2013.

246 Véase, Gendreau, P., Goggin, C. y Cullen, F.T.: Op. cit. 1999.

247 Véase, Blackman, D. (1995): "Punishment: An experimental and theoretical analysis". En McGuire, J. y Rowson, B. (eds.). *Does punishment work? Proceedings of a conference held at Westminster Central Hall.* London, UK. Citado en Gendreau, P., Goggin, C. y Cullen, F.T.: Op. cit. 1999.

ceptor como legítima -que no autoritaria- y creíble[248]. Además, si el mensaje de amenaza se transmite de forma excesivamente reiterada, provoca el efecto contrario en el delincuente, resistiéndose este al cambio. Todas estas circunstancias, consideran Gendreau y sus colaboradores, ocurren en lo que refiere al castigo penitenciario favoreciendo su ineficacia.

En tercer lugar, las características de los delincuentes son tales que les sitúan en una posición de resistencia y quietud ante cualquier castigo, incluso en aquellos casos en los que, efectivamente, el castigo se ha aplicado correctamente sobre el individuo[249]. En relación con los delincuentes más peligrosos, puede determinarse en ellos un carácter egocéntrico, con tendencias a la manipulación y a la impulsividad que hace que la reacción hacia el castigo sea de completa indiferencia, no teniendo el paso por prisión ningún tipo de influencia sobre el individuo ni sobre su carrera delictiva[250].

Una vez planteados los tres enfoques desde los que tradicionalmente se ha observado en Criminología la posibilidad de influencia que el cumplimiento de una pena en prisión tiene sobre la carrera delictiva del sujeto, se procede a señalar algunas de las principales conclusiones de estudios llevados a cabo por parte de los investigadores del desistimiento del delito sobre la cuestión.

Conviene Maruna que el internamiento penitenciario no favorece el proceso de maduración "normalizada" que facilita el desistimiento delictivo, al contrario, limita las oportunidades de éxito a la hora de alcanzar un empleo, educación o una relación

---

248 Véase, Cialdini, R. (1993). *Influence: Science and practice.* New York, NY: Harper Collins. Citado en Gendreau, P., Goggin, C. y Cullen, F.T.: Op. cit. 1999.

249 Véase, Andrews, D. A. y Bonta, J. (1998). *The psychology of criminal conduct (2nd ed.).* Cincinnati, OH: Anderson Press; Gendreau, P. y Suboski, M. D. (1971): "Classical discrimination eyelid conditioning in primary psychopaths". *Journal of Abnormal Psychology, 77,* 242-246. Citados en Gendreau, P., Goggin, C. y Cullen, F.T.: Op. cit. 1999.

250 Véase, Gendreau, P., Goggin, C. y Cullen, F.T.: Op. cit. 1999.

marital. El autor también alude a la contaminación criminógena y al aprendizaje delictivo que tiene lugar en el interior de los centros penitenciarios, ya que el hecho de compartir habilidades delictivas entre los internos predice el mantenimiento de la carrera delictiva. De hecho, es un fenómeno tan sumamente generalizado y sobre el cuál no se actúa que parece ser una consecuencia intencional de la prisión, la "creación de delincuentes"[251].

Algunas investigaciones de tipo psicológico han tratado de alcanzar a comprender el modo en que el paso por prisión afecta al proceso de maduración cognitiva del individuo, lo que, en último término, se relaciona con el desistimiento del delito[252]. En el estudio llevado a cabo por Dmitrieva y sus colaboradores sobre una muestra de 1.171 chicos adolescentes delincuentes de entre 14 y 17 años que habían sido juzgados como consecuencia de un delito grave, delitos contra la propiedad, delitos relacionados con las armas o delitos menores de agresión sexual, a través de un análisis de carácter prospectivo a partir del desarrollo de entrevistas, se pudo llegar a algunas conclusiones de interés. Los autores partían de lo esperable que resulta el hecho de que el paso por los centros penitenciarios tuviera consecuencias negativas sobre el desarrollo "maduracional" del individuo como consecuencia de la limitación que supone en lo referente al ofrecimiento de oportunidades vitales hacia el individuo que se encuentra en pleno proceso de crecimiento y porque supone una exposición a otros individuos delincuentes. En efecto, los resultados obtenidos en el estudio a corto plazo permiten avalar dicha hipótesis en la medida en que el paso por prisión implicó un menor grado en el desarrollo "maduracional" de los jóvenes, en el temperamento y en la responsabilidad sobre sus acciones.

Esta negativa influencia resultaba además más evidente conforme los sujetos de la muestra tenían más edad, sin embargo, no pudo concluirse que un mayor periodo de tiempo de confina-

---

251 Véase, Maruna, S.: Op. cit. 2007.
252 Véase, Rocque, M.: Op. cit. 2015.

miento se relacionara con una mayor inmadurez en los jóvenes. Se demostró también que, una vez finalizados los periodos de internamiento, los sujetos lograron "recuperarse" de los efectos negativos que este había tenido sobre su madurez de modo rápido. Sin embargo, y en lo que refiere a la probabilidad de desistimiento delictivo, la conclusión de mayor trascendencia es la que tiene que ver con la imposibilidad de demostrar que el paso por centros penitenciarios provoque un aumento en la capacidad de autocontrol de los individuos o un aumento del nivel de responsabilidad de los mismos sobre sus acciones. Resulta también importante referenciar la distinción sobre la influencia que tiene el paso por los centros de internamiento en los jóvenes sobre su maduración, según si los primeros tenían una finalidad de rehabilitación o no. Se demostró que aquellas prisiones que proporcionaban algún tipo de programa o medida de tratamiento a los jóvenes lograban aumentar el nivel de madurez de los individuos fomentando, por ejemplo, mayor responsabilidad sobre su comportamiento[253].

Otras investigaciones han centrado su atención en la influencia que la duración de las condenas a penas privativas de libertad tiene sobre el proceso de reincidencia. Nagin y sus colaboradores concluyen una amplia diversidad en los resultados de estas. Algunos estudios mostraron que las penas de larga duración en prisión tenían efectos disuasorios sobre la delincuencia, mostrando los individuos sometidos a ellas índices de reincidencia más bajos, mientras que otros encontraron un efecto criminógeno, mostrando los individuos tasas de reanudación de la trayectoria delictiva más elevadas.

Los autores identificaron algunas carencias o limitaciones en estas investigaciones. En primer lugar, la mayoría no aislaba el efecto causal de la duración de la condena sobre los niveles de reincidencia, muy al contrario, el tiempo de condena tan solo se

---

253 Véase, Dmitrieva, J., Monahan, K.C., Cauffman, E. et al. (2012): "Arrested development: The effects of incar-ceration on the development of psychosocial maturity". *Development and Psychopathology24*(3), 1073-1090.

usaba como una variable de control. En segundo lugar, no se logró aislar la variable de la duración de la condena de otros muchos factores posibles de influencia sobre la reincidencia delictiva. Así, individuos que han sido condenados a penas de prisión de diferente duración también pueden presentar otro tipo de factores que explicarían que las tasas delictivas tras el abandono del centro penitenciario difieran, no tiene por qué tratarse de la duración de la condena como causa única del fenómeno. En tercer lugar, muchas de las investigaciones han utilizado como muestra de estudio la población delincuente juvenil[254]. Los resultados de estos estudios no pueden ni deben ser generalizados a la población adulta, primero, porque los jóvenes se encuentran en una situación de maduración y cambios emocionales y cognitivos que impiden la comparativa, segundo, porque los periodos de duración de las condenas impuestas a los jóvenes delincuentes suelen ser menores que en los adultos[255].

No todos los estudios coinciden en asegurar los negativos efectos del paso por prisión sobre la reincidencia. Así, el estudio llevado a cabo por Meade y sus colaboradores a partir del año 2003 empleó datos de delincuentes en situación de supervisión tras el abandono del centro penitenciario en el estado de Ohio. La muestra compuesta de 2.052 individuos seleccionados a partir de datos oficiales de delincuentes liberados bajo régimen de supervisión era mixta, de tal forma que los varones fueron elegidos de modo aleatorio, mientras que las mujeres fueron seleccionadas

---

[254] Un ejemplo de estos estudios sobre población juvenil es el llevado a cabo por Loughran y sus colaboradores en 2009 en el que no hallaron diferencias significativas en lo que respecta a las tasas de comisión delictiva tras el abandono del internamiento de los jóvenes en función de la duración de la condena. Véase, Loughran, T. A., Mulvey, E. P., Schubert, C. A., Fagan, J., Piquero, A. R. y Losoya, S. H. (2009): "Estimating a dose-response relationship between length of stay and future recidivism in serious juvenile offenders". *Criminology*, *47*(3), 699-740. Citado en Meade, B., Steiner, B., Makarios, M. y Travis, L.: Op. cit. 2013.

[255] Véase, Nagin, D., Cullen, F.T. y Jonson, C.L.: Op. cit. 2009. Citado en Meade, B., Steiner, B., Makarios, M. y Travis, L.: Op. cit. 2013.

con certeza. Se realizó un seguimiento de los individuos durante el periodo de 1 año después del abandono de la prisión. Las principales conclusiones del análisis demostraron la existencia de una relación de carácter inverso entre la duración del periodo de cumplimiento de la condena en prisión y las tasas de reincidencia delictiva, de tal forma que aquellos individuos que habían cumplido penas privativas de mayor duración tendían a cometer, posteriormente, menos hechos delictivos. Con ello, la idea de la influencia criminógena pareciera quedar descartada. La probabilidad de reincidencia disminuyó en aquellos casos en los que los individuos habían cumplido una condena superior a 2 años, y en los casos en que la condena tenía una duración superior a 5 años, la probabilidad de delincuencia era aún menor. Resulta de gran interés criminológico este matiz. Los autores plantean la posibilidad de que los resultados obtenidos se encuentren determinados por el tipo de muestra escogida. Así, indican que la selección de una muestra de adultos en lugar de una muestra de jóvenes quizá pueda determinar que las condenas de mayor duración disuaden a los individuos de más edad, pero no tienen por qué ser generalizables para los colectivos más jóvenes. Otra posible causa, determinan los autores, es el concepto que utilizaron para medir la reincidencia a partir de detenciones por nuevos hechos delictivos, excluyendo las detenciones por delitos menores o las violencias de la situación de libertad condicional en la que se encontraban los individuos que conformaban la muestra. Podría ocurrir, entonces, que las condenas más largas de prisión solo disuadan de la comisión de delitos de gravedad ya que, desde el punto de vista de la disuasión específica, el individuo trate de evitar volver a cumplir una condena de tal magnitud[256].

En general, no puede obviarse el consenso criminológico existente sobre el contraproducente papel que el paso por prisión tiene para el cese de la trayectoria criminal, ya que, aunque es cierto que se generan rutinas nuevas que pueden ser positivas

---

256 Véase, Meade, B., Steiner, B., Makarios, M., y Travis, L.: Op. cit. 2013.

para el individuo, no logra proporcionar alternativas adecuadas que puedan desarrollarse en la vida tras el abandono del centro penitenciario[257].

Tradicionalmente, la investigación sobre el desistimiento delictivo se ha centrado en tratar de alcanzar a conocer cuáles son los factores que facilitan este proceso, como por ejemplo, la influencia de las transformaciones de tipo cognitivo, la influencia de los pares de iguales, el proceso de envejecimiento desde una perspectiva biológica, la maduración a nivel cerebral, así como aquellos factores de tipo informal que ejercen su influencia desde fuera del sistema penal, judicial o penitenciario. Pero ello no significa que las políticas criminales, penales, procesales y penitenciarias carezcan de relevancia en lo que refiere al fenómeno. Hay diversos modos de emplear las políticas para garantizar, o al menos, facilitar que se produzca el desistimiento en los delincuentes.

Los análisis que han concluido que más de dos tercios de los internos en los centros penitenciarios vuelven a ser arrestados tras el abandono de este, y que la mitad, vuelve a prisión, llevan a la necesidad de situar el enfoque en la reintegración social. Lagan y Levin, en un estudio que dio comienzo en 1983, sobre una muestra de individuos exreclusos que abandonaron el centro en 1983 y otra en 1994, concluyeron que en un 62,5% de los internos que abandonaron la prisión en 1983 fueron arrestados tras un periodo de 3 años, mientras que el porcentaje era del 67,5 para los individuos que abandonaron el centro penitenciario en 1994. En lo que respecta a las cifras sobre nuevas condenas, los individuos del primer grupo fueron reencarcelados en un 46,8% de los casos, mientras que, en el segundo grupo, las cifras muestran un 46,9% de los casos[258]. Con estos resultados, cabe preguntarse cuál es el

---

257 Véase, Soyer, M. (2014): "The imagination of desistance. a juxtaposition of the construction of incarceration as a turning point and the reality of recidivism". *British Journal of Criminology, 54*, 91-108.

258 Véase, Langan, P. A. y Levin, D. J. (2002): "Recidivism of prisoners released in 1994". *Federal Sentencing Reporter, 15*(1), 58-65.

procedimiento que debiera seguirse para lograr que las personas que salen de las prisiones cuenten con los recursos necesarios para reintegrarse socialmente y abandonar la trayectoria delictiva. Algunos autores proponen en este sentido que los programas y medidas de ayuda a la transición a la libertad para los individuos excondenados deben tener un carácter continuo en tiempo y alcance político[259].

Algunos criminólogos e investigadores sobre desistimiento han argumentado que la primera toma de contacto del individuo con el sistema de justicia genera una etiqueta sobre su identidad, pasando a ser un "desviado", o bien un "delincuente". La principal consecuencia de ello, siguiendo la idea de desviación primaria y secundaria de Lemert, es que el sujeto se convierte en un individuo más propenso a continuar la participación en comportamientos de tipo antisocial como respuesta a tal etiqueta[260]. Maruna ha indicado que el proceso de etiquetamiento incluye una serie de procesos o rituales de degradación por parte de la sociedad y las instituciones que favorecen la no reemisión delictiva y la cada vez más intensa asunción de la etiqueta de delincuente por parte del sujeto. Para ello, el autor lo que propone son "rituales de reintegración" en los que el individuo vea como factible el regreso a la sociedad y reaparezcan los sentimientos de pertenencia e integración. La reintegración del sujeto en la comunidad, siguiendo la idea del autor, debe incluir un regreso físico del individuo, pero también requiere de un elemento de carácter simbólico que garantice que el individuo, desde un punto de vista moral, se sienta incluido[261].

Por otra parte, Maruna en su estudio sobre las narrativas de cambio, tal y como ya ha sido desarrollado previamente dentro del subapartado relativo a la teoría narrativa, descubrió que los

---

259 Véase, Rocque, M. y Slivken, L.: Op. cit. 2019.

260 Véase, Lemert, E. M.: Op. cit. 1948. Citado en Maruna, S., LeBel, T.P., Mitchell, N. y Naples, M.: Op. cit. 2004.

261 Véase, Maruna, S.: Op. cit. 2011.

individuos que abandonaban la carrera delictiva y aquellos que no lo lograban compartían una serie de factores en común, pero en cualquier caso las narrativas de cambio resultaban diferentes en cada uno de los grupos[262]. Este tipo de diferencias favorecen que resulte absolutamente necesario llevar a cabo intervenciones de apoyo, tanto sobre los individuos que son condenados a prisión como sobre aquellos que finalizan su condena, de carácter individualizado y atendiendo a diversas dimensiones[263]. La investigación, por tanto, ha puesto de manifiesto que se requieren programas e intervenciones holísticas que promuevan la reintegración y rehabilitación de los delincuentes, aunque en la práctica no siempre se convierta esto es una realidad aplicada.

Aseguran Rocque y Slivken que en los últimos años se ha venido desarrollando una nueva política correccional basada, fundamentalmente, en el desistimiento[264]. Algunos estudiosos del fenómeno pusieron de manifiesto la necesidad de atender a la investigación criminológica existente en torno al proceso de cese del delito y a las conclusiones de ella obtenidas en lo que refiere a la elaboración y aplicación de políticas penales y penitenciarias[265]. McNeill argumentó que el proceso de desistimiento resulta de una elevada complicación para los individuos, de modo que el papel que a nivel institucional se puede ejercer en lo que a ayuda se refiere, no es sino inducir a estos individuos hacia el desistimiento y apoyarles en la toma de decisiones que, en ocasiones, resulta compleja[266]. Farral y Maruna aseguraban que resulta poco

---

262 Véase, Maruna, S.: Op. cit. 2006.

263 Véase, McNeill, F. y Weaver, B. (2010). *Changing lives? Desistance research and offender management*. SCCJR Project Report; No. 03/2010. Citado en Rocque, M. y Slivken, L.: Op. cit. 2019.

264 Véase, Rocque, M. y Slivken, L.: Op. cit. 2019.

265 Véase, Farrall, S. y Maruna, S.: Op. cit. 2004.

266 Véase, McNeill, F. (2003): "Desistance-focused probation practice". En Chui, W.H. y Nellis, M. (eds.). *Moving Probation Forward*. Harlow: Pearson'Longman. Citado en Farrall, S. y Maruna, S.: Op. cit. 2004.

probable el éxito de una política que no atienda a las necesidades reales de las personas sobre las que se aplica[267].

Un enfoque de gran interés al que hay que apuntar, es el enfoque del "Modelo de las buenas vidas". Ward y Stewart consideran que es imprescindible que el tratamiento hacia los delincuentes parta de un enfoque basado en sus aptitudes, partiendo de la necesidad de dotarles de aquellas capacidades internas (habilidades) y también externas (oportunidades y apoyos) necesarias para el aseguramiento de los bienes primarios. Continúan los autores afirmando que, en el caso del comportamiento delictivo, la cuestión recae sobre qué medios son utilizados por los delincuentes para obtener tales bienes, así como la existencia de un conflicto entre los objetivos. Por ello, los autores sugieren la construcción de un plan de tratamiento, en este caso refieren a los delincuentes sexuales, ya que son estos el objeto de estudio de su análisis, siendo extrapolable a cualquier otro tipo de delincuente, que tenga en cuenta las preferencias del individuo, cuáles son sus fortalezas, los entornos relevantes en los que se desenvuelve y que especifique cuáles son los recursos que el individuo suele emplear para la obtención de esos bienes. Se trata de un programa individualizado y específico que se basa en la identidad del individuo, los bienes primarios y los estilos de vida. Rechazan, por tanto, que la intervención sobre los delincuentes deba basarse en la mera reducción de los factores de riesgo, siendo necesario que esta se articule en torno a los planes particulares de cada sujeto permitiendo, o facilitando, ofrecerle los mecanismos y condiciones internos y externos para llevarlos a cabo[268]. El modelo trata de evitar señalar qué es lo que está mal en los delincuentes e intentar llevar a cabo una acción sobre estas deficiencias para pasar a un tipo de

---

267 Véase, Farrall, S., y Maruna, S.: Op. cit. 2004.

268 Véase, Ward, T. y Stewart, C. A. (2003): "The treatment of sex offenders: Risk management and good lives". *Professional Psychology: Research and Practice, 34*(4), 353-360.

intervención basada en medidas que ayuden al sujeto a progresar y avanzar en la obtención de las metas marcadas[269].

Laub, por su parte, aseguró que la información derivada del modelo del curso de la vida en Criminología podía y debía ser usada para la práctica de la justicia criminal. El autor empleó el término de "empujar", para mostrar cuán importante era la función que las políticas pueden llegar a tener a la hora de ayudar a los individuos delincuentes en la toma de decisiones[270].

Continuando con la idea de Paternoster sobre la agencia humana, en la que el individuo ejerce sus acciones siempre de forma intencional dirigiendo sus esfuerzos hacia una meta concreta, puede aceptarse que las políticas presentan un papel de gran importancia en ello. Si las políticas de intervención con delincuentes logran ayudar a los individuos a dirigir todas sus acciones hacia la obtención de sus objetivos, aumentará destacablemente la probabilidad de que este ponga término a su trayectoria delictiva[271].

Resulta de gran interés aludir a la clasificación proporcionada por Kurlychek, Bushway y Denver en el año 2016 en la que relacionaban cada uno de los enfoques sobre desistimiento delictivo que han sido estudiados con la política de intervención que a él debiera asociarse para garantizar el éxito y la finalización de la trayectoria delictiva del individuo. No plantean los autores que exista únicamente una forma de llegar al desistimiento, sino que, lo que pretenden, es establecer los supuestos de cada una de las teorías o perspectivas existentes sobre desistimiento. El objetivo no es sino lograr que la investigación logre ver reflejados sus resultados sobre la política, en definitiva, generar la unión entre la teoría y la aplicación práctica.

---

269 Véase, Rocque, M. y Slivken, L.: Op. cit. 2019.

270 Véase, Laub, J. H. (2016): "Life course research and the shaping of public policy". En Shanahan, M.J., Mortimer, J.T. y Johnson, M.K. (eds.). *Handbook of the life course.* New York: Springer. Citado en Rocque, M. y Slivken, L.: Op. cit. 2019.

271 Véase, Paternoster, R.: Op. cit. 2017.

Se cuestionan los autores acerca de la apertura de las políticas, plantean si deben aplicarse para todos los individuos delincuentes o sólo en aquellos casos en los que se muestren signos de desistimiento. Ponen en cuestión, además, si la aplicación de ellas debe ser automática o si, por el contrario, el sujeto es quien debe realizar un importante esfuerzo hacia el desistimiento demostrando que está suficientemente preparado para recibir las medidas de intervención. Apuntan además hacia una cuestión de gran interés[272] y es la conceptualización del desistimiento delictivo como proceso o como evento. Kurlychek y sus colaboradores establecen que la mayor parte de la investigación sobre desistimiento continúa con el modelo tradicional de evento, centrando el esfuerzo de estudio en determinar el primer momento de arresto o condena del sujeto delincuente que conlleva el fracaso del desistimiento. La mayor parte de la literatura no aborda la idea de fenómeno delictivo como complejo proceso que se desarrolla a lo largo del tiempo, sino que centra su atención en el primer fracaso de este o, por el contrario, en el último signo que asegura el desistimiento, olvidando todas las circunstancias que se desarrollan a lo largo de la trayectoria. Lo que quieren llegar a concluir los autores es que, si se parte de un enfoque de desistimiento como mero evento, cualquier tipo de política de intervención que se aplique fracasará. Si se considera frustrado el desistimiento en el primer momento en el que el individuo vuelve a ser arrestado, tanto la sociedad como el propio delincuente pensarán que todo esfuerzo de intervención ha sido en vano.

Así, los autores clasifican las políticas de intervención sobre delincuentes de la siguiente forma: las políticas proactivas, las políticas reactivas y las políticas iniciadas de forma individual. En relación con el primer grupo, aseguran que, de acuerdo con las

---

[272] Véase, Kurlychek, M. C., Bushway, S. D. y Denver, M. (2016): "Understanding and identifying desistance: An example exploring the utility of sealing criminal records". En Shapland, J., Farrall, S. y Bottoms, A. (eds.). *Global perspectives on desistance: Reviewing what we know and looking to the future.* London: Routledge.

teorías del etiquetado, el mejor modo de facilitar el desistimiento del delito reside en evitar la estigmatización del sujeto con un pasado delictivo. Desde esta perspectiva, la mejor manera de contribuir positivamente en el hecho de que el sujeto abandone la trayectoria delictiva es logrando que el sistema y las instituciones incidan en el menor grado posible sobre la vida e identidad del sujeto. Algunas medidas dentro de las políticas proactivas son la privatización de los registros de delincuentes o la eliminación de antecedentes penales tras un determinado periodo de tiempo. Nueva York cuenta con un tipo de intervención basada en políticas proactivas, una de las más liberales en los Estados Unidos, donde los menores de entre 14 y 18 años, salvo excepciones reciben la calificación de "delincuente juvenil" que implica, por ejemplo, que las audiencias del juicio oral se lleven a cabo en privado o que los registros oficiales en los que conste el individuo no tengan carácter público. El joven delincuente tendrá, de este modo, mayores posibilidades de acceder a un cargo público o a determinadas licencias necesarias para la obtención de empleo y no constarán antecedentes criminales a la hora de realizar una solicitud de acceso a la Universidad. Los autores relacionan las políticas de tipo proactivo con algunas explicaciones tradicionalmente ofrecidas sobre desistimiento. Esta política afectaría de forma muy positiva a aquellos delincuentes cuya remisión delictiva ocurre de forma natural, ya que les facilitaría el acceso al empleo y no adoptarían una identidad como "delincuente". También encuentran relación con las explicaciones basadas en la importancia de los vínculos sociales y eventos externos en el cese del delito, en la medida en que la carencia de antecedentes penales ampliará sus oportunidades de trabajo y la posibilidad de establecer relaciones personales prosociales.

Las políticas reactivas, por su parte, no inciden sobre la estigmatización del sujeto delincuente, sino que parten de la consideración de que experimentar ese tipo de situaciones evitará la reincidencia futura. El sujeto pareciera agotarse de ser identificado como delincuente y decide llevar a cabo un cambio hacia la no delincuencia. Son este tipo de políticas las implantadas en mayor medida en Europa según los autores y se encuadran bajo la idea de "rehabilitación".

Muchas teorías sobre el desistimiento sitúan el principal factor para el cambio en el interior del sujeto. Se trata de un cambio activo que implica la adopción de una nueva identidad y una nueva manera de concebirse a sí mismo como no delincuente.

El tercer grupo de políticas, según Kurlychek y sus colaboradores, incide sobre aquellos individuos que, por sí mismos, han dado comienzo a ese proceso de cambio y que pretenden, simplemente, apoyar a los delincuentes en ese proceso. Desde esta perspectiva solo aquellos individuos capaces de demostrar que, efectivamente, han tomado la decisión de desistir podrán beneficiarse de este tipo de políticas. Para ello, pueden asistir a los talleres de rehabilitación, pueden participar en diferentes programas de tratamiento o mostrar signos de búsqueda activa de empleo. Plantean los autores que aquellos sujetos que han llevado a cabo tan solo una primera toma de contacto con el delito y que no han adoptado la etiqueta de delincuente (desviación primaria), generalmente podrían decidir no dar comienzo a la trayectoria delictiva y adoptar las medidas necesarias mediante, por ejemplo, la asistencia a programas. Sin embargo, aquellos delincuentes de larga duración, cuya identidad ya ha sido forjada tras el contacto constante con el sistema penal y penitenciario (desviación secundaria) mostrarán una tendencia mucho menor a iniciar ese cambio[273].

McNeill y Weaver, en el año 2010 propusieron una serie de recomendaciones para los profesionales del ámbito judicial y penal en lo que refiere al desistimiento de delincuentes. Estos consejos pueden resumirse en la necesidad de ser realistas con la dificultad del proceso de desistimiento delictivo y favorecer el uso de intervenciones más informales, así como la redención de los delincuentes[274]. El concepto de redención fue trabajado por Maruna

---

[273] Véase, Kurlychek, M. C., Bushway, S. D. y Denver, M.: Op. cit. 2016.

[274] Véase, McNeill, F. y Weaver, B.: Op. ci.t 2010. Citado en Rocque, M. y Slivken, L.: Op. cit. 2019.

en el año 2009, y alude a una necesidad de perdón hacia los delincuentes, mostrándoles una oportunidad de volver a integrarse de nuevo en la comunidad o en la sociedad como ciudadanos de pleno derecho[275].

Hay estudios que han tratado de conocer, desde el punto de vista de los propios exdelincuentes, qué tipo de políticas, medidas o intervenciones consideran que han sido realmente útiles en lo que refiere a la finalización de la trayectoria delictiva. Así, Barry llevó a cabo un estudio en el año 2013 a partir de un estudio previo, el "Estudio escocés de desistimiento", que se llevó a cabo en el año 2000 y se fundamentó en el uso de entrevistas en profundidad realizadas a una muestra de 40 jóvenes de entre 18 y 33 años. En un principio, el objetivo del estudio escocés era conocer las razones que tenían los delincuentes juveniles para dar comienzo a la trayectoria delictiva, así como para detenerla en un momento dado. La muestra se seleccionó con la ayuda de una organización que, con financiación gubernamental, proporciona diferentes recursos de ayuda a menores de 25 años que se encuentran en libertad condicional. Una década después se realizó un seguimiento de esos jóvenes con el objetivo, entre otros, de conocer qué factores ayudan en el proceso de desistimiento, no solo respecto a sus propios comportamientos sino también con relación a las políticas, prácticas e intervenciones. En el año 2010, la segunda oleada de entrevistas tuvo como muestra un total de 11 hombres y 9 mujeres, siendo justamente la mitad de la muestra inicial en el año 2000.

Los resultados obtenidos son muy variados, sin embargo, conviene señalar algunos de ellos. En relación a la imposición de trabajos de carácter comunitario, 22 de los 40 entrevistados en la pri-

---

275 Véase, Maruna, S. (2009): "Virtue's door unsealed is never sealed again': Redeeming redemption and the seven-year itch". En Frost, N.A., Freilich, J.D. y Clear, T.R. (eds.). *Contemporary issues in criminal justice policy: Policy proposals from the American Society of Criminology Conference.* Belmont, CA: Cengage/Wadsworth. Citado en Rocque, M. y Slivken, L.: Op. cit. 2019.

mera oleada, aseguraron que no fue una experiencia positiva que les aportara algo en lo referente al proceso de abandono del delito, sin embargo, dos de ellos consideraron que tuvo consecuencias positivas en la medida en que les proporcionó la necesidad de adaptarse a un disciplina, tener un objetivo diario, el aprendizaje de cosas que desconocían y, principalmente, el sentimiento de resultar útil y beneficioso para otras personas.

En relación con la libertad condicional, la mayor parte de sujetos entrevistados consideraron que fue este el factor que tuvo una mayor y beneficiosa repercusión en su proceso de cese delictivo. Consideraban que la libertad condicional había logrado ayudarles con ciertos problemas de corte práctico, pero también a resolver cuestiones de tipo emocional propias de las dificultades del proceso de desistimiento. Consideraban la gran labor realizada por el personal de supervisión en tanto a ofrecerles un trato justo, no someterlos a juicios de tipo moral, respetarles y mostrar un alto nivel de compromiso a la hora de ofrecerles ayuda en aquello que fuese necesario. Los sujetos valoraron muy positivamente que el trato recibido tuviera un marcado carácter individualizador y percibieron que la intervención se ajustaba a sus necesidades. No obstante, hubo algunos casos en los que consideraron que la libertad condicional tuvo una influencia negativa, responsabilizando principalmente al supervisor de ofrecerles un trato desagradable y poco cooperador. Tres cuartas partes de la muestra había permanecido en régimen de privación de libertad, bien en prisión preventiva o bien en régimen de cumplimiento de condena. Del total de individuos entrevistados, la gran mayoría mostraba una opinión negativa hacia la privación de libertad, asegurando que no pudo definirse como un factor de disuasión para ellos, que los niveles de aprendizaje criminal en el interior del centro penitenciario eran elevados y que algunos de los problemas propios de la juventud, y a los que se enfrentaban en aquel momento, no fueron atendidos durante el encarcelamiento. Algunos aseguraban que la prisión podía tener cierta influencia disuasoria en la delincuencia pero que esta remitía una vez se encontraban en libertad. Un grupo más reducido consideró algunos beneficios del régimen penitenciario como, por ejemplo, ofrecerles un tiempo de sosiego en el que analizar sus vidas y las situaciones delictivas en las que se veían involucrados[276]. Algunos internos habían sido condenados a pena privativa de libertad en reiteradas ocasiones, lo que, según Weaver y Armstrong, puede hacer que el paso por prisión llegue a representar una actividad cotidiana, amplificando los negativos efectos de la misma sobre los delincuentes, principalmente porque reduce las oportunidades de obtener un empleo estable, de mantener un entorno familiar asentado, favorece el consumo abusivo de sustancias e induce a la aparición de sentimientos de ira, frustración o tensión[277].

En la investigación se preguntó a los individuos entrevistados sobre su propia perspectiva en lo que refiere a recomendaciones hacia las intervenciones llevadas a cabo por parte de las instituciones sobre los jóvenes delincuentes. Coincidieron, en su mayoría, en la importancia de generar un ambiente de comunicación con los jóvenes, utilizando un lenguaje y unas formas asequibles para estos. Resaltaron también el importante papel que ellos mismos, como individuos que habían logrado alcanzar el desistimiento delictivo, podían realizar en relación con otros jóvenes que se encontraran iniciando la carrera delictiva. Esta voluntad está presente en muchos exdelincuentes que muestran un deseo de ayudar y guiar a terceros que se encontraban iniciando un proceso del cuál ellos habían logrado aprender y abandonar.

En otro sentido, señalaron hacia la importancia que sobre el éxito del proceso de desistimiento tiene la obtención de un empleo, de una vivienda y, en definitiva, de recursos económicos suficientes que garanticen cierto grado de bienestar. Reconocían

---

276 Véase, Barry, M. (2013): "Desistance by design: Offenders' reflections on criminal justice theory, policy and practice". *European Journal of Probation, 5*(2), 47-65.

277 Véase, Weaver, B. y Armstrong, S. (2011). *User views of punishment – The dynamics of community-based punishment: Insider views from the Outside.* Glasgow: Scottish Centre for Crime and Justice Research. Citado en Barry, M.: Op. cit. 2013.

gran importancia al sentimiento de pertenencia a la sociedad y de sentirse reconocidos por ella, y cómo para esto, resultaba imprescindible tener unos ingresos y una buena posición económica. En relación con los supervisores de la libertad condicional, indicaban que su labor resultaba absolutamente fundamental. El supervisor debe proporcionar un apoyo importante a los jóvenes a un nivel individual y debe tener experiencia en materia de delincuencia y drogas para lograr generar empatía hacia los jóvenes y enseñarles hábitos prosociales que, de otro modo, muchos de ellos no podrían alcanzar a conocer. Aludían también a los trabajadores sociales y a la necesidad de una mejor preparación y compromiso con los adolescentes.

En conclusión, la perspectiva de quienes han logrado alcanzar el desistimiento del delito resulta indispensable para ver qué funciona y qué no en ese proceso. Desde su punto de vista, y en términos generales, las multas, los trabajos comunitarios o el paso por prisión no resultan funcionales, e incluso, llegan producir efectos adversos. La libertad condicional, sin embargo, es la que presenta un mayor grado de acuerdo en los entrevistados en lo que refiere a su eficacia, siendo el aspecto más relevante el supervisor, cuya personalidad, trato con el joven e implicación en la relación establecida resultan de suma importancia[278].

Otro asunto de gran importancia en lo que refiere a las intervenciones, políticas y medidas que interfieren en el proceso de cese delictivo, tiene que ver con los lazos sociales del sujeto[279]. Es cierto, que la investigación ha demostrado ampliamente la importancia que tienen los vínculos y lazos sociales del individuo en el proceso de finalización de la trayectoria delictiva, así como la relevancia de la calidad de esos vínculos[280]. Sin embargo, la investigación también ha demostrado que los vínculos establecidos

---

[278] Véase, Barry, M.: Op. cit. 2013.

[279] Véase, Rocque, M. y Slivken, L.: Op. cit. 2019.

[280] Véase, Sampson, R.J. y Laub, J.H.: Op. cit. 1993; Sampson, R.J. y Laub, J.H..: Op. cit. 2003.

con el grupo de iguales pueden tener un efecto perverso sobre el desistimiento[281]. Cabe plantearse, por tanto, que las políticas e intervenciones que buscan que el individuo rompa los lazos que le unen con un entorno con características antisociales resultan imprescindibles para garantizar el fin de la trayectoria delictiva[282]. La investigación llevada a cabo por Kirk sobre una muestra de reclusos en el estado de Louisiana que habían sido condenados en el Estado de Nueva Orleans, permitió concluir que el cambio residencial de los individuos había garantizado el éxito del proceso de desistimiento delictivo a lo largo del tiempo. Tres años después del abandono del centro penitenciario en el que los sujetos cumplieron condena, aquellos que cambiaron su lugar de residencia mostraron índices sustancialmente más reducidos de reincidencia[283]. Con ello, debe abogarse por que todas las intervenciones que se llevan a cabo sobre individuos, principalmente dentro de los centros penitenciarios durante el cumplimiento de su condena, incidan sobre los vínculos del individuo, fomentando aquellos que resulten positivos y que supongan una ayuda para la reinserción social y debiliten aquellos lazos con un carácter tóxico que impliquen impedimentos en ese proceso.

---

281 Véase, Capaldi, D. M., Kim, H. K. y Owen, L. D.: Op. cit. 2008.

282 Véase, Rocque, M. y Slivken, L.: Op. cit. 2019.

283 Véase, Kirk, D. S. (2012): "Residential change as a turning point in the life course of crime: Desistance or temporary cessation?". *Criminology, 50*(2), 329-358.

Capítulo II.

Factores explicativos del desistimiento delictivo en mujeres

El comportamiento delictivo se encuentra determinado de forma decisiva por el factor género. Esto se debe a que las mujeres se involucran en menor medida que los hombres en la actividad criminal, y, además, en caso de hacerlo, la trayectoria delictiva de las primeras posee determinados rasgos que exigen un tratamiento adaptado a las necesidades concretas del colectivo[284]. En el mismo sentido, los programas dirigidos a la reintegración y reinserción social de los individuos se orientan, principalmente, a los requerimientos de los varones ya que son estos los que numéricamente cumplen más penas privativas de libertad en prisión[285]. No obstante, el aumento de la participación de las mujeres en la delincuencia ha provocado que las investigaciones sobre las necesidades femeninas, así como la creación y evaluación de programas tendentes a la reinserción de las mujeres, se hayan visto notoriamente aumentadas[286].

---

284 Véase, Vigna, A. (2011). *Persistencia y abandono del mundo del delito: diferencias de género en los procesos de desistimiento.* Tesis de maestría, Universidad de la República (Uruguay). Facultad de Ciencias Sociales. Departamento de Sociología.

285 Véase, Austin, J., Bloom, B. y Donahue, T. (1992): "Female Offenders in the Community: An Analysis of Innovative Strategies and Programs (National Institute of Corrections Publication No. NCJ 142251)". *Washington, DC: U.S. Department of Justice.* Citado en Spjeldnes, S. y Goodkind, S. (2009): "Gender differences and offender reentry: A review of the literature". *Journal of Offender Rehabilitation, 48*(4),314-335.

286 Véase, Covington, S. S. y Bloom, B. E. (2003): "Gendered justice: Women in the criminal justice system". *Gendered justice: Addressing female offenders,* 3-23.

Zahn y Browne argumentaban que el inicio de la trayectoria femenina tiene lugar de forma más tardía, pero el proceso de desistimiento ocurre con mayor rapidez que en el hombre[287]. Uggen y Kruttschnitt aseguraban que los factores que influyen en el desistimiento delictivo oficial no son neutros con relación al género, ya que las mujeres son mucho más propensas a llevar a cabo una transición hacia la no delincuencia que los hombres y a permanecer durante periodos de tiempo mucho más extensos sin cometer actos delictivos. Sin embargo, es cierto que se conoce poco acerca del porqué de esta afirmación. Los datos del estudio mostraron que hombres y mujeres ocupan diferentes espacios normativos y ocupan roles diferentes en la vida social. Parece ser que la reputación femenina se daña de una manera más sencilla que en el caso de los hombres y que los efectos de las detenciones previas o el consumo de drogas son mucho más negativos para ellas[288].

Confirmando estos argumentos, el estudio de Langan y Levin llevado a cabo en 15 Estados de los Estados Unidos permitió concluir que la tasa de reincidencia delictiva en las mujeres es menor que en los hombres. Los autores definían la reincidencia en torno a la nueva detención, la "reconvicción", las nuevas sentencias condenatorias y el regreso a prisión por la comisión de nuevos hechos delictivos. Tras la realización de un seguimiento durante tres años sobre una muestra compuesta por hombres y mujeres, se pudo determinar que las tasas de reincidencia masculinas fueron superiores a los femeninas en cada caso. En lo referente a las nuevas detenciones, los datos mostraron un porcentaje de un 68.4% frente a un 57.6% en las mujeres. En lo que refiere a "reconvicciones", los porcentajes obtenidos son un 47.6% frente a un 39.9% en las mujeres. Las nuevas sentencias condenatorias a penas privativas de libertad en prisión supusieron un 26.2% en los varones y un

---

287 Véase, Zahn, M. y Browne, A. (2009): "Gender differences in neighbourhood effects and delinquency". En Zahn, M. (ed.). *The delinquent girl.* Filadelfia: Temple University Press. Citado en Vigna, A. Op. cit. 2012.

288 Véase, Uggen, C. y Kruttschnitt, C.: Op. cit. 1998.

17.2% en las mujeres. Por último, en un 57% de los casos de los hombres investigados se produjo un regreso al centro penitenciario, siendo esta cifra de un 51.9% en el colectivo femenino[289].

Dada esta circunstancia, autores como Piquero y sus colaboradores señalan la importancia de que los estudios sobre desistimiento contemplen datos desagregados en función de la variable de género, permitiendo determinar cómo los factores de riesgo y de protección se relacionan con varias dimensiones de la carrera criminal[290]. Giordano y sus colaboradores aseguran que los estudios tradicionales sobre desistimiento delictivo se han basado en muestras de hombres de raza blanca, no resultando los hallazgos, por tanto, generalizables al resto de la sociedad[291].

Aun si se aceptara la idea de que los factores que intervienen en el desistimiento masculino y femenino fueran los mismos, podría darse la situación de que tales mecanismos actúen en etapas diferentes de la trayectoria vital de ambos colectivos o que la importancia de unos y de otros sea diferente[292]. Conforme mayor es la observación en torno a las diferencias en lo relativo al género o, por ejemplo, las diferencias étnicas, se determina una evidencia clara de que los elementos comunes del proceso de desistimiento pueden ser experimentados de modo diferente para cada grupo, en función de elementos de carácter socioestructural o cultural. Ninguna intervención sobre el desistimiento del delito puede llegar a resultar exitosa si todos estos aspectos sobre la diversidad no se ven atendidos[293].

En lo que refiere al proceso de reinserción tras la condena, hombres y mujeres tienen oportunidades distintas, por ejemplo,

---

289 Véase, Langan, P. A. y Levin, D. J. (2002). *Recidivism of prisoners released in 1994 (NCJ No. 193427).* Washington, DC: Bureau of Justice Statistics. Citado en Spjeldnes, S. y Goodkind, S.: Op. cit. 2009.

290 Véase, Piquero, A.R., Farrington, D.P. y Blumstein, A.: Op. cit. 2003.

291 Véase, Giordano, P.C., Cernkovich, S.A. y Rudolph, J.L.: Op. cit. 2002.

292 Véase, Vigna, A.: Op. cit. 2011.

293 Véase, McNeill, F. y Weaver, B.: Op. cit. 2010. Citado en Rocque, M. y Slivken, L.: Op. cit. 2019.

en lo referente al empleo. El varón suele presentar una situación más sencilla[294]. Las mujeres que vuelven a integrarse en las comunidades de origen tras el abandono de las instituciones penitenciarias, a menudo deben cumplir con las condiciones impuestas en el régimen de la libertad condicional en lo que refiere a la necesidad de obtención de un trabajo estable que le garantice cierto grado de estabilidad económica, acceder a atención sanitaria, encontrar una vivienda dónde poder asentarse[295] o la recuperación de los vínculos familiares, e incluso, el empleo se convierte en un requisito *sine qua non* para la obtención de la custodia de sus hijos[296]. Todas estas condiciones deben ser alcanzadas partiendo de importantes carencias que, generalmente, no han logrado suplirse durante el periodo de internamiento, como, por ejemplo, las escasas habilidades sociales, un historial laboral marcado por el trabajo temporal y poco cualificado o un historial de drogadicción. A todo ello, hay que sumarle que muchas de estas mujeres tienen hijos, agregando ello una importante carga[297] en la medida en que las necesidades de obtener empleo, una vivienda, o satisfacer las exigencias económicas, dejan de referir exclusivamente a ellas, sino que también aluden a sus hijos. En otros muchos casos, las mujeres proceden de entornos desestructurados y el regreso a los mismos dificulta enormemente el proceso de abandono de la carrera delictiva, o de la drogadicción, en caso de existir esta.

Resulta imprescindible proporcionar a las mujeres medidas e intervenciones que desde un punto de vista estructural como de contenido atiendan íntegramente a sus necesidades. Los problemas que estas mujeres generalmente presentan son de carácter

---

294 Véase, Cobbina, J. E. (2009). *From prison to home: Women's pathways in and out of crime.* University of Missouri-Saint Louis.

295 Véase, Covington, S. S. y Bloom, B. E.: Op. cit. 2003.

296 Véase, Covington, S. S. y Bloom, B. E.: Op. cit. 2003; Cobbina, J. E.: Op. cit. 2009.

297 Véase, Brown, V., Melchior, L. y Huba, G. (1999): "Level of burden among women diagnosed with several mental illness and substance abuse". *Journal of Psychoactive Drugs, 31*(1), 31-40.

social, como, por ejemplo, la pobreza, las situaciones previas de abuso o las situaciones desigualitarias como consecuencia de las diferencias de género, así como aquellos problemas de carácter individual. Es por ello por lo que tienen que verse atendidos desde el punto de vista de las medidas de intervención en el ámbito penal y penitenciario[298], con el objetivo de facilitar el proceso de finalización de la trayectoria delictiva.

Es interesante además establecer una clara diferenciación entre lo que Covington denominó la cultura correccional y la cultura del tratamiento. La primera se basa en la garantía del control, la supervisión de las internas y la seguridad. La segunda, por el contrario, se basa en la atención a las necesidades de seguridad y al cambio de las mujeres[299]. Es imprescindible el uso de programas y medidas que, a partir de una perspectiva de género, tengan en cuenta el sitio en el que estas se aplicarán, se seleccione cuidadosamente al personal que las va a llevar a cabo, así como su capacitación y formación y se supervise que el desarrollo de estas refleja la realidad de las mujeres y atienda a los problemas específicos que presentan las mismas[300].

En lo relativo al éxito del proceso de desistimiento, ha habido algunos estudios que han determinado que los factores influyentes son similares, sino idénticos, para hombres y mujeres[301]. Así, Jamieson y sus colaboradores afirmaban que el proceso "madu-

---

298 Véase, Covington, S. S. y Bloom, B. E.: Op.cit. 2003.

299 Véase, Covington, S. (1998). *Creating gender-specific treatment for substance-abusing women and girls in community correctional settings.* Paper presented at the Annual Conference of the International Community Corrections Association. Arlington, VA. Citado en Covington, S. S., y Bloom, B. E.: Op. cit. 2003.

300 Véase, Bloom, B., y Covington, S. (2000). *Gendered justice: Programming for women in correctional settings.* Paper presented at the 52nd Annual Meeting of the American Society of Criminology, San Francisco, CA. Citado en Covington, S. S., y Bloom, B. E.: Op. cit. 2003.

301 Véase, Rumgay, J. (2004): "Scripts for safer survival: pathways out of female crime". *The Howard Journal, 43*(4), 405-419.

racional", las transiciones, las modificaciones del estilo de vida y las relaciones desempeñan un papel fundamental en el cese del delito para ambos colectivos[302].

Pese a ello, en términos generales la opinión acerca de la igualdad en lo que refiere a los factores de influencia en el desistimiento delictivo femenino y masculino no es compartida por todos los autores. Así, Benda, tras la realización de un estudio sobre un colectivo de mujeres y de hombres representativo, concluyó que los factores de influencia sobre el desistimiento resultaban ciertamente diferentes para ambos grupos. En el caso de las mujeres, son los factores relacionados con la drogadicción, los sentimientos negativos y el pesimismo o el establecimiento de vínculos con otros delincuentes los que desempeñan un papel negativo sobre la probabilidad de finalización de la trayectoria delictiva. Por el contrario, las relaciones satisfactorias con parejas sentimentales con características prosociales, las relaciones de amistad y las relaciones familiares con individuos no delincuentes favorecen el desistimiento. Para el hombre, el factor con mayor protagonismo sobre el proceso de cese de la carrera delictiva es el empleo y, por el contrario, los factores que, en mayor grado, favorecen la prolongación en el tiempo de la delincuencia son las asociaciones con otros delincuentes, el uso de armas o el consumo excesivo de sustancias estupefacientes. Se deriva, por tanto, de todo lo anterior que los factores que influyen en el desistimiento delictivo para hombres y mujeres son diferentes y que en el caso de los primeros estos tienen un carácter instrumental, mientras que para las mujeres poseen un carácter social[303].

A pesar de las conclusiones de algunos estudios, la realidad es que son pocos los análisis de carácter cualitativo que han indaga-

---

302 Véase, Jamieson, J., McIvor, G. y Murray, C. (1999). *Understanding Offending among Young People.* Edinburgh: HMSO. Citado en Cobbina, J. E.: Op. cit. 2009.

303 Véase, Benda, B. B. (2005): "Gender differences in life-course theory of recidivism: A survival analysis". *International Journal of Offender Therapy and Comparative Criminology, 49*(3), 325-342.

do en cuáles son los mecanismos que subyacen en el proceso de desistimiento femenino, son escasas las investigaciones que han atendido a la perspectiva de las propias mujeres delincuentes[304] y los resultados de algunos de estos estudios han llegado a ser contradictorios[305]. A continuación, pasan a señalarse algunos de los factores de mayor influencia en el desistimiento femenino.

2.1. EL MATRIMONIO Y LAS RELACIONES DE PAREJA

Diferentes investigaciones han apuntado a la gran influencia sobre el proceso de cese del delito que ejerce el matrimonio en la medida en que favorece la aparición de vínculos sociales, así como la inmersión del sujeto en la sociedad convencional y la introducción de una nueva fuente de control social directo[306], no tratándose, no obstante, de una conclusión compartida por todos los investigadores[307]. Además de ello, las investigaciones sobre la influencia del matrimonio sobre el proceso de desistimiento han encontrado varias limitaciones.

En primer lugar, son escasas las investigaciones que han tratado de determinar el modo en el que los hombres y las mujeres se sirven de los lazos establecidos con las parejas románticas para llevar a cabo su proceso de desistimiento[308]. Pese al enorme cuerpo de estudio desarrollado en torno al fenómeno del desistimiento delictivo, se desconoce si la hipótesis según la cual la existencia de

---

304 Véase, Cobbina, J. E.: Op. cit. 2009.

305 Véase Giordano, P.C., Cernkovich, S.A. y Rudolph, J.L.: Op. cit. 2002.

306 Véase, Bersani, B. E. y Doherty, E. E. (2013): "When the ties that bind unwind: examining the enduring and situational processes of change behind the marriage effect". *Criminology, 51*(2), 399-433.

307 Véase, Lyngstad, T. H., y Skardhamar, T. (2013): "Changes in criminal offending around the time of marriage". *Journal of Research in Crime and Delinquency, 50*(4), 608-615.

308 Véase, Abrams, L. S. y Tam, C. C. (2018): "Gender differences in desistance from crime: how do social bonds operate among formerly incarcerated emerging adults?". *Journal of Adolescent Research, 33*(1), 34-57.

lazos con parejas románticas o el matrimonio resulta válida en lo referente a las mujeres[309].

En segundo lugar, no han tenido en cuenta elementos como que el matrimonio en la actualidad tiene lugar cada vez de modo más tardío o que existen realidades diversas en torno a las orientaciones sexuales de hombres y mujeres que van más allá del matrimonio tradicional y que no pueden obviarse en lo que refiere a la investigación[310]. Bersani y sus colaboradores indicaban la importancia de atender al contexto histórico a la hora de comprobar el impacto de determinados eventos en el proceso de desistimiento y, más aún en lo que refiere a una institución como el matrimonio. Mientras que a principios del siglo XX se desarrolló todo un proceso normativo en el que, casi de forma estandarizada, los individuos adquirían un empleo y formaban una familia al contraer matrimonio y tener hijos, en la actualidad, todo ello resulta menos habitual[311].

Aunque las relaciones sociales y en particular el matrimonio, han sido identificadas como un factor crítico en la comprensión de las pautas de comportamiento delictivo entre los hombres de las muestras de muy diversos estudios, hay algunas investigaciones que parecen indicar determinados efectos diferenciales sobre la delincuencia femenina[312].

El estudio llevado a cabo por Alarid y sus colaboradores permitió concluir que el hecho de estar casada o, bien, conviviendo con una pareja masculina tiene consecuencias importantes en la

---

309 Véase, Doherty, E. E. y Ensminger, M. E. (2013): "Marriage and offending among a cohort of disadvantaged African American". *Journal of Research in Crime and Delinquency, 50*(1), 104-131.

310 Véase, Abrams L. S. y Tam C. C.: Op. cit. 2018.

311 Véase, Bersani, B. E., Laub, J. H. y Nieuwbeerta, P. (2009). "Marriage and desistance from crime in the Netherlands: do gender and socio-historical context matter?". *Journal of Quantitative Criminology, 25*(1), 3-24.

312 Véase, Cobbina, J.E., Huebner, B.M. y Berg, M.T. (2010): "Men, women and postrelease offending: an examination of the nature of the link between relational ties and recidivism". *Crime & Delinquency, 20*(10), 1-31.

carrera criminal femenina[313]. Se trata de resultados similares a los de la investigación de Griffin y Armstrong, quienes encontraron que las mujeres involucradas en relaciones estables tenían un nivel de participación en delincuencia relacionada con el tráfico de drogas muy baja. No obstante, no lograron determinar cuáles debían ser las características de tal relación para que esta pudiera tener una influencia real en el cese del delito[314].

El estudio llevado a cabo por Giordano y sus colaboradores sobre una muestra de mujeres jóvenes reclusas permitió concluir que el factor matrimonio resulta un importante catalizador para el cambio, aunque se determinaron algunos matices. Así, algunos grupos con un nivel de apego matrimonial elevado no habían mostrado un desistimiento de la trayectoria delictiva, otras, por el contrario, contaban con relaciones menos estables y, sin embargo, habían dado comienzo al proceso de cese. Un tercer grupo había desistido sin encontrarse inmersas en una relación de pareja. Con ello, los autores pudieron afirmar que lo realmente importante es el rol que las mujeres delincuentes asumen como esposas o cónyuges como consecuencia de tal relación, siendo el compañero un mero "requerimiento técnico" que por sí mismo no logra influencia en el cese del delito[315].

Benda llevó a cabo en 2005 un estudio sobre una muestra formada por 300 hombres y 300 mujeres pertenecientes a un campamento de entrenamiento militar en el Medio Oeste de Estados Unidos, en el que concluyó que algunas características de las parejas románticas favorecerían el grado de influencia que el matrimonio tiene sobre el proceso de finalización de la trayectoria

---

313 Véase, Alarid, L. F., Burton Jr, V. S. y Cullen, F. T. (2000): "Gender and crime among felony offenders: Assessing the generality of social control and differential association theories". *Journal of Research in Crime and Delinquency, 37(2),* 171-199.

314 Véase, Griffin, M.L. y Armstrong, G.S. (2003): "The effect of local life circumstances on female probationers' offending". *Justice Quarterly, 20*(2), 213-239.

315 Véase, Giordano, P.C., Cernkovich, S.A. y Rudolph, J.L.: Op. cit. 2002.

delictiva. Los individuos recluidos en el campamento habían sido previamente condenados al cumplimiento de una pena privativa de libertad en prisión y se les ofreció la posibilidad de acudir a cumplir condena a los mismos. Para que los individuos tuvieran opción de elegir sobre su traslado debía tratarse de delincuentes primarios cuya primera toma de contacto con el sistema penal fuera la que les condujo a prisión, que la duración de la condena impuesta sobre ellos no sobrepasara los 10 años, que no hubiesen cometido delitos de carácter violento durante el internamiento, que contasen con un cociente intelectual medio (superior a 70) y que carecieran de problemas de carácter físico, psicológico o relacionados con la drogadicción y el abuso de alcohol. Para el análisis se seleccionaron, exclusivamente, a los individuos mayores de 20 años, a quienes se realizó un seguimiento durante 5 años. La primera recogida de datos se produjo cuando los hombres y mujeres llevaban un periodo de dos semanas viviendo en el campamento por parte del psicólogo del centro, quien trasladó un cuestionario a los reclusos. La segunda tuvo lugar una semana antes de que los individuos pudieran abandonar el centro como consecuencia de la finalización de su condena y el tercer cuestionario fue proporcionado por un investigador de las oficinas de libertad condicional tras 2 meses del abandono del campamento de entrenamiento.

Los resultados del estudio permitieron establecer una comparativa entre hombres y mujeres. Entre los numerosos hallazgos, se obtuvieron evidencias sobre la influencia negativa que la convivencia con parejas delincuentes ejercía sobre la reincidencia delictiva en el colectivo de mujeres. Aseguraba la autora que la vinculación con una pareja, entre otros factores, mejora el compromiso prosocial y la convencionalidad. Los vínculos fuertes promueven un sentido de responsabilidad y llevan a evitar actuar al sujeto según impulsos que podrían dañar o poner en riesgo el lazo generado con la pareja[316].

---

316 Véase, Benda, B. B.: Op. cit. 2005.

Por su parte, Leverentz llevó a cabo un estudio de carácter cualitativo a partir de entrevistas en profundidad a mujeres pertenecientes a diferentes razas que habían desistido del delito. La autora pretendía conocer el grado de influencia de los vínculos establecidos por las mujeres en relaciones heterosexuales u homosexuales, así como en aquellos casos en los que la mujer no deseaba participar de una relación sentimental. Un grupo de reincidentes atribuyó toda la responsabilidad a la pareja. Otro grupo muy numeroso, decidió dejar la relación, puesto que su pareja continuaba participando de actividades delictivas y de consumo de drogas, fundamentando la ruptura en el deseo de asegurar su propia recuperación. En el estudio aparece una tercera situación, y es el caso en el que ambos miembros de la pareja se encuentran en proceso de desistimiento delictivo. En esta situación suele producirse un apoyo recíproco para la obtención del éxito en el cese delictivo. Se pudo concluir también que aquellas mujeres que no se involucraban en relaciones podían desistir pasando a tener como único objetivo su recuperación. Por su parte, las relaciones homosexuales tienen el mismo efecto que las heterosexuales[317].

Giordano y sus colaboradores mostraron en 2007 que la principal influencia que el matrimonio tiene sobre la terminación de la carrera delictiva no recae sobre el evento en sí, sino en los procesos emocionales que aparecen asociados a él[318].

---

317 Véase, Leverentz, A.M. (2006): "The love of a good man? Romantic relationship as a source of support or hindrance for female ex - offenders". *Journal of Research in Crime and Delinquency, 43(4)*, 459-488. Véase también en este sentido, Veysey, B.M., Martinez, D.J. y Christian, J. (2013): ""Getting out:" a summary of qualitative research on desistance across the life course". En Gibson, C.L. y Krohn, M.D. *Handbook of life-course criminology. Emerging trends and directions for future research.* New York: Springer.

318 Véase, Giordano, P. C., Schroeder, R. D. y Cernkovich, S. A. (2007): "Emotions and crime over the life course: A neo-Meadian perspective on criminal continuity and change". *American Journal of Sociology, 112*(6), 1603-1661.

El estudio llevado a cabo por King siguió la línea planteada. Los datos obtenidos derivaban de los empleados en el estudio de Nueva York, un análisis de carácter longitudinal sobre el comportamiento delictivo, el consumo de sustancias estupefacientes, drogas y bienestar físico y psicológico durante la primera etapa de la edad adulta sobre una muestra neoyorquina. La muestra original se encontraba compuesta por un total de 1.725 jóvenes de entre 11 y 17 años y se llevaron a cabo tres oleadas de recogida de datos, la primera en 1981, la segunda en 1983 y la tercera en 1987. Durante la última oleada los individuos objeto de estudio tenían una edad comprendida entre los 21 y los 27 años. A partir de estos datos, King y sus colaboradores dieron comienzo a su investigación considerando suficientemente útil la muestra de Nueva York en tanto que un porcentaje elevado de individuos de esta habían contraído matrimonio y se trataba de una de las pocas encuestas longitudinales que miden la delincuencia en el colectivo femenino y masculino, lo cual les permitiría establecer una comparación entre ambos géneros.

Las conclusiones alcanzadas por los investigadores se mostraban en parte de acuerdo con la idea de la influencia del matrimonio sobre el cese de la trayectoria delictiva, y en parte no. Aseguraban que la influencia del vínculo matrimonial resulta más positiva en el caso de los hombres ya que, estos tienden a relacionarse con parejas con menores tasas de historial delictivo. Sin embargo, la cuestión resulta aún más compleja. Los autores aludían también a que aquellos hombres que mostraban una menor tendencia a contraer matrimonio a veces lo llegan a hacer y, al contar muchos de ellos con elevadas tasas delictivas, se puede observar una reducción muy evidente de las mismas debido a la influencia positiva que ejerce la pareja. Resaltaban la gran importancia que el proceso a través del cual se elegía a la pareja tenía sobre el fin de la carrera delictiva.

Una de las conclusiones de mayor trascendencia es que no lograron alcanzar los mismos resultados para el colectivo de mujeres, de manera que la idea tradicional de que el evento externo del matrimonio influye positivamente sobre el cese de la delincuencia para hombres y mujeres no pudo ser verificada[319]. Puede observarse, por tanto, cómo los autores comparten algunos de los resultados del trabajo de Giordano y sus colaboradores, arriba desarrollado[320]. En el caso de los hombres con tendencia a establecer vínculos con parejas con trayectorias delictivas de menor importancia la influencia de tal vínculo sobre su propia trayectoria es más evidente y destacable. En lo que refiere a las mujeres, demostraron que aquellas que tenían una tendencia media a casarse se veían más positivamente influidas por el vínculo matrimonial en el fin de sus carreras delictivas que aquellas que mostraban una tendencia baja o alta para establecer ese vínculo. Los autores trataban de justificar estos resultados aludiendo a que las mujeres con alta tendencia al vínculo del matrimonio son, en principio, menos propensas a la carrera delictiva y, por tanto, los efectos sobre el desistimiento no se pueden demostrar. Sobre una muestra de mujeres que ya tenían pareja y mostraban una elevada propensión a contraer matrimonio, se determinó que el nivel de delincuencia previo era bajo. En definitiva, las mujeres que están dispuestas al matrimonio generalmente tienen un recorrido delictivo menor, por tanto, no podía ser percibido el factor de influencia del matrimonio sobre el cese. Las mujeres que muestran una propensión media hacia el matrimonio, por el contrario, presentan un historial delictivo de mayor trascendencia. Sin embargo, aquellas que finalmente establecen el vínculo con una pareja logran una influencia de este sobre la delincuencia llevada a cabo[321]. En definitiva, este estudio rechaza la idea de que los elementos de influencia en el desistimiento afectan en la misma medida a los hombres y a mujeres.

En un sentido similar a la investigación de King y sus colaboradores, cabe destacar el trabajo de Bersani, Laub y Nieuwbeerta

---

319 Véase, King, R.D., Massoglia, M. y MacMillan, R. (2007): "The context of marriage and crime: gender, the propensity to marry, and offending in early adulthood". *Criminology 45*,33-65.

320 Véase, Giordano, P.C., Cernkovich, S.A. y Rudolph, J.L.: Op. cit. 2002.

321 Véase, King, R.D., Massoglia, M. y MacMillan, R.: Op. cit. 2007.

llevado a cabo en el año 2009. Los autores pretendían conocer el efecto del vínculo del matrimonio sobre el fin de la trayectoria delictiva atendiendo a las diferencias existentes entre hombres y mujeres, así como a las diferencias en el contexto histórico. Para ello, utilizaron una muestra de individuos delincuentes en los Países Bajos, siendo esto una novedad importante, ya la mayor parte de investigaciones sobre desistimiento se han venido desarrollado sobre muestras estadounidenses. Los datos empleados pertenecían a un estudio longitudinal de alcance nacional llevado a cabo por el Instituto de los Países Bajos para el estudio del delito y la aplicación de la ley (NSCR, sus siglas en inglés) titulado Estudio de la carrera criminal y el curso de la vida (CCLS, sus siglas en inglés). La muestra se componía de un total de 4.615 individuos, 4.187 hombres y 425 mujeres, todos ellos delincuentes nacidos entre 1907 y 1965. El estudio, además, recolectó datos detallados sobre la trayectoria delictiva del colectivo desde la edad de 12 años hasta la edad adulta. La investigación trató exclusivamente el matrimonio desde una perspectiva legal y no contempló otro tipo de relaciones como aquellas basadas en la convivencia de la pareja, sin embargo, los resultados siguen siendo ciertamente interesantes. Evidenciaron los autores un elevado nivel de influencia del matrimonio sobre la carrera delictiva de la muestra, de modo que, tanto los hombres y las mujeres que contraían matrimonio tendían hacia una menor tasa delictiva. Además, y quizá este sea el punto de mayor interés, quienes se beneficiaban del positivo efecto del matrimonio en el desistimiento del delito eran los individuos más jóvenes. Con ello, el matrimonio, por lo menos en lo que a la carrera delictiva se refiere, sigue teniendo hoy en día una gran influencia sobre la población joven[322].

Otro estudio que trató de comprobar la influencia del matrimonio sobre muestras no exclusivamente blancas y masculinas fue el Proyecto Woodlawn llevado a cabo por Doherty y Ensminger. La investigación tenía un carácter longitudinal y dio comienzo

322 Véase, Bersani, B. E., Laub, J.H. y Nieuwbeerta, P.: Op. cit. 2009.

en los años 60 a partir de una muestra inicial de 1.241 afroamericanos residentes en Chicago, de los cuales el 51% eran mujeres. Se trata de uno los escasísimos estudios en los que, dentro de una muestra mixta, el número de mujeres supera al de hombres. El estudio dio comienzo cuando los individuos de la muestra eran aún niños, y finalizó en el año 1992. Se llevaron a cabo 3 oleadas de recolección de datos.

En la primera oleada, las entrevistas se dirigieron hacia las madres y padres de los niños que conformaban la muestra y tuvo lugar en 1966. En tal entrevista se preguntó a los padres acerca de asuntos como la conducta del menor, la situación escolar o el nivel integración social que mostraba.

Durante la segunda oleada, en 1975, se consiguió contactar con un total de 705 individuos, que en este momento tenían 16 años, y se les profirieron preguntas a partir de cuestionarios acerca de la situación en el hogar, el rendimiento académico, la estabilidad psicológica, el consumo de drogas y la delincuencia llevada a cabo.

En el año 1992 un total de 952 individuos fueron entrevistados personalmente con respecto a la muestra original[323]. En estas entrevistas personales, con la muestra ya adulta, se trataron temas de muy diversa índole como las relaciones personales, el empleo, la situación a nivel psicológico o físico, la delincuencia desarrollada a lo largo del transcurso de la vida o el consumo de drogas.

---

[323] El hecho de que durante esta tercera oleada de la investigación la muestra fuese superior a la utilizada en la segunda, se debe a que durante el periodo en el que se llevó a cabo esta segunda oleada hubo un recorte presupuestario que impidió contactar con la totalidad de la muestra inicial. La cuestión se solventó en la tercera oleada, momento en que, partiendo de la muestra original y no de la muestra de la segunda oleada, se trató de acceder al mayor número de sujetos posible. Esto sin duda puede suponer un sesgo en la evaluación como consecuencia, principalmente, de la pérdida de información que supone que una parte de la muestra no haya podido ser objeto del mismo seguimiento. Véase, Doherty, E.E. y Ensminger, M.E.: Op. cit. 2013.

Con el objetivo de subsanar posibles deficiencias, en 1993 se obtuvo a través de registros oficiales toda la información sobre los antecedentes penales de los individuos que componía la muestra, con ello se lograba así conocer las cifras de delincuencia real, o al menos, registrada de la muestra, complementando de este modo los datos de delincuencia oficial y autoinformada.

En lo que refiere a los resultados, los autores lograron demostrar que la mayor parte de los hombres que habían contraído matrimonio mostraban una importante disminución de delitos llevados a cabo. Resulta de interés señalar aquí que los individuos de la muestra no manifestaron una relación entre edad y delito como la propuesta por el matrimonio Glueck[324], sino que los sujetos mostraron patrones delictivos estables durante los 32 años de la trayectoria de vida analizados en la investigación.

A pesar de que el estudio no alcanzó a investigar sobre los mecanismos subyacentes al matrimonio que influyen en el desistimiento del delito, sí logró establecer un vínculo entre la influencia que el matrimonio tiene sobre el desistimiento para determinados tipos de delitos. Se pudo determinar que las mujeres mostraron una importante reducción en los niveles de delincuencia patrimonial cuando contrajeron matrimonio, no pudiéndose plantear tal relación en lo que respecta a la delincuencia de carácter violento y la relacionada con el tráfico y consumo de estupefacientes. Ante estos resultados, los autores plantearon la hipótesis de que el incremento de la delincuencia relacionada con las drogas se produce en el momento en que las mujeres se casan y que esto puede deberse a las características antisociales de la pareja que participara en este tipo de hechos delictivos. De ser esto cierto se podría llegar a afirmar que las características de la pareja román-

324 Véase, Glueck, S. y Glueck, E.: Op. cit. 1940. Citado en Maruna, S.: Op. cit. 2007; Hirschi, T., y Gottfredson, M. R.: Op. cit. 1983.

tica resultan factores de relevancia en el proceso de finalización de la trayectoria delictiva[325]/[326].

Apuntando hacia la última de las ideas planteadas, Herrera y sus colaboradores demostraron que no era el matrimonio en sí el que favorecía el desistimiento, sino que lo eran una serie de características y factores en torno a la relación establecida por los cónyuges. Se concluyó que en el caso de las mujeres la calidad de la relación no tenía relevancia a efectos de desistimiento, aunque sí la duración de esta[327].

La investigación llevada a cabo por Craig y Foster sobre desistimiento delictivo en el momento de transición hacia la edad adulta mostró, por el contrario, que el matrimonio influye de igual manera en el cese del delito para hombres y mujeres, destacando que los vínculos sociales resultan de igual relevancia para ambos sexos[328].

En el año 2018 se llevó a cabo, por parte de las investigadoras Abrams y Tam, un estudio en el que pretendieron, entre otras cuestiones, conocer la influencia que el vínculo del matrimonio y las relaciones románticas tenían sobre el proceso de desistimiento de las mujeres y hombres jóvenes[329], en la llamada "adultez emergente"[330]. Resulta imprescindible señalar la importancia de este análisis en la medida en que utilizó como técnica de recolección de información las entrevistas narrativas sobre una muestra

---

325 Véase, Giordano, P.C., Cernkovich, S.A. y Rudolph, J.L.: Op. cit. 2002.

326 Véase, Doherty, E.E. y Ensminger, M.E.: Op. cit. 2013.

327 Véase, Herrera, V. M., Wiersma, J. D. y Cleveland, H. H. (2011): "Romantic partners' contribution to the continuity of male and female delinquent and violent behavior". *Journal of Research on Adolescence, 21*(3), 608-618.

328 Véase, Craig, J. y Foster, H. (2013): "Desistance in the Transition to Adulthood: The Roles of Marriage, Military, and Gender, Deviant Behavior". *Deviant Behavior, 34*(3), 208-223.

329 Véase, Abrams, L.S. y Tam, C.C.: Op. cit. 2018.

330 Véase, Arnett, J.J.: Op. cit 1994. Citado en Abrams, L.S. y Tam, C.C.: Op. cit. 2018.

mixta. El uso de tal herramienta garantiza la posibilidad de alcanzar a conocer, a partir del testimonio de los propios participantes, el contexto completo en lo referente a sus experiencias vitales, el modo en el que las describen o la forma en la que las experimentaron. La muestra fue seleccionada a partir de las agencias comunitarias de Los Ángeles, ya que las autoras reconocieron la imposibilidad de concretar una muestra de jóvenes que durante su adolescencia hubiesen permanecido en prisión, como consecuencia de la protección de la intimidad de los datos de estos[331]. La recogida de datos se llevó a cabo a través de la realización de dos entrevistas a cada uno de los 14 participantes (7 hombres y 7 mujeres que habían cumplido una pena privativa de libertad en prisión en su adolescencia) con edades comprendidas entre los 18 y 24 años en un periodo de 4 a 6 semanas. La primera de ellas versaba acerca del historial de vida del individuo, mientras que la segunda se basó en el conocimiento del proceso de finalización de la trayectoria delictiva durante los primeros años de adultez, alcanzando a conocer qué factores influyeron en el proceso.

Los resultados sobre la influencia de las relaciones románticas en el proceso de finalización de la trayectoria delictiva mostraron algunas diferencias en función del género. Los hombres que se encontraban en una relación estable y duradera en el tiempo aseguraron que sus parejas suponían el principal apoyo en sus vivencias y recorrido vital tras el abandono del centro penitenciario en su adolescencia. La mayor parte de la muestra masculina había adoptado la decisión, con el objetivo de garantizar el distanciamiento de la trayectoria delictiva, de dejar a un lado a las antiguas amistades, generalmente tóxicas y conflictivas, para pasar a recibir el apoyo de sus parejas, generalmente prosociales.

---

331 En el Estado de California, las autoridades no pueden revelar la identidad de los adolescentes que se encuentran o se encontraron en el pasado inmersos en un procedimiento judicial. Véase, California Welfare and Institutions Code Section 827.9. Citado en Abrams, L.S. y Tam, C.C.: Op. cit. 2018.

En lo que respecta al grupo de mujeres, la mayoría de ellas habían establecido vínculos románticos con hombres que participaban en actividades delictivas o antisociales, perteneciendo muchos de ellos a pandillas, con las consecuencias que esto conlleva sobre la posibilidad de desistimiento de las primeras. Opuestamente a lo establecido por la mayoría de los estudios sobre desistimiento femenino, en esta investigación no se logró determinar una positiva influencia de las relaciones románticas sobre el proceso de cese del delito en las mujeres. La mayor parte de la muestra aludía a su independencia. La explicación de ella, según las autoras, es que estas mujeres habían crecido en entornos desestructurados en los que desarrollaron una gran capacidad de autosuficiencia que les hacía sentir de modo más confortable al no tener que depender, en ningún modo, del entorno. La mayor parte de las mujeres jóvenes entrevistadas aseguraban una falta de confianza hacia terceros, incluyendo las parejas románticas.

En definitiva, lo que este estudio cualitativo permite concluir es que los hombres asumen las relaciones de pareja como catalizadores hacia el cambio en mayor grado que las mujeres. Por otra parte, resultan de gran transcendencia las características de la pareja romántica en la finalización de la trayectoria delictiva, de modo que exclusivamente las parejas con características prosociales y no delincuentes servirán como fuente de apoyo hacia el desistimiento[332].

A modo de conclusión, puede afirmarse que los resultados en cuanto a la influencia del matrimonio en el proceso de desistimiento delictivo de las mujeres son muy variados. Algunos parten de su importancia, otros la niegan, conociéndose muy poco sobre las causas que subyacen a tal fenómeno. Se desconocen, desde un punto de vista empírico y suficientemente probado, qué factores o características de la pareja romántica apoyan el proceso de desistimiento, qué tipo de características de la dinámica relacional tienen influencia en el proceso o qué duración debe tener la re-

---

332 Véase, Abrams, L.S. y Tam, C.C.: Op. cit. 2018.

lación para tener cierto nivel de importancia sobre el individuo hasta el punto de lograr que la delincuencia llevada a cabo por él disminuya. No puede obviarse que algunos de estos asuntos se han visto tratados en determinadas investigaciones, a las cuales se ha hecho mención arriba, pero se refiere aquí la necesidad de empleo de estudios cualitativos, basados en muestras más diversas desde el punto de vista cultural, étnico o racial, investigaciones capaces de generar análisis relativos a periodos de tiempo suficientemente extensos en la vida del sujeto y, sobre todo, se requiere conocer en profundidad la relación de la persona objeto de estudio para lograr suplir las carencias mencionadas.

2.2. LA MATERNIDAD

El papel de la maternidad sobre el proceso de desistimiento delictivo ha sido clave en las diferentes teorías explicativas del fenómeno, tanto en las teorías del control social de Sampson y Laub[333], las teorías sobre las trasformaciones cognitivas y de carácter emocional de Giordano y sus colaboradores[334], así como las teorías de la identidad propuestas por Paternoster y Bushway[335]. Es cierto que no ha sido un elemento explícito en todas, pero sí puede deducirse de cada una de ellas.

La importancia de los eventos exógenos o estructurales ha sido señalada por la teoría del control social indicando, por ejemplo, la positiva influencia del matrimonio, el empleo estable o el servicio militar con relación a los vínculos sociales que, como consecuencia de ellos, se generan sobre el cese del delito. Desde esta perspectiva, la maternidad puede considerarse como un evento más de los propuestos, ya que el vínculo maternal provoca la aparición del rol de madre del que deriva disciplina, estabilidad y la

---

333 Véase, Sampson, R.J. y Laub, J.H.: Op. cit. 1993.

334 Véase, Giordano, P.C., Cernkovich, S.A. y Rudolph, J.L.: Op. cit. 2002.

335 Véase, Paternoster, R. y Bushway, S.: Op. cit. 2009.

limitación de las oportunidades de llevar a cabo actos delictivos[336]. En ese sentido, Graham y Bowling aseguraron que la maternidad conformaba uno de los elementos de mayor influencia en el proceso de desistimiento de la trayectoria delictiva[337].

Por su parte, Giordano y sus colaboradores afirmaron que los eventos externos y objetivos carecían de relevancia por sí mismos y que para que realmente lograran tener un grado de influencia sobre el proceso de desistimiento de la actividad criminal resultaba imprescindible la aparición de una serie de modificaciones cognitivas en el individuo. Los autores concluyeron la importancia del factor emocional en la explicación del cese delictivo. Así, aquellos individuos que mantienen carreras delictivas tienden a padecer importantes situaciones de conflicto con las personas del entorno, generando esto una situación de desánimo que conduce al mantenimiento del delito. Sin embargo, los autores planteaban que eventos como el matrimonio favorecen la aparición de una serie de vínculos sociales que crean apoyo y fomentan la aparición de una serie de emociones positivas atribuibles al éxito en el proceso de desistimiento[338]. Sin duda, dentro de estos vínculos de importancia puede destacarse la maternidad.

Los autores concluían que la maternidad favorece la aparición de una nueva identidad en las mujeres que facilita el cambio hacia el desistimiento. La maternidad *per se* no logra este objetivo, lo relevante no es el grado de amor o apego hacia los hijos, sino

---

336 Véase, Bachman, R., Kerrison, E.M., Paternoster, R., Smith, L. y O´connell, D. (2016): "The complex relationship between motherhood and desistance". *Women and criminal justice, 26*(3), 212-231.

337 Véase, Graham, J. y Bowling, B. (1995): *Young People and Crime.* Home Office Research Study 145. London: Home Office. Citado en Gunnison, E. (2014): "Desistance from criminal offending: exploring gender similarities and differences". *Criminology, Criminal Justice, Law & Society, 15*(3), 75-95.

338 Véase, Giordano, P.C., Cernkovich, S.A. y Rudolph, J.L.: Op. cit. 2002., y Giordano, P. C., Schroeder, R. D., y Cernkovich, S. A.: Op. cit 2007.

la aparición de transformaciones cognitivas y de un nuevo "yo" incompatible con el delito[339].

Retomando la explicación propuesta por Paternoster y Bushway, en el proceso de desistimiento es el cambio de identidad del individuo exdelincuente el que tiene un mayor grado de influencia sobre el proceso. En el momento en que el individuo comienza a definirse como alejado de la trayectoria delictiva, se provoca un cambio en las preferencias del sujeto y una apertura hacia el establecimiento de nuevos vínculos con personas no delincuentes y caracterizadas con cualidades prosociales, incluyendo nuevos grupos de iguales, parejas o, incluso, hijos[340]. En este punto, la maternidad también supondría un aumento de las posibilidades de desistimiento.

Son muchos los autores que, tradicionalmente, han señalado el importante papel de la maternidad en el proceso de desistimiento, aunque, tal y cómo se muestra a continuación, hay estudios que no han mostrado datos tan concluyentes[341].

Giordano y sus colaboradores descubrieron algunos aspectos de gran interés en lo concerniente a la maternidad. Así, destacaron la importancia de que las mujeres presenten una actitud positiva hacia el hecho de tener un hijo. La situación subjetiva del individuo hacia la maternidad debe ser observada. Plantean los investigadores, como hipótesis de partida, que el deseo de las mujeres en relación con el embarazo es un factor para tener en cuenta en lo que refiere a la posible incidencia de la maternidad en el proceso de finalización de la trayectoria delictiva. La idea que subyace a la mencionada hipótesis es que aquellas mujeres que desean tener un hijo mostrarán una mayor propensión a asumir el rol de madre y a dar comienzo a un estilo de vida completamente diferente al

---

339 Véase, Giordano, P.C. Cernkovich, S.A. y Rudolph, J.L: Op. cit. 2002.

340 Véase, Paternoster, R. y Bushway, S.: Op. cit. 2009.

341 Véase, Bachman, R., Kerrison, E.M., Paternoster, R., Smith, L. y O´connell, D.: Op. cit. 2016.

anterior, provocando con ello una verdadera finalización de la conducta delictiva.

El estudio llevado a cabo por Giordano y sus colaboradores pretendía determinar el grado de influencia de la maternidad en el proceso de desistimiento del delito y comprobar si el deseo hacia el embarazo o el hecho de convivir con el padre del niño influían de alguna forma en el fenómeno. Partían los investigadores de la hipótesis de que aquellos elementos garantizarían una orientación positiva hacia la maternidad que, a su vez, favorecería un mayor grado de integración social y de asunción del rol de madre. Se trata de un estudio de carácter mixto mediante el empleo de técnicas como la entrevista y la recolección de datos sobre delincuencia. La investigación se basó en un estudio previo, el Estudio de Relaciones de Adolescentes de Toledo (TARS son sus siglas en inglés), que empleó una muestra representativa de 1.321 jóvenes adolescentes, tanto mujeres como hombres, así como sus profesores de la institución escolar de pertenencia. La recolección de datos ocurrió en el periodo de tiempo comprendido entre el año 2001 y 2006 y los jóvenes tenían una edad promedia de 15 años. En total se llevaron a cabo cuatro oleadas de entrevistas en el periodo indicado.

Concluyeron los autores una relación efectiva entre el grado de deseo sobre la maternidad y la influencia de este factor en el desistimiento delictivo. Sin embargo, y este es uno de los resultados más destacables, aunque el embarazo no hubiese sido planificado ni deseado, también se observó una reducción de la tasa delictiva de las mujeres durante el periodo en el que la investigación fue llevada a cabo. La mayor parte de los datos obtenidos a partir de las entrevistas en profundidad muestran elevados grados de cariño y afecto hacia los hijos.

En lo que respecta a la influencia de la relación de la madre con el padre biológico de los hijos, no se logró demostrar un efecto del matrimonio entre ambos sobre la tasa delictiva. Sin embargo, los datos parecieron apuntar hacia un factor de significancia como la cohabitación de los progenitores. En el caso de que los padres del hijo o hijos convivieran en el mismo domicilio, la tendencia hacia la delincuencia en el caso de hombres y mujeres se vio reducida con el paso del tiempo. Los resultados de las entrevistas mostraron que, como consecuencia de la temprana edad de la muestra objeto de estudio, las relaciones aún resultaban inestables.

Otro resultado de elevado nivel de interés es que el hecho de ser padres, en los casos de hombres y mujeres con importantes problemas económicos o en una situación desfavorable, no encontraba una relación tan intensa con respecto a los cambios ocurridos sobre la trayectoria criminal. Los individuos que se encontraban en una situación económica precaria mostraban elevadas tasas de embarazos no deseados y, además, mostraban menor tendencia hacia la convivencia con el otro progenitor. La situación desfavorable acaecida en la muestra resultaba ser un verdadero obstáculo para el abandono de la trayectoria delictiva, a pesar de que los individuos tuviesen un interés real en establecer un cambio en su vida o, incluso, en caso de que el hecho de asumir la paternidad haya supuesto un factor añadido al deseo de experimentar la transición hacia la no delincuencia.

En definitiva, los autores no pudieron rechazar la influencia del evento de la maternidad o la paternidad en el éxito del abandono de la trayectoria delictiva, pero demostraron que no se trata de un factor que por sí mismo, de modo espontáneo, garantice el desistimiento. En el proceso son numerosos los factores de intervención, como la situación social y económica desfavorable de los progenitores o la actitud de estos hacia la experiencia de tener y criar a los hijos[342].

Autores como Kreager, Matsueda y Ersosheva también concluyen la importancia que la maternidad tiene sobre el cese del delito. A partir de una muestra de mujeres pertenecientes a diversas

---

342 Véase, Giordano, P. C., Seffrin, P. M., Manning, W. D. y Longmore, M. A. (2011): "Parenthood and crime: The role of wantedness, relationships with partners, and SES". *Journal of Criminal Justice, 39*(5), 405-416.

etnias, concluyeron que la maternidad, y no el matrimonio, resulta el verdadero punto de inflexión para el cambio en la gran mayoría de ellas, independientemente de su origen o procedencia[343].

Algunos estudios permitieron determinar la relación existente entre el número de hijos de la mujer y el efecto positivo de ello sobre el proceso de desistimiento delictivo. Así, la investigación de Benda sobre un grupo de hombres y mujeres de un campamento de entrenamiento militar de Estados Unidos referenció una correlación inversa entre el número de hijos y las tasas de reincidencia, de modo que, conforme mayor era el número de hijos que tuviera la mujer, menor era el grado de probabilidad de volver a la carrera delictiva tras su paso por el centro. Esta evidencia no se pudo demostrar para el caso de los hombres, para quienes la paternidad no pareció tener ningún tipo de efecto sobre el proceso de desistimiento. Benda trata de explicar la situación en basa a la orientación de las mujeres hacia la responsabilización sobre terceros necesitados de su cuidado[344]/[345].

La investigación llevada a cabo por Michalsen a partir de entrevistas en profundidad a 100 madres logró demostrar que una de las causas por las cuales la maternidad había tenido gran influencia en el cese del delito era el "amor y orgullo por los hijos" manifestado por las madres. Otras temían el posible desamparo de sus hijos en caso de que ellas volvieran a prisión[346].

---

343 Véase, Kreager, D.A., Matsueda, R.L. y Erosheva, E.A. (2010): "Motherhood and criminal desistance in disadvantaged neighborhoods". *Criminology, 48*(1), 221-258.

344 Véase, Gilligan, C. (1982). *In a different voice: Psychological theory and women's development.* Cambridge, M.A.: Harvard University Press. Citado en Benda, B.B.: Op. cit. 2005.

345 Véase, Benda, B.B.: Op. cit. 2005.

346 Véase, Michalsen, V. (2011): "Mothering as a life course transition: do women go straight for their children?". *Journal of offender rehabilitation, 50*(6), 349-366.

La investigación cuantitativa llevada a cabo por Stalans y Lurigio, sobre una muestra de mujeres en libertad condicional no encontró relación entre reincidencia y maternidad[347].

Una investigación más reciente llevada a cabo 2017 por parte de Pyrooz y sus colaboradores también apuntó a una serie de conclusiones sobre la relación de la maternidad y la paternidad con el desistimiento del delito, en concreto sobre la posibilidad de abandono de las bandas delictivas. El abandono de las pandillas delictivas es un fenómeno complejo y conformado por muy diversas dimensiones. Plantean los autores, como hipótesis de partida, que la paternidad puede llegar a tener importantes efectos sobre el desistimiento delictivo y el abandono de los grupos de jóvenes delincuentes. El estudio se llevó a cabo sobre una muestra representativa de jóvenes nacidos entre 1980 y 1984 en Estados Unidos. La muestra se encontraba conformada inicialmente por 8.984 individuos, que fueron entrevistados por primera vez en el año 1997 cuando tenían una edad comprendida entre los 12 y los 18 años. Hubo un seguimiento sobre los individuos durante 15 años en los que, de modo anual se trasladaban encuestas hacia la muestra de individuos que, en aquel momento, participaban en pandillas delictivas. El objetivo era tratar de alcanzar a conocer los cambios en la identidad, roles y comportamiento delictivo durante el tiempo de seguimiento de la investigación. La muestra final consistió en un total de 629 encuestados que no habían sido padres antes de la pertenencia a las pandillas, de modo que resulta viable el estudio sobre la influencia de la paternidad sobre la trayectoria delictiva de los mismos.

En lo que refiere a los resultados, cabe confirmar que la paternidad y la maternidad son factores de influencia sobre el desistimiento delictivo, sin embargo, es interesante destacar los matices encontrados por los investigadores en cuanto a las diferencias de

---

347 Véase, Stalans, L.J. y Lurigio, A.J. (2015): "Parenting and intimate relationship effects on women offenders' recidivism and noncompliance with probation". *Women & Criminal Justice, 25*(3), 152-168.

género. El hecho de que las mujeres tengan un hijo por vez primera implica una reducción notoria de las tasas de delincuencia y de la pertenencia a las bandas. Se trata, además, de una serie de efectos duraderos en el tiempo, pudiendo, por tanto, afirmar que la maternidad favorece la aparición de un cambio hacia el desistimiento que se mantiene durante un periodo de tiempo relevante. Los individuos varones que tenían hijos y convivían con ellos manifestaron tasas de delincuencia que se reducían con el transcurso del tiempo, así como mayores tasas de abandono de la banda delictiva. Por el contrario, en el caso de aquellos padres que no convivían en el mismo domicilio con sus hijos, la paternidad no había supuesto ningún tipo de utilidad en el proceso de desistimiento. Conforme a otras investigaciones, los autores, por tanto, concluyen que la paternidad en sí misma no garantiza la reducción de la delincuencia, sino que, por el contrario, resulta imprescindible que el padre decida vincularse con el hijo y establecer una relación basada en el cuidado, la protección y la educación de este[348].

En definitiva, algunas investigaciones parecen mostrar la importancia del factor maternidad en el proceso de desistimiento delictivo principalmente en el caso de las mujeres más jóvenes. Otras muestran una relación mucho más débil entre ambos fenómenos. Sin embargo, la mayor parte de las investigaciones asumen que la maternidad no resulta de influencia sobre el proceso delictivo por sí misma, sino que favorece la aparición de roles y conductas tendentes hacia la convencionalidad, imponiendo una serie de rutinas que pueden llegar a suponer un punto de inflexión en la carrera delictiva, dando comienzo a una transición hacia la no delincuencia como consecuencia de ello.

En cualquier caso, los resultados no logran ser coherentes a través del cuerpo de literatura existente, exigiendo ello un análisis

---

348 Véase, Pyrooz, D. C., Mcgloin, J. M. y Decker, S. H. (2017): "Parenthood as a turning point in the life course for male and female gang members: a study of within-individual changes in gang membership and criminal behavior". *Criminology*, *55*(4), 869-899.

capaz de alcanzar variables como la raza, la edad, la trayectoria delictiva en muestras que hayan sido privadas de libertad y que regresan a la comunidad[349].

2.3. EL EMPLEO

Siguiendo la teoría propuesta por Agnew, el empleo o la obtención de un puesto laboral estable provocaría que el sujeto obtenga una cantidad fija de ingresos que reduciría de una manera significativa la motivación delictiva, principalmente en relación con delitos económicos[350]. Otras explicaciones insistirían en la relevancia del control social ejercido por parte de un jefe o compañeros y el aumento de estructuras normativas en la vida diaria que, de manera directa, reducirían el tiempo disponible para la comisión de hechos delictivos[351].

Lo cierto es que tampoco puede hablarse de un consenso teórico suficiente que determine las diferencias o similitudes existentes en la influencia del empleo sobre el desistimiento delictivo femenino y masculino[352]. Se ha venido argumentando que el nivel de estigmatización al que se ven sometidos los hombres desempleados es mayor con respecto a las mujeres, ya que la identidad masculina muestra una estrechísima vinculación con la posesión

---

349 Véase, Bachman, R., Kerrison, E.M., Paternoster, R., Smith, L. y O´connell, D.: Op. cit. 2016.

350 Véase, Agnew, R. (2001): "Building on the foundation of general strain theory: specifying the types of strain most likely to lead to crime and delinquency". *Journal of research in crime and delinquency, 38*(4), 319-361.

351 Véase, Cohen, L. E. y Felson, M. (1979): "Social change and crime rate trends: A routine activity approach". *American Sociological Review, 44*, 588-608. y Jahoda, M. (1982). *Employment and Unemployment: A Social-Psychological Analysis.* Cambridge: Cambridge University Press.

352 Véase, Verbruggen, J., Blokland, A. A. y Van der Geest, V. R. (2012): "Effects of employment and unemployment on serious offending in a high-risk sample of men and women from ages 18 to 32 in the Netherlands". *British journal of Criminology, 52*(5), 845-869.

de un puesto laboral, principalmente en las sociedades occidentales, de manera que dicha identidad se ve seriamente amenazada en caso de pérdida del puesto de trabajo. Sin embargo, las mujeres tienen acceso a roles distintos que, hasta cierto punto, podrían venir a sustituir al empleo estable y que también garantizarían una estructura de vida prosocial. Otros argumentos en este sentido parten de que las mujeres desempleadas y casadas o que conviven con su pareja pueden esperar un apoyo económico por parte de estas que no tiene lugar en el caso de que el desempleado sea el varón. La principal causa de ello es que los hombres tienden a tener sueldos mayores que las mujeres[353]. Con esto cabría esperar, en principio, que el desempleo tuviera una influencia más negativa sobre los hombres que sobre las mujeres.

Algunos estudios de carácter cuantitativo observaron una importante influencia del empleo en el desistimiento del delito[354], sin embargo, otros estudios no lograron mostrar ni siquiera tal relación[355], pudiendo, por tanto, afirmar la existencia de contradicciones en lo que a investigación sobre la influencia de factores como el empleo en el desistimiento refiere en función del factor género. En este sentido, Simons y sus colaboradores[356] analizaron la importancia del "apego al trabajo" en la carrera del delito de hombres y mujeres, concluyendo que mientras que dicho apego se encontraba inversamente relacionado con la delincuencia en

---

353 Véase, Paul, K. I. y Moser, K. (2009): "Unemployment impairs mental health: Meta-analyses". *Journal of Vocational behavior, 74*(3), 264-282.

354 Véase, Griffin, M.L. y Armstrong, G.S.: Op. cit. 2003; Taylor, A. (2008): "Substance use and abuse: Women's criminal reoffending in New Zealand". *Affilia, 23*(2), 167-178 y Verbruggen, J., Blokland, A.A. y Van der Geest, V.R.: Op. cit. 2012.

355 Véase, Simons, R.L., Stewart, E., Gordon, L.C., Conger, R.D. y Elder, G.H. (2002): "A test of life-course explanations for stability and change in antisocial behavior from adolescence to young adulthood". *Criminology 40*, 401- 434 y Cobbina, J.E., Huebner, B. M. y Berg, M.T.: Op. cit. 2010.

356 Véase, Simons, R.L., Stewart, E., Gordon, L.C., Conger, R.D. y Elder, G.H.: Op. cit. 2002.

el caso de los varones, dicha relación no tenía lugar con relación a las mujeres. Sostenían los autores que esto resultaría coherente con las investigaciones que mostraban que las cuestiones laborales poseen una mayor capacidad de influencia sobre la identidad del varón y proporciona un mayor grado de satisfacción vital al hombre.

De un modo similar, la investigación de Cobbina y sus colaboradores no logró siquiera demostrar dicha vinculación para ambos géneros. Tal investigación trató de perfeccionar nuestra comprensión sobre los patrones de género existentes en una muestra de hombres y mujeres liberados de prisión, concretamente 169 mujeres y 401 varones en libertad condicional. Los resultados en relación con el empleo mostraron que existe una importante influencia o efecto negativo del empleo sobre la probabilidad de reincidencia delictiva en los hombres, no encontrando dicho vínculo en el caso de las mujeres[357].

De Li y MacKenzie, por su parte, llegaron incluso a encontrar resultados totalmente opuestos en su investigación sobre una muestra mixta de sujetos en libertad condicional, al concluir que el empleo resultaba un indicador criminal para el colectivo de mujeres. Así, aseguraban los autores que las mujeres han tenido tradicionalmente menos oportunidades para verse inmersas en delitos estrechamente relacionados con el trabajo, como el tráfico de drogas, el robo o el fraude ocupacional. En el momento en el que se produce la incorporación de las mujeres al ámbito laboral, las oportunidades delictivas también aumentan. Los datos utilizados en la investigación mostraron que los delitos más frecuentes cometidos por las mujeres de la muestra en libertad condicional eran el robo y la falsificación, de forma que cuando ellas trabajaban durante los meses en los que se encontraban en la comunidad, las oportunidades de comisión de este tipo de hechos delictivos eran también mayores. Sin embargo, los autores asumieron las limitaciones de su estudio en cuanto a la ausencia

[357] Véase, Cobbina, J.E., Huebner, B. M. y Berg, M.T.: Op. cit. 2010.

de análisis cualitativo capaz de explicar en profundidad dicha relación, por ejemplo, mediante el análisis del tipo de empleo [358] .

De otro lado, existen numerosos estudios que han podido determinar la influencia del empleo en la carrera delictiva e incluso importantes diferencias en cuanto a género. Uggen y Kruttschnitt[359], en este sentido, en su investigación orientada a conocer las diferencias de género en el proceso de fin de la trayectoria delictiva, alcanzaron a examinar dos modelos diferentes: un modelo motivacional que incluye cuestiones propias de la elección racional, el control social y la oportunidad en la explicación del fin de la trayectoria del delito y un modelo de teoría de la ley que pretende alcanzar a conocer el desistimiento oficial basándose en el estatus social de los individuos. Algunas de las conclusiones con respecto al empleo mostraron que los varones que reportaban ganar mayores cantidades de dinero en la calle que mediante un empleo regular tienen más propensión a reportar ingresos ilegales con respecto a las mujeres. Se demostró que el 83% de las mujeres que se encuentran en un empleo regular son menos tendentes a ser detenidas de nuevo. Por su parte, la cifra se reduce a un 52% en el caso de los varones.

Por el contrario, otras explicaciones aludirían a la relevancia, no solo de la obtención de una fuente de ingresos sino a la importancia de otra serie de factores vinculados al empleo que facilitarían de una forma notoria el desistimiento del delito. Así cabe destacar la investigación de Verbruggen y sus colaboradores, centrada en alcanzar a conocer el papel o la función del empleo y del desempleo en el desarrollo de la criminalidad de una muestra de individuos de alto riesgo, 270 varones y 270 mujeres jóvenes de entre 18 y 32 años, mediante la utilización de datos longitudinales en los Países Bajos. Dicha investigación permitió conocer que las

---

[358] Véase, De Li, S. y MacKenzie, D.L. (2003): "The gendered effects of adult social bonds on the criminal activities of probationers". *Criminal Justice Review 28*(2), 278-298.

[359] Véase, Uggen, C. y Kruttschnitt, C.: Op. cit. 1998.

trayectorias laborales de hombres y mujeres se caracterizaban por la inestabilidad y por los constantes periodos de interrupción del empleo, encontrándose que en el 94.4% de los casos de mujeres y en el 91.9% de los casos de varones, los periodos de desempleo se llegaban a extender durante dos años. Además, se observó que los niveles de participación en el empleo tanto para hombres como para mujeres en la muestra objeto de investigación sigue siendo muy inferior con respecto a los niveles normativos en los Países Bajos. Se analizó el efecto del empleo, la duración del empleo y la duración del desempleo sobre la carrera delictiva y la reincidencia de la muestra objeto de estudio. Así, en el caso de los hombres, el hecho de encontrarse empleado reduce el número de condenas en el 48.8%[360]. En el 46.2% de las mujeres, el empleo se asoció con una reducción de la actividad delictiva. En el caso de las mujeres, se mostró que el empleo reduce significativamente el número de condenas siempre que las condiciones de fondo, como el matrimonio y la maternidad, se mantengan constantes. Según los resultados de los autores, pudo demostrarse que el empleo y la duración de este influyen negativamente sobre la delincuencia, sin destacarse importantes diferencias entre ambos colectivos. Sin embargo, se encontraron diferencias en lo que refiere a la duración del desempleo, ya que este factor sí se encuentra asociado con una reducción en el número de condenas para los hombres y con un aumento del número de condenas para las mujeres. En conclusión, según los autores, aunque la brecha existente en cuanto a participación laboral entre hombres y mujeres es cada vez más reducida, el significado que el trabajo tiene en lo que refiere al desistimiento o cese de la trayectoria delictiva

---

360 Es interesante observar que cada año adicional en el que los hombres se encuentran en situación de empleo de una forma continua se reduce aún más el número de nuevas condenas en el 18.1% de los casos. Para destacar la diferencia, según esta investigación, en el caso de los varones, el matrimonio está vinculado con una disminución del número de condenas en el 27.4% de los casos. Por su parte, cada año de desempleo en la mujer implicó un incremento del número de nuevas condenas en el 12.7%.

aún presenta diferencias para ambos colectivos, pudiendo, por tanto, aún asumir que el empleo posee menos relevancia en el desistimiento delictivo femenino. Los autores, no obstante, reconocieron entre sus limitaciones de investigación la imposibilidad de lograr alcanzar a conocer cuáles son los mecanismos causales por los que el empleo lograr favorecer el desistimiento, aludiendo a que un análisis de corte cualitativo sobre la calidad del empleo o la experiencia laboral del individuo con sus ocupaciones proporcionarían una visión en mayor profundidad sobre los factores causales[361].

La investigación cualitativa a través de entrevistas en profundidad de Bui y Morash sobre una muestra exclusivamente femenina y orientada a alcanzar a comprender la complejidad de las múltiples redes relacionales y cualquier cambio ocurrido desde el periodo justamente anterior al abandono del centro penitenciario hasta un año después de la liberación, permitió concluir que todas las mujeres obtuvieron un empleo y bastantes de ellas tenían un salario superior al mínimo. El trabajo, por razones obvias, permite a las mujeres cubrir los gastos de manutención evitando así el empleo de medios ilegales, ofreciendo, además, estas ganancias una sensación de recompensa personal, autonomía, competencia y confianza[362].

Puede concluirse, y así lo aseguran principalmente las investigaciones de carácter cuantitativo, que el empleo en ocasiones posee un efecto sobre el desistimiento y en otras ocasiones no. Además, ha podido demostrarse que el empleo por sí mismo no resulta ser un factor de influencia suficiente en el cese de la trayectoria delictiva en todos los casos. La influencia del empleo es notoriamente superior en el caso de los varones, aunque en ningún caso de obviarse que la influencia sobre el desistimiento de-

---

361 Véase, Verbruggen, J., Blokland, A.A. y Van der Geest, V.R.: Op. cit. 2012.

362 Véase, Bui, H.N. y Morash, M. (2010): "The impact of network relationships, prison experiences, and internal transformation on women's success after prison release". *Journal of Offender Rehabilitation, 49*(1), 1-22.

lictivo femenino también ocurre y que, por tanto, debe exigirse una mayor profundización en la cuestión [363] En definitiva, parece poder asegurarse que el empleo produce un efecto positivo en el proceso de desistimiento de las mujeres, siendo destacable la escasez de estudios de carácter cualitativo sobre la materia.

2.4. LA ESPIRITUALIDAD Y LA RELIGIÓN

En general son escasos los estudios que han examinado las características *intra* individuales que tienen el potencial de influencia en el proceso de desistimiento del delito mediante la creación de cambios a nivel identitario. Pero más aún en lo que refiere al papel que la religión y la espiritualidad desempeñan en el cese de la conducta criminal. Como tal, la religión y la espiritualidad son consideradas instituciones sociales formales con capacidad para redirigir o dirigir la vida de los individuos que a ellas pertenecen hacia características prosociales. Además, permiten el establecimiento de lazos tanto con las propias instituciones como con terceras personas integrantes de las mismas, sirviendo como punto de inflexión para la disuasión de la anterior carrera delictiva[364].

Maruna, Wilson y Curran partían también de la ausencia de un cuerpo suficiente de conocimiento en torno a la religión y la espiritualidad en el ámbito de penitenciario. En palabras de los autores: “La conversión en la celda de la cárcel de "pecador a creyente” puede ser uno de los mejores ejemplos de una "segunda oportunidad" en la vida moderna, sin embargo, el proceso recibe mucha más atención por parte de los medios populares que

---

363 Véase, Rodermond, E., Kruttschnitt, C., Slotboom, A. M. y Bijleveld, C. C. (2016). Female desistance: A review of the literature. *European Journal of Criminology, 13*(1), 3-28.

364 Véase, Bakken, N.W., DeCamp, W. y Visher, C.A. (2014). “Spirituality and desistance from substance use among reentering offenders”. *International Journal of Offender Therapy and Comparative Criminology, 58*(11), 1321-1339.

de la investigación en ciencias sociales" (p. 161). La investigación se centraba en el relato de 75 individuos *desistentes*, centrándose en la narrativa que "funciona" como forma de manejo y afrontamiento de la vergüenza. Desde la "psicología narrativa" se puede proporcionar una visión explicativa del fenómeno de conversión religiosa y espiritual en prisión. Las conversiones de prisioneros argumentan: "son una narrativa que crea una nueva identidad social para reemplazar la etiqueta de preso o delincuente, impregna la experiencia de encarcelamiento con propósito y significado, empodera al preso en gran parte impotente al convertirlo en un agente de Dios, dotando al prisionero de un lenguaje y un marco para el perdón, permitiendo también un sentido de control sobre un futuro desconocido" (p. 161)[365].

Además, algunas investigaciones han puesto de manifiesto que durante el paso por prisión o por centros correccionales juveniles, los hombres y las mujeres tienden a retomar o incluso a conectar por primera vez con prácticas religiosas y espirituales, existiendo, además, algunas diferencias de género en ello. En este sentido, resulta reseñable también la investigación llevada a cabo por O`Connor y Duncan sobre una muestra mixta de individuos (3.009 hombres y 349 mujeres) cumpliendo condena en el sistema correccional de Estados Unidos. Los autores concluyeron la necesidad de que el sistema penitenciario en el país adoptara una perspectiva que tuviese en cuenta la vertiente humanista, la identidad espiritual y religiosa de los internos y debería hacer todo lo posible para fomentar y apoyar las autoidentidades de los individuos atendiendo a esta visión. Los autores observaron que el nivel de implicación y de ejecución de prácticas religiosas era muy similar entre hombres y mujeres, tanto en el año previo al arresto de la población estudiada como tras la detención. Se observaron en ambos casos altos niveles de asistencia a mezquitas, iglesias, etc. durante la juventud para ambos grupos, con un descenso progre-

---

365 Véase, Maruna, S., Wilson, L. y Curran, K. (2006): "Why God is often found behind bars: prison conversions and the crisis of self-narrative". *Research in Human Development, 3*(2-3), 161-184.

sivo de los niveles hasta el momento del arresto, para llegar a un aumento muy notorio tras la detención. El patrón, sin embargo, resultó ser todavía más pronunciado para las mujeres (70%) que para los hombres (68%) en cuanto a participación activa y asistencia a edificios donde llevar a cabo prácticas religiosas durante su adolescencia. Las mujeres, sin embargo, resultaron menos propensas que los hombres a asistir durante el año anterior al arresto a este tipo de lugares (23% en el caso de las mujeres frente al 30% de los hombres) y, resultaba en ellas más frecuente asistir durante el año posterior (66% en el caso de las mujeres frente al 54% de los hombres). [366].

Resultan de gran interés las investigaciones orientadas a conocer la influencia de la espiritualidad y el compromiso religioso sobre el proceso de desistimiento delictivo femenino. De nuevo, al igual que ocurre con una gran parte de las investigaciones sobre cese de las trayectorias criminales femeninas, los resultados no son siempre coincidentes.

Así, Bakken y sus colaboradores concluyeron que un fuerte sentido de la espiritualidad puede servir como guía para el establecimiento de una vida prosocial tras el abandono de la prisión. Las transformaciones espirituales pueden marcar un importante giro o "turning point" en las vidas tanto de hombres como de mujeres, facilitando un cambio en la identificación de un delincuente a un exdelincuente, que serviría como un catalizador hacia el desistimiento[367].

Así, cabe destacar la investigación cuantitativa y cualitativa llevada a cabo por Giordano y sus colaboradores sobre una muestra mixta de individuos adolescentes orientada a conocer la función del factor espiritualidad como predictor de la delincuencia. Se trata de una investigación que empleó como herramienta meto-

---

366 Véase, O'Connor, T. P. y Duncan, J. B. (2011): "The sociology of humanist, spiritual, and religious practice in prison: Supporting responsivity and desistance from crime". *Religions*, *2*(4), 590-610.

367 Véase, Bakken, N.W., DeCamp, W. y Visher, C.A.: Op. cit. 2014.

dológica la entrevista en profundidad, en concreto dos entrevistas, una que tuvo lugar cuando los individuos que conformaban la muestra eran aún adolescentes, y otra, que se llevó a cabo en el momento en el que alcanzaron la edad adulta. El punto de partida de los autores era que la religión y la espiritualidad resultaban factores cada vez más frecuentes en los programas de rehabilitación y reinserción de delincuentes, con ello resultaría de una especial relevancia conocer la capacidad de impacto de dicho factor en el cese del delito o desistimiento. No obstante, la investigación de Giordano y sus colaboradores pretendía conocer, además, si existía una influencia diferenciada según el objeto de intervención de estos programas fueran hombres o mujeres, partiendo de que, especialmente, en el caso de las segundas resultaba habitual la mención a la espiritualidad en sus relatos de vida. Incluyeron también, por su obvia relevancia, la variable etnia en su análisis. Se trató de un estudio cualitativo orientado a conocer la manera en la que los individuos objeto de investigación relataban sus experiencias religiosas y la manera en que estas tenían influencia en cuanto a las modificaciones de sus conductas. Exploraron las condiciones en las que la religión parece ejercer un efecto positivo, así como los factores que pueden hacer más difícil para algunos encuestados (incluso en los casos en los que han experimentado lo que a priori pueden considerarse significativas transformaciones espirituales) consolidar los cambios comportamentales a largo plazo[368].

La religión y la espiritualidad como factor de influencia en la carrera delictiva resultaría compatible con la explicación o teoría del control social planteada por Sampson y Laub, de manera que sería este un factor de carácter externo o estructural que guiaría y llegaría incluso a modificar el comportamiento de los individuos[369]. Giordano y sus colaboradores plantearon también que la influencia del factor religión encontraría una estrecha re-

---

368 Véase, Giordano, P. C., Longmore, M. A., Schroeder, R. D. y Seffrin, P. M. (2008): "A life-course perspective on spirituality and desistance from crime". *Criminology, 46*(1), 99-132.

369 Véase, Sampson, R.J. y Laub, J.: Op. cit. 1993.

lación con la teoría de la asociación diferencial en tanto que se considera como un catalizador que conduce a la creación de nuevas identidades por parte del individuo, nuevas definiciones del "yo" a partir de la unión con las entidades y organizaciones de índole religiosa[370]. Rambo sugirió que las experiencias de contenido religioso suelen asociarse con un importante componente emocional. Por todo ello, la religión ofrece un recurso para las emociones que se asocian al cambio hacia la no delincuencia[371].

El estudio se basó en tres oleadas de entrevistas con una muestra de delincuentes juveniles, siendo la muestra adolescente durante el desarrollo de la primera entrevista y posteriormente adulta. Un total de 127 mujeres y 127 hombres fueron objeto de investigación. Los resultados de la investigación mostraron algunas influencias positivas de la espiritualidad, pero no se observaron importantes efectos con relación a la participación criminal o el abuso de drogas, aunque sí, algunas interacciones significativas. Se trató de un factor de mayor influencia en las narrativas de las mujeres y de los encuestados pertenecientes a minorías étnicas, aunque, en el caso de algunos varones se observó la narrativa sobre la importancia de la religión en sus vidas y los esfuerzos dirigidos al cambio conductual. Los postulados de la mayoría de las confesiones religiosas tienen una orientación prosocial, de ahí que las transformaciones y fuertes orientaciones espirituales puedan conectar al individuo con redes sociales que no solo refuercen cambios emergentes en sus identidades, sino que ofrezcan una alternativa a los anteriores contactos sociales que, como se ha desarrollado previamente, poseen una importante influencia en el comportamiento antisocial.

La investigación de Gunnison sobre una muestra mixta compuesta por un total de 789 hombres y 728 mujeres mostró intere-

---

370 Véase, Giordano, P. C., Longmore, M. A., Schroeder, R. D. y Seffrin, P. M.: Op. cit. 2008.

371 Véase, Rambo, L. R. (1993). *Understanding Religious Conversion.* New Haven: Yale University Press. Citado en Giordano, P. C., Longmore, M. A., Schroeder, R. D. y Seffrin, P. M.: Op. cit. 2008.

santes resultados en relación con la influencia de la religión en el proceso de desistimiento delictivo. Así, se pudo determinar que, entre otros factores, las mujeres que se encontraban apegadas a la religión eran más propensas a desistir. Sin embargo, es interesante observar cómo las mujeres que desistían eran menos propensas al apego a la religión que las mujeres "conformistas" o que no habían transgredido la norma. Por su parte, los varones "desistentes" se encontraban de una manera más significativa apegados a la religión que los varones que persistieron en la carrera delictiva, pero su nivel de apego religioso resultaba más débil en comparación con los hombres "conformistas" o que no habían infringido la norma[372].

Por su parte, Pérez-Luco Arenas, Chitgian-Urzúa y Mettifogo-Guerrero en su investigación cualitativa sobre desistimiento delictivo femenino en Chile encontraron resultados interesantes en cuanto a la influencia de la religión en el proceso de desistimiento. Así, mediante el uso de la técnica de entrevista semiestructurada y cuestionarios, además de otras herramientas metodológicas para mejora del análisis, como la *memo* de síntesis, los investigadores analizaron el testimonio de un total de 50 internas chilenas, encontrándose el 50% de ellas en situación de privación de libertad, el 30% en fase postpenitenciaria y el 20% restante se encontraba cumpliendo condena en medio libre. El 84% de las internas refirieron pertenecer a una religión, el 56% de ellas se definieron como católicas y el 41% restantes como evangélicas[373].

2.5. LAS RELACIONES DE AMISTAD

Existe un consenso general en el ámbito de la Criminología que alude a la importancia de los lazos o vínculos sociales en la ex-

---

372 Véase, Gunnison, E.: Op. cit. 2014.

373 Véase, Pérez-Luco Arenas, R., Chitgian-Urzúa, V. y Mettifogo-Guerrero, D. (2019): "Desistimiento delictual en mujeres chilenas que han estado privadas de libertad". *Rev. Crim, 61*(2), 59-78.

plicación del desistimiento delictivo. En este sentido, como ya se ha desarrollado en apartados anteriores, la teoría de los vínculos informales explicaría que los lazos establecidos con otras personas y con las instituciones serían capaces de inhibir el impulso delictivo[374], bien sea por la capacidad de estos vínculos para cambiar las actividades rutinarias de los individuos, bien por el favorecimiento de la aparición de identidades positivas, o bien, por su capacidad para aumentar el capital social[375].

La investigación de Maidment centrada en alcanzar a conocer los factores que intervienen positivamente en el proceso por el que las mujeres evitan regresar a prisión, destaca que las relaciones interpersonales jugaban un papel prioritario en las vidas de las mujeres tras ser liberadas de los centros penitenciarios. La autora aludía al relevante papel que las relaciones familiares y de apoyo social como las relaciones de pareja o las relaciones establecidas con el personal profesional[376].

A pesar de que la investigación criminológica ha tratado de conocer cuál es la influencia de las redes sociales en el proceso de desistimiento delictivo de las mujeres, la mayor parte de investigaciones, en realidad, han venido centrando su atención en la pareja romántica, obviando, en gran medida, la influencia real de las relaciones de amistad o con iguales. En cualquier caso, las escasas investigaciones, principalmente cuantitativas en la materia, han permitido poner de manifiesto la existencia de importantes similitudes en lo referente al género en cuanto a la influencia de las relaciones con pares de iguales no desviados en el proceso de finalización de la trayectoria delictiva.

En este sentido, no puede dejar de destacar la investigación llevada a cabo por Giordano y sus colaboradores que pretendía

---

374 Véase, Hirschi, T.: Op. cit. 1969.

375 Véase, Sampson, R.J. y Laub, J.H.: Op. cit. 1993 y Warr, M.: Op. cit. 1998.

376 Véase, Maidment, M. R. (2006). *Doing time on the outside: Deconstructing the benevolent community*. Toronto, Ontario, Buffalo, New York, London, England: University of Toronto Press.

alcanzar a conocer la influencia de las relaciones de amistad en el proceso de desistimiento tanto para el colectivo de hombres como para el colectivo de mujeres. Además, se prestó una especial atención a la comprobación de si los cambios acontecidos en las redes sociales se veían influidos por el factor género. Con ello partieron de una muestra de 127 hombres y 17 mujeres que provenían de instituciones de corrección para jóvenes en el estado de Ohio. Se empleó como técnica de investigación la historia de vida, a través de la cual se indagó en el contacto con antiguos amigos de la adolescencia, la aparición de relaciones nuevas o las características de las relaciones en caso de que el contacto se hubiese venido manteniendo a lo largo del tiempo. Además, se realizó un seguimiento de 13 años, de manera que se sometió a los individuos de la muestra a dos entrevistas diferentes, ocurriendo la primera cuando estos aún eran adolescentes, en 1982, y la segunda cuando eran adultos, en 1995. Como resulta esperable, en la segunda entrevista la muestra se redujo en un 85% con respecto a la muestra original, entrevistándose en esta ocasión a un total de 83 hombres y 92 mujeres. No pueden dejar de destacarse los resultados obtenidos, ya que se observó cómo en ambos grupos apareció un cambio en la percepción de la capacidad de influencia o de presión que el grupo de iguales ejercía sobre ellos, existiendo una diferencia importante en torno al discurso desde la primera hasta la segunda entrevista. Además, las mujeres mostraron ser menos propensas a permitir la influencia del grupo de amigos. En la totalidad de la muestra se observó una mayor conciencia sobre la importancia del establecimiento de vínculos de carácter prosocial con compañeros o amigos no delincuentes. En muchos casos, los individuos realizaban un esfuerzo importante para lograr establecer vínculos convencionales con personas no asociadas a la delincuencia. Los autores de la investigación sugirieron, además que, dentro de cualquier tipo de relación que pueda tener lugar y establecerse durante la edad adulta, la de amistad pasa a ocupar un segundo plano, situándose la relación de carácter romántico en un papel protagonista. Con ello, y esta situación es equiparable tanto en el colectivo de hombres como de mujeres, la amistad pasa a perder importancia durante la edad adulta.

Otra conclusión de importancia determinada por los autores es que quienes lograron establecer relaciones de amistad con individuos con características prosociales mostrarían ventajas determinadas a la hora de ver favorecido o facilitado el proceso de finalización de la trayectoria delictiva, en tanto que adquieren un elevado nivel de respetabilidad, apoyo y compañerismo. Estas modificaciones cognitivas suelen aparecer con mayor prontitud en el caso de las mujeres [377].

En este sentido, la investigación cualitativa llevada a cabo por Cobbina sobre una muestra de 50 mujeres exprisioneras a través de entrevistas en profundidad resaltó la importancia de las relaciones de amistad en el proceso de cese de la trayectoria delictiva para el colectivo objeto de investigación[378].

La investigación de Bui y Morash, centrada en conocer la manera que las relaciones de las mujeres con miembros de sus redes sociales evolucionan y contribuyen a la aparición de resultados positivos en el proceso de fin de la trayectoria delictiva, debe ser mencionada. Partiendo de un estudio cualitativo, los autores se dirigían a capturar la complejidad de las múltiples redes relacionales y los cambios que ocurrían desde el periodo de encarcelamiento hasta el periodo de al menos un año después sobre una muestra de 20 mujeres. Entre los resultados destacables, la mayoría de las mujeres de la muestra (un total de 13) reportaron relaciones positivas con nuevos amigos y conocidos que conocieron en el lugar de trabajo, en programas de tratamiento de deshabituación y en organizaciones civiles donde realizaron algún tipo de voluntariado. Se observó, además, que varias mujeres establecieron relaciones de amistad con otras reclusas como consecuencia

---

377 Véase, Giordano, P.C., Cernkovich, S.A. y Holland, D.D.: Op. cit. 2003.

378 Véase, Cobbina, J.E. (2010): "Reintegration success and failure: factors impacting reintegration among incarcerated and formerly incarcerated women". *Journal of Offender Rehabilitation, 49*(3), 210-232.

de la unión derivada de las experiencias compartidas y de la ayuda mutua que se proporcionaron durante la estancia en prisión, que se mantuvo tras la salida.

En todos los casos, se observó que las relaciones con amigos que alentaban el consumo de drogas y la comisión de delitos facilitaron el contacto con el sistema penitenciario. Del mismo modo, las separaciones forzadas por el propio encarcelamiento, las experiencias vividas durante el mismo, los esfuerzos orientados a la modificación del comportamiento y los nuevos estilos de vida adoptados por las mujeres facilitaron enormemente que estas rompieran con antiguas relaciones abusivas o destructivas, sustituyéndolas por relaciones prosociales. En algunos casos, pese a la voluntad de romper estos lazos, las mujeres no contaron con posibilidades suficientes para hacerlo[379].

Siguiendo a Rodermond y sus colaboradores, puede concluirse que "la influencia de los amigos y la red más amplia en el desistimiento de las mujeres depende fuertemente de las características de estas relaciones, ejerciendo las relaciones de apoyo una influencia sustancial en el proceso de alejamiento del crimen"[380] (p. 18).

2.6. TRANSFORMACIONES COGNITIVAS, NUEVAS IDENTIDADES Y NARRATIVAS DE CAMBIO

Las investigaciones criminológicas recientes ponen de manifiesto que las relaciones con las redes sociales y los recursos que ellas conllevan resultan de gran relevancia en el desistimiento delictivo femenino, sin embargo, no son suficientes ya que se requiere una transformación interna, además, de todo lo anterior[381]. Los

---

379 Véase, Bui, H.N. y Morash, M.: Op. cit. 2010.

380 Véase, Rodermond, E., Kruttschnitt, C., Slotboom, A. M. y Bijleveld, C. C.: Op. cit. 2016.

381 Véase, Giordano, P.C., Cernkovich, S.A. y Rudolph, J.L.: Op. cit. 2002.

individuos poseen agencia, autopercepciones y motivaciones que trabajan de una manera conjunta con los recursos disponibles en el exterior para influir en sus decisiones y actuaciones o comportamientos[382].

Giordano y sus colaboradores[383] concluyeron la existencia de un cambio a nivel cognitivo que derivaba de la exposición de los individuos delincuentes a conductas de carácter prosocial, de la apertura a nuevas oportunidades, de la reflexión sobre la trayectoria pasada y de su capacidad de plantear la existencia de una nueva identidad, lo que ellos denominaron "un nuevo yo de reemplazo". Estas modificaciones generaban que los individuos pasaran a no contemplar el comportamiento delictivo como viable.

En un sentido muy similar a las conclusiones de Giordano y sus colaboradores, O´Brien y Harm documentaron cómo mujeres que tuvieron éxito en cuanto a desistimiento delictivo durante la libertad condicional actuaron a partir de sus propias motivaciones para evitar el delito, dirigiendo sus actuaciones a la búsqueda de recursos que facilitaran y promovieran su decisión, aumentando con ello de forma importante su nivel de autosuficiencia[384].

En palabras de Bui y Morash: "A través de múltiples estudios, entonces, aunque las relaciones de red y los recursos son necesarios, las identidades de los actores y los procesos de pensamiento también son necesarios para permitir detener la actividad ilegal" (p. 4)[385].

---

382 Véase, Bui, H.N. y Morash, M.: Op. cit. 2010.

383 Véase, Giordano, P.C., Cernkovich, S.A. y Rudolph, J.L.: Op. cit. 2002.

384 Véase, O'Brien, P. y Harm, N. J. (2002): "Women's recidivism and reintegration: Two sides of the same coin". En Figueira-McDonough, J. y Sarri, R.C. (eds.). *Women at the margins: Neglect, punishment and resistance.* New York, NY: The Haworth Press. Citado en Bui, H.N. y Morash, M.: Op. cit. 2010.

385 Véase, Bui, H.N. y Morash, M.: Op. cit. 2010.

Resulta imprescindible desarrollar el contenido de la investigación mixta de Stone y sus colaboradores[386] sobre una muestra de 93 mujeres en libertad condicional. Las mujeres que componían la muestra de investigación habían recibido una condena y presentaban un largo historial de adicciones. Todas ellas tenían una edad comprendida entre los 20 y los 59 años. Se trabajó con datos cuantitativos que derivaban de registros oficiales y se llevaron a cabo entrevistas en profundidad con las internas cada tres meses para conocer cuál había sido el proceso de cambio identitario de estas y la relación que ello tenía con respecto al proceso de desistimiento del delito.

Los resultados mostraron que los mayores niveles de agencia, así como los comportamientos y actitudes de corte prosocial se vinculaban de forma directa con una menor probabilidad de ser arrestadas en el futuro. Se observó que, en la mayoría de los casos analizados, la mujer reflexionaba mirando hacia atrás y realizando un balance sobre el proceso de detención y de ejecución de la condena, y surgía en ellas la necesidad de replantearse un presente y futuro distintos, más positivos, que motivaran un cambio. Reconocían que todas las experiencias les habían ofrecido oportunidades para adquirir autonomía y mejorar el conocimiento de sí mismas a través de un complejo proceso de introspección. En el caso de las mujeres que no reincidieron se observó el deseo de "devolver" al entorno aquellos aprendizajes que habían adquirido durante todo el proceso. Por el contrario, aquellas mujeres que no lograron alcanzar esas nuevas identidades con características prosociales fueron más propensas a reincidir delictivamente. El hecho de asumir una imagen negativa sobre ellas mismas, culpándose por todo lo ocurrido y negando la posibilidad de influencia de cualquier acontecimiento estructural, favoreció la reiteración delictiva.

---

386 Véase, Stone, R., Morash, M., Goodson, M., Smith, S. y Cobbina, J. (2016): "Women on parole, identity processes, and primary desistance". *Feminist Criminology, 1*, 1-22.

Se trató de un tiempo de seguimiento limitado, 9 meses, pero suficiente para permitir el atisbo de cambios identitarios en las mujeres que componían la muestra. Además, el refuerzo sobre estas nuevas identidades por parte de los familiares, amigos, parejas o del personal del centro penitenciario favoreció su afianzamiento, derivando en un aumento de la autoestima que le permitiría a la interna hacer frente a acontecimiento externos adversos, como el desempleo o la imposibilidad de obtener una vivienda.

Se trata de uno de los primeros desafíos en el análisis de las identidades desarrolladas por las mujeres exdelincuentes durante el proceso de desistimiento. Los autores, además, plantearon el importante papel que tenían los oficiales de la libertad condicional en el favorecimiento de la no reincidencia de estas exinternas. Ello a través de un reforzamiento positivo de la identidad nueva y la mejora de la autoestima. Los autores finalizan concluyendo la necesidad de una mayor preparación del personal entendiendo que tienen una importante responsabilidad en el apoyo y facilitación de los esfuerzos de estad mujeres para tomar las oportunidades disponibles que promueven el cambio hacia la no delincuencia como, por ejemplo, el empleo o la educación.

Otra investigación que debe destacarse es la llevada a cabo por Herrschaft y sus colaboradores[387], quienes concluyeron que el desistimiento tiene lugar a partir de un cambio a nivel interno en el individuo que acaba por influir directamente en las autopercepciones. Esta investigación se basó en el empleo de entrevistas en profundidad para analizar las diferencias en cuanto a la narrativa de cambio para el colectivo de hombres y mujeres que habían cumplido una condena en prisión. Se analizaron dos tipos de factores, en primer lugar, aquellos que se relacionaban con el estado, como el tratamiento penitenciario, el empleo o la educa-

---

[387] Véase, Herrschaft, B.A., Veysey, B.M., Tubman- Carbone, H.R. y Christian, J. (2009): "Gender differences in the transformation narrative: implications for revised reentry strategies for female offenders". *Journal of offender rehabilitation, 48*(6), 463-482.

ción y, en segundo lugar, aquellos relacionados con los vínculos sociales que tenían los individuos, como la familia, las amistades, las personas con las que mantenían relaciones sentimentales, etc. Los resultados mostraron que, en el caso de los hombres, estos relacionaban mayoritariamente el proceso de cambio con eventos de corte estructural, normalmente el empleo, como principales orientadores a la consecuencia de sus objetivos. Sin embargo, en el caso de las mujeres, los principales factores influyentes en el cambio eran los vínculos y lazos sociales. El análisis de las narrativas también mostró importantes diferencias en cuanto al género. Así, hombres y mujeres vivían las transformaciones ocurridas y las construcciones de nuevas identidades durante el proceso de cambio de formas diferentes.

En el caso de los hombres, el proceso seguido era el siguiente: en primer lugar, a lo largo de la trayectoria vinculada al delito estos asumieron una identidad estigmatizante y se vincularon con eventos exteriores sin llegar a experimentar cambios en el autoconcepto. Sin embargo, era a través de la vinculación a estos eventos cómo, de una manera paulatina y gradual, comenzaron a recibir reconocimiento social, dando comienzo a un cambio en la forma en la que se contemplaban a sí mismos, ocurriendo, por tanto, un cambio cognitivo que derivaría en una nueva identidad prosocial y alejada del delito.

En las mujeres, el primero de los pasos también implicaba asumir una identidad delictiva, sin embargo, el cambio cognitivo en ellas da comienzo a partir de sus relaciones interpersonales que son las que logran el cambio en la autopercepción. Es en este momento cuando comienza a definirse en ellas una nueva identidad que refuerza sus vínculos sociales.

Obtenidos los resultados anteriores, los autores insistieron en la relevancia de los métodos de intervención que se llevaban a cabo para reducir la reincidencia de los individuos. Así, en el hombre se debería tratar de métodos orientados a la facilitación del acceso al empleo y a la formación educativa, ya que solo en el momento en el que tales deficiencias se abordaran, comenzarían a aparecer los cambios identitarios imprescindibles para el alejamiento del delito. En las mujeres, al contrario, las intervenciones deberían orientarse a lograr reforzar el nivel de apoyo recibido y garantizar la presencia de relaciones sociales adecuadas, ya que serán estas las que lograrán una nueva identidad. Esta modificación podrá derivar, en el futuro, en la vinculación de estas mujeres con elementos estructurales tales como el empleo o la vivienda, pero no son estos los elementos sustanciales de influencia.

2.7. OPTIMISMO Y ESPERANZA

Burnett y Maruna asumían la vinculación existente entre las correlaciones que el individuo hacía sobre el éxito en el desistimiento del delito y los niveles de reincidencia que efectivamente tenían lugar en el futuro. Los autores partían de que los individuos poseen habilidades para la predicción de acontecimientos futuros y que estos poseen un relevante impacto positivo en el éxito tras alcanzar la libertad definitiva. Los investigadores lograron demostrar que cuando se preguntaba a los sujetos de la muestra por la capacidad de "ir recto", y la respuesta era positiva, ello encontraba una estrecha relación con las probabilidades de éxito. Los autores trabajaron con un concepto de esperanza utilizado en el ámbito de la literatura psicológica, entendiéndola como la percepción del sujeto sobre la propia capacidad para alcanzar las metas personales, así como el entendimiento de que cuentan con las suficientes vías para la obtención del logro.

Una investigación llevada a cabo sobre una muestra exclusivamente masculina mostró que el nivel de esperanza se mantuvo constante a lo largo de las diferentes entrevistas a las que estos individuos se sometieron y que, esa esperanza condicionaba el efecto de los problemas sociales a los que los individuos se enfrentaban durante el proceso de desistimiento. Los autores también concluyeron que el grado de esperanza disminuía cuanto mayor gravedad tenían los problemas que enfrentaban. Cuando estos eventos son externos, por ejemplo, situaciones de pobreza o de dificultad para encontrar una vivienda, la percepción de la autoeficacia disminuía. Sin embargo, si las dificultades externas no son excesivas, la esperanza pasa a tener un papel relevante en la predicción de éxito[388].

La investigación de Friestad y Skog Hansen pretendía conocer la influencia de la esperanza en el proceso de desistimiento delictivo de hombres y mujeres realizando, para ello, encuestas sobre una muestra mixta de individuos noruegos que se encontraban cumpliendo una pena privativa de libertad en prisión. Se determinó que las mujeres sufrían mayores problemas que el hombre durante la ejecución de la condena, principalmente desempleo y trastornos o enfermedades mentales, teniendo tan solo el 10% de la muestra un puesto laboral de manera previa a la entrada en prisión. Sin embargo, aproximadamente el 80% de la muestra consideraron que sí tenían altas probabilidades de alcanzar el desistimiento del delito.

La condición social de los individuos se situaba en la media con respecto a la población general y, además, se trataba de una percepción también compartida por las mujeres que, incluso, aseguraban que contaban con una mejor situación que la de los varones reclusos. Además, 8 de cada 10 varones percibían la posibilidad de éxito en el futuro en cuanto a cese de la trayectoria delictiva, y 9 de cada 10 mujeres, consideraban probable o muy probable que esto ocurriera. No obstante, el estudio no determinó si finalmente los individuos de la muestra reincidieron o no[389].

La investigación sobre la influencia del optimismo y la esperanza en el desistimiento delictivo es limitada, más aún en lo que refiere al colectivo de mujeres, con ello, es imprescindible la propuesta de continuación con esta línea de investigación.

---

388 Véase, Burnett, R. y Maruna, S.: Op. cit. 2004.

389 Véase, Friestad, C. y Skog Hansen, I. L. (2010): "Gender differences in inmates' anticipated desistance". *European journal of criminology,* 7(4), 285-298

2.8. INFLUENCIA DE LA PRISIÓN

Con el paso del tiempo, se han comenzado a instaurar en las prisiones programas específicos con relación al género, lo cual ha ocurrido en países como América del Norte, Australia o Reino Unido, situando el énfasis en el abordaje de las necesidades de las mujeres delincuentes. Los programas destinados a las mujeres dentro de prisión pretenden ofrecer una respuesta "holística" a las necesidades y problemáticas de estas[390].

El proceso de encarcelamiento genera consecuencias importantes en la mujer condenada como la pérdida de la custodia de los hijos, la imposibilidad de mantener los vínculos con ellos, la pérdida de la vivienda, del empleo, la ruptura de lazos con las redes de conexiones previas y la aparición del estigma de exreclusa. Ello posee una importante negativa influencia sobre el proceso de reintegración.

O´Brien[391] llevó a cabo un estudio cualitativo basado en los relatos de 18 mujeres que habían sido encarceladas con el objetivo de conocer la manera en la que la familia, los amigos, las parejas íntimas, los oficiales de libertad condicional y las experiencias durante la ejecución penitenciaria promovieron el avance de estas mujeres durante la trayectoria postpenitenciaria. La autora estableció una serie de recomendaciones que deberían ponerse en práctica desde el internamiento en el centro penitenciario para garantizar el éxito en cuanto a la reinserción y reintegración de las reclusas, como el esfuerzo por parte de los trabajadores sociales para facilitar las vinculaciones entre las mujeres delincuentes y la comunidad mediante la participación en programas tutorizados, prácticas espirituales o religiosas y la participación en proyec-

390 Véase, Trotter, C., McIvor, G. y Sheehan, R. (2012): "The effectiveness of support and rehabilitation services for women offenders". *Australian Social Work, 65*(1), 6-20.

391 Véase. O´Brien, P. (2001): ""Just Like Baking a Cake": Women Describe the Necessary Ingredients for Successful Reentry After Incarceration". *Families in Society: The Journal of Contemporary Human Services, 82*(3), 287-295.

tos comunitarios y, en términos generales, el uso de programas y políticas penitenciarias orientadas hacia la transición exitosa hacia la vida en libertad.

Resulta de interés destacar la investigación de Trotter y sus colaboradores en materia de la influencia que el apoyo y los servicios de rehabilitación poseen sobre las mujeres delincuentes[392]. El objetivo principal era abordar la calidad del apoyo disponible para las mujeres exreclusas y su importancia para su "reintegración" exitosa en la comunidad, la evitación de daños personales, así como los costes sociales y económicos que se asocian a la reincidencia reiterativa. El estudio se centró en la medida en que las características de las intervenciones llevadas a cabo sobre las mujeres resultan relevantes para aquellas que reciben apoyo y se someten a programas de rehabilitación. Se trata de una investigación llevada a cabo en Australia que se centró sobre una muestra de mujeres que permanecieron cumpliendo una pena privativa de libertad en prisión entre los años 2003 y 2005, obviando a aquellas que habían sido condenadas a penas inferiores a los 3 meses ya que verían automáticamente limitada su capacidad para acceder a muchos de los servicios penitenciarios, entre los que se encuentran este tipo de programas. De nuevo, se realizaron dos oleadas de entrevistas, una primera sobre 58 mujeres que se encontraban en prisión y una segunda que tuvo lugar a los 3 meses de la finalización de sus condenas. Los resultados fueron de gran interés ya que se demostraron ciertas relaciones entre las valoraciones que las mujeres realizaron sobre los servicios a los que accedieron durante su permanencia en el centro penitenciario y la ausencia de reincidencia. Algunas de las características del trabajador que proporcionaba el servicio o del propio servicio que fueron destacadas por las mujeres como relevantes y que mostraban una mayor relación con el fin de la delincuencia, fueron la existencia de una relación positiva entre ellas como "clientes" y el trabajador, la comprensión del trabajador hacia ellas, incluyendo su interés en

392 Véase, Trotter, C., McIvor, G. y Sheehan, R.: Op. cit. 2012.

colaborar y manifestar una visión optimista sobre la posibilidad de cambio en ellas, la adopción de un enfoque "holístico" en las intervenciones, la confiabilidad del trabajador y la asistencia a nivel práctico recibida. Sin embargo, en aquellos casos en los que el trabajador insistía notablemente en la relación de las mujeres con el delito, recalcando sus errores, la influencia sobre la reincidencia fue negativa.

Se observó también en dicha investigación una diferencia importante de las mujeres con respecto a los hombres y es que, contradiciendo estudios anteriores, las mujeres resultan menos receptivas a que su comportamiento se vea juzgado o cuestionado, de manera que, a diferencia que los hombres, no resultarían tan eficaces aquellas intervenciones sobre las mujeres que se basen en la crítica al comportamiento delictivo previo y la reflexión. Por el contrario, siguiendo a los autores, "las mujeres son más sensibles a los enfoques explícitamente basados en las fortalezas que reconocen el contexto estructural de la delincuencia de las mujeres y pretenden, entre otras cosas, promover la autoeficacia y el empoderamiento de estas"[393] (p. 15).

---

393 Véase, Trotter, C., McIvor, G. y Sheehan, R.: Op. cit. 2012.

Capítulo III.
Metodología

3.1. DISEÑO DE INVESTIGACIÓN

Partiendo del concepto de desistimiento como proceso, y de acuerdo con Cid y Martí[394], es preciso convenir una visión diacrónica que, a partir de un análisis biográfico, sea capaz de determinar la trayectoria delictiva del sujeto, así como las narrativas de cambio que se inscriben en sus trayectorias vitales. El procedimiento de transición entre el medio penitenciario y la vida en libertad habrá de recibir una especial atención. Se utilizará un diseño prospectivo capaz de realizar un seguimiento del proceso de desistimiento o reincidencia tras la finalización de la condena y durante un periodo de tiempo suficiente. La investigadora convino con Cid y Martí[395] que la investigación prospectiva, en esta ocasión, sobre una muestra de mujeres que se encuentran en el último tramo temporal de la condena, permitiría explicar muchos de los factores subjetivos de influencia en el desistimiento delictivo (p. 25).

Los diseños de carácter prospectivo requieren un mayor esfuerzo que los diseños de carácter retrospectivo, siendo estos últimos, por razones principalmente prácticas, los más habituales en la investigación criminológica, sin embargo, se consideró que su utilización proporcionaría una mayor cantidad de información sobre las características de la evolución del procedimiento por el cual se produce la finalización de la trayectoria del delito. Se asume, por tanto, que solo a través de la realización de seguimientos durante periodos de tiempo suficientemente elevados se podría

394 Véase, Cid, J. y Martí, J.: Op. cit. 2011.
395 Véase, Cid, J. y Martí, J.: Op. cit. 2011.

alcanzar a comprender cual es en realidad, o cómo se define, la dinámica que subyace al proceso de desistimiento delictivo. Una de las principales exigencias de este tipo de investigaciones es que la muestra inicial sea lo suficientemente amplia como para garantizar una muestra suficiente durante la segunda parte de esta, asumiendo las numerosas limitaciones que podrán encontrarse a la hora de contactar con las internas tras el abandono del centro penitenciario y sobre las que se desarrollará más adelante.

En definitiva, la investigación que aquí se presenta se llevó a cabo en dos grandes etapas. La primera consistió en la realización de entrevistas en profundidad a mujeres que se encontraban finalizando la condena en prisión, concretamente durante los dos meses previos a la finalización de la misma y tuvo como objetivo principal, siguiendo a Cid y Martí[396], conocer la narrativa de cambio presente en la muestra de mujeres objeto de estudio. Concretamente, a lo largo de esta primera fase de entrevistas se indagó en la relación existente entre factores de carácter estructural de las mujeres, por ejemplo, en lo relativo a su trayectoria migratoria, familiar, laboral, antecedentes delictivos y la aparición de una narrativa de cambio con relación a la trayectoria delictiva en el futuro.

La segunda tuvo lugar tras el abandono del centro penitenciario por parte de la muestra, concretamente a partir de los 12 meses de la salida, siguiendo la investigación llevada a cabo por Cid y sus colaboradores[397]/[398], y permitió evaluar en profundidad el proceso de transición de estas mujeres hacia la libertad, pudiendo determinar la relación existente entre tales narrativas de cambio

---

396 Véase, Cid, J. y Martí, J.: Op. cit. 2011.

397 Véase, Cid, J. et al.: Op. cit. 2016.

398 Otras investigaciones de referencia en la materia utilizaron periodos de seguimiento similares. En este sentido, por ejemplo, la investigación de Bui y Morash basada en entrevistas en profundidad sobre una muestra exclusivamente femenina que entrevistó a mujeres antes y después del encarcelamiento, con un periodo temporal de al menos un año. Véase, Bui, H.N. y Morash, M.: Op. cit. 2010.

que pudieron aparecer en la primera oleada y el desistimiento de la trayectoria delictiva de la muestra.

Partiendo del concepto de desistimiento del delito como proceso, resulta absolutamente imprescindible utilizar metodologías con un carácter longitudinal que se extienda a lo largo de los años, con el objetivo de alcanzar a conocer cuáles son los cambios comportamentales que aparecen el transcurso de la trayectoria vital de los sujetos que son objeto de investigación[399].

Los estudios de carácter cualitativo, como el que se ha llevado a cabo en la presente investigación muestran algunas limitaciones que los han venido convirtiendo en objeto de críticas, más aún en el ámbito criminológico. La muestra a la que permite acceder una investigación basada en entrevistas en profundidad es siempre limitada, pudiendo no ser representativa del todo. Sin embargo, la investigadora ha considerado que este es el único medio capaz de asegurar la real comprensión del proceso de desistimiento delictivo y las relaciones existentes entre los factores de corte estructural y los factores de tipo subjetivo que acontecen en la historia de vida de la muestra objeto de análisis. Solamente a través del uso de entrevistas en profundidad resultaría alcanzable la comprensión de la manera en la que se inició la trayectoria delictiva de las mujeres y la manera en la que esta finaliza atendiendo a las especificidades del género[400].

3.2. OBJETIVOS

3.2.1. Objetivo general

El objetivo general de la investigación llevada a cabo es la mejora del conocimiento sobre cuáles son los factores con mayor incidencia en el proceso de desistimiento delictivo de las mujeres

---

399 Véase, Rocque M. y Slivken L.: Op. cit. 2019.

400 Véase, Vigna, A.: Op. cit. 2011.

en España comprendiendo, a través del propio testimonio de las internas, cuáles son los procesos subjetivos que se desarrollan durante dicho proceso.

Siguiendo a Cid y Martí[401], un objetivo central en el estudio que aquí se presenta es conocer los factores de cambio que pueden estar presentes en el momento de transición entre el cumplimiento de una condena en prisión y la liberación definitiva de las mujeres (p. 26).

3.2.2. Objetivos específicos

En esta línea, los objetivos específicos planteados a lo largo de la presente investigación son los siguientes:

- Conocer cuáles son los discursos de la muestra seleccionada en relación con el desistimiento y alcanzar a conocer su disposición al cambio.
- Identificar y describir los factores y los mecanismos subyacentes que motivan la intención de abandono de la carrera delictiva y la aparición de la narrativa de cambio en las mujeres condenadas.
- Identificar y describir cuáles son los factores que, efectivamente, intervienen en el proceso de desistimiento delictivo en las mujeres exdelincuentes.

3.3. HIPÓTESIS DE PARTIDA

Al tratarse de un estudio con un carácter cualitativo no resulta conveniente el establecimiento de numerosas hipótesis, siendo generalmente posible prescindir de su planteamiento[402], ya que

---

[401] Véase, Cid, J. y Martí, J.: Op. cit. 2011.

[402] Véase, Amaiquema Márquez, F. A., Vera Zapata, J. A. y Zumba Vera, I. Y. (2019): “Enfoques para la formulación de la hipótesis en la investigación científica”. *Revista Conrado, 15*(70), 354-360.

el objetivo no es hacer suposiciones previas a la investigación, sino que, a partir de ella se pretende indagar en el testimonio de las mujeres reclusas y en el ámbito subjetivo para poder generar conocimiento, en este caso, sobre el fenómeno del desistimiento delictivo.

No obstante, la investigadora propone como hipótesis de partida que la aparición de narrativas de desistimiento delictivo en mujeres que se encuentran cumpliendo una condena privativa de libertad en prisión se ve influida por factores externos como las relaciones de pareja, la maternidad, el empleo, las relaciones de amistad o la espiritualidad, que actúan de forma combinada con factores de carácter subjetivo, como la adopción de nuevas identidades y la agencia. Además, aquellas mujeres que logran desistir en el comportamiento delictivo han manifestado de forma previa una narrativa de cambio en la que plantean unos objetivos para su vida postpenitenciaria que, dada su voluntad y la orientación que hacen de su comportamiento hacia su consecución, finalmente tienen lugar.

3.4. POBLACIÓN Y MUESTRA

Según los datos ofrecidos por la Secretaría General de Instituciones Penitenciarias para el mes de diciembre de 2020, aproximadamente la fecha en la cual da comienzo el trabajo de campo de la presente investigación había un total de 4.015 mujeres en los centros penitenciarios españoles (7,3% del total de población reclusa a nivel nacional), de las cuales 2.912 eran nacionales (72.5%) y 1.103 extranjeras (27.5%). Del total de mujeres, 3.388 se encontraban penadas, 563 en situación preventiva, 42 con una medida de seguridad y 22 penadas con preventivas.

Para la investigación se accedió a los centros penitenciarios que albergan exclusivamente a mujeres en España: Centro Penitenciario Alcalá de Guadaira, Sevilla (Andalucía), Centro Penitenciario Ávila (Castilla y León) y Centro Penitenciario Madrid II, Alcalá de Henares (Madrid). Aunque existe otro centro penitenciario en

España que alberga exclusivamente a mujeres, concretamente el *Centre Penitenciari de Dones de Barcelona - Wad-Ras,* este quedó fuera del objeto de investigación, debido a que existe un procedimiento diferente al utilizado en la presente investigación para lograr la autorización para el acceso al mismo.

Además, se tuvo acceso a los Centros de Inserción Social (CIS): CIS Sevilla- Luis Jiménez de Asúa y CIS Málaga- Evaristo Martín Nieto. La selección de los Centros de Inserción Social para el trabajo de campo de la presente investigación resultó aleatoria. Atendiendo a la limitación que genera la imposibilidad de acceso a todos los CIS del territorio nacional (un total de 13 CIS independientes y 19 dependientes de centros penitenciarios), la investigadora consideró adecuada la selección de dos centros que permitían el acceso a una muestra de mujeres que, aún en fase de cumplimiento de la condena privativa de libertad, se encontraban en tercer grado.

Según los datos del Anuario Estadístico del Ministerio del Interior para 2020, momento en el cual da inicio el trabajo de campo, los datos de mujeres en los Centros Penitenciarios y Centros de Inserción Social objeto de análisis son los que se muestran a continuación en la Tabla 1, siendo relevante en la investigación aquí presentada el número de mujeres condenadas, exactamente 78 mujeres en el Centro Penitenciario de Sevilla, 61 mujeres en el Centro Penitenciario de Ávila, 345 mujeres condenadas en el Centro Penitenciario de Madrid I. Mujeres, 31 mujeres en el Centro de Inserción Social de Sevilla "Luis Jiménez de Asúa" y 65 mujeres en el Centro de Inserción Social de Málaga "Evaristo Martín Nieto".

Establecimiento Penitenciario	Penadas	Penadas c/ preventivas	Medidas de seguridad	Preventivas	Total
Sevilla. Alcalá de Guadaira	78	1	0	14	93
Ávila	61	0	0	7	68
Madrid I. Mujeres. Alcalá de Henares	345	6	2	80	433
Centro de Inserción Social Sevilla "Luis Jiménez de Asúa"	31	0	0	0	0
Centro de Inserción Social Málaga "Evaristo Martín Nieto"	65	0	0	0	65

Tabla 1. Mujeres internas en el Centro Penitenciario Alcalá de Guadaira, Sevilla (Andalucía), Centro Penitenciario Ávila (Castilla y León), Centro Penitenciario Madrid II, Alcalá de Henares (Madrid, Centros de Inserción Social Sevilla- Luis Jiménez de Asúa y Centro de Inserción Málaga- Evaristo Martín Nieto.

Fuente: Elaboración propia a partir de los datos proporcionados por el Anuario Estadístico del Ministerio del Interior 2020.

Según las estadísticas penitenciarias del año 2020, la mayor parte de mujeres que se encontraban cumpliendo una pena privativa de libertad en prisión lo estaban como consecuencia de la comisión de un delito contra el patrimonio y el orden socioeconómico (1.412 mujeres), delitos contra la salud pública (959 mujeres), homicidio y sus formas (284) y lesiones (125). Por tanto, se consideró imprescindible seleccionar la muestra en función de los tipos delictivos que se cometen con mayor frecuencia para garantizar de este modo su representatividad. El segundo requisito que se consideró necesario para la selección de la muestra objeto de investigación es que la interna se encontrase dentro de un periodo próximo a la finalización de la condena impuesta, entre 1 y

2 meses antes, bien en primer grado, en segundo grado, en tercer grado o en libertad condicional.

Tras la determinación de los datos anteriores, fue necesaria la puesta en contacto con la Dirección de cada uno de los Centros Penitenciarios y Centros de Inserción Social implicados para determinar exactamente el número de internas que reunían las condiciones anteriormente señaladas y que, por tanto, conformarían la muestra de la investigación. Tras ello, el número total de internas que, a priori, conformarían la población objeto de estudio fue un total de 35 mujeres.

Dos de ellas pertenecían al Centro Penitenciario de Alcalá de Guadaira, pudiéndose entrevistar finalmente solo a una de ellas durante la primera oleada, el día 29 de septiembre de 2020, siendo imposible acceder nuevamente al centro para la realización de la otra entrevista como consecuencia de las restricciones nuevamente impuestas en cuanto al acceso de terceros a los establecimientos penitenciarios españoles dado el aumento de la incidencia por COVID-19.

Seis mujeres se encontraban en el Centro Penitenciario Madrid I. Estas mujeres aceptaron en su totalidad la participación en la investigación y se entrevistaron durante 2 jornadas, la del día 6 de octubre de 2020 y la del 27 de noviembre de 2020.

Cuatro mujeres pertenecían al Centro Penitenciario de Ávila, de las cuales solo se logró entrevistar a dos de ellas, ante la negativa de las otras dos. Estas entrevistas tuvieron lugar durante los días 22 de octubre de 2020 y 30 de octubre de 2020.

Veinte mujeres se encontraban en el Centro de Inserción Social de Málaga, de las cuales hubo que descartar una de las entrevistas al producirse un error y no encontrarse condenada por los delitos objeto de investigación, otra por no producirse la finalización de esta ante la negativa de la mujer entrevistada y otras tres por no acceder las internas a la participación en las mismas. Con ello el número total de mujeres entrevistadas en el CIS de Málaga fue de quince y tuvieron lugar durante los días 2 de octubre de

2020, 9 de octubre de 2020, 15 de octubre de 2020, 29 de octubre de 2020, 3 de noviembre de 2020, 12 de noviembre de 2020, 17 de noviembre de 2020, 3 de febrero de 2021, 22 de marzo de 2021 y 23 de marzo de 2021.

Por último, tres mujeres fueron entrevistadas en el CIS de Sevilla durante el día 6 de noviembre de 2020.

Con ello, la muestra que compuso la primera de las fases de entrevistas fue de 27 internas, tal y como se muestra en la Tabla 2. Concretamente, y a pesar de que es bastante frecuente el cumplimiento de condenas como consecuencia de la comisión de diversos delitos, debe destacarse que 15 de las mujeres entrevistadas se encontraban cumpliendo condena por la comisión de delitos contra la propiedad y 12 de ellas por delitos contra la salud pública. Todas las mujeres de la muestra fueron entrevistadas cuando la fecha de finalización de la condena u obtención de la libertad definitiva ocurriría en un plazo máximo de 2 meses. De las 27 mujeres objeto de análisis, 22 de ellas tenían nacionalidad española (siendo tan solo una de ellas originaria de un país extranjero, en este caso República Dominicana) y las cinco restantes poseían una nacionalidad diferente, siendo dos de ellas rumanas, una colombiana y dos paraguayas.

Código asignado	Establecimiento Penitenciario	Tipología delictiva que da origen a la condena actual	Nacionalidad	Grado de cumplimiento	Fecha de realización de la entrevista	Fecha prevista de finalización de la condena
COD-1	Centro Penitenciario de Alcalá de Guadaira, Sevilla	Contra el patrimonio (robo) y contra las personas (lesiones)	Española	Segundo grado	29/09/2020	27/10/2020
COD-2	Centro Penitenciario Madrid I-Mujeres	Contra la salud pública	Colombiana	Segundo grado	6/10/2020	27/10/2020
COD-3	Centro Penitenciario Madrid I-Mujeres	Quebrantamiento de condena y delito contra el patrimonio (estafa)	Española	Segundo grado	6/10/2020	29/10/2020

COD-4	Centro Penitenciario Madrid I-Mujeres	Contra el patrimonio (hurto)	Paraguaya	Segundo grado	6/10/2020	-
COD-5	Centro Penitenciario Madrid I-Mujeres	Contra el patrimonio (hurto)	Española	Segundo grado	6/10/2020	12/11/2020
COD-23	Centro Penitenciario Madrid I-Mujeres	Contra el patrimonio (hurto)	Española	Segundo grado	27/11/2020	13/01/2020
COD-24	Centro Penitenciario Madrid I-Mujeres	Contra el patrimonio (robo)	Rumana	Segundo grado	27/11/2020	15/01/2020
COD-11	Centro Penitenciario de Ávila, Brieva	Contra el patrimonio (robo con fuerza en casa habitada)	Española	Segundo grado	22/10/2020	29/11/2020
COD-13	Centro Penitenciario de Ávila, Brieva	Contra el patrimonio (robo con fuerza y hurto)	Rumana	Libertad condicional	30/10/2020	21/12/2020
COD-16	Centro de Inserción Social Sevilla "Luis Giménez de Asúa"	Contra el patrimonio (robo)	Española	Tercer grado	6/11/2020	19/11/2020
COD-17	Centro de Inserción Social Sevilla "Luis Giménez de Asúa"	Contra el patrimonio (hurto) y delitos contra las personas (lesiones y amenazas)	Española	Tercer grado	6/11/2020	2/12/2020
COD-18	Centro de Inserción Social Sevilla "Luis Giménez de Asúa"	Contra el patrimonio (hurto). Pena privativa de libertad por impago de multa.	Española	Tercer grado	6/11/2020	2/12/2020
COD-6	Centro de Inserción Social Málaga "Evaristo Martín Nieto"	Contra el patrimonio (hurto de menos de 400 horas)	Española	Tercer grado	2/10/2020	13/10/2020

COD-7	Centro de Inserción Social Málaga "Evaristo Martín Nieto"	Contra la salud pública	Española	Tercer grado	2/10/2020	6/10/2020
COD-8	Centro de Inserción Social Málaga "Evaristo Martín Nieto"	Contra la salud pública	Española	Tercer grado	9/10/2020	27/10/2020
COD-10	Centro de Inserción Social Málaga "Evaristo Martín Nieto"	Contra el patrimonio (hurto)	Española	Tercer grado	15/10/2020	11/11/2020
COD-12	Centro de Inserción Social Málaga "Evaristo Martín Nieto"	Contra la salud pública	Española	Libertad condicional	29/10/2020	18/11/2020
COD-14	Centro de Inserción Social Málaga "Evaristo Martín Nieto"	Contra el patrimonio (robo)	Española	Libertad condicional	3/11/2020	26/12/2020
COD-15	Centro de Inserción Social Málaga "Evaristo Martín Nieto"	Contra la salud pública	Española	Libertad condicional	3/11/2020	6/11/2020
COD-21	Centro de Inserción Social Málaga "Evaristo Martín Nieto	Contra la salud pública	Española	Libertad condicional	12/11/2020-24/11/2020	28/12/2020
COD-22	Centro de Inserción Social Málaga "Evaristo Martín Nieto"	Contra la salud pública	Española	Libertad condicional	17/11/2020	1/01/2021
COD-26	Centro de Inserción Social Málaga "Evaristo Martín Nieto"	Contra la salud pública	Española	Libertad condicional	3/02/2021	16/02/2021

COD-27	Centro de Inserción Social Málaga "Evaristo Martín Nieto"	Contra la salud pública	Paraguaya	Tercer grado	3/02/2021	25/02/2021
COD-28	Centro de Inserción Social Málaga "Evaristo Martín Nieto"	Contra la salud pública	Española	Libertad condicional	22/03/2021-24/03/2021	3/04/2021
COD-29	Centro de Inserción Social Málaga "Evaristo Martín Nieto"	Contra la propiedad (hurto)	Española	Tercer grado-telemática	22/03/2021	12/04/2021
COD-30	Centro de Inserción Social Málaga "Evaristo Martín Nieto"	Contra la salud pública y organización criminal	Española	Libertad condicional	23/03/2021	02/05/2021
COD-31	Centro de Inserción Social Málaga "Evaristo Martín Nieto"	Contra la salud pública	Española	Libertad condicional	23/03/2021	11/05/2021

Tabla 2. Principales características de la muestra objeto de análisis.
Fuente: Elaboración propia.

En lo que refiere a la segunda oleada o fase de entrevistas, la población total de la que se partía se encontraba compuesta de las 27 internas que participaron durante la primera oleada. Debido a numerosas dificultades para retomar el contacto con ellas que se describirán en el siguiente apartado, el total de mujeres que aceptaron someterse de forma telefónica a la segunda oleada de entrevistas fue de seis, reduciéndose finalmente a cuatro el número de mujeres que completaron de manera efectiva la entrevista. Las internas entrevistadas fueron la interna entrevistada en el Centro Penitenciario Ávila, COD-13; la interna perteneciente al Centro Penitenciario de Madrid I. Mujeres, COD-4; la interna perteneciente al Centro de Inserción Social de Málaga, COD-15 y la interna perteneciente al mismo Centro de Inserción Social, COD-21.

3.5. FASES DEL TRABAJO EMPÍRICO

3.5.1. Autorización del trabajo de campo por parte de la Secretaría General de Instituciones Penitenciarias

Para el acceso a la muestra correspondiente a la primera oleada de entrevistas, resultó necesaria en primer lugar la obtención de autorización por parte de la Secretaría General de Instituciones Penitenciarias a los centros penitenciarios objeto de investigación. Para ello, se remitió solicitud de autorización a la Secretaría General de Instituciones Penitenciarias, Subdirección General de Relaciones Institucionales y Coordinación Territorial, a través de correo electrónico el día 9 de julio de 2020 adjuntando una serie de documentos requeridos, a saber, DNI, anexo de solicitud del Estudio/Investigación, consentimiento Informado que sería utilizado previamente a cada una de las entrevistas que se llevara a cabo[403], Informe de Garantías de Respeto de Principios Éticos firmado por la directora de la investigación doctoral y Memoria explicativa de la investigación, destacando cuestiones como los objetivos de la misma, las hipótesis de partida, el marco teórico en el que se encuadraría y justificaría la necesidad de la investigación, la metodología que se llevaría a cabo, concretando cómo sería la técnica de recogida de datos que se emplearía, aunque no fue necesario adjuntar la herramienta que sería utilizada definitivamente, la concreción de los Centros Penitenciarios y Centros de Inserción Social en los que se llevaría a cabo la investigación, las características que debería poseer la muestra a la que acceder

---

[403] Véase, Anexo I. Consentimiento informado trasladado durante la primera oleada de entrevistas.

y, por último, una breve descripción de los resultados esperados tras la investigación.

Tras la valoración por parte de la Secretaría General de Instituciones Penitenciarias, la investigadora recibió vía correo electrónico la autorización[404] para la realización de la investigación planteada el día 3 de septiembre de 2020, teniendo duración hasta el día 31 de marzo de 2021. Se especificaba que la colaboración de las internas debía ser voluntaria, debiendo informarles previamente y de manera personal de los objetivos de la investigación, garantizando de este modo la efectiva libertad en su participación, que la investigación tendría un carácter anónimo, sustituyendo en caso de ser necesario sus nombres, que sería necesaria la aprobación por parte de la Dirección de cada Centro Penitenciario del modelo escrito de consentimiento del interno, de la información que se le facilitaría a cada uno de los internos con el objetivo de obtener su voluntaria participación y de cualquier cambio sustancial que se fuera a producir a lo largo del desarrollo de la investigación. En cualquiera de los casos, también se establecía en dicha autorización que la dirección de cada uno de los centros implicados en la investigación fijaría cuales serían las condiciones para que las actividades previstas pudieran desarrollarse de una manera adecuada sin perturbar el desarrollo normal de los servicios, pero asumiendo la colaboración necesaria para que esta pudiera llevarse a cabo.

Una vez obtenida la autorización necesaria, la investigadora procedió a ponerse en contacto con la Dirección o, en su caso, Subdirección de cada uno de los Centros Penitenciarios o Centros de Inserción Social implicados en la investigación. A través de correo electrónico, la investigadora remitió información sobre la

---

[404] Además de la autorización por parte de la Secretaría General de Instituciones Penitenciarias, la investigación recibió un informe retrospectivo favorable por parte del Comité Ético de Experimentación de la Universidad de Málaga con fecha 15 de noviembre de 2022.

investigación en curso y concretó los requisitos que debería tener la muestra objeto análisis.

3.5.2. La primera oleada de entrevistas

Tras haber puesto en conocimiento de la Dirección de cada uno de los establecimientos penitenciarios implicados el contenido de la investigación y los principales requisitos que debería tener la población objeto de estudio, fue la Dirección la que, a través de la colaboración de los trabajadores sociales, se puso en contacto con cada una de las internas que cumplían los requisitos para solicitar su colaboración tras explicar el contenido de la investigación y recalcando que, en todo caso, su participación en la misma siempre sería voluntaria. En otras ocasiones, como ocurrió en el caso del Centro de Inserción Social de Málaga, la Dirección llevó a cabo un cribado en la base de datos del Centro, seleccionando aquellas internas que cumplían con los requisitos en cuanto a delito principal que motivó la condena y fecha de finalización de la misma, trasladando posteriormente el contacto de dicha población a la investigadora para que fuese ella quien se pusiera en contacto con cada una de las internas para explicarles la propuesta de participar en la misma y posteriormente se concretaran las citas para que la investigadora pudiera trasladarse a cada uno de ellos para dar comienzo a la investigación.

En todos los casos, la investigadora entregó a la interna a entrevistar una copia de la Hoja Explicativa[405] en la que, en primer lugar, se agradecía la aceptación del encuentro para recibir la información relativa a la investigación en curso, se explicaban a grandes rasgos los objetivos y temáticas abordadas en ella y se hacía constar que los datos resultarían anónimos, que tenía la absoluta libertad para evitar responder a las preguntas que considerara oportunas, a desistir en la continuación de la misma y a la imposibilidad de acceso a las respuestas ofrecidas por parte de

405 Véase, Anexo II. Hoja Explicativa.

Instituciones Penitenciarias. En todos los casos, la investigadora respondió a cuantas preguntas y dudas le eran realizadas, siempre asegurándose de que la interna quedaba satisfecha con una respuesta comprensible. Además, el consentimiento informado[406] fue entregado y firmado de forma previa a la realización de la entrevista en cada uno de los casos.

La primera de las entrevistas fue la llevada a cabo en el Centro Penitenciario de Sevilla, donde solo una de las internas reunía los requisitos de la investigación en la primera toma de contacto con el centro. Esta entrevista tuvo lugar de manera presencial en uno de los despachos del personal del establecimiento, donde la investigadora debió realizar la entrevista tomando nota de forma manuscrita, sin la posibilidad de uso de ordenador ante la negativa de la Dirección del centro para introducir aparatos electrónicos. Con fecha 20 de noviembre de 2020, de manera posterior a la primera de las entrevistas, la investigadora volvió a solicitar información sobre las internas que en ese momento cumplieran con el perfil, recibiendo una respuesta negativa por parte de la Subdirección de Tratamiento. Tras un nuevo intento de la investigadora, la Dirección del centro de comunica la existencia de una interna con el perfil requerido y con fecha de finalización de condena en marzo de 2021. En el momento en el que se trata de concretar la fecha para la realización de dicha entrevista, se recibe una respuesta negativa ya que, tras un nuevo aumento de la incidencia de los casos por COVID-19 en España, los establecimientos penitenciarios habían vuelto a imponer restricciones ordenadas desde la Secretaría General de Instituciones Penitenciarias en cuanto a la posibilidad de acceso de terceros a los establecimientos.

En el Centro Penitenciario de Madrid I se realizaron un total de seis entrevistas en profundidad, concretamente cuatro de ellas tuvieron lugar durante el día 6 de octubre de 2020 y las restantes tuvieron lugar el día 27 de noviembre del mismo año. Las entrevistas, de nuevo, tuvieron una duración aproximada de 120 minutos

---

406 Véase, Anexo I.

cada una de ellas, y se realizaron en el Salón de Actos del mismo centro penitenciario, donde la Dirección permitió a la investigadora reunirse de manera individual con cada una de las internas durante el tiempo que resultara necesario para la finalización de cada una de las entrevistas, respetando el horario de comida. La monitora ocupacional del centro es quien facilitó la primera toma de contacto con cada una de las internas entrevistadas. En esta ocasión, la investigadora pudo contar con un ordenador portátil que facilitó la transcripción literal de las entrevistas.

En el caso del Centro Penitenciario de Ávila, tan solo pudieron llevarse a cabo dos entrevistas a internas. En principio, hubo solo cuatro mujeres que contaban con los requisitos de la presente investigación, pero solo dos de ellas aceptaron voluntariamente someterse a la entrevista. De las mujeres que decidieron no participar, una se negó a participar en la videollamada programada desde el centro penitenciario que, con motivo de las nuevas restricciones por la pandemia de COVID-19 le impidieron a la investigadora trasladarse al establecimiento, y la otra aceptó una entrevista telefónica que dio comienzo, pero en la que desistió a la mitad de la misma debido a su percepción de incomodidad ante determinadas preguntas que, manifestó, le resultaron ciertamente intrusivas. De las dos entrevistas que se llevaron a cabo, solo una tuvo lugar en el centro penitenciario, concretamente en una de las salas de ocio disponibles para las internas, encontrándose esta vacía en el momento de la entrevista. Durante ella, la investigadora pudo contar con un ordenador portátil que le permitió la transcripción literal de la misma. La segunda de las entrevistas tuvo lugar de manera telefónica, ya que se trataba de una interna en situación de libertad condicional. Para ello, acudió en un momento dado al centro penitenciario donde firmó el consentimiento para someterse a la entrevista de manera previa a la cita concertada con la investigadora.

En el Centro de Inserción Social de Sevilla, la investigadora llevó a cabo un total de tres entrevistas en sus instalaciones, no existiendo ninguna negativa a la participación y no encontrándose ninguna de las internas en una situación de tercer grado que les permitiera residir fuera del establecimiento. Una de las entrevistas tuvo lugar en la Unidad de Madres del centro, encontrándose la investigadora a una de las internas junto a su hijo de escasos meses de edad. Las otras dos entrevistas tuvieron lugar en el edificio principal del Centro de Inserción Social, concretamente en el comedor. Allí, de nuevo, la investigadora pudo contar con el uso de su ordenador portátil personal.

La situación resultó algo más compleja en cuanto al trabajo de campo realizado en el Centro de Inserción Social de Málaga. Tras haber contactado de una manera previa con la directora del mismo, esta puso en conocimiento de la investigadora que la mayor parte de las internas del centro se encontraban en tercer grado cumpliendo su condena en sus respectivos domicilios, ello como consecuencia de las contingencias propias de la pandemia que en aquel momento se encontraba en auge. Con ello, y tras traslado de los requisitos que deberían reunir las mujeres internas para poder ser objeto de entrevista, la directora proporcionó a la investigadora tanto los informes obtenidos de la base de datos como los números telefónicos que en dichas bases constaban, para que la investigadora pudiera ponerse en contacto con cada una de ellas y proponerles su participación voluntaria en la misma. Tras algunas reticencias y negativas, la investigadora pudo entrevistarse con 15 mujeres internas que reunían los requisitos de la muestra objeto de investigación, para lo cual se concertaron citas según las posibilidades y horarios de las internas en el Centro de Inserción Social, concretamente en uno de los despachos del personal. Allí de nuevo se contó con ordenador portátil y con el tiempo suficiente para la realización de entrevistas, extendiéndose algunas de ellas hasta las 3 horas de duración.

En todos los casos, la investigadora solicitó a cada una de las internas al final de la entrevista que le proporcionara uno o varios teléfonos de contacto o correos electrónicos que le permitiera volver a ponerse en contacto con ellas transcurrido como mínimo un año tras la realización de esta. La investigadora recibió una forma de contacto en todos los casos, salvo en uno de ellos, y la aceptación verbal y expresa de participación en la segunda oleada de entrevistas.

3.5.3. La segunda oleada de entrevistas

Transcurrido como mínimo un año desde la primera de las entrevistas, fue requerido el esfuerzo de la investigadora por contactar con cada una de las mujeres entrevistadas previamente, teniendo en cuenta que para ese momento ya se encontraban, en principio, en libertad tras la finalización de su condena. Estas segundas entrevistas pretendían tener un carácter aún menos estructurado que las primeras ya que se basarían en el análisis previo de cada uno de los casos. El objetivo aquí era alcanzar a conocer las narrativas de desistimiento en cada una de las internas.

No obstante, y aquí se puso de manifiesto la primera gran limitación del estudio llevado a cabo, resultó ciertamente complicada la toma de contacto con las mujeres que habían participado durante la primera fase. Tal y cómo se ha destacado anteriormente, la investigadora solicitó de manera individual a las internas que le proporcionaran una manera de establecer contacto con ellas y aunque en todos los casos, salvo en uno, recibió un teléfono de contacto al menos, se encontró con que algunos de ellos no pertenecían a ningún usuario, otros no recibían respuesta alguna y, en la gran mayoría de las ocasiones, en el momento en el que se conseguía contactar con las internas, estas rechazaban la participación aludiendo principalmente a la necesidad de "dejar el pasado atrás", "no querer remover cosas que ya no forman parte de su vida" o, simplemente, a la falta de interés en ello. La investigadora logró una inicial aceptación de participación en la segunda oleada por parte de seis exinternas, las cuales de una manera amable atendieron la llamada y aceptaron una explicación más detenida por parte de la investigadora sobre la entrevista que se pretendía llevar a cabo. Finalmente, solo aceptaron participar en ella cuatro entrevistadas, las otras dos mujeres rechazaron su participación, bien colgando de una manera repentina el teléfono cuando la entrevista se encontraba próxima a su finalización, o bien, tras entender de manera clara en la lectura del consentimiento informado que la participación era absolutamente voluntaria y decidir no continuar.

En los cuatro casos que se pudieron completar, la investigadora aseguró a las internas que las entrevistas no serían grabadas en ninguno de los casos y que, tan solo se grabaría el momento en el que la investigadora leyese con detenimiento el consentimiento informado y la consecuente aceptación por parte de la muestra ofreciendo sus datos personales. En esta ocasión, el consentimiento contenía información similar al documento utilizado de forma previa a cada una de las entrevistas de la primera oleada, en él se indicaba que la exinterna había sido informada verbalmente sobre la investigación, que había podido efectuar preguntas sobre la misma, que había recibido respuestas satisfactorias, que había hablado con la investigadora, que podía abandonar la investigación cuando así lo deseara sin necesidad de proporcionar ningún tipo de explicación, que había sido informada de que sus datos serían tratados y custodiados respetando su intimidad y la normativa vigente en materia de protección de datos, que sobre sus datos poseía derechos de acceso, rectificación, cancelación y oposición y que la entrevista a la que consentía participar poseía como únicos efectos la investigación científica.

En lo que refiere al periodo transcurrido desde el momento en el que las internas alcanzaron la libertad definitiva hasta el momento en el que tuvo lugar la realización de la segunda oleada de entrevistas, siempre fue superior al año. Así, en uno de los casos la entrevista tuvo lugar el día 4 de julio de 2022, habiendo transcurrido un total de aproximadamente de 19 meses desde que la exinterna abandonó el centro penitenciario; en otro caso, la entrevista segunda tuvo lugar el día 22 de abril de 2022, habiendo transcurrido un total de aproximadamente 18 meses; en el tercer caso, la entrevista tuvo lugar el día 22 de junio de 2022, habiendo trascurrido más de 19 meses y, en el último de los casos, la entrevista tuvo lugar el día 28 de junio de 2022, habiendo transcurrido exactamente 18 meses desde la finalización de la condena.

3.6. HERRAMIENTA DE INVESTIGACIÓN

El método de recogida de información fue la entrevista narrativa, dada las importantes ventajas que tiene para la investigación llevada a cabo. En primer lugar, estas ventajas se relacionan con la capacidad de dicha herramienta para acceder a numerosos detalles biográficos que permiten alcanzar a conocer el proceso de transición de unos eventos a otros y conocer de una forma detallada la manera en la que acontecen los fenómenos[407]. Tal y cómo se ha venido planteando, uno de los objetivos de análisis era alcanzar a conocer la propia experiencia subjetiva de las mujeres que conforman la muestra, conociendo a través de su propio discurso, la manera en la que aparecen las narrativas de desistimiento o de persistencia delictiva, en su caso. Por tanto, solo a través de la utilización de esta herramienta de investigación se puede alcanzar a conocer cuáles son los significados que la persona atribuye a su trayectoria vital, cuáles son los cambios identitarios que aparecen tanto en el momento previo a la finalización de la trayectoria delictiva como en el momento posterior a la liberación y la determinación de la percepción de la autoeficacia[408].

Además de lo anterior, la entrevista narrativa favorece la identificación por parte del individuo de determinados acontecimientos o eventos a los que el mismo profiere un mayor nivel de significancia de acuerdo con su propia perspectiva. En toda narración de carácter biográfico, el individuo desarrolla eventos de un modo selectivo resultando, por tanto, de importancia para alcanzar la comprensión de cómo los sucesos fueron experimentados por parte de este y cómo estos lograron influir en todos los procesos de toma de decisiones y actuaciones. Además, esta técnica permite acceder a sucesos, personas, lugares y momentos temporales que, aunque *a priori* carezcan de significancia para el objeto de

---

407 Véase, Lozares, C. y Verd, J.M. (2008): "La entrevista biográfico-narrativa como expresión contextualizada, situacional y dinámica de la red sociopersonal". *Revista hispana para el análisis de redes sociales, 15*(6), 95-125.

408 Véase, Cid, J. y Martí, J. Op. cit. 2011.

análisis de la investigación, *a posteriori*, muestran, tras un análisis detenido y en profundidad del discurso, encontrarse conectados con otros hechos sobre los que han ejercido influencia[409].

Las entrevistas llevadas a cabo, tanto las correspondientes a la primera de las oleadas como las correspondientes a la segunda, poseen un carácter semiestructurado en el que, partiendo de una serie de preguntas previamente establecidas se confiere un importante grado de adaptación de la misma a las necesidades observadas por parte de la investigadora. Las ventajas principales de este método y que han conducido a la selección del mismo para la presente investigación, es su capacidad de adaptación al caso concreto, la posibilidad de aclaración de términos o eventos que no hayan sido comprendidos por parte de la participante, en este caso, durante la entrevista y la reducción de todos los formalismos, asegurando que la persona entrevistada se sitúe en una posición de confianza que le permita una libre expresión con respecto a la investigadora. Es importante tener en cuenta que la herramienta utilizada se aplicó sobre una muestra de mujeres internas en prisión, de manera, que dada las características de la misma y los diferentes niveles de alfabetización ante los que la investigadora se encontró, fue de gran importancia la adaptación de la herramienta a cada caso concreto, momento en el que la investigadora tuvo que poner de manifiesto cierto grado de habilidad para detectar las necesidades de cada interna y lograr poder llevar a cabo las entrevistas en cada uno de los casos. Se trató, en definitiva, de una conversación de carácter amistoso, en la que la investigadora se centró en escuchar y tomar notas literales del relato de la persona sin tratar de imponer determinadas interpretaciones o respuestas, viéndose limitado su papel al de guiar el curso de la entrevista hacia los temas que resultaban prioritarios en la investigación llevada a cabo y que fueron claramente deli-

409 Véase, Lozares, C. y Verd, J.M.: Op. cit. 2008.

mitados de una manera previa por parte de la investigadora para evitar divagaciones innecesarias[410].

Centrando la atención en lo que refiere a la entrevista utilizada durante la primera de las oleadas[411], esta fue elaborada por la investigadora a partir del cuestionario utilizado por el equipo de investigación bajo el mando del investigador José Cid, en el Proyecto "Encarcelamiento y Reincidencia" con fecha febrero de 2016. Aunque la herramienta de partida era un cuestionario, desde el momento del diseño de la investigación, se consideró completamente imprescindible una adaptación del mismo al formato de entrevista semiestructurada que garantizara la consecución de los objetivos planteados para la comprobación de la hipótesis genérica de partida.

Con ello, la entrevista de la primera oleada constaba de un total de 133 preguntas que se encontraban clasificadas dentro de 3 grandes bloques temáticos:

- Bloque I: Información biográfica, trayectoria laboral, situación familiar en el pasado, circunstancias previas a la entrada en prisión, relación con la justicia y trayectoria delictiva. Dicho bloque constaba de un total de 43 preguntas.
- Bloque II: Situación en prisión o en el centro de inserción. Este bloque constaba de un total de 68 preguntas.
- Bloque III: Expectativas sobre el futuro cuando se alcance la libertad definitiva. El último bloque constaba de un total de 22 preguntas.

Cada uno de los bloques temáticos en torno a los que la entrevista se estructuraba, estaba compuesto por una serie de preguntas que facilitarían a la investigadora la realización de la misma. Así, dentro del Bloque I, las 9 primeras preguntas versaban en torno

---

410 Véase, Díaz Bravo, L., Torruco-García, U., Martínez- Hernández, M. y Varela-Ruiz, M. (2013): "La entrevista, recurso flexible y dinámico". *Investigación en educación médica*, 2(7), 162-167.

411 Véase, Anexo III. Entrevista primera oleada.

a los datos sociodemográficos de la persona entrevistada (Bloque I.A.) como, por ejemplo, su edad, país de origen, nacionalidad, motivaciones para la llegada a España, país de nacimiento de los progenitores, estado civil y número de hijos.

El segundo *subbloque* (Bloque I.B.) se encuentra compuesto por 9 preguntas relativas a la infancia y adolescencia de la entrevistada, prestando atención a las circunstancias familiares y a las características del entorno. En el Bloque I.B. se preguntaba a las entrevistadas por su infancia, su adolescencia, eventos que consideraran de especial significancia durante las mismas, el entorno o los entornos en los que se desarrolló el proceso de crianza, las personas con las que convivía, la escolarización y la experiencia que la entrevistada tuvo durante este proceso, la relación con sus progenitores, hermanos y amigos durante estas épocas o la identificación por parte de la entrevistada con la delincuencia o algunos tipos de adicción por parte de su entorno durante su crianza.

El siguiente *subbloque* (Bloque I.C.), compuesto por un total de 12 preguntas se orientó a conocer cuáles eran las circunstancias que rodeaban a la entrevistada en el momento previo a la entrada en el centro penitenciario. En el Bloque I.C. se preguntó por la edad que la entrevistada tenía en el momento de entrada en prisión, por su lugar de residencia en aquel entonces, la persona o las personas con las que convivía, el nivel de estudios con el que contaba, su situación laboral, su situación sentimental, el número de hijos que en aquel momento tenía, alcanzando a conocer la edad y las características de su relación con los mismos, la relación con sus familiares y las vinculaciones consideradas por ella misma como especialmente estrechas, el consumo o adicción al alcohol o a estupefacientes y su relación con la religión y con las prácticas religiosas, en su caso.

El Bloque I.D. constaba de, tan solo, 2 preguntas y se orientó a profundizar en la trayectoria laboral de la entrevistada, preguntando por la edad de inicio de la misma, las características de los empleos a los que había accedido y a los periodos de desempleo y su experiencia con respecto a ellos en caso de haber tenido lugar.

El último de los bloques englobados dentro del Bloque I (Bloque I.E.) constaba de un total de 10 preguntas relativas a la trayectoria delictiva y la relación de la entrevistada con la Administración de Justicia. Se profundizaba aquí en la edad de la primera detención como consecuencia de la comisión de un delito, en el número de detenciones durante la adolescencia tardía (entre los 14 y los 17 años), el cumplimiento, en su caso, de algún tipo de medida de justicia juvenil, el número de condenas durante la adultez, las razones atendidas por ella para la comisión de esos delitos, el número de condenas cumplidas en prisión (sin tener en cuenta las entradas en prisión preventiva), la edad en la que tuvo lugar la primera de las entradas en prisión, la existencia de personas en tu entorno familiar condenadas por delitos contra la propiedad, delitos relacionados con el tráfico de drogas, delitos violentos y las personas de su entorno familiar que hubiesen cumplido una condena en prisión.

El Bloque II de preguntas pretendía alcanzar a conocer cómo había sido la experiencia y la situación en el Centro Penitenciario y en el Centro de Inserción Social, en su caso, con relación a la condena actual por la que era objeto de investigación. En el Bloque II.A., compuesto por un total de 13 preguntas, se indagó en la duración de la condena actual, el momento previsto para alcanzar la libertad definitiva, la duración de la prisión preventiva en caso de existir, el nivel de acuerdo de la entrevistada con el cumplimiento de la condena en el centro penitenciario donde se encontraba en el momento, el delito que dio lugar a la condena, la clasificación inicial, la clasificación actual y el grado en el que preveía la finalización de la misma, su experiencia, en caso de haber ocurrido, durante el cumplimiento de la condena en clasificación de primer grado, su experiencia, en su caso, durante la sanción en celda de aislamiento, su experiencia en régimen semiabierto (artículo 100.2 Reglamento Penitenciario), su experiencia en tercer grado, el disfrute de permisos ordinarios de salida y la existencia de sanciones disciplinarias y los motivos que derivaron en ellas.

En el Bloque II.B., compuesto por 10 preguntas, se incidió en la participación de la interna en programas y actividades durante el cumplimiento de la condena, indagando sobre la participación en programas dirigidos a la deshabituación del alcohol u otras drogas, programas dirigidos a algún tipo de problema relacionado con la salud mental, cursos de formación para la mejora del nivel educativo, cursos de formación profesional, cursos dirigidos a la mejora del autocontrol, la capacidad de resolución de problemas o similares, la realización de trabajos retribuidos dentro y fuera del centro, los motivos que condujeron a la no participación en ninguno de ellos, en su caso y sobre las oportunidades consideradas por la propia interna para llevar a cabo prácticas religiosas tendentes al desarrollo de su espiritualidad en el interior del centro.

En el Bloque II.C., por su parte, compuesto por un total de 10 preguntas, se encontraba orientado a conocer cual había sido el trato recibido por parte del personal y de las autoridades del establecimiento penitenciario, preguntando por la descripción de este trato, la igualdad observada en el trato entre hombres y mujeres, la atención a las peticiones por parte del personal, la existencia de motivación suficiente y fundada en las decisiones adoptadas por las autoridades en relación a la entrevistada, principalmente en caso de afectarle estas de una manera que ella considerara negativa, la opinión de la interna sobre el número de permisos concedidos, la opinión de la interna sobre la existencia de regresión en grado, en caso de haber ocurrido, la opinión de la interna sobre las clasificaciones en grado que se fueron desarrollando durante el cumplimiento de la condena, su opinión sobre las sanciones disciplinarias recibidas y sobre las posibilidades con las que contó para la participación en los diferentes programas de tratamiento y empleo en el interior del establecimiento penitenciario.

Las siguientes 2 preguntas se encuadraron dentro del Bloque II.D. y con ellas se indagó en la relación de la interna con el personal penitenciario o con las entidades colaboradoras que considerara de mayor importancia en su proceso de reinserción. Tal y cómo se indicaba en la entrevista: "*persona del personal penitenciario o de entidades colaboradoras con la que usted ha tenido más relación en la fase final del cumplimiento de su condena y que ha intervenido en su reinserción. Persona con la que ha tenido mayor relación y mejor conoce su situacion personal: educador, psicólogo, jurista-criminólogo, trabajador social, voluntarios, etc."*.

El Bloque II.E., compuesto por un total de 7 preguntas, pretendió profundizar en la relación de la interna con otros internos, bien fueran varones o mujeres. Se preguntaba por su valoración general de las relaciones con otras internas, el nivel de apoyo y ayuda recibido y ofrecido por su parte, las vinculaciones especialmente estrechas con algunos internos o internas, el tipo de apoyo recibido, la victimización por parte de las compañeras o las agresiones llevadas a cabo por la interna en relación con el resto.

Las siguientes 6 preguntas conformaron el Bloque II.F. relativo a la opinión de la interna con respecto al ambiente existente en el interior del centro, aquí se especificó lo siguiente: "*En esta ocasión no queremos indagar sobre las relaciones concretas que usted estableció en el interior del centro, sino sobre el ambiente en el interior del mismo desde su propia perspectiva*". Las preguntas se orientaban a conocer la percepción de la entrevistada sobre la existencia de miedo en compañeros o compañeras, la existencia de agresiones verbales o físicas, el trato recibido por parte de las internas recién llegadas al establecimiento penitenciario, el clima percibido, la existencia de conflictos entre grupos o bandas y el trato que, en términos generales, el personal y autoridades penitenciarias llevaba a cabo sobre los internos.

El siguiente Bloque II.G., además de tener una especial relevancia para la investigación que aquí se presenta, se compone de un total de 8 preguntas relativas a las relaciones de la interna con personas de su entorno durante el cumplimiento de su condena en prisión, entendiendo por entorno un concepto amplio que abarca a la familia, la pareja, los amigos y amigas y las personas de especial relevancia para ella. Se preguntó por la frecuencia en el contacto, por su satisfacción con tal frecuencia, por la percepción sobre el apoyo y el acompañamiento recibido, por la percepción de apoyo financiero en caso de haber sido necesario por parte de estas personas cercanas, por el sentimiento de cariño y amor recibido, por la percepción de algún tipo de sentimiento de "deuda" con respecto a ellos, por las peticiones de cambio en el futuro por parte de algunas personas de su entorno, en su caso, por el apoyo o la motivación recibida por parte de estas personas para su participación en los diferentes cursos y empleo ofrecidos en el interior del establecimiento penitenciario y, por último, aunque de una especial relevancia, por la relación con sus hijos durante el cumplimiento de la condena.

Por su parte, el Bloque II.H., compuesto de un total de 10 preguntas, indagaba en la situación familiar en el momento presente, es decir, el momento en el que la entrevista se llevó a cabo. Se preguntó sobre la existencia de pareja sentimental, la duración, el momento en el que dio comienzo, la influencia que el paso por el establecimiento penitenciario había tenido sobre la misma, la maternidad durante el cumplimiento de la condena, la relación con los hijos menores de 3 años, la edad de sus hijos en el momento actual, la persona o personas encargadas del cuidado de sus hijos durante el cumplimiento de su condena, su opinión sobre este cuidado, sobre el apoyo económico proporcionado a sus hijos o a otra persona, el nivel de unión con personas de su familia, la existencia de preocupación por parte de sus familiares por el futuro de la interna en cuanto a reincidencia delictiva y, por último, se solicitaba a la interna la elección de una única persona, a la que más unida se sintiera en el momento actual.

El último Bloque II.I. relativo al estado de salud presente y compuesto por un total de 2 preguntas indagó sobre el estado de salud de la interna, la existencia de alguna enfermedad diagnosticada médicamente y que pudiese requerir tratamiento médico y, por último, sobre el estado de sus adicciones a alcohol o drogas en caso de existir.

El Bloque III se orientó a conocer cuáles eran las expectativas de la interna sobre el futuro cuando esta alcanzara la libertad definitiva siendo, por tanto, aquí dónde podría con mayor seguridad empezar a detectarse la narrativa de cambio, en caso de esta tener lugar.

El Bloque III.A., compuesto por 5 preguntas, versaba sobre las expectativas en cuanto a la residencia futura de la interna tras el abandono del centro. Se cuestionaba sobre el lugar en el que consideraba que iba a vivir, si necesitaría algún tipo de ayuda para lograr ese objetivo, las características y descripción del barrio en el que residiría y si este resultaba el mismo que el del momento previo a la entrada a prisión, la persona o las personas con las que conviviría, las personas con las que esperaría estar en contacto posteriormente y las expectativas en cuanto a su relación con sus hijos.

El Bloque III.A., compuesto de 7 preguntas indagaba en las expectativas de la interna en cuanto al apoyo familiar y apoyo comunitario esperado tras el abandono del centro. Así, las preguntas profundizaban en el apoyo emocional esperado por parte de sus familiares, la concreción de aquellos familiares de los que se esperaba mayor ayuda, el apoyo emocional esperado por parte de amigos y conocidos, deteniéndose aquí la investigadora en explicar a la interna la importancia de diferenciar ambos grupos en función de la estrechez del vínculo existente. Se preguntaba además sobre la posibilidad de recibir apoyo económico por parte de familiares y amigos, la necesidad de acudir a la administración o a los servicios sociales para la resolución de problemas sobrevenidos y, por último, se preguntaba a la interna si contemplaba la posibilidad de contactar para recibir algún tipo de ayuda por parte de entidades solidarias o de voluntariado tras el abandono del centro.

El Bloque III.C., compuesto por 7 preguntas nuevamente, trató de indagar en los posibles problemas a encontrar por parte de la interna al alcanzar la libertad definitiva. Se preguntaba aquí sobre su percepción de la aceptación social tras su salida del centro, las posibilidad de autogestionarse económicamente en ese momento y de hacerse cargo económicamente de los hijos en caso de ser estos dependientes de ella y así haberlo manifestado a lo largo de la entrevista, su perspectiva sobre las posibles dificultades en torno a la posibilidad mantener el empleo en caso de acceder a él, la posibilidad de que surgieran en el futuro conflictos familiares, conflictos con sus hijos o recaídas con sustancias estupefacientes o alcohol y, por último, se preguntó de una manera directa a las internas sobre la posibilidad de volver a delinquir en el futuro y sobre las causas que, en caso afirmativo, serían las conducentes a ello.

El último de los bloques, el Bloque III.D. contenía las últimas 3 preguntas de la entrevista y pretendía acompañar a la interna en una reflexión general sobre el futuro esperado o imaginado tras el abandono del centro penitenciario. Siendo así se preguntó si durante su estancia en prisión había sucedido algún evento importante que le llevara a reflexionar sobre su vida y poner un rumbo diferente al que había venido tomando durante el tiempo anterior. Se trata de una pregunta especialmente compleja y la investigadora quiso guiar a las internas aludiendo a algunos ejemplos del evento como el haber establecido una nueva relación sentimental con una pareja, el haber tenido hijos o la voluntad de estrechar el contacto o, por el contrario, limitarlo o romperlo con respecto a determinadas personas. La penúltima pregunta resultó muy genérica y pedía a la entrevista reflexionar, en términos amplios, sobre el mayor miedo que presentaba con relación a la vida en libertad tras el cumplimiento de su condena. Por último y, con el objetivo, de finalizar la entrevista, se preguntó sobre el mayor deseo en lo referente al futuro y sobre la consideración de la posibilidad de su cumplimiento.

A continuación, se describe la segunda de las herramientas cualitativas utilizadas, la entrevista semiestructurada aplicada sobre la muestra resultante y accesible durante la segunda oleada[412]. Esta segunda entrevista pese a resultar más escueta que la anterior por diferentes motivos, entre ellos, que ya no era necesario volver a hacer referencia a la trayectoria de vida de la mujer entrevistada, ni a la experiencia penitenciaria de la interna y que se trataba de

---

412 Véase, Anexo IV. Consentimiento grabado y entrevista segunda oleada.

una entrevista que se realizaría de manera telefónica, tenía como fin último conocer cómo había sido el desarrollo de la vida post-penitenciaria para la interna y si, sus principales objetivos habían podido cumplirse en función de lo favorable o no favorable de los acontecimientos posteriores.

Con ello, este segundo instrumento constaba de un total de 76 preguntas clasificadas en 3 grandes Bloques temáticos:

- Bloque I. Trayectoria postpenitenciaria, con un total de 33 preguntas.
- Bloque II. Apoyo social y vínculos en la vida postpenitenciaria, con un total de 34 preguntas.
- Bloque III. Papel de la agencia en el desistimiento, compuesto por un total de 9 preguntas.

En esta ocasión solo fue necesaria la clasificación en *subbloques* de las preguntas correspondientes al Bloque I como consecuencia, principalmente, de su extensión y de la inmensa cantidad de temáticas diversas tratadas. El Bloque A), compuesto por 12 preguntas y relativo a los datos sociodemográficos en la actualidad permitió indagar en la edad de la exinterna, en el lugar de residencia actual, conociendo si este se había visto modificado, la persona o las personas con las que convivía, la situación en cuanto a la regularización de la situación en España y su preocupación ante ello, la manera en la que la entrevistada define su barrio y sobre si este había sufrido alguna modificación desde el momento en el que obtuvo la libertad definitiva, sobre si finalmente se encontraba residiendo en aquel sitio en el que manifestó querer hacerlo durante la entrevista de la primera fase, se preguntó sobre su estado civil, si este había cambiado desde la obtención de la libertad definitiva, se preguntó por sus hijos, por si había tenido hijos desde entonces, la edad de estos, la persona o las personas que se encargaban en aquel momento del cuidado de ellos, sobre su valoración *a posteriori* del cuidado que sus hijos recibieron por parte de quienes quedaron a su cargo durante su estancia en el establecimiento penitenciario, sobre si han continuado con algún tipo de estudio académico y sobre si en la actualidad tenían empleo y sobre cómo había sido la trayectoria laboral desde la libertad definitiva.

El Bloque B refiere a la trayectoria laboral, esta vez, pretendiendo con solo 3 preguntas una mayor profundización en la situación de empleo de la exreclusa. Así, se preguntaba si se encontraba trabajando, cuál era su empleo, cuáles eran sus características, si se trataba de una situación regular o irregular, su valoración sobre el empleo, su opinión sobre el grado de facilitación que supuso la realización de cursos formativos durante la estancia en prisión a la hora de obtener un puesto de trabajo y, en caso de no haber logrado obtener o mantener un puesto de trabajo, cuáles eran los motivos de principal influencia en tal situación desde su propia perspectiva.

El Boque C, por su parte refiere a la trayectoria delictiva y a la relación con la justicia de la exinterna. Se preguntó directamente si había cometido un nuevo acto delictivo desde su puesta en libertad y cuáles eran las principales motivaciones para ello en caso afirmativo, se preguntó sobre nuevas detenciones, sobre nuevas llamadas a juicio y sobre nuevas estancias en prisión a consecuencia de nuevas condenas. Las siguientes 6 preguntas del Bloque C se orientaban a determinar la existencia de comisión de delitos, detenciones o ingresos en prisión por parte de familiares o personas del entorno cercano, principalmente amistades durante su vida postpenitenciaria.

A lo largo del Bloque D se dirigieron un total de 4 preguntas para conocer su estado de salud, indagando en la existencia de enfermedades diagnosticadas o que precisasen tratamiento, en adicciones a sustancias estupefacientes o alcohol, en la aparición durante ese periodo de tiempo en libertad de nuevas adicciones o de problemas de salud acaecidos tras el abandono del centro penitenciario o del Centro de Inserción Social.

El Bloque E pone fin al primer Bloque de la segunda entrevista realizada y se compone de preguntas que, de nuevo, invitan a la reflexión a la entrevistada. Se preguntó por su opinión en términos generales sobre su vida pospenitenciaria, su valoración sobre las oportunidades que ha recibido en este tiempo, sobre si hubiese podido cambiar algo que hubiese mejorado su situación y sobre si ha necesitado algún tipo de ayuda durante ese periodo temporal, bien por parte de familiares, bien por parte de amigos, o bien por parte de organizaciones destinadas a tales cuestiones.

El Bloque II indagó en el apoyo social recibido tras la obtención definitiva de la libertad y en los vínculos establecidos, mantenidos o modificados durante la vida postpenitenciaria. En primer lugar, se les preguntó a las internas sobre sus relaciones de pareja y si, en caso de existir, estas resultaban previas al paso por el centro penitenciario o no y si consideraban, si la respuesta era nuevamente afirmativa, que todo el proceso que había englobado al hecho delictivo y al proceso de reinserción había tenido algún tipo de influencia sobre ella. Se les preguntó sobre cómo definirían sus relaciones de pareja y sobre si habían recibido apoyo, en términos generales, por parte de la pareja en el proceso de vida postpenitenciaria y de qué tipo. Se preguntó además si la pareja les había puesto de manifiesto algún tipo de preocupación sobre la posibilidad de que esta volviera a cometer nuevos hechos delictivos en el futuro. Se preguntó en términos generales sobre las relaciones familiares, sobre si consideraban que estas habían cambiado tras salir del centro, por la relación con sus padres y los posibles cambios observados en ellas, por la relación con sus hermanos y, de nuevo, si habían observado algún tipo de variación en las mismas. Se preguntó también por la relación con la familia amplia (incluyendo abuelos, tíos, primos, familia política, etc.) y con los hijos, y si se había producido algún cambio como consecuencia de todo lo anterior en ellas. Se preguntó sobre las amistades, la relación con los amigos, sobre si habían aparecido nuevas relaciones de amistad y si otras anteriores habían cambiado o desaparecido y que, en este caso, proporcionaran el o los motivos para que ello ocurriera. Una de las preguntas pretendía conocer la manera en la que estas internas definían su entorno próximo en la actualidad y si observaron cambios en este entorno desde el abandono del centro penitenciario o Centro de Inserción Social en su caso. Se volvió a incidir en la existencia o no de adicciones a drogas o alcohol por parte de personas del entorno familiar o la existencia de vínculos con la delincuencia. En términos generales se planteó si consideraban que había existido algún cambio en las relaciones familiares y relaciones de amistad desde el momento de entrada en prisión hasta el preciso momento de la realización de la presente entrevista y que, de ser así, cuáles eran las principales causas que ellas atribuían.

A lo largo del Bloque II también se indagó en la relación actual con la religión, la pertenencia a algún tipo de comunidad religiosa y sobre si se había producido algún tiempo de cambio durante la vida postpenitenciaria. Se les preguntó por el apoyo emocional recibido por parte de la familia, amigos y conocidos y por el apoyo económico procedente de familia, amigos y asociaciones u organizaciones no gubernamentales de cualquier característica. Se indagó sobre la posibilidad de que familiares o amigos hubiesen solicitado directamente algún tipo de cambio a las entrevistadas para el futuro o si su familia se mostraba preocupada porque no volvieran a delinquir. Resultó también interesante conocer cuáles eran y cuáles habían sido los sentimientos de las exreclusas con respecto a sus familiares y amigos. Por último, el Bloque II finalizaba con dos preguntas para la reflexión de las exinternas, la primera, relativa a persona a la que más unida se sentían en el momento actual y, la segunda, relativa a la persona de la que había recibido un mayor apoyo desde el abandono del centro penitenciario. En ambos casos se les pedía que eligieran a una única persona.

El Bloque III y último, trató de indagar en el papel de la agencia en el desistimiento delictivo. Aquí las preguntas se orientaban a la reflexión de las exinternas sobre el papel que ellas mismas habían representado en el proceso de desistimiento del delito en caso de que este hubiera ocurrido. Se trataba de preguntas que exigían la meditación y reflexión de las internas sobre las mismas para obtener una respuesta clara. En primer lugar, se les planteó que, en caso de que consideraran que se había producido finalmente un cambio positivo en sus vidas, a qué, a quién o a quiénes se les debería atribuir la responsabilidad del mismo. La misma pregunta se realizó en caso de que las exreclusas consideraran que el cambio, por el contrario, hubiera sido negativo. Se preguntó, a continuación de una manera directa sobre el papel que las exinternas se atribuían a sí mismas en este proceso de cambio y sobre cuáles habían sido las decisiones que las condujeron al mismo. Posteriormente, se acompañó a las internas a la reflexión sobre si consideraban tales decisiones como correctas y si, en el momento actual, les hubiese gustado adoptar algunas otras diferentes. Se pidió, además, que identificaran un único factor de influencia en este cambio, siendo el de mayor influencia en el mismo. Por último, y a modo de acompañar a las internas en la reflexión y poder establecer una comparativa con las últimas cuestiones planteadas en la entrevista primera, se les preguntó si habían logrado alcanzar los deseos que ellas mismas pusieron de manifiesto en relación con el futuro y si, por el contrario, finalmente habían tenido lugar aquellas circunstancias o hechos que le generaban temor o miedo según habían indicado en la anterior oleada de entrevistas.

Capítulo IV.
Resultados

4.1. RESULTADOS DE LA PRIMERA OLEADA DE ENTREVISTAS

Se considera de especial relevancia la presentación de los resultados obtenidos atendiendo a los bloques y *subbloques* que conformaron cada una de las entrevistas y que se han descrito de una manera pormenorizada en el Capítulo III. Ello facilitará el análisis y la compresión e interrelación existente entre las diferentes áreas temáticas abordadas durante la realización de las entrevistas individuales con las internas que componían la muestra de la investigación que aquí se presenta.

I) Bloque I. Información biográfica, trayectoria laboral, situación familiar en el pasado, circunstancias previas a la entrada en prisión, relación con la justicia y trayectoria delictiva.

I.A. Datos sociodemográficos

En lo que refiere a las nacionalidades y países de origen de las internas entrevistadas, ya se ha hecho referencia a ello en el capítulo tercero. Lo que en este capítulo se presentan son los resultados relativos a las edades de las internas que compusieron la muestra, las motivaciones que les condujeron a iniciar el viaje migratorio a España, en caso de haber ocurrido, las circunstancias y preocupaciones en cuanto a su situación irregular en España, el estado civil y el número de hijos.

En lo que refiere a las edades de la muestra, tan solo 4 de las 27 mujeres entrevistadas pueden considerarse jóvenes al tener una edad comprendida entre los 22 y los 31 años. Nueve mujeres poseen entre 31 y 40 años, siendo el resto de las mujeres entrevistadas mayores de 41 años (14 mujeres), siendo la mayor de ellas una mujer de 67 años.

En lo que refiere a las internas no nacionales que componían la muestra, concretamente 5 de las 27 mujeres, se observó que entre las motivaciones que les condujeron a su llegada a España se encontraba principalmente la pobreza y la necesidad de encontrar recursos económicos suficientes para mantener a su familia que, en numerosas ocasiones permanece en el país de origen. Es interesante observar cómo en muchos de los casos existe una promesa de obtención de dinero rápido a través del delito que conlleva engaños y manipulaciones a las que las internas acceden ante la percepción de la inexistencia de alternativas viables. En este sentido, son destacables las palabras de una de las internas que indicaba lo siguiente:

> *COD-2: Vine porque la situación en mi país… éramos de una familia muy pobre, pobre, siempre hay gente que te pone pajaritos en eso, y que vengas y que todo va bien. Me vine con un pasaje prestado y en principio vine a trabajar en mi casa, en lo que saliera, vine y estuve un año trabajando en casas, limpiando, bueno… pero entonces ya hubo un mismo paisano mío que me dijo "así no vas a pagar dinero, vas y llevas esta droga a Canarias" y me fui a Canarias viendo que me pusieron tanto dinero, mi madre, mis hijos, tengo dos hijos, los dejé con mi madre, te ponen una cierta cantidad, que aquí a lo mejor es poco y en Colombia es mucho dinero. Se te ve la vida un poco arreglada, y no piensas más allá que en ese dinero y que tus hijos van a estar bien. Como lo primero que te hablan de dinero, no te hablan de esa cosa y que es el punto más débil de cada una. Te dice solamente es el viaje y tú vas y conoces Canarias, y luego si quieres te vuelves a Madrid, puedes estar allí un día, como quieras. A mí me chivatearon ellos mismos y me cogieron en el mismo avión y me trajeron para acá, mi condena fue en el 2000. Me di cuenta de que ellos mismos me habían chivateado, lo mío eran 250 gramos y el resto era basura, me cogieron ahí, todo fue a peor. Entonces quedó mi hermano en Colombia a cargo de mis hijos y mi madre también. La pasé muy mal cuando caí en Canarias porque se me cayó el mundo encima.*

> *Mi hermano siempre trató de darme mucha tranquilidad, me juzgaron y me cayeron 9 años y 1 día, me dieron y me trajeron para acá, para Madrid...*

En algunas ocasiones, las internas tuvieron la primera toma de contacto con el país directamente con el sistema penal, ya que acudieron para la comisión de un delito. En este sentido, cabe destacar el caso de una interna que había sido víctima de maltrato por parte de su pareja, que se dirigía a España para ejercer la prostitución y que en el momento de la entrevista contaba con protección internacional ante las constantes amenazas sufridas por parte de las personas que conformaban la organización delictiva para la que trabajó.

> *COD-24: Vine cuando me caí en la cárcel cuando tenía 24 años, en 2017. Vine... pufff... eso es una cosa muy compleja, eso empezamos que yo tuve una pareja en mi país y yo tengo dos hijos, él me pegaba y me maltrataba mucho, teníamos una amiga en común y ella mandaba a chicas a España, aquí a trabajar, y yo siempre le decía: mándame, y un día accedió. Cuando yo vine aquí y vine a trabajar en un club, me escondí de él y vine, dejé a los niños en casa de mis padres y cuando vine en el aeropuerto me cogieron porque en la maleta tenía droga y me echaron 4 años y 15 días, y me faltan 22 días. Fue bueno ha sido un proceso largo, doloroso (...).*
>
> *Por mi situación, por lo que yo vine aquí, es lo que decidí, el asilo me lo han dado por mi situación, la gente que mandó la mercancía quiere su dinero, y yo a día de hoy recibo constantes amenazas de él y del padre de los niños también. Yo traigo los papeles de las denuncias.*

Se observó también la preocupación de las internas con nacionalidad no europea ante la posibilidad de expulsión tras el abandono del centro penitenciario al no poseer nacionalidad española, pese a haber residido en España durante largos periodos de tiempo. En este sentido:

> *COD-4: (soy) de Paraguay. No, ahora justo me llegó el índice de expulsión y voy a tratar de quedarme aquí, estoy recurriendo. Mi condena la cumplo el 23 de noviembre. Lo único que me trajeron el papel y tengo el proceso de expulsión, mi idea es quedarme aquí... Tuve permiso de residencia solo durante un año.*

Otra de las internas no nacionales tenía abierto un expediente de expulsión y mostró durante la entrevista su preocupación ante la manera en la que ello podía llegar a afectar a los planes previstos tras su salida del centro penitenciario:

> *COD-2: Sí a mi incluso me abrieron un expediente de expulsión porque yo salgo ahora el día 27 de octubre, yo hablé con el abogado, mi pareja y todo y acreditamos que yo estaba aquí, los empadronamientos, el dinero que le enviaba a mi madre, que yo le mandaba dinero habitualmente, de lo que yo trabajaba de esto y entonces en eso estoy. El abogado me dijo... yo tengo abogado de pago, pero ahora por esto de la expulsión tengo un abogado de oficio que me hizo un recurso y dice que mientras el recurso esté, no me pueden expulsar. Pero siempre vivo con el pensamiento de que hasta que no salga... quiero ir a mi país, quiero ver a mi familia, pero por ahora me gustaría, me gustaría luchar ahora por los papeles, ya que tengo otra familia, que este chico con sus hijos y trabajar con lo de los abuelos, o estudiar algo como auxiliar de enfermería, me gustaría más a fondo, pero no he podido porque siempre te piden documentación. Y ayudar a mis hijos para que vengan, aunque ya están más mayores... y seguir ayudando a mi familia (...).*

En lo que refiere al estado civil de las mujeres entrevistadas, es llamativo como tan solo nueve de ellas no tenían pareja en el momento de la realización de la entrevista, pese a que en muchos casos habían tenido parejas durante largos periodos de tiempo de manera previa. De las restantes, nueve de ellas se encuentran casadas o son pareja de hecho, en algunos casos, se trata de una boda llevada a cabo según la ley gitana.

En lo que refiere al número de hijos, tan solo cinco de las 27 mujeres no tenían. Encontrándose, además, de una manera llamativa que solo seis mujeres tenían 1 único hijo, principalmente aquellas más jóvenes, dos mujeres tenían 2 hijos y el resto tenía más, llegando incluso en uno de los casos a 10 hijos.

I.B. Infancia y adolescencia: circunstancias familiares y características del entorno

En este apartado se exponen los resultados relativos a las características de la infancia y adolescencia experimentadas por parte de las internas. En general, todas describen unos procesos de crianza normales, donde convivían con sus padres, por regla general, con infancias bonitas y tranquilas sobre las que mantienen un buen recuerdo, a pesar de un relato bastante uniforme donde la situación económica no era siempre la idónea.

> *COD-21: Bien, buena, fue una infancia buena, la verdad. Mi padre muy trabajador, nosotros también. Mi padre murió joven de cáncer (...), mi madre enviudó a los 37 con mi hermano pequeño de un año y medio, yo en mi casa siempre he sido la más espabilada para los niños, pa´ la comida, yo he criado a mi hermano, después mi sobrino... y mi infancia bien, la verdad, yo tengo muy buenos recuerdos de... Ojalá la infancia de ahora fuera como la de antes, que no teníamos de nada, pero éramos felices (...).*

> *COD-12: Normal, vivía con mis padres. Lo único que, claro, que mis padres eran vendedores ambulantes y tenía que cuidar de mis hermanas, sobre todo de la más pequeña... tenía varias hermanas, y claro, tenía que echar cuentas de ellas.*

En este sentido, una de las internas extranjeras relataba como sus padres trabajaban de una manera muy dura para conseguir aportar económicamente a la familia todo lo necesario, aunque tan solo lograban garantizar los recursos mínimos sin poder permitirse grandes lujos.

> *COD-2: ... Con cariño, feliz, porque mis padres y todo pues nos han dado mucho amor, hemos sido de economía muy mala, mis padres han sido de campo, fueron personas muy humildes y muy trabajadoras, nos han dado mucho amor. Hemos sido tres, aunque a mi hermano nos lo mataron. Nos faltaban cosas, pero mis padres trataban de que lo más importante, la comida no nos faltara y mucho. Fuimos criados en amor. Mi padre trató de darnos educación, de colegio y todo, luego ya sí, no quisimos. Yo tengo todo aquí para llegar a la universidad, aunque no fui a la universidad, porque tuve mis hijos y no quise. Mi hermano igual, aunque tampoco estudió universidad porque éramos más grandes y nos pusimos a trabajar.*

No obstante, 6 de las mujeres entrevistadas relataron, por el contrario, infancias muy complicadas con padres abusivos, que maltrataban tanto a sus hijos como a sus parejas, adictos al alcohol y a las sustancias, experiencias de maltrato y abandono que, en la actualidad, todavía recuerdan con tristeza y dolor.

> *COD-13: Fue un poco dramático, para no exagerar. Viniendo de una familia desmembrada, sin padre, con una madre alcohólica, un padrastro alcohólico, pidiendo limosna en la calle de pequeña, después de aprender a robar para ganar el pan, me tocó estar en un orfanato, en casas ajenas, las faltas de carencias me han hecho tomar malas decisiones. Una niñez que no les deseo para mis hijos (…).*

> *COD-11: Muy dura, porque desde muy pequeñita… pues a ver, yo tengo un hermano dos años más pequeño que yo que, a ver, que mi padre era muy mujeriego, a la vez estaba con cinco o seis mujeres más, las que le venían en el camino, siempre a todas las ha dejado embarazadas. Resumiendo, tengo 27 hermanos de parte de mi padre, y nos conocemos todos, claro, (nombre de ciudad) es muy pequeño, nos hemos ido conociendo a lo largo de nuestra vida, mi padre siempre nos ha querido separar. Entonces (…) como ya te he dicho, mi padre era (profesión) y alcohólico, se lo gastaba todo en las máquinas y en beber, entonces, pues mi madre tiraba de Cáritas, del cura de donde vivo, Don (nombre del cura), y siempre pues teníamos ropa gracias a él (…). Tengo 27 hermanos y tengo cuatro hermanos que se llaman igual, como son de diferentes madres, pues claro, hay que distinguirlos (…) Éramos siete, llegó el momento del bautizo mío y de mi hermano (…). Mi padre tenía dinero, pero como se lo gastaba pues…. Y entonces (…) pues mi padre se emborrachó y al llegar a casa, nos acostó (…) y le pidió a mi madre su cuchillo jamonero, mi madre no se lo quería dar porque sabía para lo que era, cuando mi padre lo encontró, nos despertamos, y vimos todo lo que pasó, mi madre tuvo que salir a la calle con bragas y sujetador porque mi padre la quería matar con el cuchillo (…).*

> *COD-23: (refiriéndose a su infancia) Pues… la verdad que no fue muy buena, porque mi papá maltrataba a mi mamá, pero estuve en el internado, la verdad que estuve bien con monjitas. Pero a los 8 años, luego ya salí los fines de semana, salía a mi casa con mis padres, mi madre trabajaba mucho limpiando casas y asistiendo y mi padre era albañil. Lo que pasa es que maltrataba a mi mamá, entonces un poco… (…) Con mi madre muy buena, mi padre era alcohólico, una persona que bebía muchísimo también maltrataba*

a mi madre, mis hermanas también lo sabían, aunque la pequeña menos porque era muy chica (...) Con nosotras también, cuando venía borracho también nos quería maltratar, pero mi mamá se ponía en medio siempre y no le dejaba que nos hiciera nada (...).

En lo que refiere al barrio donde se desarrolló la infancia y la adolescencia de estas mujeres, en general, la mayoría lo definen como barrios tranquilos, humildes y de gente trabajadora que, en muchas ocasiones, han experimentado importantes cambios negativos con el paso del tiempo.

COD-21: En (nombre del barrio) es donde yo he vivido siempre, era un barrio muy alegre, siempre, en todas las fiestas, cuando era la cruz de mayo, muchas cosas de infancia que ya no se ven, y cuando venía la Pascua que se iba por las casas pidiendo aguinaldo y cantando los villancicos... ahora te metes tú en una casa a pedir un aguinaldo y te meten un palo. Yo siempre pienso que deberían volver los tiempos antiguos, la verdad, porque ahora lo que hay es mucha envidia, mucha maldad, no sé por qué. Ahora sigo en el mismo barrio (...).

Sin embargo, 6 de las entrevistadas sí aludieron de una manera directa y tajante a la conflictividad del barrio donde se criaron.

COD-18: Es un barrio conflictivo, drogas, peleas... un barrio "asín".

COD-17: Siempre en (nombre del barrio), 22 años llevo en el mismo barrio, pues ya ves, pues siempre hay peleas, siempre hay gente bebiendo, no vale pa´na. Es un barrio conflictivo. Ahora va a peor, yo creo que con los años va a peor, antes no había negros, ya me he mudado a otra zona más tranquilita, pero vamos llevo una semana donde vivo ahora, ha sido salir de permiso y mudarse mi madre.

En lo que refiere a las relaciones de convivencia en el hogar durante la infancia y la adolescencia, en general, la mayor parte de las internas entrevistadas refirieron situaciones normales, en las que convivían con sus padres y sus hermanos y donde los conflictos eran escasos y derivados de la propia convivencia, sin deberse destacar situaciones de maltrato.

COD-14: Vivía con mis padres y mis hermanos que tengo, bueno 10 somos. Bueno, "peleíllas" entre hermanos como siempre, pero bien, dentro de lo que cabe, bien. Que uno quería lo mismo, siempre, pero bien. Ya cada uno está casado, ya son todos grandes.

En seis de los casos, las internas relacionaron infancias donde la convivencia en el hogar, o bien no era buena, principalmente como consecuencia del abuso y maltrato al que los progenitores, en numerosas ocasiones los padres, sometían a sus madres o a sus hijos, o bien implicaron el paso de ellas como menores de edad por diferentes orfanatos u hogares de familiares no directos, como abuelos o tíos.

> *COD-23: En el colegio de monjas estuve hasta octavo curso, se empieza la EGB como con 4 años, pues hasta los 15, y después ya fue cuando compartí piso con estas chicas (…).*
>
> *COD-13: Pues un poquito rara, la que traía el dinero a la casa era yo, porque iba conmigo por las terrazas de los bares y me mandaba a pedir limosna y ese dinero se iba en comida, bebida y tabaco para el padrastro y poco más. Era un poquito difícil, la verdad.*

En general, la relación que describieron las internas con sus padres era buena, en ocasiones resultaban algo estrictos, en otras, el cariño y cuidado proporcionados fueron considerados por las internas como los adecuados. Sin embargo, de nuevo, principalmente en los casos de progenitores adictos al alcohol o a sustancias estupefacientes o ausentes, los relatos resultaron bastante menos amables.

> *COD-23: No, por mi mamá, sí, por mi padre, no. Mi hermana mayor lo justifica porque dice que como él vio morir a su padre que lo pilló un carro en su pueblo… que por eso se metió en la bebida. Pero yo no estoy de acuerdo, si te das al alcohol pues… yo como no bebo… cada uno se da al alcohol por un motivo diferente.*
>
> *COD-13: Y en la escuela, pues nada, me daba miedo que no viniera mi madre por mi otra vez y mandarme a hacer cosas que no quería hacer y ya está. También eso. De hecho, una vez, la mujer que por entonces le decía "mamá", me compró ropa y me llevó al orfanato y me escapé y regresé a su casa, porque no me gustaba estar ahí, y echaba de menos lo que me daban en casa, tenían dos hijas y un varoncito pequeño. Y nadie se importó a buscarme y teniendo en cuenta que era menor de edad, nadie me pidió una explicación, ni el centro, ni mi madre, ni nadie. La custodia la tenía mi madre hasta la mayoría de edad, claro está, pero nunca me hizo caso. Mira, una vez dormí en la estación de tren y ese tren se ha ido a tomar por culo a cientos de kilómetros y cuando me he despertado, he llegado a otra ciudad, buena una ciudad cerca*

del mar, (nombre de la ciudad), y como niña, me fui a la playa la primera vez que.... tenía once años o menos, no recuerdo, me desnudé, me fui a meterme al mar por primera vez, quería saber que era eso (...). Allí un señor que supuestamente tenía hijos me dijo que llamaría a la policía y que me daría comida, y me paró en el campo e intentó burlarse de mi (...). El hombre, bueno, me tocó e intentó violarme, pero me escapé (...) le di con la rodilla y me escapé. Fue un intento de violación, tocar me tocó, pero no llego a hacer nada de lo que empezó.

En lo referente a las relaciones de las internas con sus hermanos, lo cierto es que son pocos los casos destacables, en general relatan infancias y adolescencias normales junto a ellos, donde la convivencia resultaba buena y, en ocasiones debían ser ellas las encargadas del cuidado de los hermanos menores ante la ausencia de los padres que normalmente debían trabajar durante extensas jornadas fuera del hogar, o bien no tenían relación con los hijos.

COD-4: La relación es buena. Yo les cuidaba porque era la mayor. Cuando tuve que salir a trabajar se quedó con mi tía y abuela, pero económicamente yo trabajaba para ellos.

Interesantes también son los resultados obtenidos en cuanto a la relación con el grupo de iguales y las amistades, y su influencia durante la adolescencia y la infancia. En general, las internas describieron relaciones con iguales sanas donde ni la delincuencia, ni las adicciones, ni las actividades de carácter no prosocial tenían cabida.

COD-3: Amistades sanas, ni drogas, ni delincuencia, algún porro...

COD-10: Siempre bien, una convivencia normal y corriente, jugábamos, estábamos abajo sentados, venían a casa un ratito. Eran amigos y amigas (...).

En lo que refiere al grupo de iguales solo destacaron 2 casos en los que las internas reconocen que la influencia del grupo sobre ellas no resultó positiva, bien, porque en la actualidad una de las internas es conocedora de que la gran mayoría de los amigos de la adolescencia se encuentran cumpliendo una pena de prisión, siendo en aquel momento consumidores habituales de alcohol y drogas, o bien, porque reconocieron que eran "amistades equivocadas" que aparecieron ya durante la adolescencia.

COD-26: Uno vive unas situaciones quizás porque no las escoja, quizás porque escoge las amistades equivocadas, pero llegas a un punto que no eran los valores que te enseñaron tus padres, ni lo que tú habías vivido en tu infancia o con tu familia, es complicado, quizás uno toma decisiones en la vida que quisiera nunca haber tomado. En mi vida ha habido un antes y un después, error mío quizás, de salir de un hogar, de tener todo y estar tranquila y con tus padres y quien te corrige y quien te guía, a verte con 21 años viviendo sola en un sitio donde sí conoces a mucha gente y al final nadie te aconseja lo adecuado, siempre he sido una chica muy inocente, me pasa aún, soy inocente en muchas cosas, creo mucho que las personas te quieren bien, pero no es así.

COD-17: (…) Es que con todo el mundo que yo me juntaba han terminado todos presos, menos las niñas, los niños han acabado todos, incluido el que era mi novio, que éramos pareja de hecho. Nos conocemos de toda la vida, y todos. Me junté con otro chico de toda la vida, de (…), y también atracó una gasolinera. Mi entorno ha sido siempre de ver, fumar porros, las niñas bebían y así, hasta que fueron cayendo todos uno por uno. Porque de crecer toda la vida con ellos, éramos una piña. Ya no, porque estamos todo el mundo encerrados, pero han sido todos mi "juntiña". A raíz de mi hermano, han ido cayendo todos. Y ya poco a poco los han cogido a todos. Ya con hombres no me junto con ninguno porque están todos presos, ya con las niñas na´más (…) He cambiado porque si no cambio de grupo me voy a tirar toda la vida presa. Es, o cambiar de grupo, o verme toda la vida en Alcalá, parece que una tiene que verse así para darse cuenta de las cosas (…).

Resultan de elevado interés las respuestas con relación al nivel de estudios alcanzados y al grado de asistencia a la escuela o colegio durante la infancia y la adolescencia. Tan solo una de las entrevistadas alcanzó estudios universitarios, que no llegó a finalizar y otra logró la obtención del graduado escolar. Sin embargo, en general, las mujeres abandonaron sus estudios en el momento en que la legislación lo permitió, en otras ocasiones, ni siquiera pudieron superar la edad de escolarización obligatoria al tener que encargarse del cuidado de sus hermanos menores, o bien, ante la necesidad de trabajar para ayudar económicamente en el hogar.

En la última parte del presente *subbapartado* se indagó sobre la relación del entorno próximo familiar y de amigos con la delincuencia y con las adicciones al alcohol y a las sustancias estupefacientes durante la infancia y la adolescencia de estas mujeres. Los resultados ponen de relieve que, en un total de 13 de casos, casi la mitad de la muestra, las respuestas fueron negativas. Sin embargo, en los 14 casos restantes las internas confirmaron que en su entorno existía algún tipo de vinculación con el delito o con las adicciones, generalmente, por parte de personas de su entorno familiar como hermanos varones y padres. En seis casos las internas aseguran que personas de su entorno cometían delitos, principalmente hermanos varones (tres casos), familiares (dos casos) y vecinos cercanos (un caso).

> *COD-2: Sí, mi hermano cuando tuvo 11 años se metió en droga porque el entorno de mi hermano, más que todo, el de mi hermano, yo era muy... nos cohibían a las mujeres nuestros padres más, mi hermano al ser hombre salía un poquito más. Esas amistades fueron niños que consumían y mi hermano llegó a consumir con 11 años y mi padre dijo "o lo mato a palos o se mete en el fondo y lo saco". Mi padre luchó mucho, mucho, mucho, que cuando mi hermano tuvo la mayoría de edad no tomaba ni siquiera una cerveza, incluso el alcohol le hacía daño (...).*

> *COD-23: Mi padre y el padre de mi hijo. Ellos también consumían cocaína y alcohol.*

> *COD-18: Mi hermano sí robaba, bueno hurtos y los bolsos se los llevaba él. Estaba enganchado a la droga y se los llevaba (...) era adicto a la droga, a la heroína, murió de una sobredosis.*

> *COD-15: Hermano mío sí, no, era grande. Vivo en un barrio conflictivo, la mitad del barrio ha entrado a la cárcel, si no es drogas, es por robar, si no es por el carné de conducir, si no es por pinchar la luz... cualquier cosa, si es que te meten en la cárcel por cualquier cosa (...).*

En lo que refiere a las adicciones propias de las internas durante la infancia o la adolescencia, solo tres de ellas proporcionaron respuestas positivas, dos durante la adolescencia eran consumidoras habituales de marihuana y una de ellas era consumidora habitual de alcohol en torno a los 17 años de edad. Otras dos mujeres aseguraron que su adicción a las drogas comenzó en la adultez temprana, en torno a los 20 años. A lo largo de la entrevista, analizando la narrativa, se descubre que una de las internas que aseguró consumir marihuana habitualmente durante la adolescencia, comenzó su adicción a las drogas con 16 años en el momento en el que da comienzo su relación de pareja y padre de su primera hija.

> *COD-11: (…) Yo empecé con las drogas duras cuando empecé con el padre de mi niña la mayor, en 2008, tenía 16 años, y a los 17 es cuando me voy a vivir con sus padres y a los 18 me quedo embarazada (mi hija tiene 11 años). Él consumía demasiado, él es mayor que yo, 12 años, y consumía cocaína y heroína. Yo no consumía al principio, pero como me empecé a juntar con el círculo suyo, pues me ponían rayas y yo fumaba, y entonces no había término medio, un día dije "a ver, dame eso que lo pruebe" y fue mi ruina (lleva 12-13 años consumidos, media vida, se ríe).*

I.C. Circunstancias antes de entrar en prisión

En este *subbloque* se pretendía alcanzar a conocer cuáles eran las circunstancias que tenían estas mujeres antes de ingresar en el centro penitenciario. Así, se trató de indagar en cuestiones como la edad, el lugar de residencia en aquel momento, las personas con las que convivía, su situación sentimental, su relación con los hijos, el empleo, las relaciones familiares y su relación con la religión.

Una de las primeras preguntas del presente *subbloque* pretendía alcanzar a conocer cuál era la edad de las internas en el momento de la entrada en prisión. Es importante asumir que muchas de estas mujeres cuentan con un largo historial delictivo, de manera que en ocasiones las entradas son numerosas. A continuación, se pretende identificar la edad exacta que las mujeres tenían en su primera entrada en prisión.

Del total de internas entrevistadas, quince tuvieron una única entrada, de las cuales ocho tenían 30 años o menos, la mujer más joven entró en prisión por primera vez con 21 años. Siete internas tenían una edad situada entre los 34 y los 52. La edad media se sitúa para este grupo de quince internas en 34,5 años.

En el resto de los casos hubo numerosas entradas en prisión, aunque no todas desembocaron en una condena efectiva. Esto ocurre, generalmente, en los casos de aquellas internas que se encuentran en situación preventiva a la espera de juicio por causas relacionadas con el tráfico de drogas. En este grupo de internas que han entrado en reiteradas ocasiones en prisión, la edad media no ha sido posible de determinar ya que, en muchas ocasiones se trata de entradas en prisión que ocurrieron hace relativamente tiempo y esto provoca que no logren recordar con exactitud la edad que tenían en aquel momento. No obstante, de las doce internas que entraron en reiteradas ocasiones en prisión, ocho se encontraban en la veintena, cuatro tenían más de 40 años y a una de ellas le fue imposible recordar en qué momento entró por primera vez en prisión.

En lo que refiere a la residencia de estas mujeres en el momento previo a la entrada en prisión, es necesario destacar que tres de ellas vivían en situación de mendicidad en el momento en el que entraron en prisión.

> *COD-3: Vivía en la calle, sola. Desde el día 10 o 20 de diciembre de 2013 he vivido en la calle. Un día me pegó mi hija y cuando vino la policía, que llamaron los vecinos, yo no la denuncié y ella aconsejada por mi marido me denunció. Me pusieron una orden de alejamiento. A ellos los dejaron vivir en una casa familiar mía (de los cinco hermanos) y no es el motivo. Mi marido trabajaba. Se tenían que haber ido a otro sitio. A mí me pusieron una orden de alejamiento.*

> *COD-23: Estoy en situación de calle, bueno, estaba en una obra que un gitano nos contrató a mi marido y a mí, he estado en situación de calle y bueno, hemos estado un año. Mi marido, de hecho, cuando me detuvieron a mí, porque yo esta condena tenía que haberla cumplido en octubre del año pasado, yo hubiera tenido ya un tercer grado, no quise presentarme, no quise dejar a mi marido y dije "pues ya me pillarás". Me pillaron en la obra porque tenía alarmas y un día el encargado ... yo me metí por la obra, pasé delante de una cámara y como eso salta, la policía corriendo, (Nombre de empresa de seguridad) me vieron y ya me pidieron la documentación y me trajeron a busca y me trajeron para acá.*

En el resto de los casos encontramos situaciones muy diversas. Es destacable el caso de una mujer paraguaya que vivía en su país de origen en el momento previo a la detención, es decir, fue detenida por tráfico de estupefacientes en el aeropuerto, siendo trasladada directamente al centro penitenciario. En el resto de los casos, generalmente, las mujeres convivían con sus respectivas parejas y con sus hijos, en caso de tenerlos. Otra mujer convivía con la persona mayor en cuya casa trabajaba cuidando de manera interna, otra mujer convivía con compañeras de piso en una habitación alquilada dentro de una casa, otra mujer vivía sola en un piso que había recibido en herencia, en otros dos casos las personas con las que había convivido previamente se encontraban en prisión en el momento de su entrada.

En relación con el nivel de estudios alcanzados, fue llamativo encontrar que, en casi la totalidad de los casos, las mujeres no habían continuado con los estudios que alcanzaron durante la adolescencia, hasta la mayoría de edad. Los motivos principales por los que ello ocurría tenían que ver con la falta de tiempo al dedicarse al cuidado de los hijos y la necesidad de trabajar para sustentar económicamente a la familia. Solo en uno de los casos la mujer alcanzó estudios universitarios que no llegó a finalizar.

> *COD-22: Los dejé ahí. Porque no he tenido tampoco tiempo y ya tampoco... una ha estado trabajando, luchando, buscando la vida, mis niños, mi casa, y luego dices, pero bueno ya pa´qué voy a saber yo más.*

Aunque será en el siguiente *subbloque* en el que se desarrolle de una manera más detenida sobre la trayectoria laboral de estas mujeres, es interesante analizar los resultados obtenidos en lo referente a la situación de empleo justo en el momento previo a la entrada en el centro penitenciario. Tan solo ocho mujeres de la muestra aseguraron no tener un empleo en el momento en el que se produjo su entrada a prisión, algunas cobraban una ayuda por desempleo, otras cobraban pensión de viudedad y, en otro de los casos, la mujer se sustentaba económicamente gracias a una ayuda estatal que recibía por padecer una discapacidad.

> *COD-5: No tenía empleo. Desde 2012 o así no trabajo. Este tiempo he estado buscándome la vida, también he estado cobrando mi parito del trabajo en la cárcel.*

COD-17: No, estoy cobrando la RAI, la paga de las mujeres maltratadas (...).

COD-6: Tengo una pensión no contributiva porque tengo trastorno de la personalidad y bipolar aguda, y me dieron una paga del 65%. Todo me venía de los malos tratos.

En los 19 casos restantes, las mujeres sí tenían empleo en el momento de la entrada en prisión, aunque como se verá más adelante, se trataban de empleos no cualificados, inestables y, en muy numerosas ocasiones, sin un contrato laboral fijo que les permitiera cotización.

COD-7: Sí, tenía empleo en limpieza de comunidades. Y antes de la primera entrada también. Tengo un historial de limpieza, mucha y de larga duración, de años, nada de un mes (...).

En cuanto a las relaciones de pareja en ese momento previo a la entrada de prisión, seis de las internas manifestaron no poseerla en ese momento, sin embargo, esto sí ocurrió en las restantes. En ocasiones, se trataba de relaciones normalizadas, con amplias trayectorias y matrimonios estables a lo largo del tiempo (once casos). Sin embargo, es conveniente destacar aquellos casos en los que se trataba de compañeros sentimentales vinculados a la delincuencia, que abusaban física o psicológicamente de ellas o con los que compartían adicción a sustancias estupefacientes (diez casos).

COD-29: Bueno, yo siempre con mi pareja, siempre hemos estado bien. Él está también en prisión ahora mismo, en (nombre de una ciudad distinta), él ha tenido más entradas.

COD-6: Fatal, nos llevábamos muy mal, porque ya estábamos con la droga y él quería dinero, me vendió todas las cosas de la casa, las bicis de la niña, el equipo de música, la tele... hasta que un día dije "yo me voy por mi lado y tú por el tuyo". Yo quería ir a un centro, fui a casa de mi madre poco tiempo, luego volví a mi casa y al estar sola seguí consumiendo hasta que me detuvieron.

COD-27: Es que nosotros en el último tiempo, él siempre se iba y venía, entonces yo decidí volver a la casa de mis padres, porque nuestra relación era rara, "me voy, vuelvo, o no volvía en cuatro días". Entonces yo decidí volver a casa de mi madre. Yo tengo una denuncia del allí en mi país, me acuerdo de la fecha porque fue que nosotros fuimos en un cumpleaños de su abuelo, lo denuncié y todo yo, yo me fui con él a la fiesta de cumpleaños de su abuelo, y volví a casa de mi madre y no me acordaba de nada, y yo estaba embarazada de mi niña y dicen, mi madre dice que llegué llorando y no la reconocía y se movía mi barriga y yo lloraba... "ay, el padre de los niños". El médico me diagnosticó un golpe en la espalda que se veía y el hospital lo denunció, mandó los papeles a la fiscalía y lo llamaron. No recuerdo, mira que tuve tiempo para pensarlo, yo solo me acuerdo que bebí un vaso de agua y no recuerdo cómo llegué a la casa y solo que amaneció y yo estaba en casa de mi madre (...). Él siempre me pegaba y siempre volvía con él y no lo volvía a denunciar, tengo muchas cicatrices y todo (...).

En cuanto a las relaciones con los hijos en el momento previo a la entrada en prisión, partiendo de que eran 22 las mujeres que tenían hijos, en general las mujeres manifestaron tener una buena relación con ellos, aunque en la mayoría de los casos aseguraban un gran sufrimiento por parte de estos como consecuencia de la entrada en prisión de su madre.

COD-21: Mi hijo tenía, el más chico 23, el siguiente, 24 y mi niña 26. Bien, lo pasaron muy mal, la verdad, "muuuy" mal. Yo nunca me había separado de ellos, muy mal, muy mal, lo peor que me ha pasado a mí en la vida fue eso, separarme de mis niños. Mis niños venían a verme a los vis a vis y era llorar, llorar y llorar, increíble vaya. Todos dependían económicamente de mí, bueno no, el segundo estaba ya casado, el más chico dependía él y yo, yo de él y el de mí, ha sido un niño que siempre ha estado trabajando y su dinero era mitad pa´ mí y mitad pa´ él, y mi niña era a lo mejor casas esporádicas que tenía, comía en mi casa, eso sí, ponía yo la olla y ahí comíamos todos. La que peor lo ha pasado es mi niña, porque ella dependía mucho de mí, señorita, ella con su niño.

Son destacables cuatro casos en los que la relación con los hijos no fue definida como positiva o buena por parte de las internas, normalmente, madre e hijos habían finalizado su relación como consecuencia de las adicciones que la primera sufría, llegando, incluso en algunos casos, a no atender o cuidar de ellos. En otro caso, la hija de la interna quedó al cargo de su abuela materna, perdiendo completamente la relación.

COD-13: Pues era chiquitita cuando he entrado la segunda vez en prisión, ella tenía 6 años, pero no tenía la relación. Sabían que era su madre, pero no era ese acercamiento ya que la dejé con 2 años y cuando volví tenía casi 6 años, y creció con su abuela, yo era la delincuente y la ladrona, luego la llevaba a la escuela, me hacía caso y todo eso.

COD-5: Bueno bien, pero la niña como me drogaba siempre estábamos peleando. La he criado y siendo mayorcita ha visto como yo era y que no me drogaba, y con tanto que he luchado con mi hermano y mi marido y ahora lo hago yo. No lo entiende, ella no fuma ni nada. Ella no me ha visto drogarme, pero lo sabía. Una vez desaparecí y ella me denunció por desaparición.

Por su parte, ocho de las 27 mujeres entrevistadas aseguraron que la relación con su familia era nula o conflictiva al momento de entrar en prisión. Generalmente, se trataba de una mala relación que precedía a este momento y que venía causada por motivos distintos, como cuestiones familiares, discusiones, las adicciones de las mujeres o situaciones de abuso y maltrato. Las mujeres restantes, por el contrario, aseguraron que el apoyo recibido por parte de sus padres, hijos y familia extensa era notable.

COD-24: mi madre (...) pero ella me quiere quitar a la niña, y le digo "¿cómo me vas a quitar la niña si tú no has sido capaz de criarme a mí y a mi hermana?". No ha venido a verme, solo a hablar mal de mí a toda la familia y a mis amigos y a mis amigas. Y mi hija está perfectamente con mis suegros.

COD-11: Con mi familia muy poca (relación) porque estaba muy mal, pesaba 34 kilos, y a mi familia le dolía verme mal y yo tampoco les quería ver a ellos, yo he retomado la relación con mi familia ahora en prisión, y con mi padre hace 3 años porque me intenté suicidar y entonces decidió retomar la relación. Decidió ayudarme con condiciones, que tenía que tener relaciones sexuales con él. Al internarme suicidar mi madre no sabía qué hacer y pidió ayuda a mi padre, porque no sabía quién me podía ayudar, me tomé muchas pastillas y casi no lo cuento. El peor error que pudimos cometer fue pedir ayuda a mi padre. Cuando me dieron de alta me citó en el bar de abajo de mi casa y me dijo que, si yo quería vivir como una reina, yo tenía que satisfacer sus necesidades sexuales y yo me levanté y me fui porque no me lo creía. Y luego, en un mensaje me puso que no me consideraba su hija, que me consideraba mujer y a día de hoy es así.

COD-5: No tengo. Solo tengo una sobrinita de mi hermano, pero de mis primos, de mis padres y eso, no tengo relación, no sé por qué, porque cada uno ha tirado por su lado. Tengo familia en (ciu-

dad de España) y no les conozco. Tengo otros en (pueblo de España) y tampoco.

En lo que refiere al consumo de drogas y las adicciones, tan solo ocho mujeres aseguraron ser consumidoras habituales de las cuales una de ellas ni siquiera consideraba que su consumo era abusivo al tener lugar en contextos festivos únicamente. Generalmente se trataba de un consumo habitual y frecuente, habiendo tratado en ocasiones de superar dicha enfermedad, aunque fracasado en sus intentos.

COD-6: Cocaína. Frecuente, diario. El consumo fue un año o dos, año y medio, consumiendo así, antes era a lo mejor en navidades, en algún cumpleaños, pero luego era diario. En ese año no intenté dejarlo, decíamos que nos íbamos a quitar, que esto, que lo otro, pero al final qué va, volvíamos a lo mismo. La droga es una ruina, te destroza la vida, menos mal que si lo coges a tiempo (...).

COD-23: Sí, consumí hasta los treinta y tantos, con lo de gueto de la casa esta, probé la coca, pero pomada, se llama base, en vez de esnifada y sí, sí, llevo dos años, pero vamos, ahora cando salga ya no voy a seguir porque aquí estoy haciendo mucho deporte y tengo ganas de cambiar mi vida, no puedo seguir así. Espero que no, se lo he dicho a mi marido, que ya no quiero nada, él sigue consumiendo, pero más bien la vida en la calle (...).

COD-5: Sí, cocaína y heroína. En la última entrada en prisión, medio y medio diario como mínimo. Entras en una rueda que es fumar y robar. No he ido a ningún centro, porque lo veo absurdo. Para mí un centro es esto (refiere al centro penitenciario), que te tienes que quitar sí o sí. A la que sales de los centros, vuelves. Te tienes que quitar, retirándote, pero si vuelves al mismo ambiente.... Yo ahora tomo mi metadona y ahora en prisión ni me acuerdo de la droga porque tampoco la ves. El problema es cuando sales y vuelves.

Las mujeres que eran consumidoras, salvo aquella que negó tener una adicción al consumir tan solo de manera esporádica, aseguraron que los conflictos derivados del consumo fueron muy importantes, principalmente en relación con su entorno más próximo.

COD-5: Regañar con mi hija, si nos queremos, nunca le he ocultado nada y ella ha hablado conmigo, pobrecilla, ya me ha puesto un ultimátum, ya no me va a dar cuartelillo, pediré ayuda si no.

Dentro del *subbloque* que aquí se está analizando se preguntó a las mujeres que conformaban la muestra acerca de su relación con la religión, la importancia que esta tenía en sus vidas, si esta supuso algún tipo de ayuda a lo largo de su trayectoria, la frecuencia con la que practicaban la religión y su cercanía a Dios. En este caso, las respuestas fueron realmente variadas. Tan solo tres de las mujeres entrevistadas aseguraron no tener ningún tipo de creencia religiosa, mientras que las restantes 24 mujeres aseguraron tenerlas. Dentro de este numeroso grupo, las respuestas fueron heterogéneas, algunas, concretamente nueve de estas mujeres, aseguraron no ser practicantes, el resto sí. Dentro del grupo de mujeres que practican su religión, resultaron muy interesantes algunas respuestas que ponían de manifiesto haber encontrado un gran apoyo en la religión, en la manera en la que sus principios guiarían sus vidas o, simplemente, consideraron que ante la tristeza y la dificultad de la situación provocada por el paso por la prisión resultaba un apoyo más al que aferrarse.

> *COD-27: Sí, mi familia es muy católica y yo... sí, bueno, ahora no, porque es diferente estar aquí. Los niños se bautizaron, yo los bauticé de pequeñitos, para nosotros es muy importante y siempre nos han inculcado esto. Ahora es diferente porque como estoy sola aquí y... es que yo creo que, al llegar, yo creo que es tan complejo, creo que la gente cuando estamos ahí adentro nos agarramos a cualquier cosa con tal de tener más fuerza. Yo rezaba todas las noches para que le diera salud a mi familia y que me diera fuerza a mí para aguantar, es que estás en un momento... tienes tanto tiempo por la noche, a veces no podía ni dormir, empiezas a revolver la cabeza y buscas algo a quien aferrarte.*

> *COD-26: Soy musulmana, es que vamos a ver yo soy muy creyente, soy de las que me levanto a las cinco de la mañana a rezar, pero hay muchas cosas que de mi cultura no comparto, por ejemplo, el machismo que tienen, no comparto el que haya que obligar a nadie a hacer nada. En la cultura mía los hombres son como más estrictos, tú tienes que hacer... no, no, no, yo tengo que hacer en medida de lo que a mí me da la gana, yo respetando lo que tengo que respetar, pienso que nadie tiene que obligarte a hacer nada que tú no quieras, es lo que más me molesta. Yo llevo mi relación como yo quiero, no tengo necesidad de ponerme un pañuelo para ser musulmana, creo que la fe vive dentro de uno. Me ha ayudado estando dentro, me ha ayudado a pensar de forma diferente, a ser*

la persona que soy ahora, de tener las ideas claras, de pensar que quizás, a lo mejor, me he equivocado y tengo que aprender de esos errores y no cometerlos otra vez y a tomar las riendas de mi vida, y dar carpetazo a esto. Lo tenía destinado y ahora tengo que hacer un cambio y lo tengo en mente hacer. Quizás antes me agobiaban los problemas, el tener que ayudar a la familia… (…) Pues la verdad, es que me levanto a las cinco de la mañana, rezo, pongo mis oraciones, me tiro una hora o dos escuchándolas hasta que salgo de la casa, a las una y media vuelvo a rezar, a las cuatro y doce tengo que volver a rezar, a las seis y media. Mantengo muy a raya eso, luego el último rezo lo hacemos a las ocho y media, es algo que no fallo, menos los días de la menstruación que no puedes rezar. Es como, ahora mismo, a lo que estoy aferrada, si con amigas así que también lo hacen. Es como una sensación de libertad, o sea, hoy rezo y si tengo que llorar, lloro, pero antes me costaba llorar y demostrar lo que sentía. Me siento liberada, liberada en el sentido de que antes no, antes era tener una careta ante todo el mundo (…).

I.D. Trayectoria laboral

En el siguiente *subbloque* se indagó en la trayectoria laboral de estas mujeres, tratando de alcanzar a conocer la edad en la que esta se inició, los tipos de trabajos en los que habían venido participando a lo largo de sus vidas, si se trataba de empleos estables o no, las condiciones de trabajo, la regularidad de estos, etc.

La mayor parte de las mujeres entrevistadas dio comienzo a su vida laboral durante la adolescencia, incluso llegando algunas a obtener su primer trabajo a los 11 o 12 años de edad. En este caso, no se puede ofrecer una media aritmética de la edad de comienzo, ya que es un dato que las entrevistadas no siempre logran alcanzar a recordar. No obstante, son ocho los casos en los que las mujeres aseguraron que comenzaron a trabajar siendo menores de edad. Debe tenerse en cuenta que, tal y cómo ya se ha venido defendiendo previamente, muchas de ellas se vieron obligadas a abandonar sus estudios durante la infancia o la adolescencia para hacer frente a las necesidades económicas de las familias respectivas, siendo este uno de los principales motivos por los que no se dio continuidad a sus estudios. Tan solo una de ellas refirió no haber trabajado de forma previa a su entrada en prisión.

En catorce de los casos analizados las mujeres aseguraron que la mayor parte de empleos a los que habían accedido a lo largo de su vida no eran estables, en muchas ocasiones no contando con contratos laborales. En lo que refiere al tipo de trabajos realizados, aquí se encuentra cierto grado de homogeneidad. A excepción de un caso en el que la mujer aseguraba haber llevado a cabo la prostitución, la cual refirió como un trabajo, las internas restantes habían participado en trabajos no cualificados principalmente, la limpieza, el cuidado de niños y de personas dependientes, la venta ambulante, dependientas en supermercados y tiendas, mano de obra en fábricas textiles, etc.

Seis de las internas aseguraron no haber cotizado nunca o haberlo hecho solamente como consecuencia del empleo llevado a cabo en el interior de la prisión. En el resto de los casos, las mujeres aseguraron que esto ocurría, pero no siempre con la frecuencia que debería ocurrir, pero en algunos casos, excepcionales, las mujeres llegaron a cotizar incluso durante bastantes años. Solo una mujer aseguró haber cotizado durante todo el tiempo que había estado empleada, concretamente durante 2 años.

> *COD-5: 14 años, siempre en la marroquinería. Con contrato en la fábrica, he trabajado también en talleres pequeñitos que no te pueden asegurar, pero no era lo normal. Dieciocho años más o menos tengo cotizados.*

> *COD-10: El primer trabajo en los pisos de (...) que estaba embarazada y pa´parir, que me decía el señor, y fui a la última a la que echó, tenía "veintitantos". Pues con mi ropa y entonces ya cuando entré en el ayuntamiento, los tres meses. Y ya está y me dediqué con una amiga que conocí a coger ropa de esta, y fue mi perdición vaya, y con la ropa ahora gano como 150€, si un pijama me sale a 5 euros lo vendo en 12, me saco mitad por mitad, y a parte, las tres casitas de mi barrio, que me dan 30 euritos. Soy feliz con eso, que me dé para un plato de comida para mis hijos.*

> *COD-12: Yo creo que con unos 28 o 29, en una hamburguesería. He vendido ropa, siempre he estado, puse la tienda esa que le dije, estuve vendiendo (marca de cosmética). La tienda de ropa y de droguería en el barrio. Eran irregulares, los contratos eran cortos, y muchas veces estaba sin asegurar, como en la hamburguesería. La mayor parte del tiempo no he estado cotizando, también es que*

he estado mucho tiempo vendiendo ropa y vendiendo (marca de cosmética), tampoco cotizas. La compraba yo la ropa en el polígono y la vendía pues por las casas y a las amigas, a las conocidas, y ahora con los "Whastapps" de vez en cuando lo vendo y lo vendo por el WhatsApp.

I.E. Trayectoria delictiva y relación con la justicia

En el *subbloque* que aquí se analiza se trató de indagar sobre la trayectoria delictiva de las internas y su relación con la justicia. Se preguntó por la edad de inicio de sus carreras delictivas, su relación con la justicia entre los 14 y 17 años, el número de condenas impuestas durante la edad adulta, los motivos que les condujeron a delinquir, la edad que tenían cuando se produjo su primera entrada en prisión, la existencia de familiares o personas del entorno más cercano que contaran con condenas relacionadas con delitos contra la salud pública, delitos patrimoniales o violentos y la existencia de familiares que hubieran cumplido o se encontraran cumpliendo una condena en prisión en la actualidad.

En lo que refiere a la primera de las cuestiones, debe tenerse en cuenta que no todas las mujeres fueron capaces de proporcionar a la investigadora la edad exacta en la que se produjo la primera detención como consecuencia de la acusación por la comisión de un delito. Este fue el caso de doce de las entrevistadas, algunas de ellas ofrecieron una edad aproximada, otras, por el contrario, no respondían directamente a la pregunta. Resulta destacable que nueve internas contaban con una edad de detención que se situaba por encima de los 40 años, llegando en un caso a situarse de manera próxima a los 50 años de edad. En los ocho casos restantes de mujeres que lograron ofrecer con exactitud la edad que tenían cuando se produjo la primera de las detenciones, estas se produjeron entre los 18 y los 30 años de edad, ambos inclusive.

Es importante señalar que en general, las mujeres internas entrevistadas, a excepción de dos, no fueron detenidas y acusadas por un delito entre los 14 y los 17 años y ninguna de ellas cumplió medida alguna de justicia juvenil como el internamiento en centro, la libertad vigilada o las prestaciones en servicio de la comunidad. La interna que aseguró haber sido detenida en su adolescencia puso de manifiesto que de forma rápida pasó a ser juzgada en el sistema de justicia de adultos, habiendo acumulado hasta 27 detenciones a lo largo de su vida, cuya fecha de inicio no logra concretar con exactitud.

> *COD-11: No, na´ más que cuando me detuvieron la primera vez pasé al juzgado de menores, pero tampoco me podían hacer nada. Cuando cumplí los 18 ya sí (…). 27 detenciones, condenas las dos veces que he entrados en prisión y un montón de multas, no sé cuántas, un montón, no sabría decirte, pero muchas.*

> *COD-17: Nunca. La primera vez que yo robé era menor, tuvo que venir mi madre a comisaría, después mi madre me castigó y eso, ya no robé más. Y la segunda vez fui a una tienda un día, me gustaba el conjunto y me lo llevé puesto, al otro me gustaba el bikini y me lo llevé puesto, y ya entraba en las tiendas y me llenaba entera de ropa, sacaba dinero rápido, la verdad. La vendía a la gente en el mismo barrio.*

Además de la información previa, es interesante destacar que otra interna aseguró que, aunque no fue detenida, su carrera delictiva, principalmente como consecuencia de la realización de robos y hurtos, dio comienzo cuando era menor de edad.

> *COD-13: No, porque, a ver, estaba robando hoy en día sí, un mes, donde encontraba, cuando encontraba, el resto iba a buscar, a limpiar (…), y me daba algo. Cuando empecé a robar bien, bien, fue de los 17 "parriba" y me ha durado hasta los 21 o 22, no tengo una fecha exacta.*

En lo que refiere al número de condenas penales a partir de los 18 años de edad, de nuevo cabe asegurar que algunas de ellas, ante la gran cantidad de condenas previas, no pudieron ofrecer a la investigadora una cifra exacta, este es el caso de cuatro internas que, aunque pudieron ofrecer información sobre el número de condenas que implicaban el cumplimiento de una pena privativa de libertad en prisión, contaban, en muchas ocasiones, con una importante cantidad de condenas a pena de multa. Catorce mujeres aseguraron haber sido condenadas una única vez y que, por cuestiones obvias, esta condena era una condena a pena privativa de libertad en prisión.

En los nueve casos restantes, en los que las mujeres pudieron concretar un número exacto de condenas recibidas, cuatro de ellas recibieron 2 condenas, otras cuatro recibieron 3 condenas y una mujer recibió 6 condenas. En estos nueve últimos casos de condenas múltiples, debe concretarse que no se trataban todas ellas de penas privativas de libertad en prisión. Así, de las cuatro mujeres con dos condenas, solo tres fueron condenadas en ambas ocasiones a prisión, el caso restante solo recibió una de las condenas a pena privativa de libertad en prisión. En los cuatro casos de mujeres que recibieron 3 condenas, dos mujeres recibieron 3 condenas a prisión y en los otros dos casos, tan solo 2 condenas fueron privativas de libertad en prisión. Por último, la interna que aseguró haber recibido 6 condenas exactamente, informó a la investigadora de que se trataban de 6 condenas a pena de prisión.

En lo referente a las motivaciones o razones que estas internas tuvieron para llevar a cabo los actos delictivos, se han encontrado una amplia variedad de resultados que, en la presente investigación se consideran de una gran relevancia. Así, cinco de las internas que fueron cuestionadas sobre las razones para el delito, se limitaron a relatar cómo se habían producido las detenciones, la duración de las condenas, las injusticias percibidas en el procedimiento, etc., no respondiendo de una manera clara a la pregunta en cuestión.

> *COD-14: Por el carné del coche, después hay dos de hurto, una por robo, los 9 meses me condenaron por no declarar en contra de mi sobrino en un juicio, yo no sé por qué me condenaron a mí. Yo denuncié a mi sobrino, fui a juicio y después no quise declarar en contra de él y me cayeron 9 meses. Es que había parte de lesiones y todo, dio con un palo en la ventana y le cayeron cristales a mi niño y le cortó la carilla. Porque estaba irritado no sé con quién estaba discutiendo y dio la casualidad que partió el cristal a la vera mía.*

Otras tres internas negaron directamente haber participado en el hecho delictivo. En uno de los casos solo consta la existencia de la condena privativa de libertad en prisión que se encontraba cumpliendo en el momento en el que tuvo lugar la entrevista y en el otro constan dos condenas de las cuales solo una derivó en prisión, asumiendo la interna la participación en uno de los delitos como consecuencia de la necesidad económica pero no en el otro. Una de ellas negó la comisión en otra parte de la entrevista, concretamente cuando se preguntaba por el delito que dio lugar a la condena.

> *COD-31: Es que yo no he delinquido. Yo no sé lo que es tocar la droga, a lo mejor es increíble, vale, pero no lo he hecho nunca y no he tenido necesidad de hacerlo, porque si hubiera tenido a mis niños con hambre, hago lo que tenga que hacer, pero no, es que he tenido mis dos manos para trabajar.*

> *COD-28: No lo hice, fue mi compañera, una amiga mía que llegó, que se dedica a eso, yo lo sabía, pero yo le dije que delante mía no, que a mí no me gustaba, se metió en el bolso cinco o seis champús y como yo iba con ella, tuve que dar mi nombre y todo, y tuve que dar mis datos, me hicieron un juicio rápido, me hicieron 90 euros de multa y lo pagué. Pero tuve juicio, entonces al tener yo un juicio, estando en condicional, entonces eso le llegaría al juez cuando llegó los papeles. Por salud pública fue la primera vez y fue por necesidad, teníamos 3 años, estábamos en paro, no vivíamos en el mismo sitio que ahora, entonces vivíamos con mi madre porque teníamos una casa de su tío que se la había dejado a mi "marío" pero estaba en malas condiciones. Entonces no podíamos irnos allí hasta que la arreglamos, su tío se la dio y ya poco a poco la arreglamos, y ya hoy en día es de mi hijo.*

> *COD-12: Robo. Que verdaderamente no lo cometo yo, pero lo que pasó es que yo iba, yo es que iba a comprar al (cadena de supermercados) a mi cuñada, y había un carrito de exposición, que no era ni la tienda, en la calle, fuera de la puerta, y mi cuñada lo partió y cogió la ropa pa´su niña, yo le decía que no, que no, y ella lo cogió, y entonces pues denunciaron (...).*

En los 19 casos restantes fueron variadas las razones que ofrecieron las internas. En cinco casos aseguraron que lo que les condujo a la comisión del delito o de los delitos por los que fueron condenadas fue la necesidad de hacer frente al pago de las sustancias estupefacientes a las que eran adictas en aquel momento.

COD-29: Pues no sé, yo cuando hice esto no estaba en mis cabales, todo esto que me ha ido viniendo es antiguo. En mi carné consta desde hace ya que no entraba en prisión. Todos los delitos fueron cuando yo consumía, entre los 18 años, los 19. Quería conseguir dinero para la cocaína.

COD-5: Para consumir, el consumir drogas. Porque el paro lo cobraba, primero mi casita, mi niña, y luego, pues claro, pa´no sacarlo de vida. Pero yo no hacía daño a nadie... yo cogía dos blusitas de una tienda y luego dos de otra... y luego las vendía. Cogía menos para hacer el menor daño posible porque luego a ellas se lo descuentan. Hay tiendecitas más pequeñas que no te denuncian, pero el (nombre de gran superficie) sí, por eso estamos aquí.... Hay que robar al rico.

En otros cinco casos, las internas aseguraron que fue la necesidad económica la principal razón para la comisión del delito.

COD-22: Hombre, también fue una racha mala económicamente, estaba él (su pareja sentimental), se enganchó, se enganchó, llevaba un tiempo, pero es que a mí... no yo no tenía, a él le cogieron un trocito de caballo, de fumárselo él, pero que es que fue na´, que estaba en una rachilla mala, y una me dijo pos´ponte y digo "bueno" (...).

COD-12: Por necesidad y estar en un momento que no debía estar donde estaba y ya está. Me lo propusieron y caí. No me lo propuso alguien de mi entorno, no tenía nada que ver.

COD-18: Porque para mis hijos, para darle de comer a mis hijos (...).

En los nueve casos restantes las razones aludidas fueron diversas, una de las internas hizo referencia a las influencias negativas de un grupo de pares que llevaban a cabo conductas antisociales, otra aludía a la situación de maltrato por parte de su pareja sentimental como motivación para intentar buscar alternativa de vida en España, otra indicó no haber meditado bien sobre las consecuencias, otra aseguró que "por tonta", otras dos simplemente querían obtener más dinero fácil, evitando el trabajo, otra alude a la influencia de su madre, también implicada en la misma causa, otra alude a la influencia de su pareja sentimental por aquel entonces y otra es incapaz de concretar un motivo, simplemente aludiendo a su afán por ello.

COD-17: Yo creo que, porque me gustaba, me gusta, es como si, yo qué sé, el que está "enviciado" al tabaco, es que algo me tengo que llevar si entro, unas bragas, unos calcetines, algo tengo que coger. Ya cuando entro a comprar y veo que me da ansiedad, me salgo de la tienda, porque ya me da miedo, ya he aprendido la lección. Ya no cojo ni un chicle, ya nos conocen, que miedo, de verdad. No he robado a personas, solamente en tiendas, a mí eso de robarle a alguien, pegarle un tirón… porque podría ser mi madre o mi abuela y que se lo hicieran a ellas. En las tiendas sí, me salía bien, salía pa´ fuera, soltaba todas las cosas y volvía a entrar otra vez. En los centros comerciales, nosotros centros comerciales. Nosotros somos mi grupo. La vendíamos y el dinero nos lo repartíamos, a mi madre como yo le diga eso me mata, eso ella no lo sabía. Yo me lo guardaba y a lo mejor si me iba con mi hermana y quería esto, pues yo se lo compraba. Si quería irme a cenar, no le pedía dinero a mi madre, ya lo tenía yo.

COD-18: Era mi primera pareja, él se dedicaba al menudeo. Mi pareja también entró en prisión. Él se dedicaba al menudeo.

COD-15: Fue tráfico de drogas, para trabajar menos y ganar más. Lo que hacía era menudeo, en el barrio.

COD-30: Yo me estaba juntando con una gente que no debía, una de esas personas vendía droga y yo como vivía en una zona de pijos, y yo como favor de tonta le dije que yo me llevaba las cosas a mi casa, y dio la casualidad que yo empezaba a trabajar al día siguiente en la panadería, y tonta de mi llevaba las cosas en el bolso y me pararon (…).

Las tres últimas preguntas del bloque aquí analizado son de gran interés en esta investigación, ya que trataban de profundizar en las condenas de familiares de las internas como consecuencia de delitos patrimoniales, delitos contra la salud pública, delitos violentos y las condenas en prisión que hubiesen podido asociarse a ellos. Quince mujeres aseguraron que alguien de su entorno había sido condenado por delitos de tráfico de drogas o contra la propiedad, en ningún caso por delitos violentos. En muchos casos eran familiares directos como madre, padre o hermanos. En otro caso, la interna no quiso especificar qué familiares se encontraban condenados y en otro de ellos la interna se refirió a familiares no directos, como un sobrino. De estos 15 casos, cinco resultan especialmente relevantes en tanto que son los maridos o las parejas sentimentales quienes han recibido condenas por los delitos señalados, tratándose, salvo en dos de los casos, de condenas a penas privativas de libertad en prisión.

> *COD-22: Mi marido, pues igual que yo, él ha estado más tiempo que yo porque entró otra vez por el carné de conducir. Él se ha pegado cerca de los 2 años y medio en prisión. Aquí no estuvo (CIS), porque cuando se lo trajeron "pacá" de permiso, ya estaba lo del COVID y entonces lo llamaban por teléfono. En libertad condicional está ahora, lleva desde mayo y yo llevo desde octubre del año pasado, me parece, es que no me acuerdo.*
>
> *COD-28: Mi marido na´ más y yo. Dos condenas en prisión mi marido.*
>
> *COD-29: Nadie, mi pareja por lo mismo. Si mi pareja ha tenido, con esta va a hacer cuatro.*

II) Bloque II. Situación en prisión o en el Centro de Inserción Social con relación a la condena actual

II.A. Características de la condena y clasificación

En el *subbloque* primero del Bloque II, se profundizó en las características de la condena actual que se encontraban cumpliendo las mujeres objeto de estudio. Concretamente, se presentan aquí resultados con relación a la duración de la misma, la fecha de finalización, la situación de prisión preventiva, en su caso, el grado de acuerdo con el hecho de cumplir la condena actual en el centro penitenciario en el que se encontraban y las razones de ello, el delito o delitos principales que dieron lugar a la condena, el grado en el que la interna fue clasificada inicialmente, el grado actual, el grado en el que se prevé que se encontrará en la finalización de la misma, su experiencia en primer grado, en caso de haberse encontrado clasificada en él, sus experiencias cumpliendo una sanción de aislamiento, su experiencia en clasificación de régimen semiabierto (artículo 100.2 del Reglamento Penitenciario[413]), su experiencia con los permisos ordinarios de salida o la frecuencia y motivos por los que tuvieron sanciones disciplinarias.

En lo que refiere a la fecha prevista de obtención de la libertad definitiva, en todos los casos se trataba, tal y cómo exigía el planteamiento de la presente investigación, de una fecha próxima, con un máximo de 2 meses. En lo que refiere a la duración de la condena actual, se ha encontrado que en diez de los casos la condena era igual o inferior a un año, llegando incluso dos de las internas a encontrarse cumpliendo una condena de tan solo unos días de duración. Otras cinco mujeres cumplían una condena con una duración inferior a los dos años y los once casos restantes cumplían una condena superior a los 2 años, siendo la de mayor duración de unos 11 años. Solo una de las internas no proporcionó esta información a la investigadora.

La mayor parte de internas no se encontró en situación de prisión preventiva de forma previa a la condena, sin embargo, en ocho de los casos se dio esta situación, siendo llamativo que la duración varió desde los pocos días o meses hasta los 3 años y 4 meses.

Se trató de indagar también en el nivel de acuerdo con el hecho de cumplir la condena en el centro penitenciario en el que se encontraban. Aquí las respuestas fueron muy diversas. En general, la mayor parte de las mujeres, 16 de ellas, mostraron acuerdo con el establecimiento penitenciario, ofreciendo la mayor parte

---

413 Artículo 100.2 "2. No obstante, con el fin de hacer el sistema más flexible, el Equipo Técnico podrá proponer a la Junta de Tratamiento que, respecto de cada penado, se adopte un modelo de ejecución en el que puedan combinarse aspectos característicos de cada uno de los mencionados grados, siempre y cuando dicha medida se fundamente en un programa específico de tratamiento que de otra forma no pueda ser ejecutado. Esta medida excepcional necesitará de la ulterior aprobación del Juez de Vigilancia correspondiente, sin perjuicio de su inmediata ejecutividad". Véase, Real Decreto 190/1996, de 9 de febrero, por el que se aprueba el Reglamento Penitenciario.

de ellas explicaciones relativas a la proximidad del centro a sus respectivos domicilios, facilitando la cercanía y la posibilidad de mantener la relación con los hijos. Otras hicieron referencia a su satisfacción como consecuencia de la estructura del centro o del buen trato que habían recibido en él.

> *COD-21: (...) y además porque está más cerca, que muchas veces te dicen que en otras cárceles se sale antes, pero yo prefería ir allí para que mis niños me vieran, en verdad para tres meses que era lo que me quedaba, yo lo prefería. Que luego si te tienen que llevar de conducción o lo que sea, te llevan, pero para mis tres meses yo lo prefería.*

> *COD-22: Yo me presenté allí voluntariamente y yo la verdad yo expliqué mi caso, hablé con el educador y le dije que yo no quería que me mandaran pa´otro sitio, porque mis niños no tenían, vamos a ver, a parte de los trabajos, no tenían carné en esos momentos pa´ conducir como pa´ que me mandaran pa´ otro sitio, y que mi marido estaba también preso y que ya que estábamos los dos que nos quedáramos los dos aquí. El educador me dijo: "¿tú te quieres quedar aquí? Pues echamos una instancia y ponte de interna de apoyo". Y eché la instancia y me quedé de interna de apoyo y ya me quedaron aquí en Málaga. Yo era por mi niño porque tenían carné mis niños, pero los puntos quitados y yo decía, cómo se van a meter mis niños en carretera, sin coche, sin carné (...).*

> *COD-2: Sí, conozco otros, porque cuando me cogieron en Canarias, cuando a mí me trajeron para acá, me trajeron en barco y me estuvieron de prisión a prisión, yo tardé 3 meses en llegar al cumplimiento aquí, hasta llegar a Soto del Real que ya me trajeron aquí. Conocí Puerto de Santamaría, Sevilla y Soto. En cada una de ellas estaba, según, 15 días, 20 días, un mes, iban y recogían chicas que iban viniendo y las iban dejando unos días. En realidad, en el término cárcel, cárcel, esta es menos cárcel porque yo como he venido de todas esas, he visto si son muros, rejas. Por ejemplo, en Canarias en una habitación dormíamos 8 personas. Aquí duermes dos y yo, por ejemplo, hay habitaciones de 2 e individuales, yo tengo una individual, aquí tienes mucha privacidad, si es con dos casi siempre vives con una, pero tiene muchos espacios libres, cuando en otras prisiones son patios, patios, aquí parecen unos chalecitos, a comparación de allá que solo patio y rejas. Que estás encerrada igual, pero esto es como más un colegio que un penal (...).*

En lo que refiere a los delitos que dieron lugar a la condena, en cuatro casos no se recibió respuesta. En nueve casos fueron delitos contra la salud pública, uno de ellos junto al delito de pertenencia a organización criminal. Los restantes son delitos contra el patrimonio: un caso por delito de estafa, ocho por delitos de hurtos (generalmente reiterados, en uno de los casos junto a delito de lesiones y amenazas y en otro caso sumado a un delito de quebrantamiento de libertad condicional), tres casos de robos en los que no se especificó con mayor profundidad, un caso por robo con fuerza en las cosas y otro caso por robo con fuerza en casa habitada.

Con relación a las mujeres que fueron entrevistadas en los centros penitenciarios de Sevilla, Ávila y Madrid, de los nueve casos, ocho de ellas fueron clasificadas inicialmente en 2° grado y en el momento de la entrevista permanecían en la misma situación. Solo uno de los casos se encontraba en libertad condicional en el momento de la entrevista. Todas las mujeres que se encontraban clasificadas en 2° grado esperaban alcanzar la libertad definitiva en tal situación, siendo en un caso la interna conocedora de que no experimentaría progresión en grado al haber sido sancionada en dos ocasiones durante la ejecución de la condena y, en otro, la interna rechazó la libertad condicional aconsejada por su abogado.

La situación resulta diferente en lo que refiere a las internas entrevistadas en los Centros de Inserción Social. Ocho de ellas se encontraban en 3° grado (cinco de ellas progresaron en grado desde la clasificación inicial en 2° y las tres internas restantes iniciaron la ejecución de su condena en 3° grado) y diez de ellas se encontraban en libertad condicional (ocho de ellas comenzaron la ejecución de su condena clasificadas en 2° grado, una de ellas no proporciona esta información y otra dio comienzo a la ejecución de su condena directamente en tercer grado al haber permanecido durante 2 años en prisión preventiva).

Ninguna de las internas ha estado clasificada en primer grado y cuatro de ellas aseguraron haber sido sancionadas alguna vez en celda de aislamiento. Las internas describieron esta experiencia como difícil, generadora de ansiedad y malestar.

> *COD-1: Sí, 6 días, por pelearme con una compañera porque se metía con las mujeres. Te dan solo 2 horas de patio y me dejaron la radio.*
>
> *COD-3: Bastantes, como consecuencia de que me han pegado, yo no he hecho nada, esto nada más llegar, viene una persona a mi celda y como yo grité y enseñé las piernas a las funcionarias, yo le pegué a ella. Estás sola, da sensación de agobio y ansiedad por la puerta cerrada. Yo la verdad es que estoy siempre en mi celda si puedo, pero llega la hora de la siesta y me agobia porque está cerrada.*
>
> *COD-14: Fatal lo del asilamiento, súper mala, porque estás sola, encerrada, no tienes derecho a patio, ahí ya te comen los nervios, la ansiedad… me parece una mala experiencia, la verdad. Pero ya a raíz de ahí me metí de interna de apoyo, me puse a cuidar a otras personas, que también se pasa mal porque te tocan toda clase de mujeres, que se autolesionan (…).*

Tres de las internas han estado clasificadas en régimen semiabierto y 14 de ellas no han disfrutado de ningún permiso ordinario de salida, bien, porque carecían de aval, porque tenían sanciones disciplinarias que les impedían acceder a ellos, bien porque ni siquiera lo solicitaron, o bien, porque no estuvieron clasificadas en ningún momento en tercer grado. En la gran mayoría de casos, las internas percibieron esta como una situación injusta.

> *COD-11: No, ninguno, por los partes y por la responsabilidad civil que no he pagado. No me dan permisos, los pedí en Meco y aquí no, porque pa´ qué.*
>
> *COD-7: Cuando te deniegan un permiso tú tienes que esperar mínimo dos meses para volver a solicitarlo, que ya te metes en tres meses, que es cuando entra por la Junta, que te viene denegado, o bien lo recurres, o bien, nada. Yo en mi caso no lo recurrí de la misma impotencia, lo denegaron por eso es un "corta y pega" pa´ todos los mismo, y el segundo igual. Me dio mucha impotencia no entendí, porque llevo todo correcto, estoy trabajando, me presto a todo, cualquier día le quito el puesto a una funcionaria, hablaba con el educador y él me decía que es que no depende solo de él, que tenía que hablar también con las psicólogas.*

Por último, en lo que refiere a las sanciones disciplinarias recibidas por parte de las internas en la condena actual y los motivos que condujeron a ellas, tan solo tres de ellas proporcionaron una respuesta positiva.

> *COD-11: En Meco fue por el vis a vis de mis hijos que me lo denegaron y me puse como una fiera. Aquí fue porque me dieron tres sobredosis de pastillas y porque me corté. Pues llegué aquí a esta cárcel y entre el humor y lo que me encontré, fue un choque muy duro para mí y me corté, me curaron y me volvieron a encerrar. Me sentía impotente, muy mal, pensaba en acabar con esto ya, también el bajón que me dio al dejar la metadona.*

> *COD-30: Una vez, pero la psicóloga me lo arregló, porque tuve un "encontronacillo" con la funcionaria, porque la señorita (...) me lo arregló. Nada, eso, que me querían mandar a cuidar a una y yo no era interna de apoyo y le dije que no, que estaba muy nerviosa y que tenía que haber salido ya de prisión y que con lo del COVID se estaba alargando y al decirle que no, me puso un parte por desobediente.*

II.B. Participación en programas/actividades

En este subapartado se mostrarán los resultados obtenidos sobre la participación de las internas en los diferentes programas, talleres, cursos, trabajos, actividades religiosas, etc., accesibles durante la ejecución de la condena.

En primer lugar, se preguntó acerca de su participación en programas dirigidos a la deshabituación del alcohol, drogas ilegales o psicofármacos. Lógicamente, se asume que las internas que participan en este tipo de programas son aquellas que poseen algún tipo de adicción a sustancias que debe ser tratada. El número de internas de la muestra que reconocieron padecer esta enfermedad fueron ocho, aunque en uno de los casos la mujer no lo consideraba un auténtico problema al consumir exclusivamente en contextos lúdicos. Con ello, de las siete mujeres que sí se autodefinían como adictas, tan solo dos de ellas participaron en alguno de estos programas. De estas dos internas, una consideró que se trató de un programa absolutamente ineficaz y para la otra el tratamiento con metadona recibido durante una condena previa hacía 2 años logró ayudarla en el abandono del consumo de drogas.

> *COD-3: Desde enero de 2020 sin consumir. Yo tomé metadona al entrar, pero me quité hace dos años. Yo solo tomo un antidepresivo y pastillas para dormir por la noche, porque no duermo, nada más llegar pedí Proyecto Hombre y no me lo dieron. Aquí les gusta que les doren la píldora y yo paso, por tanto…*

> *COD-5: Hice un programa al principio de condena, que no vale para nada porque luego a la que sales a la calle... Aquí lo ves todo de una manera, siempre digo "buah, fuera no se me va a ocurrir", pero luego llegas a la calle y las amistades que tienes… y ves lo que ves y vuelves al consumir. Estuve cinco meses sin consumir en este permiso, pero al final… Las amistades es lo primero que hay que eliminar para desintoxicarte, mientras tanto, es imposible. Hola y adiós.*

En relación a las cinco internas drogodependientes que no participaron en programas de deshabituación, una aseguró que no participaba en ningún programa dirigido a solucionar su adicción porque en el centro penitenciario en el que cumplía condena este tipo de programas no eran ofrecidos a las internas, otras aseguraron que, como consecuencia de la breve duración de su condena, ni siquiera se lo habían ofrecido y otra aseguró no querer participar por la desconfianza sobre la eficacia de este tipo de intervenciones.

> *COD-1: No, en ninguno, porque no me interesa, yo siempre he pensado que quien tiene la decisión, no que va a un programa y te lo meten por los ojos.*

En lo que refiere a los programas orientados a mejorar la ansiedad, depresión u otros problemas de salud mental padecidos, se observaron bajos niveles de participación por parte de las internas que componían la muestra. Así, de las 27 mujeres, tan solo cinco aseguraron haber recibido un seguimiento médico y/o psicológico.

> *COD-6: Allí me veía la psicología y tenía mi tratamiento, me lo daban todos los días, te llaman por megafonía. Me la daban por la mañana, tarde y noche que es como yo tomo mi tratamiento. Con la psicóloga muy bien.*

En cuanto a la participación de las internas en cursos formativos orientados a la mejora de su nivel educativo, 15 de ellas aseguraron haber participado en la escuela del centro penitenciario. No obstante, solo dos lograron graduarse, mientras que las internas restantes solían participar para evitar desperdiciar el tiempo.

Las internas tienden a participar en mayor medida en cursos orientados a mejorar la formación profesional, así la respuesta fue positiva en 16 de los casos, siendo en su mayoría cursos de manipulación de alimentos, peluquería, corte y confección, riesgos laborales o cocina. Una interna aseguró que el curso de peluquería en el que había participado tendría poca utilidad para su futuro laboral en tanto que su objetivo era dedicarse profesionalmente a la cocina, curso al que no pudo acceder ante la multitud de solicitudes existentes. Otras, consideran que estos cursos sí pueden resultar de utilidad para su futuro laboral.

> *COD-14: Hice de manipulación de alimentos, y el otro... ¿cómo es? No sé, uno de formación laboral, no sé, no me acuerdo de ese curso, información laboral, ¿puede ser? En ese estuve también tres meses. Sí, claro, me pueden ayudar en mucho porque esa formación que me dieron y esas cosas que hacía yo creo que... me pueden ayudar, no es lo mismo tener experiencia a no tener. Eso sí, ese es el momento que estaba distraída, porque mayormente te pasas el tiempo en el "chabolo"414 y ahí.*

En cualquiera de los casos lo que se observa claramente es que hay internas que desean participar en la mayor parte de los cursos y talleres formativos posibles, ya que entienden que pueden resultarles de mucha utilidad, y otras que simplemente recurren a ellos como la única manera de hacer frente al amplio tiempo libre con el que cuentan durante las largas jornadas en el centro penitenciario.

> *COD-2: Hago todos los cursos, esta vez me metí en la escuela, que me regresaron a tercero, estudié en la escuela, los cursos de igualdad, estoy en el de pintura en tela, en inglés, antiguamente estuve*

---

414 Es el término coloquialmente utilizado por parte de las internas para referirse a la celda.

en el de peluquería, de panadería, de cocina... Son cursos muy largos y ahora no puedo hacerlos, por la condena que es corta. Ahora en el único que estoy es en el de pintura en tela. No me gustaba, pero ahora ya... soy muy pasota, no soy muy creativa, pero sí. Me gusta participar porque se te va el tiempo y no estás para escuchar tonterías por (...), porque siempre me ha gustado estar con la mente ocupada y aprender un poco más. Sí que me han ayudado a vivir mejor la condena, a dejar de pensar y por lo menos allí se ríe una con las compañeras. También curso de biblioteca, pero eso fue antiguamente. En esta condena no me han dejado hacer más que escuela, inglés y curso de pintura.

Solo dos de las internas aseguraron haber participado en cursos dirigidos al fomento del autocontrol, la capacidad de resolver conflictos y similares. En ellos aprendían cómo reaccionar ante diferentes situaciones problemáticas.

Dos de las internas aseguraron haber recibido un "curso de maltrato", una de ellas como consecuencia de haber sido una mujer maltratada en el pasado. Dos programas fueron señalados de manera reiterada por las internas, el Programa ÉPICO y el Programa SerMujer.es, todas ellas pertenecientes al Centro de Inserción Social de Málaga.

COD-7: Sí, yo lo llevé todo en el programa ÉPICO, es parecido a ARRABAL, ÉPICO es como una reinserción donde te valoran tu autocontrol, tu paciencia, tu autoestima, cómo te ves, cómo te ve, todo psicología. Ese curso duró, por lo menos, 6 meses y lo daba una psicóloga. Terminaba de él y la que me lleva de primera hora me decía que yo había hecho el curso entero y que, si algún día necesitaba ir, que fuera. Ella me decía que iba a venir a ver cómo estaba y que estaba todo perfectamente. ÉPICO es formación a la hora de pedir un trabajo, te van preparando para entrevistas... es muy útil, porque realmente es como que yo no soy muy abierta al público, pero con él empecé a perder el respeto o el temor de hablar cuando hay más gente, el sentir que te cortas, que te sientas libre, que hables lo que piensas, realmente no conformarme con lo que me decían. Nos ponían con muchas personas, que imagina en una prisión (...), y me hacían hacer una entrevista a personas, me daba vergüenza, pero te ayuda para relacionarte con las personas. Yo estoy muy agradecida con el programa.

De las 27 internas, 16 aseguraron haber participado en algún tipo de trabajo remunerado dentro del centro penitenciario. Estos trabajos generalmente consistían en la limpieza de zonas diferentes dentro del establecimiento penitenciario, cocina, lavandería o economato. En una gran cantidad de casos las mujeres se quejaban de los bajos sueldos que recibían. Además, por lo general, las internas desconfiaban de la utilidad que este tipo de trabajo tendría en el futuro, aunque en casi todos los casos contaban con que se trataba de un tiempo en el que se encontraban cotizando en la seguridad social.

> *COD-4: Estuve en lavandería de suplente, luego en carga y descarga y ahora en jefatura de limpieza. Es difícil que sirvan para el futuro, pero lo que me dijeron en el curso de reciclaje, que en un futuro puede servir en un punto limpio porque en el diploma no figura que es de aquí, de prisión. En la cocina creo que sí figura que es de prisión. Llevo bastante bien lo de trabajar, porque me gusta trabajar, no tengo problema, en cualquier sitio en el que me pongan, si me enseñan, aprendo rápido. Mira que en lavandería nunca en mi vida trabajé y me defiendo igual, igual con carga y descarga. El salario, tengo un horario de 9 y media a 1 y son 110€. Lo único que ganan aquí mejor es la panadería y cocina, en torno a 300€.*

> *COD-5: Ahora en estos cuatro meses. En las anteriores siempre he trabajado, en el taller de hacer ropa, según coses, así cobras. Siempre he estado todas las condenas trabajando ahí, ya que controlo todas las máquinas, a los 15 días de estar aquí siempre me cogen a trabajar, porque aquí ya me conocen, tengo experiencia, sé coser muy rápido… e hice el curso. Ahora están haciendo los pantalones para los funcionarios. Tantas piezas, tanto dinero. Pagan poquito.*

> *COD-7: Lavandería, primero estuve de mantenimiento de limpieza, después yo era la que tenía que poner todos los cubos, limpieza de plantas, limpieza del baño… eso era diario. Los sábados era limpieza general, era una locura de cubos, de paños de limpiar, de líquidos… ahí estaba yo sola, yo por la noche dejaba todos los cubos con los líquidos, y dividía. En lo de la limpieza pagaban poco, 122€/ mes y en la lavandería según los meses, había veces que cobraba 220 otros, 210, dependía de algo que no sé.*

La pregunta relativa al trabajo realizado fuera de prisión durante el tiempo de condena tan solo correspondía a aquellas que disfrutaban del tercer grado o de la libertad condicional, lo cual, tal y cómo ya se ha establecido previamente, solo ocurría en el caso de una interna en libertad condicional del centro penitenciario de

Ávila y las internas que fueron entrevistadas en los Centros de Inserción Social (un total de 18). De ellas, solo ocho aseguraron haber trabajado en el exterior.

> *COD-7: Sí, en la misma empresa que estaba previamente. Pero poca cosa.*

> *COD-12: Sí, en la hamburguesería bien, en el bar, he estado trabajando 16 o 17 meses, en un bar de desayunos, meriendas y comidas al medio día.*

En lo relativo a la pregunta sobre la posibilidad de realización de prácticas religiosas durante el cumplimiento de la condena, solo una interna refirió no tener la posibilidad de llevarlas a cabo. Sin embargo, en el resto de los casos las internas aseguraron ser partícipes de este tipo de actividades, principalmente las internas de creencias en la religión evangélica que continuaban participando en el "culto".

> *COD-7: Venían del culto dentro de prisión, vienen unas voluntarias, son pastores y empiezan a darnos culto los martes y los viernes, incluso viene gente de por ahí afuera, que son más hermanos de pastores, más avanzados, sociocultural, que es como el teatro, ahí venía el Hermano (...), uno de Sevilla, que venía gente para darnos la palabra de Dios, se echaban sus cantos de Dios, el coro, ahí siempre esperando los martes para que vinieran las voluntarias. Incluso a veces pasaban a gente del módulo de conflicto al de respeto para que escuchara la palabra de Dios (...) seguía desarrollando todo lo que ya traía de casa. Iba mucha gente, nos poníamos 15 o 20 mujeres con las voluntarias, al final algunas se iban retirando, pero sí. Si hoy venía alguien importante, nos apuntaba, y luego íbamos a ver su testimonio y a hacer coro.*

> *COD-14: Iba al culto, allí lo hacía la muchacha, me parece a mí, que cada dos días, tres días o dos veces a la semana. Hombre, mejor que en la calle no, pero por lo menos... En el culto se ora, le pides a dios orándole, le cantas unos cánticos...*

II.C. Trato recibido por personal y autoridades

En lo que refiere al trato recibido por parte de las autoridades y del personal del centro penitenciario, la mayoría de las mujeres lo calificaron como bueno. Tan solo 5 de las mujeres proporcionaron una opinión diferente, bien negativa (dos de los casos) o excesivamente neutra (tres de los casos), en los que indicaban que había funcionarios que trataban adecuadamente a las internas, mientras había otros que no.

> *CÓD-31: Me dijo la funcionaria que no le contestara mal y me encerró en la cabina del abogado sola, hasta las 4 de la tarde y ya luego no la volví a ver más. He visto muchas cosas que ... también funcionarias que no son... lo que no he visto en Portugal, lo he visto en España.*

Sin embargo, por lo general, la relación con las funcionarias del centro penitenciario es calificada como normal, basada en el respeto mutuo. La mayor parte de ellas entienden que el personal del centro está llevando a cabo su trabajo, que tienen la función de control y que, por tanto, en ocasiones son estrictas, aunque generalmente, están dispuestas a ofrecer ayuda cuando así lo requieran las internas. Son llamativos dos casos, uno en el que la interna refiere una relación excelente o perfecta y otra, en la que califica al personal como excesivamente "blando".

> *COD-13: La verdad que, por mi parte, en mi caso, excelente, no te voy a mentir, no voy a hablar tonterías. Hay todo tipo de personas que tienen más migas, otras que solo vienen a hacer su trabajo y no se implican emocionalmente ni en preguntarte qué te pasa, simplemente que no molestes. Otras personas se preocupan cuando sonaba la alarma por la mañana y te decían "hola, (utiliza un diminutivo para referirse a su nombre), ¿cómo estás?". Y yo ya está, lista, algunas me traían ropa de sus hijas, porque como estoy tan gorda... yo hasta con la más dura funcionaria tenía buenas migas, no confianza, pero sí buenos días, no tenía miedo... Sin temblarme la braga, el uniforme impone mucho, encerrada sin poder expresarte, sin poder ser tú misma, porque muchas veces te toca callarte y bajar la cabeza, aunque sabes que tengas la razón, son cosas que te hacen pequeñito, pero claro, tú me quitas la libertad, pero no me puedes quitar la manera de pensar y cómo siento, eso está dentro de mí.*

> *COD-27: Yo creo que bien, ¿no? A veces yo he pensado que eran muy blandos, porque, por ejemplo, ellos trabajaban por grupos de guardia y cuando venían las más exigentes no había problemas, y cuando venían las que daban más treguas o los que era más buenos porque no nos hacían mucho caso, siempre se peleaban, siempre había algo. Yo creo que en muchas ocasiones tienen que poner*

más orden, que es a lo que tienen que estar. No de tratarnos mal ni nada, pero con la palabra justa decirnos "esto, esto y esto". Dibujar la línea, para que podamos vivir bien nosotros y ellos también.

En relación con la opinión sobre la igualdad de trato entre hombres y mujeres dentro de prisión, cabe asegurar que la mayor parte de estas mujeres desconocen esta situación al no compartir espacio con ellos. Quienes tenían alguna idea estructurada sobre ella eran aquellas mujeres que habían trabajado en espacio compartidos como, por ejemplo, la cocina, o quienes contaban con el testimonio de algún familiar cercano o de la propia pareja que les hacían partícipes de la situación. Con ello, no se consideran representativas las respuestas, pero algunas destacaron las importantes ventajas con las que cuentan los hombres en los centros penitenciarios, principalmente, como consecuencia de las estructuras en las que ellos se encuentran. Normalmente, en los centros mixtos, las mujeres se encuentran en un único módulo donde no es posible la clasificación interna en función de diferentes factores como, por ejemplo, la edad o la reincidencia delictiva.

COD-27: Yo trabajé en cocina y allí nosotras pues convivíamos con ellos también, porque ellos también estaban por la tarde. Ellos tienen muchísima ventaja encima de las mujeres, porque las mujeres no podíamos ir del módulo al trabajo sin que un funcionario nos acompañara, y ellos sí. Las guardias a veces no nos dejaban llevar un bocadillo de la cocina y a ellos sí. Ellos pueden entrar y salir los fines de semana de las habitaciones y nosotras no (...) Yo creo que sería porque es solo un módulo de mujeres, y creo que es una cárcel preparada más para los hombres o que ellos creen que tiene que ser para los hombres y lo poquito de mujeres lo tienen protegido (...).

En lo que refiere a la posibilidad que tenían las internas para exponer sus peticiones para poder ser atendidas, a excepción de tres mujeres, todas aseguraron que el personal hacía su trabajo, les escuchaban y, en la medida de sus posibilidades, les ayudaban.

COD-6: Yo hablaba siempre con la psicóloga, echaba una instancia de que quería hablar con ella y se lo contaba a ella, yo le decía: "seño, me pasa esto" y ella me decía que era normal, "porque estás aquí y quieres ver a tus niñas, pero que tu condena es pequeña y vas a salir ya mismo". Siempre me daba mucho ánimo. También venía el educador y le comía la cabeza y le decía "pero ¿cuándo voy a salir de aquí"? La verdad es que allí nos atendían bien, estaba la trabajadora social y el educador (...).

En lo referente a la motivación de la resolución sobre decisiones de relevancia para las internas, no todas pudieron responder, ya que muchas de ellas no consideraban haber realizado peticiones que le hubiesen sido rechazadas. Por lo general, las internas manifestaron que aquellas solicitudes o peticiones que les eran rechazadas eran correctamente justificadas y motivadas por parte del Equipo Técnico, a quien le correspondía la valoración de las mismas.

COD-13: Al principio, a ver, cuando yo he hecho la primera solicitud para salir de permiso me lo han rechazado porque todavía no había cumplido el cuarto de la condena para solicitar ese derecho. Pero claro, a mí me faltaban unos meses, y como casi a todo el mundo le rechazan el primero, pues lo eché para luego echar el siguiente. Me rechazaron el segundo también y al tercero me lo dieron, pero no por nada, ponían la razón de que era que es muy temprano. Pero vamos esto ya es de fuera, es del Juzgado y eso. No me han rechazado cursos. El único que me he interesado yo era el de autoescuela, para el coche, pero no podía porque no estaba en tercer grado, tenías que estar fuera tenías que ir tú, entonces claro lo he aparcado.

En general, las internas conocían la posibilidad de establecer recursos ante la autoridad competente cuando recibían resoluciones que no eran satisfactorias. Por tanto, muchas de ellas ejercieron ese derecho, aunque de manera siempre justificada la respuesta continuase siendo negativa.

En lo que refiere a la consideración que las internas hacen del número de permisos concedidos durante la clasificación en segundo grado, en general, se encuentran satisfechas con ellos ya que conocen que la concesión de estos se rige por una serie de reglas, algunas relacionadas con la duración de la condena, y entienden que no es algo ante lo que quepan situaciones injustas. Tan solo cuatro internas manifestaron que estos se vieron retrasados o no estuvieron de acuerdo con la duración de los mismos.

COD-4: Yo la cantidad que me dieron, veo que bastante bien. Pero los días son justitos, porque cuatro días... Porque a una persona que le dieron el primer permiso le dieron más días. El máximo que me han dado es de seis. Más de ello no. No es razonable eso. Me dieron bastantes desde el poco tiempo, tanto la jueza como la Junta, pero no estoy de acuerdo con el tiempo.

Dos de las internas sufrieron una regresión en grado y los motivos se encuentran relacionados con el mal comportamiento durante los permisos ordinarios, o por no asistir cuando procedía al Centro de Inserción Social correspondiente cuando se le había otorgado el tercer grado.

COD-27: Sí, yo estuve castigada. Esto está complejo, yo tenía que salir de tercer grado un día 9 de enero, y el día 8 me llaman el Director y la Subdirectora para decirme que me quitan el grado porque no me fui a la casa de acogida en donde yo me tenía que ir. No fui porque salí en pleno día 31 de diciembre y tenía muchas ganas de disfrutar y volví el 6 de enero, estuve con mis amigas y con la pareja que yo tenía, pero ellos no sabían que era pareja mía, porque yo no quería cambiar la acogida, lo veía todo tan cerca que no lo dije y fue cuando me castigaron. Cuando pasó todo el problema ya cambié mi acogida. Estuve castigada unos meses, volví a pasar por Junta de grado el 29 de abril y el día 8 de junio ya estaba aquí en el CIS. Para mí no fue justa, porque yo no he cometido ningún delito en ese entonces y fue una barbaridad de tiempo, muchos meses, yo nunca tuve un problema, me presenté en el día y hora establecida, pero bueno me tuve que conformar y nunca recurrí nada, ni con eso (...).

COD-23: Yo lo tenía dado, pero al no presentarme al CIS pues me he jorobado yo sola, porque yo estaría en tercero, pero no quería dejar a mi pareja sola (...).

En general, la cuestión en la que las internas mostraron un mayor nivel de desacuerdo era con relación a las clasificaciones en grado penitenciario durante la ejecución de la condena. En ocho de los casos las internas manifestaron que la progresión en grado había tardado en llegar y, en otras ocasiones, valoraban que no se estaba teniendo en cuenta su buen comportamiento y su predisposición al cambio.

COD-4: Yo de lo que me quejo es del grado. Porque el primer recurso que hice tardaron 3 o 4 meses en contestarme, el segundo que hice para la resolución administrativa tardó cinco o seis meses. En enero recurrí la progresión en grado y me contestaron en agosto. Siempre me dicen que no por la responsabilidad civil y ser extranjera.

COD-11: Visto mi comportamiento pienso que sí, pero hombre, como ha dicho la Subdirectora, he dado un cambio muy grande, me podrían dar una oportunidad.

En relación con la opinión que estas mujeres tienen sobre las sanciones recibidas, la mayoría no fueron nunca sancionadas durante el cumplimiento de la condena y solo una de ellas manifestó una injusticia al recibirla.

COD-30: Si, injustísima porque me daba igual que me pusiera el parte, primero que tú entras allí y dices si quieres ser de apoyo y yo no soy de apoyo, yo no estoy pa´cuidar a nadie, yo estoy presa, la tienen que cuidar ellas, yo tenía razón desde mi punto de vista, ellas no te pueden obligar a cuidar a nadie. Yo no estoy para cuidar a nadie, yo soy otra presa.

En general, las internas consideran que las oportunidades para participar en programas o en trabajos retribuidos han sido suficientes, entienden que son muchas internas y que son pocas las plazas disponibles, teniendo prioridad para el acceso a ellas quienes tienen trayectorias más largas dentro de prisión.

II.D. Persona de referencia en prisión

Se trató de indagar en la existencia de personas de referencia dentro de prisión para las internas, entendiendo por persona de referencia quien tiene un papel de apoyo, ayuda y preocupación por la trayectoria de vida futura de la interna a la salida del centro penitenciario. Aquí, las respuestas son diversas. Siete internas consideraron que el personal penitenciario no tenía ningún tipo de papel en este sentido, ni suponía un verdadero apoyo para ellas. Otras ocho mujeres consideraron que eran las funcionarias penitenciarias, generalmente más de una, quienes se implicaban de una manera más personal y directa con ellas, proporcionándoles consejos y guías que realmente les resultaron de utilidad para el futuro. Siete mujeres consideraron que este papel lo tenía principalmente el educador social del centro, la trabajadora social, la subdirectora, el asistente social o el coordinador, cuatro se lo asignaban a la psicóloga del establecimiento penitenciario y una a la profesora que impartía docencia en la escuela.

COD-13: (refiriéndose a una funcionaria) Porque tenía más confianza, le contaba mucho sobre mi vida, tenía la paciencia de escucharme, de preguntarme, se sentía de corazón, me preguntaba de corazón qué tal estoy, lo de mis hijos, eso no le incumbe, pero lo hacía. Me preguntaba en tono claro, poco a poco hemos, no sé, ahora mismo cuando la veo en ingreso, cuando la veo, la abrazo, tengo su WhatsApp y nos visitamos en Nochebuena y Nochevieja y es una buena persona, es una persona con buen corazón. Me emociono y todo. Hay más personas que me han dado consejos, soy abierta, sociable y hablo de cualquier cosa, he tenido personas con las que confesarme y otras con las que puedes hablar, pero hasta cierto punto.

COD-8: Por ejemplo, la Subdirectora y la trabajadora social. Darme las cosas, por ejemplo, el tercer grado o la telemática. La primera vez la telemática me la dieron desde allí, la segunda vez me dieron el tercer grado y aquí me la dieron (CIS Málaga). En el CIS de Málaga me aconsejaron que me apuntara a Arrabal, y lo hice, pero con el COVID lo pararon. Después me volvieron a llamar, pero ya estaba en condicional, se lo dije y ellas mismas me borraron (...).

II.E. Relación con otros internos o con otras internas

En el *subbloque* cuyos resultados aquí se presentan, se indagó en las relaciones que las entrevistadas mantenían en el establecimiento penitenciario con otras internas. Se les pidió, en primer lugar, que describieran en términos generales esta relación, su percepción del nivel de apoyo recibido por parte de las demás, el apoyo proporcionado por su parte, las vinculaciones especialmente estrechas y relevantes para ellas con respecto a otra u otras internas, el tipo de ayuda o apoyo recibido por parte de esta o estas, la victimización padecida por parte de otras compañeras en cuanto a agresiones, humillaciones, insultos o amenazas y las agresiones llevadas a cabo sobre las demás.

En lo referente a la descripción del trato con las demás internas, resulta interesante cómo todas ellas respondieron que, en general, era buena. Algunas indicaban que no había tenido demasiados problemas con el entorno pero que aquí "entras sola y sales sola", otras habían decidido relacionarse poco con las demás compañeras para evitar conflictos y evitar verse involucradas en problemas que pudieran ocurrir en el futuro, otras simplemente hablaban de relaciones de cordialidad con el resto, otras hablaban de verdaderas relaciones de amistad que incluso se mantuvieron cuando ya no se encontraban conviviendo en el centro penitenciario o en el Centro de Inserción Social, en los casos en los que las internas entrevistadas se encontraban en tercer grado o en libertad condicional. Solo una de las internas señaló en esta pregunta haber tenido discusiones o situaciones de enfrentamiento con otras internas.

> *COD-21: Buena, siempre buena, solo tuve un tropiezo con una muchacha, una mujer como yo, que era muy racista, uy yo no puedo con eso. Porque yo he sido muy amiga de chicas morenitas allí, que han sido amigas de mis niñas en la calle, y esta chica... uhh no le gustaba que se ducharan en las duchas, les decía "negras de mierda" y me daba cosa con eso. Tuvimos una discusión un día por eso, por defender yo a dos morenitas. Y después cuando llegué aquí al CIS, con todo lo racista que era la tía y se lio con un moro y le buscó la ruina al moro aquí (...).*

Otra de ellas manifestó tener muy claro que, aunque no había experimentado especiales problemas en la relación que tenía con las internas, tenía tomada la decisión de no mantener estas relaciones cuando alcanzara la libertad definitiva. Esto no ocurría en la mayoría de los casos, tal y cómo ya se ha establecido previamente, en los que las internas tendían a mantener el contacto con aquellas con las que habían logrado una mayor afinidad encontrándose ya en el exterior.

> *COD-26: Con otras internas, durante el cumplimento, yo nunca he tenido problemas, porque siempre he sabido cuál es mi lugar. Si una compañera está mala y la puedo ayudar, lo hago, si necesitan algo, lo doy, si le puedo dar un consejo, bien, pero tampoco tener una relación de tener amigas y vernos a la calle. Me decían que yo era muy dura, que nos podíamos ver en la calle, pero yo tenía*

muy claro que yo no había ido allí a hacer amistades, yo no quería que me relacionaran con gente de aquí porque eso conlleva que si están ellas haciendo algo y tú no los sabes, te puede arrastrar y no tener nada que ver. Aquí dentro, lo que quieras, café y risas, pero fuera no quiero tener contacto con nadie de ahí y no lo tengo, he sido con eso rajatabla. Porque si tú quieres cambiar y sigues en contacto con ellas, aunque sea por ir a tomar un café, ya te conlleva que no sabes que está haciendo, si ella realmente ha cambiado o no. Entonces, por evitarlo...

En lo que refiere a la percepción de apoyo recibido por parte de otras internas, dos de ellas no respondieron a la pregunta, 23 señalaron que sí recibían apoyo y dos aseguraron que dentro del establecimiento penitenciario no se recibe apoyo de nadie. En relación con las dos internas que aseguraron que no existía apoyo, ambas se encontraban en un Centro de Inserción Social en el momento de realización de la entrevista. La primera aseguraba que esa situación negativa solo ocurría en el CIS, pero no en el centro penitenciario donde cumplió la primera parte de la condena. La segunda, por el contrario, refería negativamente al apoyo durante toda su estancia en prisión.

COD-16: Aquí no te apoya nadie, aquí te tienes que apoyar tú sola. Aquí, en Alcalá hay más compañeras que aquí (CIS de Sevilla), allí te veían llorando y ya estaban encima de ti, toma una tila o un algo, aquí no, aquí critican, aquí si yo digo "me he peleado con mi marido" van y lo sueltan, no puedo tener un desahogo, porque se chivatean, no es el motivo que tienen ellas. Será que no son felices con sus vidas y se meten en las vidas de la gente.

CÓD-26: ¿Sabes? Es que yo las cosas mías íntimas... yo nunca me he sentado con una interna a contarle mis cosas, ni lo que me duele. Estoy aquí ahora mismo, esto es lo que hay, te pinto las uñas, te depilo las cejas, pero hasta ahí. Saliendo por la puerta esto lo olvido y a seguir mi camino. Ahí no puedes decir "tengo una amiga", tú imagínate que a lo mejor ven que una funcionaria me gasta una broma, ya ellas están diciendo "ah claro, porque se chiva". En tu cara son una cosa, a tus espaldas son otra.

Veinticuatro de las 25 mujeres que respondieron a la pregunta sobre el nivel de apoyo y ayuda que ellas habían proporcionado a otras compañeras, aseguraron haber hecho lo posible cuando así les había sido requerido. En muchas ocasiones se trataba de ayuda económica, cuando las otras internas lo requerían y, en muchas otras, de ayuda emocional, consejos, conversaciones, etc. En general, puede determinarse una red de apoyo entre las propias internas que se dirige a facilitar la ejecución de la condena y cubrir las necesidades tanto emocionales como económicas que les surgen.

> *COD-3: Sí, claro y las seguiré ayudando cuando salga, porque a (nombre de una compañera) le han metido cuatro años por menos de medio gramo y estaba en un sitio que se supone que se vende y tiene 9 años (...).*

> *COD-23: Sí, mucho, la verdad que yo soy generosa. Les he dado ropa, consejos, porque el grupito que tengo yo es gente más joven, que yo me dicen "mami" todas, son todas de 30 y pico, bueno la más mayor 39, mi compañera de celda tiene 29, luego (nombre de la interna) que tiene 20 añitos y está embarazada de cuatro meses, y (nombre de la interna) de 33. Somos las cinco que nos juntamos, luego (nombre de la interna) también, embarazada, que no está fija en el grupo. Y luego con (nombre de la interna), también me llevo muy bien, rumana, muy buena gente, el otro día hicimos su cumpleaños. Con las rumanas me llevo muy bien en general.*

> *COD-22: Sí, darles consejos, en ayudarles en que velaran por ellas, a la que veía malamente, le decía "coño, tú vales mucho, búscate tu libertad, sal, tus niños...". Yo les he dado consejos a muchas porque me han dado mucha lástima, niñas jóvenes que están perdidas y tú dices "madre", y les he dado muchos consejos y que busquen a Dios, también se lo he dicho a muchas, "buscad a Dios y os refugiáis en él y pedidle mucho que os ayude". No creo que me hicieran caso, en el momento te escuchan (...) porque la gente que está mal, que son jóvenes y dices tú "madre mía, si yo viera así a mis niños...". Que no, no sé sus cabezas no, tienen otra manera de pensar, otra manera de que no se buscan su libertad, problemáticas, porque a lo mejor se buscan un problema o se pelean o les quitan cosas a otras, buscarte problemas.*

Solo una de las internas aseguró que no había recibido ninguna solicitud de ayuda por parte de otras internas y que, por tanto, no se había visto en la obligación de hacerlo. Resulta interesante también observar cómo muchas de las extranjeras aseguraban ayudar a otras mujeres extranjeras, ya que entendían que las dificultades ante las que estas se enfrentaban eran mayores, por lo que el nivel de complicidad y solidaridad generado entre estas mujeres era aún mayor.

COD-2: Yo considero que sí, yo trato de más que todo, las que vienen, yo estoy pendiente y si son de mi país, más. A todas. Si vienen del país mío, vienen más afectadas, lo mismo que las que caen varias veces, no es lo mismo que la que cae la primera vez. Han llegado una madre y la hija y lloran mucho y ahí estoy. Y la funcionaria me dice: "mira, tú que eres María Teresa de Calcuta, ayúdalas" y cuando yo llegué en Canarias allí no había latinas y nadie me tendió la mano.

COD-27: Yo creo que sí, cuando venían gente que eran de Latinoamérica y no tenían familia aquí, mis amigas y yo siempre las hemos ayudado. Emocionalmente, creo que también, quieras que no, vienen de lejos y cuando encuentran alguien en quien apoyarse... ellas hicieron lo mismo conmigo, "¿de dónde vienes?, ¿qué talla de pantalón usas? Mañana te bajo unas camisetas".

En lo que refiere a los vínculos especialmente estrechos establecidos con alguna o con algunas compañeras internas, 25 de las mujeres aseguraron tenerlos y en todos los casos, salvo en uno, aseguraron que estas personas no habían cometido ningún tipo de delito dentro de la prisión.

COD-13: Es como mi hermana sí, vive en Ciudad Real (...) Bueno, pues al principio, no era tan tranquila como al final, porque eso, antes de llegar ahí yo, porque venía un amigo suyo de visita y se lo llevaba a la visita conyugal y lo ha ampliado que querían traerle drogas, le pusieron un parte, pero no era una persona que digas que se meta en problemas y tal, no, era tranquilita. Es más, yo cuando la conocí e ingresé, era otro tipo de persona.

Solo dos de las mujeres entrevistadas aseguraron no tener ningún vínculo de apoyo especialmente estrecho con otra u otras internas. Una de ellas no profundizó en la cuestión y la segunda aseguró haber tenido problemas con la que, en un principio consideró un apoyo, pasando a decidir no volver a establecer vinculaciones con el resto de las compañeras en el futuro. Esta segunda interna, además, confirmó que la mujer con quien tuvo, en el inicio de la condena, la especial vinculación cometía actos delictivos durante la misma, lo que le llevó a decidir evitar vinculaciones tan íntimas con el resto durante el resto de su permanencia en el centro.

COD-81: (...) llegó una chica de Tetuán, no hablaba el español bien y la metieron a vivir conmigo, y yo pues tenía una relación con ella, charlando, esto, lo otro. Le decía que no se metiera en problemas, "no te juntes con esta", en el patio todas sabemos de qué pie cojea cada una. Yo la guiaba un poco y que no estuviese en líos, entonces.... Yo la intentaba guiar un poquito, al principio muy bien, luego la metieron a trabajar conmigo y fue la primera que me dio problemas. Trabajamos en la lavandería, y ahí llega el hombre, toca en el módulo de mujeres y trae un poco de tarjetas de teléfono y dicen que son mías. Me llama una señorita, y me dice "el muchacho que te ha dejado las tarjetas de teléfono". Ya después me empecé a dar cuenta de que ella tenía un lío de una historia no muy normal con él. Había otro paisano de Tetuán que estaba liado con ella y vendía porros y claro, tú puedes hacer lo que te dé la gana, pero no perjudiques a nadie (...). La verdad es que con ella me pasó, es la historia, creo que a raíz de ahí dije "ya no más".

Del total de las internas de la muestra, ocho aseguraron haber sido víctimas de algún tipo de agresión por parte de sus compañeras. Se trató de amenazas, insultos, encontronazos y humillaciones, pero no describieron en ningún caso haber sufrido una agresión física.

COD-10: Una que estaba mal psicológicamente, me dijo que, si no le cogía y le ponía el suero, porque se intoxicó con pastillas y la tuvieron en enfermería, y mientras la señorita se iba a cenar yo me quedé cuidándola, que me lo dijo la señorita. Y de pronto, se quitó el suero, yo me puse mal, se quitó el suero y yo digo "¿ahora qué hacemos?", y me dijo la señorita que no me preocupase, todo chorreando de sangre, y yo le hice el favor a las funcionarias, y me quedé yo y me dijo que no se lo "chivatara" a las funcionarias que, si no, me pegaba. Y yo le dije que yo se lo tenía que decir porque, claro, las funcionarias también lo sabían, que ella había amenazado a mucha gente. Y ellas me dijeron "hay que ver, pobrecita, encima que entras y el mal rato que te has llevado". La chica se intentó suicidar, allí las venden las pastillas, se cambian por cervezas, y la llevaron al clínico porque estaba pa´ morirse.

COD-2: Aquí, cuando recién llegué, más que humillación, fue que yo caí sin dinero, yo he lavado mucha ropa antes de ponerme trabajo (...) así que claro, por ese lado, ellas te hacían el favor, pero te humillaban y tenía que limpiarles las celdas y hasta los zapatos (trabajaba limpiando para otras internas).

De las ocho internas que aseguraron haber sido víctimas de algún tipo de agresión verbal, solo una reconoció haber sido ella quien llevó a cabo otra agresión. Del resto de la muestra, tan solo dos aseguraron en un momento dado haber agredido verbalmente a otra compañera.

COD-30: No. Hubo una vez con una muchacha una pelea, así un rifirrafe y no se llegó a las manos. Fue por los grifos, yo entraba con la compañera y escuchamos "me cago en tus muertos". Bajamos a desayunar y no llegamos a las manos, decirnos dos o tres cosas.

COD-27; Peleas, sí. Insultos, sí. Nos insultábamos con las que nos peleábamos (se ríe). Bueno, pelear no, bueno un encontronazo, pero después siempre, o yo iba a pedir disculpas, o venían ellas a mí. Cuando yo cometía el error, yo iba. Al otro día o a los otros días, iba. Pero nunca me he llegado a pelear, siempre era "cuidado, que no miras por donde caminas, gilipollas".

II.F. Ambiente en prisión

En este *subbloque* se preguntó a las internas sobre su opinión acerca del ambiente observado en el interior del centro penitenciario o Centro de Inserción Social, según el caso concreto. Aquí, lo que la investigadora trató de alcanzar a conocer no eran las relaciones que las internas habían venido estableciendo con el personal del establecimiento o con las demás compañeras internas, lo cual ya ha sido analizado previamente, sino la manera en que las mujeres definían el entorno penitenciario en términos generales.

En primer lugar, se preguntó por la existencia de miedo por parte de unas hacia las otras. Aquí, los resultados mostraron que el miedo era un sentimiento no percibido por parte de 13 de las mujeres entrevistadas. Una de ellas, en su lugar, hablaba de cierto grado de respeto.

COD-16: Respeto, respeto de decir, ¿miedo en qué sentido? A ver, es que hay muchas clases de miedo. Miedo en el sentido de que si una habla de la otra, la otra se calla porque la una sabe más de la otra, pero lo demás, no. Aquí nadie intimida a nadie porque nadie se deja intimidar. Además, que tampoco lo consentimos. A mí las cosas de los abusos no me gustan, esto no lo tolero, que yo un abuso se me ponen los vellos de punta y me encarnizo, yo no he tenido ningún abuso en la juventud, pero eso no lo tolero. De ver a una persona que la están pegando, que les pase algo a mis hijos si no es verdad.

Las 14 mujeres restantes, por el contrario, mostraron un sentimiento de miedo en cuanto al ambiente generalmente observado en el centro. Normalmente, aludían a conflictos derivados del tráfico de estupefacientes y de deudas económicas entre las internas. Según las mujeres entrevistadas, estas situaciones generan conflictos importantes y ese clima de miedo por el que se preguntaba en este momento. Otra de las internas aludía a conflictos generalizados como consecuencia de las relaciones de pareja que se establecía entre las internas.

COD-24: Yo creo que sí, porque hay algunas que son muy malas, es que hay muchas cosas, porque aquí se buscan problemas, se deben dinero o de droga y todo eso.

COD-10: Sí, cuando quieren coger a una, se van al cuarto de baño, se quieren pelear. Hay muchos grupos que dominan a otros, hay grupos de mayores, de menores, las que entran y son nobles y quieren abusar de ellas, para que les saquen tabaco, cerveza, café… y a mí eso no me gusta. Entran las muchachas tan buenas y si no quieren no quieren, eso no se puede hacer.

COD-15: Sí, sobre todo cuando entran, cuando entra una primeriza, entra "cagá" de miedo, se cree que todo el mundo la va a matar, pero tú sabes, siempre hay gente buena y gente mala. En Málaga (centro penitenciario de Málaga) es más como la selva, es más supervivencia, porque hay gente de todos laos y "pastillosas", pero si entras al módulo 9 de Granada es como Málaga, la selva, pero en el módulo 10 de respeto y entra una nueva con miedo pues le ayudas, le dices "mira, vente aquí" (…).

En lo que refiere a si son o no comunes las amenazas y el sometimiento, no respondieron un total de tres mujeres. De las restantes 24, 11 mujeres consideraron haber sido testigos de este tipo de situaciones, de nuevo como consecuencia de conflictos generados por las sustancias estupefacientes, aunque por regla general se trató de agresiones y conflictos de carácter verbal. Solo tres mujeres hicieron referencia a agresiones físicas.

COD-23: Sí, discusiones que a veces tienen y se insultan, pero no mucho tampoco. Pero discusión verbal, tampoco muy agresiva. Aquí por lo que más se discute es por los teléfonos, y como están en las zonas de la plataforma donde se ponen a jugar al parchís, siempre estamos con las discusiones de que bajen la voz para poder hablar.

COD-13: Sí, anda que no, han tenido que separarlas los funcionarios y aislarlas porque querían matarse con ellas por celos, por porros, por todas... ay, que se casan, ay, que están viniendo de fuera.

Las restantes 10 mujeres, por el contrario, no habían observado este tipo de situaciones, una incluso llegó a decir que la cárcel en realidad se parecía bastante a un "patio de colegio". Con un tono irónico esta interna pretendió dar a entender a la investigadora la tranquilidad y el entorno pacífico que reinaba en el establecimiento penitenciario.

Se indagó también en las situaciones experimentadas por las internas que llegaban a prisión. Concretamente, se preguntó si estas eran sometidas a amenazas. Se obtuvieron un total de 21 respuestas negativas, 1 respuesta en blanco y 5 respuestas positivas. En general, las internas aseguraban que, pese a que las mujeres recién llegadas, sobre todo si era la primera ocasión que cumplían una condena en el establecimiento penitenciario, solían mostrar cierto miedo y preocupación, la realidad es que las internas tendían a acogerlas, orientarlas y ayudarles durante los primeros días en aquello que necesitaran. En muchas ocasiones, las mujeres de la muestra refirieron la existencia de las llamadas "internas de apoyo", es decir, aquellas que, por su buen comportamiento, habían sido designadas para ayudar a las compañeras recién llegadas en su adaptación al medio penitenciario.

COD-7: Cuando alguien llega por primera vez, ahí la mayoría, como hay coordinadoras, la mayoría de funcionarios no interviene para nada, (...) el comité de bienvenida, cuando sonaba una campana, era el comité de bienvenida y eso significaba que venía alguien nuevo. (Nombre de una interna) le leía las normas, la subía a la habitación, le enseñaba (...) Era trato bueno. Los primeros días, cuando llegas, están las internas de apoyo, te quedas tres días durmiendo con esa persona, ya luego tú decides si te quedas sola.

A ella le pagan y tiene que estar tres días con esa persona, pero libres por si tiene que venir alguien más (...).

COD-18: Sí, por ejemplo, cuando llegué aquí la primera vez yo no conocía a nadie, enseguida se hicieron amigas, al principio vine sin despertador, ellas me daban codacitos por las mañanas para despertarme para que no me quedara dormida. A lo mejor si me quedaba aquí sin dinero, me prestaban ellas dinero y cuando yo venía se lo daba.

Las internas que sí refirieron situaciones conflictivas con respecto a las internas recién llegadas al establecimiento no hablaron tanto de amenazas sino de falta de asistencia y apoyo durante los primeros momentos o de un intento por parte de las internas con mayor antigüedad en el centro de abuso sobre las nuevas.

COD-5: (...) Las que están mucho tiempo como que quieren abusar de las nuevas, rollo "dame dinero, cómprame tabaco". Pero normalmente hay muchas internas que decimos "eh, tranquilita, que ese dinero es para ella". A veces hay que sacar la cara por ellas.

En lo que concierne a las agresiones, tres internas no respondieron, siendo las opiniones diversas en cuanto a las 24 mujeres restantes. Ocho mujeres aseguraron haber presenciado algunas agresiones que requirieron, incluso, la intervención del personal del centro penitenciario.

COD-14: Todos los días tenía que llegar la plantilla de funcionarios.

En lo que refiere a los conflictos entre grupos y bandas, ninguna de las respuestas obtenidas aludía a conflictos entre bandas propiamente dichas, aunque 12 internas aludieron a la existencia de conflictos de este tipo. Tras el análisis detenido del discurso, se observó que, en realidad, aunque determinaban la existencia de grupos, no había un enfrentamiento claro entre ellos. Los conflictos derivaban de cuestiones diversas, como deudas como consecuencia de la compra y la venta de la droga.

COD-14: Sí que cuando se pelea una con una de la otra banda vienen seis a quererle pegar a una. Allí las únicas bandas que estaban juntas eran las gitanas, que siempre estábamos juntas y las negras. Pero no había enfrentamiento entre nosotras. Aunque yo estaba con todo el mundo. Mayormente las peleas allí las tenían por la cola del economato y la cosa del teléfono, pero después las peleas eran por las que comen pastillas, se meten las pastillas por la nariz (…) No sé de qué manera las familias les metían chocolate y se "jartaban" de fumar porros en el patio. Las peleas de "dame un porro, no te lo doy", las que consumían ese tipo de cosas siempre estaban enfrentadas todos los días. Porque por un trocito pequeño te cobraban 5 euros.

Por último, se preguntó a las internas sobre su opinión acerca del trato proporcionado por parte del personal y de las autoridades penitenciarias sobre los internos y su consideración acerca de tratos distintos sobre determinados grupos o colectivos. Cinco internas no proporcionaron respuesta a esta pregunta, de las 22 restantes, solo dos consideraron que el trato no era siempre bueno, ya que no todos los funcionarios tenían el mismo comportamiento, e incluso que realizaban distinciones evidentes entre grupos en función de la etnia ante el temor a represalias.

COD-31: Sí, sí, sí, sobre todo a las gitanas, tienen muchos beneficios, en el sentido de que todas tienen trabajo, ¿eh?, las funcionarias las atienden muy bien, ciertas funcionarias vaya, todas no, hay algunas que aguantan lo que no hay, las pobres, las cosas como son. Aguantan insultos y todo de las gitanas por miedo a ellas, porque al estar en la cárcel luego están en libertad y te las encuentras en la calle. Por ejemplo, el educador vive en mi misma calle y si me fuera tratado mal yo estoy aquí en la puerta de la calle, cuando sale de la cárcel pasa por mi puerta haciendo ejercicio y puedo hacer algo, que yo no soy de esa manera, pero yo puedo salir a la calle en (…) pararlo y decirle cuatro cosas, incluso mandar a mi marido a decirle que me ha tratado mal, es el miedo que tienen ellas, es el miedo que tienen a salir a la calle y encontrárselas, y en la calle ya es diferente a la cárcel. Ellas les tienen miedo a las gitanas y a las negras. Por eso tienen más beneficios que las demás, por el miedo.

II.G. Relaciones con la familia durante el cumplimiento de la condena

En este *subbloque* se preguntó a las internas sobre cómo se habían desarrollado las relaciones con las personas de su entorno durante el cumplimiento de la condena. Se pidió además que diferenciaran las situaciones según se hubiesen encontrado clasificadas en segundo grado, en tercer grado o en libertad condicional. Aquí se hizo constar a las internas que el concepto "familiares" debía ser entendido en un sentido amplio, es decir incluyendo pareja, hijos, amistades, conocidos, etc.

En primer lugar, se indagó en el contacto que habían mantenido con la familia, y su opinión sobre la frecuencia con la que este tenía lugar o los medios que habían podido utilizar para ello. Un total de tres internas manifestaron un contacto muy escaso o nulo. Una de ellas aseguró no haber tenido ningún tipo de contacto durante el cumplimiento de su condena, además la relación con la familia, según había manifestado ya anteriormente, era nula antes del momento de dar comienzo la ejecución de su pena ya que vivía en la calle. Otra interna aseguró que solo había recibido una visita por parte de su hermano hacía dos años, siendo su situación similar a la anterior, al haber asegurado no tener tampoco relación con su familia de forma previa a la entrada y encontrarse en aquel momento en la calle. Una interna extranjera solo había recibido cartas de su hermano, manifestando tener una relación conflictiva con su familia antes de la condena a prisión.

Cuatro de las mujeres de la muestra aseguraron no haber podido ver a sus familiares con la frecuencia que hubiesen deseado, aunque el contacto tenía lugar de otras formas, principalmente a través de cartas y llamadas de teléfono. Esto ocurrió, principalmente, en el caso de las mujeres extranjeras cuya familia se encontraba en el país de origen y en el caso de quienes cumplían su condena en un centro penitenciario alejado de su ciudad de origen. Otra mujer consideró que no era posible verlos con mayor frecuencia, ya que las visitas podían tener lugar una única vez al mes, no desarrollando con mayor profundidad la cuestión. En otro de los casos, tras un cambio de módulo, la interna aseguró que le cortaron las comunicaciones al no presentar la factura del teléfono de sus hijos.

> *COD-27: Nunca vinieron a verme y ellos me escribían cartas, allí (Paraguay) se comunican mucho por cartas y mis amigas imprimían las cartas y me las mandaban a mí. Mis amigas que estaban fuera ya me hacían ese favor. Le llamaba porque podíamos activar 10 números de teléfono y 10 llamadas, que con lo del virus la alzaron a quince. Yo llamaba diariamente, aunque sea un ratillo, a*

veces yo no tenía para comprar tarjeta "¿mamá, estás bien?, ¿están bien los niños?" pues venga, le cuelgo. Ellos todas las fechas importantes me mandaban fotos, siempre, de los niños, de mi familia, de los regalos de los reyes. Todo me lo mandaban (...).

COD-8: Yo veía a mi niño y a mi marido por los vis a vis, porque todas las semanas no iban a venir hasta Sevilla nada más que a los vis a vis. Me hubiese gustado estar con ellos más. Llamarlos por teléfono, todos los días, y pues cuando colgaba se me venía el mundo abajo, porque de pensar que de cómo estaban, cómo lo estaban pasando (...).

COD-4: Ahora no estoy viéndolos, porque cuando me cambiaron de a1 al b1 me cortaron la comunicación porque no presenté la factura del teléfono de mis hijos. No hablo con ellos, entonces lo que hago es que aquí vive una paisana mía, que mi amiga es su madre, y a través de la madre de la interna yo les cuento cómo estoy. Total, ya queda poco. Los extraño mucho. Solo quiero hablar con ellos. Cuando salía de permiso siempre los veía de videollamada.

En el resto de los casos, las 20 mujeres internas aseguraron que las visitas y las comunicaciones, principalmente a través de llamadas telefónicas, tenían lugar con frecuencia, con la frecuencia que establecían las normas del centro penitenciario. Lo habitual es que las mujeres recibiesen llamadas y visitas de sus parejas, de sus madres y padres, de sus hijos y de sus hermanos. En algunas ocasiones, las propias internas decidieron que sus hijos, generalmente los de menor edad, no fueran a visitarlas a través de los "cristales", tal y cómo ellas mismas expresaban, ya que resultaba muy duro para ellas no poder acercarse físicamente a los niños, quienes no lograban entender exactamente la situación debido a su corta edad. Esto también ocurría con otros familiares, como los hermanos o la madre, a quienes, de alguna manera, trataron de evitar que experimentaran la sensación de ir a visitar a un ser querido a un centro penitenciario o prefirieron no visitarlas durante los permisos de salida.

COD-3: Ellos no pueden llamar, pero el de España siempre que le llamo me dice "voy cuando tú quieras". Soy yo la que no quiero. Cuando he necesitado me manda dinero y ha venido un par de veces más. No es que no quiera verlos, no quiero que se pongan a hablar de ellos en los pueblos. Que ellos vengan, vale, pero yo ir no quiero, mi hermano me ha dicho que un fin de semana no pasa nada, pero yo le digo que no se preocupe que no les voy a molestar porque no quiero que hablen en el pueblo de ellos.

En otras ocasiones, las personas encargadas del cuidado de sus hijos preferían no llevarlos a los centros penitenciarios, lo cual hacía sufrir a las internas.

COD-14: En Alahurín no recibía visitas, mi padre tenía 70 años, mi madre en silla de ruedas y les dejé cuatro niños. Recibí cuatro o cinco veces, vinieron a verme mis padres y mis hermanos. Amigos sí han venido. Lo que es de mi familia habré tenido 5 o 6, y de amigos más, de amigos, "en verdad", han venido muchas más veces. Son amigos que a día de hoy no mantengo, menos uno, porque perdí el contacto con él, el teléfono se me perdió y no doy con el número. Me hubiese gustado que viniera más, pero si no podían, pues no podían. Por eso te digo que mi experiencia en la cárcel fue peor por no recibir visitas, porque yo no he visto ni la cara de mis niños. Eran todos menores y como no los llevaba nadie pues ellos no iban. Hombre, los podría haber traído mi padre, pero no los trajo. Se lo pedí, pero no me los traían, me decía que "sí, sí, el domingo voy" y ahí no aparecía nada. Hablaba con ellos por teléfono todos los días o lo ponían en manos libres y me escuchaban todos. Ellos lloraban mucho, "¿cuándo vas a venir mami?, queremos estar contigo, esto no es lo mismo". ¿Cómo llegaba una al "chabolo"? "Partía". El pequeñito me decía, "mami, mami, ¿cuándo vas a venir?" Y yo le decía ya mismo, ya mismo "su mami".

Cuando se intentó indagar en la opinión de las internas sobre si el acompañamiento de sus familiares fue considerado como suficiente, dos de ellas no proporcionaron respuesta y otras dos indicaron que no. En general, en esta pregunta respondieron todas de una manera afirmativa, indicando que en todo momento se habían sentido acompañadas por los familiares y las personas del entorno más próximo.

COD-6: Me he sentido acompañada, no me han fallado, la verdad. Con mi padre también. Él es quien me trae siempre a firmar y me está esperando (refiriéndose al momento en el que estaba teniendo lugar la entrevista). Y conmigo ha cambiado mucho ahora que estoy en su casa, como mi madre siempre dice que soy su favorita, siempre está pendiente a mí, me tienen como una niña chica ahora.

Se les preguntó por quién o quiénes consideraban que les habían brindado su apoyo y compañía en mayor medida. Tres mujeres no respondieron y una de ellas dijo que fue "nula". Las respuestas fueron variadas en el resto de los casos, pero coincidían con aquellas personas con las que mantenían el contacto de manera más frecuente, bien a través de llamada, o bien mediante visitas.

En lo que refiere a la ayuda económica recibida por parte de las personas de su entorno, dos mujeres no respondieron y cuatro aseguraron que fue nula. Los motivos por los que la respuesta fue negativa fueron porque en uno de los casos la interna había mentido a su familia sobre el lugar en el que se encontraba, contándoles que trabajaba; en otro caso, la interna aseguró contar con una pensión de viudedad que le era suficiente para satisfacer sus gastos durante la ejecución de la condena; en otro caso, la interna prefirió negarse a recibir esa ayuda, ya que su familia, que se encontraba en Paraguay, no tenía ingresos suficientes como para hacerlo y, en el último caso, la interna trasladó a la investigadora que el envío de dinero desde países extranjeros, en este caso Colombia, era poco rentable y suponía un esfuerzo económico excesivo para sus familiares.

> *COD-2: (…) Mi familia no, porque es muy difícil enviar dinero desde allá hasta acá. Porque tendrían que enviar mucho dinero para que lleguen aquí cincuenta euros. No tengo millones, pero no lo necesito, prefiero que se lo pasen ellos (…).*

> *COD-4: No, porque no acepté, ellos tienen su familia y allí (Paraguay) es más difícil ganar dinero que aquí y yo prefiero que, como aquí tengo todo adentro, no falta nada, prefiero no.*

En lo que refiere al sentimiento de deuda con respecto a sus familiares, de nuevo no se obtuvo respuesta por parte de una interna. En el resto de los casos, diez mujeres ofrecieron una respuesta negativa, aludiendo a que esa ayuda y ese apoyo recibido era algo esperable por parte del entorno, bien porque preferían hablar de agradecimiento, pero no de deuda, bien porque consideraban que ellas habían ayudado y sido generosas cuando resultó necesario con ellos.

COD-13: No, no tengo este tipo de problema, porque la mayor parte con él no, agradecida sí, es la palabra correcta, en deuda no, porque yo también he hecho cosas por él. He sacrificado por él, le sigo haciendo cosas por él (...)

COD-16: ¿En deuda? Deuda no porque eso lo hace cualquier familia que quiere a su familia, en el sentido de agradecerles, sí, porque hay pocas hermanas, hay muchas hermanas que no....

En el resto de los casos, las internas afirman tener ese sentimiento de deuda con alguna de las personas de su entorno, una deuda en ocasiones emocional, por haberse hecho cargo de sus hijos durante la condena, en otros casos, por el sufrimiento que el paso por prisión o sus adicciones había supuesto para sus familias y, en otros, una deuda económica por la ayuda ofrecida cuando estas lo habían necesitado.

COD-23: Con mi hermana mayor quizás, pero porque me he portado muy mal con ella, porque ella me ha llevado a sitios a dejar la droga y se ha cansado de mí. Con la única, con mi hermana pequeña no.

COD-4: Sí, porque siempre me apoyan en el sentido de mostrarme que me quieren, que están conmigo siempre. No es mandar dinero, lo que vale es un apoyo, de que te apoyan en lo que sea. Eso es lo que significa más que el dinero.

COD-5: Sí, por esto, por haberla fallado por la droga. Además, siempre ha estado conmigo desde chiquitita, nunca le ha faltado de nada, pero claro quiere que su madre no se drogue. Además, está buscando un hijo, aunque le está costando mucho, y quieren un niño, y quiero ser una buena abuela, ¿si no lo hago por ella, por quién lo voy a hacer?

Una de las preguntas se encaminó a conocer si la familia de la interna había mostrado su preocupación ante la necesidad de un cambio futuro, con respecto a la delincuencia u otros aspectos, por parte de la interna. No se obtuvieron 2 respuestas, pero de los 25 casos restantes que componían la muestra, ocho aseguraron que no, aludiendo a que la familia conocía cómo eran ellas, que el delito había sido un error puntual, que no iba a volver a suceder o que ni siquiera ellas habían sido quienes lo llevaran a cabo.

COD-31: Pues no, porque como ellos saben que yo no he cometido delitos no me han pedido cambio, yo soy la misma que siempre soy, yo no me considero que tengo que cambiar.

COD-27: Yo creo que lo dan por hecho, ellos saben que yo, y mira que no es un tema que se trate a menudo en mi familia, pero siempre, siempre, cada vez que puedo, yo le pido perdón a mi madre y a mis hermanos por los años, porque esto no es un rato, son años, ¿sabe? Y son fechas tras fechas y una no está ahí, y yo siempre digo "no puede esto volverlo "patrás"", lo que has perdido, ya está perdido, sácatelo de la cabeza, no tienes cómo recuperarlo. Yo siempre les pido perdón de verdad.

COD-15: ¡Pero si yo soy la mejor persona que ha creado el Señor! Me quieren, no me han dicho nada, porque no es necesario.

En el resto de los casos la respuesta fue positiva y, generalmente, esta petición procedía de sus padres o de sus hijos.

COD-6: Sí, y lo estoy haciendo, he cambiado muchísimo y ahora pienso en mi vida de antes, y digo "hay que ver que he perdido el tiempo y el cariño de mis niñas". Y ya día a día me he ido ganando el cariño de mis niñas, de mis padres, de mis hermanos, porque no confiaban en mí.

COD-12: Sí, mi madre la principal y mi padre, porque los niños no se sienten con la autoridad de decirme a mi... pero mi padre y mi madre sí. Lo primero que eso pasó hace unos años pues pelearon, como es normal cuando un padre ve a su hija meterse en problemas que ellos ignoraban, me regañaron como es lógico, tampoco he sido yo una niña...

COD-14: Mis padres, me han dicho que no lo vuelva a hacer, que valore mi vida, que valore mis niños, que me piense las cosas antes de hacerlas, que eso no es vida. Sí, mis niños también, que no lo haga más, que ellos no se quieren volver a quedar solos, que ellos me necesitan.

En lo que refiere a si los familiares y las personas del entorno han motivado a las mujeres entrevistadas a participar en los diferentes cursos y programas ofrecidos en el establecimiento penitenciario, la mayoría de las respuestas fueron positivas, asegurando que el consejo se orientaba hacia la recomendación de que la interna pudiera distraerse durante las largas jornadas en el centro, o bien hacia la necesidad de obtener una mayor preparación formativa y laboral para su futuro.

> *COD-15: Siempre te dicen "apúntate en el colegio, échate la bolsa". Te lo dicen, pero igualmente lo haces. Si a lo mejor mi padre o mi hermano no te orientan, no sabes lo que tienes que hacer. Y te dicen "pues mira, echa la instancia, echa la bolsa pal' trabajo".*

En la última de las preguntas de este apartado se conoció cómo definían las internas la relación con sus hijos durante el cumplimiento de la condena y cuáles eran los sentimientos hacia ellos. Diez mujeres no proporcionaron respuesta y las restantes mostraron a la investigadora emociones dolorosas, sentimientos de nostalgia, de haber cometido errores importantes con respecto a ellos, de arrepentimiento, etc. Sin embargo, la relación no había cambiado para la mayoría de los casos, salvo en tres, uno porque la interna aseguró que la familia que había quedado al cargo del cuidado de los hijos había influido sobre ellos generando una opinión negativa hacia su madre, otro como consecuencia de la pérdida de contacto con su entrada en el centro y otro como consecuencia de conflictos judiciales con ellos.

> *COD-2: Sí, han cambiado mis sentimientos hacia ellos. En el sentido, sobre todo por el mayor, que yo prácticamente les dejé muy pequeños, siento que ellos no me quieren como madre, quieren a mi madre. Ellos me quieren por las ayudas que les doy y porque saben que soy muy madre. Cuando estuvo el menor acá le rogué que se quedara, pero él me dijo que no, "yo no me voy a quedar, porque si me quedo me tengo que traer a mi mamá, a su abuela", y eso me partió. Se pierde mucho de ellos, he perdido infancia, su niñez (...) A mí me da tristeza porque tienen tatuado "mi mamá", y es el nombre de su abuela. Esas cosas duelen. Me dicen mamá porque saben que los tuve, pero no por sentimiento. Todo esto no vale la pena, hubiese valido la pena haber pasado hambre, pero con ellos al lado (llora). Creo que ya no se puede reconducir, si fueran pequeños sí, pero ya mayores no, siempre te culpan, el mayor siempre me dice que él es rebelde por mi culpa, porque yo le abandoné (...).*

II.H. Situación familiar en el momento presente

En este momento se proporcionan los resultados relativos al *subbloque* sobre la situación familiar en el momento presente. En primer lugar, se preguntó por la pareja y por la manera en la que el paso por prisión había afectado sobre la relación sentimental. Un total de nueve internas aseguraron no tener pareja e incluso algunas aseguraron que tenerla no resultaba una prioridad en sus vidas. Para una interna lo más importante era abandonar la drogodependencia, para otra cuidar de su hijo y lograr obtener una vivienda donde residir junto a él después de la finalización de la condena.

Son destacables los casos de cinco internas que dieron comienzo a su relación de pareja durante el cumplimiento de la condena, en tres de los casos se trataba de otro interno del mismo establecimiento, en uno de los casos de un trabajador del centro y en el otro, la pareja estableció contacto con ella a través de redes sociales. En estos casos, el paso por prisión no supuso ningún cambio en la relación.

> COD-18: *Sí, cerca de dos años. Nos conocimos aquí en la condena de siete meses, él estaba por robo, aquí llevaba cuando yo entré, bueno no sé exactamente, de aquí se lo llevaron regresado porque le acusaron de otro robo que él no había sido. Está en (centro penitenciario español) ahora mismo. Él está en prisión. Ahora mismo con el confinamiento hablamos por teléfono y a través de carta. Siempre me dice que cuando salgamos le busque su trabajito y pongamos un "quiosquito" y que se acabaron los robos tanto pa´ él, como pa´ mí, que ya somos mayorcitos.*

En uno de los casos, la mujer culpabilizó a su pareja de la entrada en prisión. Ambos eran drogodependientes y sin recursos económicos para financiar el consumo y llevaban a cabo actos delictivos y la mendicidad.

Las 13 internas de la muestra que tenían pareja aseguraron recibir apoyo por parte de estas y la definían como una relación normalizada. En la mayoría de estos casos, el cumplimiento de la condena y el paso por prisión no implicó ningún cambio en las relaciones, sin embargo, son destacables algunos casos en los que sí se produjeron cambios que llegaron incluso a ser positivos para ambos.

> COD-29: *Sí, pues ahora mismo estamos los dos quitados de todo y todo bien, tenemos la mente en salir, en buscar un trabajo, a*

ver si podemos poner una casa para irnos a vivir juntos. Lo más importante ahora es buscar un trabajo, porque si no trabajamos como vamos a…

COD-15: El paso por prisión ha afectado, pues nos "peleemos", porque allí dentro tú tienes las paranoias más grandes, te imaginas todo, si ha faltado por esto, porque tú estás a gusto en la calle y yo aquí dentro, como que agobia y él no se tiene que agobiar tanto, y él se agobió mucho estando en la calle. Él se fue y ya está, y no supe más nada de él hasta que salí de permiso, ya él se enteró y estaba todo el día "quiero verte, quiero verte". Así lo aguanté cuatro o cinco permisos, hasta que lo vi. Y hasta hoy. Nosotros nos llevamos muy bien, nos peleamos como todo el mundo. Yo es que soy muy correcta, no hago el tonto.

Tan solo dos de las internas fueron madres durante el cumplimiento de la condena, encontrándose una de ellas junto a su hijo dentro del Centro de Inserción Social, ambos presentes durante la entrevista con la investigadora. En el otro caso, la interna ya había accedido al tercer grado y cuando nació su hija se encontraba con vigilancia telemática en su domicilio. Hubo una interna que destacó que su hijo tenía menos de 3 años en el momento en el que ella se encontraba en ejecución de condena pero que fue su abuelo quien quedó a su cargo durante ese tiempo.

Se preguntó por la edad de los hijos de las internas y, a continuación, sobre la persona o personas que se hicieron cargo del cuidado de ellos durante la ejecución de la condena. Dieciséis mujeres contaban con niños pequeños o adolescentes a los que dejar al cuidado de: abuelos; padre y suegros; abuela; abuela paterna; tía, madre, progenitores y cuñada; hermana y madre; madre; ella misma; padre; la hija mayor de la interna; la hija mayor de la interna y el hijo mayor; ella misma; ella misma; con los abuelos; con la hermana de la interna y el hijo mayor de la interna; con la abuela. Una de las mujeres aseguró que, de forma previa a su entrada en el centro, convivía con un sobrino menor de edad que quedó al cargo de su madre cuando su tía entró al centro. Estas internas se encontraban satisfechas con el cuidado que sus hijos habían recibido y mostraban siempre agradecimiento. No obstante, sabían que, en muchos de los casos, su papel como madre de los niños seguía siendo indispensable para ellos. Del total de estas mujeres con hijos en edad de necesidad de cuidados, solo diez asumían hacerse cargo económicamente de ellos.

> *COD-27: Con mis padres, no están con su padre. Económicamente sí que están bien pero emocionalmente… creo que todo el mundo necesita y le hace falta su madre, y que los abuelos ya no están para criar a hijos, es una responsabilidad que tengo que asumir yo. Mis hermanos se han empachado ya tanto de los niños que ninguno se quiere casar ni tener hijos, dicen que no quieren tener hijos que ya tenemos dos. Si están bien, ellos ahora no van al cole por el virus y mi niño va a la práctica del fútbol y mi niña hace taekwondo.*

Ocho de las internas aseguraron apoyar económicamente a otros miembros de su familia, como la pareja, la madre, el nieto, las hermanas, etc.

Solo cinco de las internas no respondieron a la pregunta relativa al número de personas con las que se sienten muy unidas en la actualidad. Por lo demás, la mayoría de ellas se sentía unida a sus familiares próximos, hijos y parejas. El resultado más relevante aquí es que, solo tres de las 22 mujeres internas que respondieron a esta pregunta, indicaron que estas personas con las que tienen un especial vínculo se mostraban preocupados ante la posibilidad de que volviera a delinquir en el futuro.

> *COD-31: A mis hijos, sí, hombre como mis hijos. Hombre, ellos no quieren que haya delito, ellos no lo dicen, pero también me dicen que, si pasara algo, porque como la crisis está como está, que su apoyo no me lo quitan ellos nunca, pero que si no pasa mejor y espero que no pase.*
>
> *COD-30: Con mis hermanos. Sí, mucho jajaja, pues eso, que no vaya a estar yéndome con gente que no debo, que la moto no la coja hasta que no me saque el carné, la verdad.*
>
> *COD-10: (…) Ellos sí que me ha dicho que esto se ha acabado ya.*

Por último, se les pidió elegir a una única persona a la que se sintieran más unidas. Cuatro de ellas dieron múltiples nombres, por tanto, la respuesta resulta inválida, una directamente negó ninguna vinculación de este tipo con nadie y tres no respondieron. Las 19 mujeres que indicaron a una única persona proporcionaron las siguientes respuestas: mi hijo pequeño, mi madre, yo misma, mi hermana mayor, mi pareja, mi prima, mi hermana mayor, la mujer de mi sobrino, mi pareja, mi marido, mi hija mayor, mi madre, mi hija la de 12 años, mi pareja, mi madre, mi marido, mi hija, mi madre que falleció.

Uno de los resultados que se considera más llamativos es el proporcionado por la interna que respondió que era ella misma la persona a la que más vinculada se sentía.

> *COD-29: Ahora mismo creo que yo misma soy la que se está ayudando, yo me empeño sola todo, todo lo estoy haciendo yo por mi sola.*

II.I. Estado de salud presente

Se preguntó, además, sobre el estado de salud de las internas en el momento presente, sobre si tenían diagnosticada alguna enfermedad y sobre si recibían algún tipo de tratamiento como consecuencia de ella. Las respuestas fueron positivas en ocho de los casos, donde se mencionaron enfermedades bajo tratamiento y seguimiento médico como el asma, la diabetes, la hipertensión, cuadros de sintomatología gástrica, la depresión (en dos casos) y la drogadicción (solo resaltada como enfermedad en dos casos). Una de estas mujeres señaló el diagnóstico de depresión junto a la drogadicción.

Sin embargo, en lo relativo a la pregunta en la que se indagaba de una manera específica en las adicciones de las internas al alcohol o a las drogas, seis de las ocho internas que manifestaron consumir estupefacientes antes de su entrada (debe recordarse que una de estas ocho internas había señalado no considerar su consumo un verdadero problema al tener lugar exclusivamente de forma ocasional en contexto lúdico festivo), respondieron sobre cómo era su situación actual en relación a la drogodependencia padecida. Todas aseguraron no encontrarse consumiendo en el periodo actual, una de ellas aseguró llevar desde enero (más de 9 meses) sin consumir, otra aseguró no tener adicciones en el momento presente, otra aseguró no consumir dentro de prisión, otra llevaba 4 meses sin consumir ninguna sustancia, otra lo consideraba un problema completamente superado y otra aseguró no consumir nada desde hacía 2 años.

> *COD-29: Antes de la segunda entrada sí consumí, y a partir de ahí, ya nunca, ni he tomado pastillas ni nada, con alejarme de eso me basta para quitarme. Yo creo que ahora mismo estoy muy bien. Ahora mismo creo que no voy a recaer porque estoy muy bien con mi casa, mis niños, no pienso en esas cosas ni quiero verlo, vaya.*

> *COD-23: Yo no quiero ya nada, además yo soy antipastillas. Hace años sí que tomaba una pastilla para dormir, "metazapina", me creó adicción y me costó dejarla y la tuve que dejar con "valeriana". Entonces, como esa pastilla me creó mucha adicción, como la cocaína que he consumido bastantes años, pero si tú te lo planteas en tu cabeza que no quieres eso, pues lo dejas. Además, que es que yo ya no tengo edad, joder, he venido cuatro meses, estoy limpia, ¿para qué voy a volver a las andadas? Yo quiero ya dejarlo, una vida normal, dedicarme a mi trabajo y como hace todo el mundo.*

> *COD-5: Nada. Me llevo drogando desde 2010 hasta ahora. Póngale cinco, porque he estado en la cárcel mucho tiempo y estando en la cárcel no me drogo. Además, yo no me pincho, solo fumo en pipa, me he cuidado mucho, no conozco ni hepatitis, ni VIH (...) Ahora no hay droga ni va a haberla. Ahora quiero estar ocupada, con un trabajo que me mantenga ocupada y acostarte. El tiempo libre es muy malo, es lo que hay.*

Aunque no formaba parte de las preguntas de este apartado, es interesante resaltar aquí, que los resultados de la investigación mostraron que solo tres de las internas dieron comienzo a sus adicciones a la marihuana y al alcohol durante la adolescencia, en otros dos casos, el consumo de estupefacientes con drogas duras dio comienzo en la adultez temprana, en torno a los 18-20 años de edad.

III) Bloque III. Expectativas sobre el futuro cuando se alcance la libertad definitiva

III.A. Expectativas sobre residencia y convivencia

En este primer *subbloque* se trató de conocer cuáles eran las expectativas de las internas al alcanzar la libertad definitiva en cuanto a residencia y personas con las que convivirían. La casuística aquí resultó muy amplia.

En primer lugar, se presentan los resultados obtenidos con relación a las internas con situación de mendicidad previa a la entrada en el centro penitenciario. En el caso de las 3 internas que se encontraban en situación de calle, una de ellas aseguró desear trasladarse a un albergue, para lo que, sin duda, precisaría de ayuda por parte de alguna asociación u ONG y donde conviviría con compañeras; la segunda, no pudo concretar a la investigadora cual sería el lugar en el que tenía expectativa de residir en el futuro, aunque indicó que le gustaría que esto tuviera lugar en una zona céntrica de la ciudad y desconocía si conviviría o no con alguien; la tercera interna, por su parte, aseguró que eran múltiples las ideas con las que contaba y, que en cualquiera de los casos, dependería de las decisiones y situaciones de sus familiares. Esta última interna partía de que conviviría con su marido y con su hijo.

> *COD-23: Pues mira yo es que tengo otros planteamientos, si mi marido se mete a ordenanza, yo me quedo en (ciudad española), pero mi compañera (nombre de la compañera), que vive en (ciudad española), me ha dicho que ella allí me ayudaría porque quiere poner una peluquería. Tengo, o la obra, o irme a (ciudad española) con ella, o si se queda de ordenanza, yo prefiero quedarme en (ciudad española) porque así veo más a mi hijo. Yo siempre pienso en él lo primero. Si mi hijo se saca el carné y viene a verme a (ciudad española), pues es una posibilidad. Yo siempre le he dicho a mi marido, porque a él le gusta mucho Cuenca y a mi pues no me importaría ir allí, es un sitio muy tranquilo, por mi estrés me va genial y allí tendría trabajo de cocinera. Tendría que valorarlo, tengo esas cuatro posibilidades.*

En segundo lugar, se presentan los resultados con relación a las internas drogodependientes de la muestra, aquellas que aseguraron consumir con habitualidad sustancias estupefacientes (en principio, se señalaron un total de ocho internas, de las cuales, una no consideraba tener una adicción, sacándose de esta muestra). De las siete internas drogodependientes, tres de ellas eran quienes se encontraban en situación de calle. En relación con las cuatro internas restantes, la primera de ellas reconoció querer seguir residiendo en su casa, en el mismo barrio de siempre, pero asegurando que las características del mismo suponían un auténtico "peligro" para ella en tanto que le impediría cortar el contacto con las sustancias que consumía habitualmente como consecuencia de la facilidad para adquirirlas en ese entorno. A pesar de todo, deseaba convivir con su hija, siempre que fuera posible.

> *COD-5: (...) Me he planteado salir del barrio, pero ¿y a dónde voy?, si me voy y se me meten en el piso, me quedo sin piso, ¿a dónde voy? Es complicado, no es imposible, pero es difícil. Es lo único que tengo que me dejó mi madre y es ese pisito, es lo único que le puedo dejar a mi chiquita (...) El barrio es un peligro día a día, es un barrio muy bueno, muy bonito, pero hay droga como en todos los barrios. No me hace falta ir a un "poblao" a encontrar droga, en mi barrio hay.*

Otra de las internas drogodependientes planteó una cuestión similar al plantearse continuar viviendo en su casa, pero asumiendo que el barrio podría ser un problema para superar su adicción. Su deseo era convivir con su hijo y su pareja, solo si la última había logrado desistir en el consumo de sustancias tras su liberación definitiva.

> *COD-11: Yo donde estoy, en mi casa, lo que pasa que me da miedo por mi vecina, y porque donde vivo es donde hay más droga, pero es que no tengo dónde ir (...) es el polígono, es mal barrio, vayas por donde vayas, porque en el territorio donde viven mis hijos es una plazoleta donde beben alcohol y porros, y enfrente de mi casa venden heroína, "coca" y lo que sea. Luego lo que más rabia me da es que la gente cuando te ve bien es cuando te ofrece, pues porque en mi caso como saben que yo me gasto un dineral todos los días, entonces claro, soy cliente fijo. Al día puedo gastar 300 o 200, mucho dinero.*

La tercera de las internas drogodependientes deseaba vivir con su madre, ya que el barrio en el que se encontraba la vivienda tenía unas características que consideraba mejores para ella con respecto al barrio en el que residía previamente.

> *COD-6: Me gusta el barrio, porque no hay droga, los vecinos son diferentes, porque al no haber droga, son más... en el barrio donde yo vivía todo el mundo vendía drogas. Tú pegabas en una puerta y hay droga, y las vecinas son más agradables aquí, "buenos días", son de otra manera. Allí donde yo vivía siempre hay peleas con los gitanos.*

La última de las internas drogodependientes deseaba continuar residiendo en el mismo barrio de siempre, al considerarla una zona "buena" y tranquila, pero, esta vez, en una casa de mayor tamaño.

En relación con las 20 internas restantes que componían la muestra, nueve de ellas aseguraron que el barrio en el que vivirían sería aquel en el que ya se encontraban y que, además, se trataba de un buen barrio, en general, no conflictivo. Estas mujeres habitualmente deseaban permanecer en la misma vivienda y de no ser así, los motivos no tenían que ver con las características del barrio, sino más bien con el deseo de obtener independencia y dejar de convivir con determinados familiares o el deseo de obtener una casa de mayor tamaño. En estos casos, las internas deseaban vivir con su familia: madre, pareja, hijos o compartir piso con personas desconocidas para poder hacer frente a los gastos económicos.

> *COD-13: De momento no tenemos otra opción, hasta que no gane la lotería no tengo otra salida. Estoy bien, vivo en la casa de mi suegra, es una situación un poquito complicada, porque hemos vivido en alquiler y habría podido decir que no quiero a su madre conmigo y no cuidarla, pero por un lado me siento obligada (...).*

En los once casos restantes, las mujeres aludieron a que el barrio donde pretendían residir en el futuro no reunía las características que ellas desearían, principalmente como consecuencia de la delincuencia, la conflictividad o el tráfico de drogas allí presente. Sin embargo, aseguraban no tener una alternativa viable, principalmente ante las dificultades económicas. De nuevo aquí, las mujeres pretendían convivir con sus hijos, parejas y, en ocasiones, sus padres.

> *COD-18: Si tuviera dinero me iba del barrio donde estoy, me gustaría tener una parcelita en un campo. Mi casa es de la Junta de Andalucía, me tocó en un sorteo, pero el barrio es conflictivo, entonces pues no me gusta el barrio para mis hijos, porque de por sí mi hijo es rebelde, todo lo que tiene una de buena, lo tiene uno de malo, y me da miedo que esté ahí. Yo me iría a un campo, sí, a una parcelita donde no hubiera tantos amigos pa´él, que ya el niño va a hacer 14 años y ya están los otros niños fumando porros y él se fuma tabaco. Verás, que el tabaco se lo doy yo porque pa´que se lo fume a escondidas prefiero que se lo fume delante mía (…). No me gusta el barrio porque es conflictivo, mucho. A un nivel de diez, un once.*

> *COD-16: Me está haciendo usted una pregunta… yo ahora mismo tengo pa´lo que tengo, como querer vivir, me quisiera ir a un pueblo, pero como no tengo, me tengo que adaptar a lo que tengo. Pues ahora mismo lo único que tengo es una casita, de alquiler con mi marido, pero ahora me he comprado un bajito (…) Es en el mismo barrio, no me gustaría seguir, porque no me gusta, los pisos están bien dónde yo lo he comprado, pero se va a poner mal, igual que las casitas, la vida esta corrompida. No es el barrio, somos nosotros los que estamos corrompidos. También te diga una cosa, que no es una casa legal, que yo no tengo dinero, cinco o seis millones de lo que vale un piso (…).*

> *COD-7: El barrio no me gusta, pero bueno, me he criado ahí toda la vida, que cada uno haga lo que quiera con su vida, que yo vivo feliz con mi niño y si salgo es con mi hermano y mi madre. Sí me preocupa un poco el barrio de cara a que mi hijo sea adolescente (…).*

La siguiente de las preguntas era abierta y en ella se indagaba sobre las personas con las que las mujeres entrevistadas pretendían tener contacto durante su vida en libertad. Las respuestas fueron diversas, algunas mencionaron la necesidad de apoyo profesional, el deseo de mantener el contacto con alguna compañera del centro penitenciario, con amigos previos a la entrada de prisión, familiares cercanos e hijos o, en general, una respuesta muy frecuente indicaba el deseo de mantener el contacto con “la gente de siempre”. Sin embargo, aparecieron una serie de respuestas en las que se ha considerado necesario detenerse en tanto que ponían de manifiesto el deseo de estas mujeres de romper algunos vínculos (seis mujeres). En general, estas mujeres indicaron querer cortar el contacto con las compañeras del centro (cuatro casos) y, en otros, su deseo de cortar algunas relaciones de amistad previas a la entrada en prisión ya que podría suponer la continuidad de sus adicciones o la delincuencia.

> *COD-11: Yo es que la verdad, mi entorno de amistades son todos drogadictos, entonces no creo que... una ayuda no se le niega a nadie, pero lo que es juntarme, no. Tengo mi amiga íntima, pero es que también se droga. Y una puede estar con ella y no consumir, pero un día o dos, el tercero caes seguro. Sí hay delincuencia en mi entorno de amigos, para la droga, robo con fuerza, incluso cosas más complicadas, atracan bancos, yo eso jamás lo haré. No son personas para estar con ellas, igual pensarán ellos quizás de cuando yo estaba mal.*

> *COD-27: Yo quiero personas tranquilas a mi lado, personas que no se metan en problemas en cuanto a esto de prisión, uy, estas cosas yo no las quiero ni ver, las quiero lejos de mí. Personas normales, que trabajen, vivan, de familia, no sé cómo llamarlos, no personas, no como muchas personas que he conocido en prisión que tienen 5,6 7 entradas. Que el marido de esta está aquí, que el marido está en la otra prisión, esas cosas no me gustan porque yo ya no quiero volver ahí. Mis amigas sí van a seguir a mi lado.*

Es interesante recalcar que a lo largo del presente *subbloque,* al tratarse de una entrevista con una estructura semiabierta, se les permitió a las internas expresarse de una manera libre y detenida en sus deseos. Con ello, surgieron bastantes cuestiones que ellas mismas reconocieron como relevantes en cuanto al objetivo de desistir en las carreras delictivas o en el consumo de drogas. Este tipo de cuestiones, que no se encuentran guiadas por las preguntas previas, sino que surgen de una manera espontánea en el discurso de las internas, se han considerado de una especial relevancia a la hora de conocer la narrativa de desistimiento y los factores que para ellas resultan de una especial relevancia a la hora de imaginar o prever un futuro con características prosociales. Fueron seis los casos a los que aludimos y se presentan a continuación:

- El caso de una interna extranjera que manifestó su deseo de trabajar en el futuro para poder mantener a su nieto y manifestó su preocupación ante la posibilidad de ser expulsada. Una de las quejas es que no le resultaba posible tramitar desde el interior del centro penitenciario nada que tuviera que ver con la posibilidad de obtener un empleo para llevar a cabo durante su vida postpenitenciaria.

COD-4: Mi idea es quedarme en (ciudad española), trabajar como siempre hago y trabajar para mi nieto, pero no sé qué va a pasar ahora con la expulsión que tengo. Sí, necesitaré ayuda para quedarme aquí, por ejemplo, para conseguir algún contrato de trabajo… aquí estando yo dentro es difícil, porque una tiene que estar afuera. Lo único que tengo es contacto con la asociación, por ejemplo, hoy le llamé porque me vino la expulsión y me dijo que yo tenía que mandar un papel para ello. Hoy vino la trabajadora social donde yo estoy, y ese papel era importante para que yo lo enviara y no es capaz de avisarme. Y esto tiene que ser rápido porque en un mes me voy.

– El caso de una interna que manifestó la importancia de encontrar trabajo en el futuro y la imposibilidad de dar comienzo al proceso de búsqueda durante la ejecución de la condena. Además, vinculó la importancia del empleo con la creación de nuevos vínculos con características prosociales.

COD-5: (…) encontrar trabajo, hacer todo lo posible para buscar trabajo una vez salga. Desde aquí es imposible, no puedes mandar mensajes a la calle, no puedes buscar trabajo desde aquí. El trabajo es muy necesario porque es la única forma de hacer amigos en el entorno de trabajo, moverte del barrio, salir con ellos a tomar una cervecita con gente que no se droga. Si te quedas en el barrio con tiempo libre, al final caes con los amigos del barrio, siempre vuelves. Me he planteado salir del barrio, pero ¿y a dónde voy?, si me voy y se me meten en el piso, me quedo sin piso, ¿a dónde voy? Es complicado (…).

– Otras tres internas que aseguraron la importancia de poseer un empleo para el cual, una de ellas, ya tenía una serie de planes. Una de ellas, esperaba simplemente poder continuar con el trabajo que actualmente tenía y que su pareja, en ese momento en prisión, también pudiera alcanzar un empleo que les permitiera tener estabilidad económica.

COD-16: Pues ahora mismo lo único que tengo es una casita de alquiler con mi marido, pero ahora me he comprado un bajito, y en ese bajito pues quiero poner el quiosco o hacerme lo de comprarme ropa, contactar con gente por Facebook y comprarme un cochecito e ir al (nombre de barrio), que ahí conozco yo mucha gente y eso está cerca. Hombre, para una prenda no voy a ir, pero para unas cuantas... Hombre, mi estilo es vender ropa, tú a mí me dices que no necesitas esta ropa y yo te convenzo y te lo compras (...).

COD-10: (...) La casa es comprada, espero encontrar un trabajo para limpiar mis casitas que me llamaran de una a otra y ya está, pa´ vivir.

COD-29: Lo primero es seguir trabajando como estoy y que él salga y busque un trabajito y los dos podamos echar una casa "palante". Él tiene hasta octubre, pero ya está saliendo de permisos, esta es la segunda y le van a pedir también el tercer grado.

- Una interna paraguaya, bajo protección internacional como consecuencia de las amenazas recibidas por parte de la organización criminal a la que pertenecía, destacó la importancia de obtener un trabajo estable para poder traer a sus hijos desde el país de origen a España para convivir con ellos.

COD-112: Espero (vivir) aquí (España) y traerme los niños. Con mi pareja, bueno aquí en (ciudad española) porque como él tiene el trabajo y todo eso y ya estamos acostumbrados y todo eso yo ya me he acostumbrado con lo poco que he vivido. Lo de mis hijos, ahora mismo terminar esto y buscar un trabajo estable y ya quisiera, tampoco traérmelos de golpe, que se vayan acostumbrando y que ellos ya elijan, pero es que yo no puedo volver a mi país porque el padre de mis hijos me tiene amenazada y sería imposible, casi imposible. He denunciado y por la gente, por la droga que me pillaron a mí siempre me están pidiendo el dinero y todo eso entonces, por eso es la protección que tengo, los papeles que le he enseñado.

III.B. Expectativas sobre apoyo familiar y apoyo comunitario

A lo largo del *subbloque* cuyos resultados aquí se presentan se indagó sobre las expectativas de las mujeres con respecto al apoyo familiar y comunitario que recibirían al alcanzar la libertad definitiva. Tan solo dos de las internas entrevistadas aseguró que no recibiría o, al menos, no esperaba recibir ningún tipo de apoyo emocional por parte de la familia. Uno de estos dos casos, por el contrario, aseguró que la fortaleza emocional debería encontrarla en ella misma, ante la ausencia total de apoyos.

> *COD-1: No pretendo contactar con nadie de fuera.*
>
> *COD-13: ¿Emocionalmente? Mmm (dubitativa)... a ver, yo sinceramente creo que no, porque a ver, mi madre sigue en su mundo, y mi hermana, ¿qué te voy a contar?, vive con mi excuñado, así que es una telenovela, no me puede ayudar emocionalmente porque no, eso no depende de ellos, mi estado emocional no depende de nadie ahora mismo, depende de mi fortaleza, de mí, de lo que siento y de lo que pienso. Antes sí, antes dependía de mucha gente, antes buscaba apoyo emocional, ahora no, a día de hoy si no me hablo con mi hermana, me dolería, pero poco más. A día de hoy ya no le puede imponer a nadie. Lo haces porque lo sientes, si no lo haces es porque no lo sientes y no quieres hacer.*

Otra de las internas, aunque no llegó a proporcionar una respuesta negativa, evitó responder a la pregunta y pasó a destacar una serie de cuestiones que para ella eran realmente importantes para el futuro que preveía: el empleo, la regularización de su situación en España y el deseo de continuar con su formación educativa.

> *COD-2: Empezaré a buscar trabajo porque mi hija trabaja en empresa de limpieza y ella las está limpiando para dejarme esas casitas a mí y ella seguir. Tengo que solucionar lo de los papeles, creo que podré solucionarlo y quiero poder estudiar.*

En los 24 casos restantes, las mujeres aseguraron que encontrarían apoyo emocional en personas de su entorno, como hijos, madres, hermanos, “los de siempre”, etc. Son dos los casos que deben ser resaltados. Uno en el que la interna, no solo considera que recibiría el apoyo de sus hermanas, sino que también asume que estas esperan un cambio en ella y otro, en el que, pese a asegurar contar con apoyo emocional suficiente, la interna manifestó que, aunque había recibido y recibiría ayuda, el estar bien dependía únicamente de ella misma. En ambos casos se desprende del discurso de las internas un aumento del nivel de agencia, el comienzo hacia la adopción de decisiones por ellas mismas, decisiones que tienen que ver con un cambio que consideran necesario y ante el cual plantean determinadas actuaciones hacia la consecución de objetivos, ya sea el abandono de la trayectoria delictiva o de la drogodependencia.

> *COD-26: (…) Yo lo que hoy siento de parte de ellas (sus hermanas) es que quieren verme bien, quieren ver cambios, quieren verme como yo era antes de todo esto. Para mí es un alivio sentir que ahora mi vida es mía, llegar al final de este problema. He vivido unos años en los que mi libertad no era mía, mi vida no era mía. Entonces ya no quiero eso. Ya quiere tener que decir, me voy a la casa de mis padres porque es la fiesta del cordero y no tengo que pedir permiso a un juez, no sé si me explico.*

> *COD-11: Sí, si yo estoy bien, siempre los voy a tener. Los he tenido estando mal, pues estando bien, lo tendré más todavía. Hablo de mi madre, de mi hermano y de mis hermanos pequeños (…) El estar bien es una cosa mía y yo me veo capaz, lo peor que me puede pasar es perder a mis hijos, es lo que yo podría volver a caer en la droga, perder a mis hijos, el no sentirme útil, tener un motivo para vivir. Aunque ahora mismo me vea que he superado la droga, yo cuando salga voy a seguir en Conductas Adictivas en control, con análisis de orina, los lunes y los jueves, con control, con trabajadoras sociales y de todo, porque si no… no creo que pueda (…).*

En cuanto a la posibilidad de recibir apoyo económico por parte de familiares, se obtuvieron un total de 25 respuestas, siendo seis de ellas negativas. Las mujeres que indicaron que no recibirían apoyo económico por parte de su familia aludieron, bien a que consideraban que no era necesario o a que, en caso de serlo, ellas evitarían solicitarlo, bien a la imposibilidad de que esto ocurra al encontrarse sus familiares ante una situación económica muy complicada. Las 19 respuestas restantes fueron positivas.

En lo que concierne a la opinión de las internas sobre la posibilidad de recibir apoyo por parte de amigos o amigas en el momento de alcanzar la libertad definitiva, se obtuvieron un total de 23 respuestas, de las cuales cuatro fueron negativas. En estos casos, una mujer consideraba que los amigos son meros compañeros del mundo de las adicciones, otra no tenía claro qué era lo que iba a encontrarse tras su salida con respecto a sus relaciones de amistad y las dos últimas internas aseguraban que, en su entorno, solo tenían conocidos, no llegando a establecer vínculos de amistad propiamente dichos. No obstante, en estos casos, esta falta de apoyo por parte de las relaciones de amistad no tuvo que ver con el paso por prisión de las entrevistadas, ni con una decisión de ruptura de relaciones por su parte ante la decisión de cambio futuro.

> *COD-5: Nada. Los amigos son de copas, pues esto son amigos de drogas.*
>
> *COD-11: No, porque como tampoco sé lo que me voy a encontrar...*
>
> *COD-18: No soy de tener amistades, no me gustan las amistades, porque no... hoy en día amigos no hay, hay conocidos. Porque yo soy tu amigo, pero en el momento que tienes un problema ahí ves los verdaderos amigos que tienes y realmente yo no tengo amigos, antes tenía muchas amigas, bueno amigas, amigas no eran, porque ellas se fueron con el padre de mis hijos, con el que era mi marido. Entonces pues comían en mi casa y todo y resulta que estaban con él, entonces desde ahí ya... amigos no hay, no me fío de nadie.*

En el resto de los casos, las internas aseguraron tener redes de amistad estables desde momento anteriores a la condena de las que esperaban ese apoyo emocional futuro.

> *COD-27: Sí, también, ellos me apoyan mucho en cuanto a los papeles porque como ellos entienden de eso, ellas me apoyan mucho, ellas y los maridos, al final las relaciones no son solo ellas y yo, son las familias, las hijas de ellas, compartimos un fin de semana, vamos a la casa del campo y así, hacemos cosas, pero casi siempre en familia.*

En lo que refiere al apoyo económico que en un momento dado pudieran recibir las mujeres entrevistadas por parte de sus amistades, como resultaba esperable, la respuesta fue negativa para los cuatro casos de mujeres que indicaron no esperar un apoyo emocional de estos, salvo en uno de los casos en el que la interna, pese a no considerar a esta persona un verdadero amigo, sabe que, en caso de ser necesario, recibiría ayuda económica por parte de un varón que manifestó tener sentimientos románticos hacia ella. No se obtuvieron 10 respuestas en esta pregunta y, en el resto de los casos, 12 respuestas fueron positivas y 1 negativa.

En cuanto al apoyo a recibir por parte de los conocidos, es decir, aquellas personas situadas en el entorno social de las internas, con quienes se establecían relaciones que no alcanzaban a ser lo suficientemente estrechas como para ser consideradas relaciones de amistad, se obtuvieron un total de nueve respuestas, de las cuales, cinco fueron negativas y cuatro positivas.

Gran parte de las internas tuvieron dificultades para responder a las preguntas relativas a las ayudas y apoyos que pueden derivar de la Administración Pública o Servicios Sociales y aquellas de parte de entidades solidarias o voluntariado. Aquí, la investigadora tuvo que detallar la diferencia entre unas y otras para tratar de obtener respuestas concretas y claras. Con respecto a las primeras, se obtuvieron 19 respuestas, de las cuales, hubo 10 positivas, haciendo referencia a la posibilidad de obtener la ayuda por desempleo, ayudas para la vivienda, ayudas para las conductas adictivas, otros dos casos en el que no se especificó, servicios sociales y el ayuntamiento de la localidad. En un total de nueve casos, la respuesta fue negativa, bien porque no tenían conocimiento de cuáles eran los recursos a los que podían acceder, bien porque sí los conocían, pero no tenían, por sus circunstancias, derecho a ellos, o bien porque consideraban que no llegaría a ser necesario para ellas solicitarlos.

En lo que refiere a las ayudas por parte de entidades solidarias, se obtuvieron 14 respuestas positivas entre las que se mencionaron las siguientes asociaciones u Organizaciones no Gubernamentales (ONGs): Cáritas, Cruz Roja, el "Banco Bueno", Mensajeros de la Paz, el "Padre Ángel", el "Samur Social", Fundación "Prolibertas", "Adoratrices" y "COIS".

III.C. Posibles problemas a encontrar al alcanzar la libertad

En el penúltimo de los *subbloques* de la entrevista llevada a cabo se indagó sobre los posibles problemas que las internas consideraban podrían encontrar a partir del momento de la finalización de su condena y, por tanto, de la obtención de la libertad definitiva. Se invitaba aquí a reflexionar sobre las circunstancias adversas a las que podrían enfrentarse en el momento de reintegrarse en la comunidad.

Se les preguntó por su opinión sobre la posibilidad de ser socialmente aceptadas por parte de la comunidad. En total, dos internas no respondieron a esta pregunta. De las 25 respuestas restantes, diez de ellas consideraban que no tendrían ningún tipo de problema para ser aceptadas de nuevo socialmente. Ello principalmente como consecuencia de la mejoría que en ellas mismas observaban, principalmente en el caso de aquellas que se encontraban en proceso de recuperación de drogadicciones, o bien como consecuencia de las primeras experiencias que, durante el disfrute de permisos ordinarios, del tercer grado o de la libertad condicional, estaban teniendo con relación al empleo. Otras mujeres se mostraron incluso sorprendidas ante la pregunta planteada, al considerar que no tendrían ningún problema de esta índole en el camino hacia la reinserción, en tanto que el motivo por el cual se habían encontrado cumpliendo una pena privativa de libertad en prisión eran delitos contra la propiedad, pero no delitos contra las personas, no pudiendo entonces ser juzgadas por parte de los demás.

> *COD-4: Yo ya salí de permiso y no veo diferencia, no veo que me vean con otros ojos y saben dónde estoy y no me ven. De cara a encontrar trabajo, por ejemplo, yo tengo muchos conocidos por la "viejita", ellos sí me ayudarían bastante para el trabajo, pero para otra persona que no te conoce es más difícil encontrar trabajo al haber pasado por prisión, pero con la gente que ya te conoce, no.*

> *COD-16: ¿Por qué me van a juzgar a mí? ¿Por estar en prisión? Pero si yo no he matado a nadie (...).*

> *COD-15: Hoy en día te digo que no, porque a todos los trabajos que he entrado, como tenía la telemática, a todos les decía que "mira, que estoy en la cárcel". Es que, si no vas con la verdad, la vas cagando por otras partes. Y no he tenido problema, el día de la entrevista pues mira te vamos a coger, pues mira yo soy de... tengo este telemático, no le iba a decir de la cárcel, les digo centro*

> *de inserción social, me decían "¿eso qué es?", y yo les decía que necesitaba el contrato. Por ejemplo, en la fábrica tenían cuatrocientos horarios, y te lo cambian cada vez que les daba la gana, y la pulsera te la cambian también, entonces les pedí un horario fijo por el tema de la pulsera, y porque estaba en un centro de inserción social y no me pusieron problema. Luego ellos terminan sabiendo que en la cárcel. En el chiringuito igualmente, les dije que estaba en la cárcel y que necesitaba el trabajo y me lo dieron (...).*

Nueve de las internas, por el contrario, aseguraron que el paso por el centro penitenciario sí supondría un problema importante en la aceptación por parte de la sociedad, principalmente en lo que refiere al trabajo. Otras, también aludían a la opinión negativa que la gente podría formarse sobre ellas al conocer este acontecimiento de sus vidas. Una interna extranjera explicó que el paso por prisión tendría consecuencias importantes de cara a la regularización de su situación en España.

> *COD-24: No, pero eso sí, aquí se aprenden muchas cosas, a valorar a la gente y todo eso, ves quien realmente está contigo, quien está cerca, quien te ayuda... yo me he dado cuenta de la amistad con las amigas, con la gente falsa, que no te apoyan como ellos decían (...).*

> *COD-13: Tiene muchos prejuicios yo creo. Por desgracia, aun estando en el siglo XXI, y juzgamos por el embalaje, a la primera vista, por desgracia es así, y es mi opinión personal. No es el miedo al rechazo, pero no quieres que te miren, que cotilleen de ti, darse codos, "mira esa, la mujer, mira esa que viene de prisión", dar cuantas menos razones para chismorrear, mejor. Hombre, si hubiese sido una estrella de cine y hubiera jugado con Robert De Niro, pues claro, es algo para estar orgulloso, pero con mi pasado no, no es algo que voy por la vida poniéndomelo en la frente y que la gente lo lea.*

> *COD-7: Sinceramente sí, para volver, si tiran, a lo mejor, de tus cosas privadas y si ven que has estado en prisión, creo que la mayoría se lo van a pensar... Que no debería ser así, pero no nos vamos a engañar, es una cosa que está ahí y está retenido. No es lo mismo, una persona pa´ un puesto de trabajo a una que haya estado en prisión o alguien limpio. Porque es así, soy muy realista, no hay más.*

> *COD-27: Sí, en cuanto a los papeles de extranjería, porque los años que uno está en prisión no es computable. Gente que ha*

estado en prisión, pues por antecedentes deniegan los papeles y cosas así, que yo veo que hay muchas trabas en el día a día en ese sentido. Y me duele mucho, ¿sabes?

En lo que refiere al resto de la muestra, cinco mujeres aseguraron no poder ofrecer una respuesta clara a la investigadora, mostrando dudas sobre ello. Una aseguraba que dependía de la gente con la que se encontrara en el futuro; otra que principalmente afectaría en lo referente a la búsqueda de empleo, pero no en cuanto a las opiniones que sobre ella tuviera el entorno; otra aseguró que el paso por el centro penitenciario solo lograría dificultar la discriminación padecida como consecuencia de su pertenencia a la etnia gitana; otra afirmó haber experimentado discriminación en una salida previa y, la última no ofreció una explicación en mayor profundidad. La última de las mujeres que componía la muestra, simplemente aseguró resultarle indiferente la reacción social ante su experiencia en prisión.

COD-14: No sé, porque hay muchas personas que te discriminan por ser gitana, y otras personas no miran eso. Cuando salga a buscar trabajo no sé cómo es lo que me voy a encontrar, no puedo adelantarme. Pero na´ más que por eso, gitanas están discriminadas a donde vayan, será por el mal comportamiento, yo qué sé. Yo he llegado a sitios y me lo han dicho, "por un gitano o por unos cuantos, pagáis todos en general", y eso no debería ser así. El paso por la prisión es que ha sido una experiencia y a parte de una experiencia fue un error. Pero ahora es más miedo a lo que puedan decir cuando vaya a encontrar trabajo. Después de que ya estamos discriminados y la clase de expediente que una lleva.

A continuación, se preguntó por la posibilidad que las internas contemplaban para sustentarse económicamente por ellas mismas en el futuro, tras alcanzar la libertad definitiva. De nuevo, las mismas dos internas que no respondieron en la pregunta justamente anterior, no lo hicieron aquí y tampoco se obtuvo respuesta de una tercera interna, por lo que tres internas no respondieron. Con relación al resto, 19 mujeres consideraron que no tendrían problemas para sustentarse económicamente. El argumento principalmente utilizado era que eran trabajadoras y deseaban ser independientes económicamente, de forma que la obtención de un empleo era uno de los principales objetivos a cumplir, sino lo habían logrado ya durante el tiempo en el que disfrutan de un tercer grado o de la libertad condicional.

> *COD-30: Sí. Y trabando, vaya, porque antes lo estaba haciendo, no estaba ni con este muchacho, siempre he estado trabajando, me veo muy independiente económicamente, que no me hace falta nadie, me pongo a vender ropa, a limpiar casas, etc.*

> *COD-21: Yo de la manera que voy no creo que vaya a tener... hombre, hay meses que ya te digo, cuesta un poco de trabajo llegar al final de mes, y en cuanto esto se regularice, yo estoy loca por trabajar, porque vienen bien los dineros (...).*

> *COD-23: Sí, porque tengo mi trabajo esto y tengo propuestas, mi marido de ordenanzas, lo de la obra de Alcalá o si no una chica de aquí que puede colocar a mi marido que tiene una empresa de barrenderos, etc.*

Cuatro mujeres, por el contrario, mostraron dudas ante la posibilidad de sustentarse económicamente en el futuro, una de ellas aseguró que su avanzada edad le dificultaría enormemente la obtención de un puesto laboral, aunque tampoco tenía la necesidad de lograrlo ya que su pareja tenía un empleo; otra interna aseguró que, aunque su marido en la actualidad tenía un puesto de trabajo, sería ella quien debería buscar uno para ocupar, no sabiendo cómo resultaría el proceso finalmente; otra manifestó desearlo, pero tampoco dio una respuesta rotunda a la investigadora, y otra simplemente aseguró no saberlo. La última de las mujeres no llegó a responder a esta pregunta ni positiva ni negativamente, solo aludió a su deseo de llevar a cabo un empleo en la hostelería.

> *COD-31: Hombre, mmm, no estoy muy segura, porque yo ya tengo 62 años, ¿entiendes? Aunque físicamente no lo parezca, los tengo encima y me los noto. Si él sigue con su trabajo y sigue formalito, la verdad, necesidad no tengo y él dice que ya está bien de trabajar, porque es que, desde los 9 años, los huesos están ahí, responden. Entonces... pero vamos, me gustaría porque me entretengo. Aunque sea un par de horas o cuatro horas, peor vamos que económicamente así matarme para buscar un trabajo, por ahora no me hace falta, pero vamos, que lo busco, lo busco porque me gusta (...).*

Con relación a la pregunta relativa a si las internas consideraban la posibilidad de enfrentarse a problemas para mantener el trabajo, solo una de las respuestas fue válida, las demás referían solo a la segunda *subbpregunta* referida a la posibilidad de encontrar un trabajo. Sobre esta segunda cuestión los resultados se muestran a continuación.

Ocho de las internas no respondieron a la pregunta, siete consideraron que no habría problema para encontrarlo, ocho consideraron que se encontrarían con dificultades para la obtención de un puesto laboral y las cuatro restantes dieron respuestas poco claras.

Quienes consideraron que no sería difícil la obtención de un puesto de trabajo aludieron, por lo general, a la posibilidad de acceder a empleos cuyos jefes eran conocidos por ellas o por algún familiar cercano o a la posibilidad de trabajar en negocios de familiares directos. En los casos en los que se aludió a dificultades para la búsqueda de empleo, generalmente hicieron referencia a los impedimentos que podría derivar de su condición de exreclusas, otras simplemente aludieron a la dificultad generalizada como consecuencia de la pandemia, entendiendo que se trataba de una situación que no les afectaba a ellas de una manera exclusiva. En algunos casos, las internas estarían dispuestas a ocultar su experiencia en prisión para evitar no poder acceder a un puesto laboral.

> *COD-22: Yo estoy dispuesta a trabajar y que vaya bien. Yo creo que el paso por prisión no va a influir, porque, ¿a quién voy a contarle yo mi pasado y mis problemas? Hombre, si me preguntan, según si lo puedo ocultar, lo ocultaré, porque eso no es pan de buen comer, a lo mejor no te miran igual, no te tratan igual.*

> *COD-18: Yo no lo suelo decir (la existencia de antecedentes penales) porque no es lo mismo que tú contrates a una persona… que, que contrates a una persona en prisión por robo. Yo sinceramente si no te conociera y tuviera que darte trabajo para limpiar, yo no te contrataría sabiendo que has estado por robo en la cárcel, tú no me contratarías, ¿verdad? Pues porque me podrías robar en la casa. Es difícil demostrarlo, porque ni yo misma sabría si va a volver a ocurrir o no. Yo te podría decir ahora no, no, no, pero el día de mañana me falta dinero y me vuelvo a robar.*

Se pidió a las internas que se plantearan si en el futuro, tras la obtención de la libertad definitiva, podrían surgir conflictos en el contexto familiar o con respecto a sus hijos y que, en caso de dar una respuesta positiva, indicaran a qué tipo de conflictos se referían. Un total de cinco internas no respondieron a la pregunta, 18 respondieron negativamente (a ambas preguntas o a tan solo una de ellas, en caso de no tener hijos), tres respondieron de manera negativa, pero condicionándolo, bien a su comportamiento futuro, ya que aseguraban que no habría conflictos siempre que lograran abandonar sus adicciones, bien al comportamiento de sus hijos, quienes no sabían cómo iban a reaccionar a su salida del centro penitenciario. En el último de los casos, la interna aseguró que sí se darían conflictos con sus hijos ante los reproches como consecuencia del cumplimiento de su condena y delito.

> COD-11: *Pienso que, si yo no recaigo y yo me mantengo firme... si yo recaigo soy la primera que se aparta de ellos por vergüenza, por miedo a las palabras que te dicen y duelen, pues "otra vez igual", "no vas a cambiar en la vida", "de aquí a nada te vamos a enterrar", "siempre estás igual", "no ha servido de nada ayudarte" ... Yo lo entiendo, pero duele porque ya de por sí, tú te sientes derrotada y sus palabras pues te hunden un poco más. Esas cosas me las dicen mi madre y mi padre, mis hermanos, aunque ellos suelen dejarme de hablar.*

> COD-5: *No, si dejo la droga, no hay conflicto ninguno, mi casa es una balsita. Yo la he criado muy bien.*

> COD-27: *(respecto a sus hijos) Yo creo que el día de mañana me lo echarán en cara "mira que tú no has estado en estos años". Yo responderé que estaba trabajando y que era por un bien para mejor para ellos.*

La pregunta relativa a la posibilidad de volver a tener contacto con drogas o alcohol solo resultó pertinente en los casos de las ocho internas de la muestra que aseguraron haber sido consumidoras previamente a su entrada en prisión. De los ocho casos, respondieron seis de las internas, todas con una respuesta negativa. Una de ellas aseguró que, en caso de ser así, buscaría nuevamente ayuda para lograr superar la enfermedad.

COD-11: No, mi expectativa es esa, claro. Son tantos años metida en la droga que cuando una tiene un problema es en lo primero en que se refugia. Como desde tan joven ese ha sido mi camino, pues no sé, por eso quiero estar en Conductas Adictivas, porque ellos te ayudan, cuando tienes ganas de recaer y tú vas a allí, ellos hablan contigo y te intentan quitar las ganas. Por eso pienso que cuando salga, van a ser unos meses complicados y necesito ese refuerzo.

La última de las preguntas de este *subbloque* resulta de una especial relevancia en la investigación que aquí se presenta. Se preguntó de una manera directa a las internas si consideraban la posibilidad de delinquir en un futuro y que enumeraran cuales serían las causas que les conduciría a ello. Tres internas no respondieron a la pregunta, una de ellas dio una respuesta rotundamente positiva y el resto aseguró que no. A continuación, se muestran cada una de las 24 respuestas proporcionadas a esta pregunta:

COD-1: Por supuesto, lo más gracioso es que esto no fue un robo con violencia, fue una pelea (…).

COD-4: No, porque estoy segura, porque tal vez fue un error mío y sé que cuando uno comete error, sé lo que pasa tarde o temprano y este tiempo aprendí que la familia es muy importante que esté cerca tuyo, aunque estén lejos, poder hablar con ellos libremente, moverte libremente…. Es difícil que vuelva a delinquir, para mí es muy difícil. La idea de libertad es muy importante, vale mucho más que esto. Me siento optimista, y tengo mucha fe en que mi sueño va a cumplirse.

COD-5: No, yo si no me drogo, no delinco.

COD-23: No, porque he tenido un escarmiento muy grande y ya no… porque yo llevaba... esta causa es de hace cuatro años, es de 2016 la condena esta, yo llevaba cuatro o cinco años sin hacer nada de esto. O sea, no es que yo siguiera haciéndolo, he hecho mi vida por otros derroteros, pero me ha salido esta condena. Perdón, 2017, no 2016.

COD-24: No, porque yo no quiero volver a entrar aquí, yo quiero estar con mi niña y cuidarla con mi chico. Si tú te ves, por ejemplo, que no es el caso, en la calle con un niño y no tienes para darle de comer, yo creo que todo el mundo haría una cosa así.

COD-11: No.

COD-13: Nunca, se dice que nunca decir que nunca, pero en mi caso, nunca. Porque no, ya me basta tanto sufrimiento, vamos, es que me pongo recia, me pongo rabiosa, no, no, ni, aunque se tratara de mi hijo, de la vida de mi hijo, que diga que le falta urgentemente un riñón, no lo haría, te lo juro, por nadie, por nada. Por nadie por nada, eso nunca. Delinquir nunca, mejor me busco un viejo, anda, como la mayoría lo hace, pero tampoco sería capaz, ay que asco, por favor, no.

COD-16: (duda un poco). No, que el día de mañana que no tenga pa´ comer me puedo ir puerta por puerta si hace falta, porque vergüenza no. No te digo que no pueda volver a pisar esto, pero por robo te aseguro que no, el único motivo para que yo vuelva a robar esto, es que alguien venga a matar a mis hijos, y antes de que lo maten le mato yo, pero ¿por robar? No, soy joven antes hago cualquier cosa. Lo único es que espero que esto del virus no dure mucho, porque ya no se puede vender ropa igual, la gente no se fía.

COD-17: Hombre yo creo que no, de momento yo he aprendido la lección. A lo mejor en la calle cuando se vea una en libertad se le olvida lo que es estar aquí dentro, pero vamos, yo creo que no.

COD-18: (mueve la cabeza) yo no quiero porque ya no es el que te veas aquí ya es el paso de mis hijos mientras estoy aquí, ¿sabes? Puede ser, claro, que vuelva, por la falta de dinero o por la necesidad de que no encuentras trabajo y que no hay trabajo. Si hay falta de necesidad tienes que salir. Por ejemplo, limpiar, cuidar personas, lo que fuera, antes.

COD-6: No, porque mira la mala suerte que tengo, una vez y me cogen, yo he cobrado este mes y me lo he gastado en ropa con mis niñas y he sido la más feliz del mundo y se lo he comprado. No me compensa delinquir.

COD-7: No, ustedes podéis llorar por un ojo, pero yo por dos, porque mi hijo no tiene ni el apoyo de su padre. Mi vida en cuestión de las drogas terminó para los restos de mi vida. Porque a mí me ha destrozado mi vida totalmente. Total. No es lo mismo. No es una, es por tu hijo. Cuando Dios ha querido esto así, cuando se cierra una ventana es que hay una puerta.

COD-8: No, porque yo ya he vivido esa experiencia y ya no, y sé lo que es estar allí dentro y ya no. Que ya no sería capaz de hacer na´, ni tocar eso (la droga) porque lo he pasado muy mal allí dentro. Lo pasaba mal por mi niña, estar lejos de ella. Tengo la sensación de que he perdido tiempo con mi cría.

COD-10: Yo creo que no, vaya, tiene que ser una cosa fuerte, una cosa muy grave que me haga falta, pero por mí no, por voluntad, en la vida. Porque no quiero entrar más en prisión, con mis niños y mi marido enfermo, eso no es vida, ni por mí, que me pongo mala. Les quiero ver crecer, no quiero que vengan a verme a la cárcel... Si me he quitado de vender droga, ¿no me voy a quitar de robar ropa? Que antes ganaba mucho dinero, esto no me compensa. Lo dejo y lo dejo. En un momento de mucha necesidad, o una multa muy grande, porque en ese momento el juez quiere el dinero y no puedes hacer otra cosa, yo apuro primero todas las opciones, pero pido ayuda, pero claro si ya no pueden ayudarte.... Pero así porque así no.

COD-14: No quiero dejar más a mis niños, ni vivir la experiencia, ni entrar a la cárcel ni nada. No, eso seguro segurísimo porque no, que yo no quiero, ya no.

COD-15: Hombre la vida está mala, y cuando la vida esta mala y empuja, asusta, pero siempre recapacitas un poquito, porque yo a ver si soy sincera he vuelto a pensar si me echo ahí un poquito de algo, pero después he visto como esta todo el mundo y entonces no, pero la carne es débil. La causa será la economía, no otra.

COD-21: No quiero, la verdad no quiero, porque la libertad es muy bonita, señorita. Si a un pájaro le cortas las alas se muere de la pena, pues yo lo mismo. Si lo hiciera sería, hombre, yo no quiera nunca en la vida hacerla, si lo tuviera que hacer ... (piensa) ¡es que no quiero hacerlo! (exclama). Yo me he planteado mi vida, que yo quiero trabajar y con la pensión de viuda de mi marido... suficiente. Mi abuela me decía tu eres mujer pa´ un pobre porque a un rico lo arruinas, sé vivir con poco, si un día na´más que hay para arroz, pues arrocito. ¿Que un día na´ más que hay para sopita? Pues sopita.

COD-22: No, porque no. Que no lo hago, seguro, por mis niños, porque yo sé que lo han pasado muy mal, yo lo he pasado mal, pero ellos lo han pasado peor.

COD-26: No (ríe), eso si te lo digo, un no rotundo, porque para mí esto ha sido... no me ha merecido la pena, no, si yo hubiera dicho que he delinquido para tener una gran vida, chalés, coches, esto, lo otro, pero no, yo cometí un error, lo pagué, me busqué cinco años más por la venta de un coche y no. He pagado un precio muy alto para lo que he hecho.

COD-27: Yo ya no quiero, no, porque me he pasado mucho tiempo en la cárcel y me han quitado mucha vida, le he quitado muchas cosas a mi familia e hijos. El día que uno ingresa en prisión el reloj para, pero el mundo no, es muy duro salir y ver que todo ha cambiado.

> *COD-28: No, porque lo que cometí fue un error que no lo cometí, fue con mi compañera que además que a mis esas cosas no me gusta hacerlas, no debería haber dejado a mis hijos, lo pasé muy mal.*
>
> *COD-29: No quiero más, ya tiene que ser si delinquiera por algo que le pasara algo a mis niños o algo, entonces ya sí, pero si no, yo no haga más nada, no me hace falta ahora mismo con mi trabajo y como estoy, no.*
>
> *COD-30: No, eso no, te lo firmo, vaya, en la vida. Porque yo lo he pasado muy "malamente", y es como decir mi madre, si es algo que tú vayas a hacer y vayas a ganar dinero pues bueno, pero no, antes de ponerme con la droga me pongo a limpiar, hay muchas cosas antes de llegar a delinquir otra vez, ni por asomo. Mi madre dice "se tropieza una vez con la piedra, dos y tres veces (nombre de la interna) ya no" ... que no solo se puede entrar a prisión por delinquir, puede ser por muchas cosas, pero por eso, no.*
>
> *COD-31; Espero que no lo haga, porque sería la última vez que lo hiciera conmigo (se refiere a su marido). Pero por ahora, él me ha dicho que no. Tiene 61 años ya él, ahora mismo se está viendo muy bien en el trabajo que tiene, es un trabajo que le gusta, luego yo estoy muy pendiente de él, "(nombre del marido), por favor, me dices dónde estás, por dónde vas", (...) y se ríe y me dice "(nombre de la interna), que yo te he dicho que no". Tenemos una edad en la que ya hay que disfrutar, yo le he dicho que como él ya entre en una cárcel, ya no entra más (...).*

Se observa que tan solo una de las preguntas corresponde a una narrativa de persistencia, además se trata de una interna con drogodependencia y en situación de calle. En el resto de los casos, se observa una narrativa de desistimiento, en la que, *a priori*, la respuesta es que no volverán a delinquir en el futuro, sin embargo, resulta interesante atender a los matices que rodean cada una de ellas. Así, 14 de las 23 respuestas negativas fueron rotundas, casos en los que las internas no proporcionaron ningún tipo de motivación que les llevara a volver a delinquir en el futuro. Sin embargo, en los ocho casos restantes casos, las mujeres, pese a dar de nuevo una respuesta negativa, planteaban la existencia de diferentes motivos que, de darse en el futuro, podrían conducirles a la decisión de delinquir. De algún modo, estas últimas internas condicionaban el desistimiento del delito a la no aparición de circunstancias adversas en el exterior: volver a consumir estupefacientes; la necesidad económica imperiosa que, incluso, le llegara a impedir alimentar a sus hijos; la comisión de otros delitos diferentes a los económicos para por ejemplo proteger a sus hijos, en caso de ser preciso; la imposibilidad de acceder a un empleo, y la consiguiente necesidad económica; que, tras alcanzar la libertad definitiva, se produzca un alejamiento de la experiencia pasada en el centro penitenciario y le conduzca a la comisión de delitos, etc.

Se considera aquí importante referenciar un testimonio relativo al desistimiento delictivo y al cambio por parte de estas mujeres que aparecieron en otros momentos a lo largo de la entrevista realizada y que no vienen sino a reforzar las respuestas que aquí se están analizando.

Así, la interna COD-16, una de las que indicó algunos motivos que, en un momento dado, podría conducirle a la delincuencia en el futuro, aseguró que "asuntos de robo yo no voy a volver a tener, menos a robar a lo que sea. El sufrimiento de aquí mis niños, mi (nombre de su hijo), madre mía, tengo que mentirle a mi hijo, decirle que va a comprar "su mama" y es mentira, y ya luego no me ve más, y me parte el alma. Ahora le digo que me tengo que ir a trabajar y me vine, yo siempre los he dejado engañados, y creo yo que eso es peor, pobrecitos. Mi marido trabaja".

III.D. Preguntas generales

A lo largo del último *subbloque* que compone la entrevista de la primera oleada, se realizaron 3 preguntas que pretendían alcanzar a conocer qué evento o eventos habían tenido lugar durante la ejecución de la condena en prisión y tenían una influencia directa sobre la decisión de cambio por parte de las internas, cual o cuales eran los mayores miedos que ellas mismas referenciaban en cuanto al futuro y cuáles eran los principales deseos.

En lo que refiere a la primera de estas tres preguntas, solo dos de las internas no respondieron a la misma, una de ellas, directamente ignoró la pregunta y la otra aseguró a la entrevistadora no saber qué respuesta proporcionar. Con relación al resto, las respuestas son diversas y pasan a enumerarse a continuación:

> *COD-2: De todo lo que uno pasa aquí, uno que aprende y más que todo lo que a mí me hace de no volver a hacerlo es haber perdido el amor de mis hijos. Al final ni gané dinero, ni nada, y les perdí a ellos. Esto lo decía ya hace muchos años y lo digo ahora. No compensa.*

> *COD-3: Yo es que cuando vine aquí ya había querido cambiar mi vida, ya llevaba dos meses con esa decisión, por eso me fui a un centro de desintoxicación de la Comunidad de Madrid.*

> *COD-4: La experiencia que llevo aquí adentro, los sufrimientos, cuando uno quiere estar cerca de su familia, hablar con su familia, hacer "mira, yo me quedo aquí tal y tal hora y me siento libre"... todo eso te hace y aprendes a controlar para no caer en la tentación... Es la necesidad que uno pasa aquí, la soledad que a veces se siente dentro del "chabolo" sola, la pared fría, todo eso, no me gustaría pasar otra vez. Mirar por la ventana y tener la mesa fría como un suelo, es muy distinto a estar en un piso.*

> *COD-5: Yo ya lo tenía pensado de antes, hace tiempo que quiero quitarme, pero es muy difícil, y es mi hija es mi principal (...).*

> *COD-23: Sí, pues que aquí hay mucho tiempo para pensar, cuando te meten en la celda yo rezo, pero como he dormido poco al principio de la condena, uf, qué de horas para recapacitar, pues llegaba a que no quiero seguir con la droga, porque es malo para mí y para mi salud, yo creo que lo de mi boca que creo que es por eso, para mi salud mental y física. Prefiero hacer deporte, hay muchas cosas que hacer en la vida, la droga es mala para mí y para todo el mundo. Es una perdición, porque estando enganchado solo piensas en conseguir dinero para drogarte, no tienes vida social, no piensas ni en ir al cine ni el teatro, vives para la droga, y yo soy una persona que a mí me gusta leer y yo no quiero nada de eso ya, lo poco o mucho que me quede quiero ser feliz haciendo otro tipo de vida.*

> *COD-24: Yo tengo muy claro de que no volveré a entrar aquí por mi niña, la razón de todo es ella.*

> *COD-11: La edad, treinta años, tres hijos, todo lo que he hecho no ha servido para nada, lo único que he hecho era complicarme la vida y ya es hora de que una cambie y mire por sí misma. He sido yo sola en la cárcel la que me he dado cuenta de todo esto, que no hubiera hecho falta todo lo que estoy viviendo si hubiera tenido un poco más de cabeza. Cuando uno está con la droga no piensa en*

nada, ni ve el problema, y si lo ve, pues te endrogas el doble para no verlo. Es que es así.

COD-13: *¿La razón? Pues te lo digo de verdad, las puertas cerradas que siempre que no encontraba ninguna salida, la conciencia en sí, que he parado a pensar, ¿para qué?, ¿quién me lo ha pedido?, ¿nadie? ¿quién me lo agradece? Nadie, fue mi propia conciencia, el impacto ese. Un cúmulo de cosas, saliendo de permiso, viendo la vida tan bella que es fuera, sabiendo vivirla con poco. Mi fuerza de voluntad fue el principal cambio y mi propio sufrimiento. Creo yo. Te digo lo que de verdad siento y pienso, es lo que me ha hecho cambiar.*

COD-16: *Mis niños, el no verles, es eso lo que a mí me ha hecho cambiar, el dolor, señorita, ¿Tú sabes lo que es acostarte ahogadita por la pena, con un dolor en el pecho? En Alcalá mis compañeras me decían que yo por las noches llamaba a mis niños, yo no podía dormir, yo he dejado un niño con meses, otro con tres años, otro con cinco, otro con siete, tengo niños muy chicos afuera, yo cuando murieron mi padre y mi madre, señorita, yo me aferré a ellos y ellos es lo que tengo.*

COD-17: *El verme aquí "metía" y llamar a mi hermana a la cabina y ella "tata, ¿te queda mucho pa´ venir del trabajo? Tata, no puedo dormir porque tú no estás aquí". Esas cosas en ella, yo me muero.*

COD-18: *No, en prisión no. Son mis hijos, simplemente que mis hijos se van haciendo mayores y yo quiero estar con ellos, no quiero tener un contacto por teléfono. Quiero acostarme con ellos y levantarme del colegio y que cuando vuelvan del colegio esté su madre, y que, si está malo y tiene fiebre, esté yo ahí para darles las medicinas, no que tengan que esperar a que a su madre le abran el "chabolo" para poderles llamar.*

COD-6: *Mis niñas y mi madre, porque me han apoyado mucho y han llorado mucho por mí, yo estaba muy mal, me tiraba semanas sin ver a mis niñas, yo creo que mi familia es lo único que me hace a mí decir que hasta aquí hemos llegado. Y ya con cuarenta años... ya no soy una niña.*

COD-7: *Que ha sido lo peor que he podido hacer en mi vida, que es como que se me ha creado un odio hacia la palabra droga, no encuentro una palabra tan fea para referirme a ella. Y mira que muchas veces entre las compañeras, ni, aunque a mi hijo le haga falta, "que Dios lo recoja si tiene una enfermedad, que estas manos ya no tocan más la droga para nada". Déjate de enfermedades, porque en eso ninguna pensamos, pensamos económicamente, que queramos vivir bien, lujos, joyas... y mira, nos vemos encerradas, "esmayás" y sin dinero, y tu niño que llega su Santo, su cumpleaños, unos reyes, yo con suerte que el día 8 que cumple mi niño es el tercero año que estoy sin mi hijo y no. Sus 6 años sin mí, sus 7 sin mí y sus 8 años sin mí. Y no, se acabó. Más vale que llore yo a que llore él.*

COD-10: Por días de ver mis niños, verlos tan malamente, tanta tristeza, de no estar juntos. Lo más importante en mi vida son ellos, y no estar con ellos juntos es lo peor que me ha pasado. Con la chica que robé no he vuelto a tener relación, ni la quiero, si me vuelve a buscar le voy a decir que ya no voy con ella a ningún lado.

COD-12: No sé, claro que he pensado, pero será el tiempo que tiene allí para pensar. Principal mis niños, más que nada, y por mi yo no quiero vivir más esta experiencia, no es buena, por muy tranquila que haya estado, tus sentimientos y estar privada de libertad, es lo más importante del mundo. Antes yo no sabía a lo que me iba a enfrentar, ni sabía lo que era eso, ahora sé lo que es, mientras no te privan de libertad no se sabe lo que es. Yo sabía que podía ir a la cárcel, pero no pensaba mucho en las consecuencias. Ahora valoro mucho el poder ir a tomarme un café cuando yo quiera. Eso mientras no lo vives no lo sabes.

COD-14: Mis niños, ¿lo que yo he pasado si estar sin mis niños? Mis niños.

COD-15: Que igualmente, aunque yo sepa que estaba ahí mi madre, mi padre y mi familia, igualmente te sientes sola porque estás tú, eres tú, es tu persona ahí, es tu vida que se está yendo a la mierda. Y yo, pues en cualquier modo, gracias a dios no tenía hijos, pero imagínate una persona que tienen hijos y que sus hijos están solos en la calle, o con la tía, nadie va a criar a tus hijos como los vas a tener tú, yo me he sentido sola sin hijos, imagínate una persona con más responsabilidad.

COD-21: Sí, yo cuando entré con mi marido, mi marido entró sano como una pera, y cuando salimos, na´ más salimos a los dos años, mi marido se puso malo, que a lo mejor no tiene nada que ver con la prisión, pero al salir le diagnosticaron cáncer. Eso me ha marcado mucho, porque yo muchas veces le echo las culpas a la mala alimentación de allí. Mi marido ha sido una persona que pa´ comer ha sido un pajarito y salió de allí malo, y le toco a él, porque le tuvo que tocar a él. No, no, lo de acercarme o alejarme no de personas no tiene nada que ver, yo voy a seguir con los mismos.

COD-22: No ha sido la prisión, porque en verdad yo allí no lo he llevado malamente, no he tenido conflicto ni problema con nadie, pero no ha sido tampoco una buena experiencia porque yo en mi casa con mis niños, no estamos hechos pa´esto. Todas mis hermanas son trabajadoras y nosotros igual, entonces para mi familia y pa´ mis niños esto ha sido muy fuerte, y qué va, no. Por mí no, por mí no, porque "amo" a ver, yo he salido, pero no, qué va, yo no le haría daño ni a mis niños, ni a mi familia, ni yo quiero tampoco ya, por mí, porque no quiero yo qué va. Rotundamente que no, (niega con la cabeza) vaya, mira si me estoy poniendo a vender perritos todos los días (...) ¿Una sola razón? Ya te lo he dicho mis niños, que yo sé que mis niños lo han pasado muy mal, muy mal, muy mal, muy mal, muy mal, y mis padres. ¿La razón de vivir de una madre que son? Sus hijos, ¿no? Pues eso. Pasó y pasó, y punto, yo me presenté, pagué mi condena, y eso ya es pasado.

COD-26: Que cometiste un fallo con 28 años y hoy te ves con 38 y dices "diez años de mi vida perdidos en no poder salir, en no poder moverme, en no poder asistir a una boda, en pasar unas fiestas del cordero sola, en pasar un ramadán sola", porque tengo que estar aquí, firmando, siempre.

COD-27: El haberme quitado a mis hijos y a mi familia, tenerlos tan lejos, no verlos no sentirlos, la impotencia de estar ahí encerrada, no poder hacer nada cuando ha ocurrido algo. Y estoy harta de ser un número más, porque allí nosotros somos un número, imagínese, por algo es que llegas es que te dan número, el número del carné, en todas partes el mismo número. Yo qué sé, yo creo que no, bueno, es que no voy a ser importante como soy en mi familia allí, pero esas cosas son las que más me duelen.

COD-28: Sí, sí, que no volvería a pasar porque no lo pasé bien, estuve tres meses alejada de mi familia de mis hijos, lo pasé muy mal. No lo haría por nada del mundo, además que es que yo tampoco me he dedicado a robar.

COD-29: No, yo es que fue así el cambio siempre sola, ha sido por mí misma siempre, lo he hecho yo sola por mí misma, yo lo hago por mis niños, que voy a estar toda la vida en la cárcel, mis niños creciendo sin su madre no puede ser, y mi madre ya está mayor la pobre.

COD-30: Lo mal que lo pasé, lo mal que lo pasó mi familia, eso lo principal. Yo era un pájaro libre y, de la noche a la mañana verme encerrada, me vino muy grande y que nosotros seremos pobres y humildes, pero en mi familia nunca, de vergüenza y todo que no he vivido nunca eso, me lo decía mi mami, que si lo había vivido pues se entendía, pero es que en mi casa drogas y eso, nunca y me vino grandísimo. Y nueve años de mi vida que me quedé embaraza y tuve que abortar porque no sé qué va a pasar conmigo, no.

COD-31: Pues que una tiene una edad, que te privan de tu libertad, de tu familia, no puedes estar con ellos, ir a comer un domingo, unas navidades con ellos. Estás encerrada prácticamente todo el día en un patio tirada, que no, que yo no quiero entrar y si él quiere entrar (su pareja), que me lo diga. Yo se lo he dicho claro: "si tú piensas que lo vas a hacer otra vez, me lo dices, por favor, y yo me voy a mi casa" y él dice que no me preocupe, que con esto nos mantenemos los dos perfectamente y yo lo creo (...).

Tal y cómo se desprende de las respuestas proporcionadas por las internas, 14 de las 25 mujeres aludieron a sus hijos, a la falta de tiempo con ellos, al dolor padecido, a la imposibilidad de haber llevado a cabo su cuidado durante el tiempo de la condena. Ocho mujeres aludieron a la familia, de nuevo, al dolor que su paso por prisión había supuesto para ella principalmente. Tres de las mujeres drogodependientes aludieron a la necesidad de no volver a consumir drogas en el futuro. En otro caso, una circunstancia externa, como la enfermedad y fallecimiento de su marido, sería el principal motivo que justificaría el deseo de no volver a delinquir y, por tanto, no volver a cumplir una condena en prisión

La pregunta cuestionaba concretamente a las internas si durante el paso por el centro había ocurrido algún evento de importancia para su cambio. Un total de cuatro internas aseguraron que la prisión no tuvo nada que ver en la aparición de su decisión. Tres hablaron de que el paso por prisión había supuesto un tiempo de reflexión, de meditación, de valoración de los acontecimientos pasados que les llevaría a la adoptación de la decisión. Entre las motivaciones que se encontraban relacionadas con la propia interna, tres de ellas mencionaron su edad como motivo principal; dos que el delito no había supuesto ningún beneficio real; una de ellas aseguró que el delito implicó una mala decisión; cuatro de ellas aludieron a su sufrimiento como motor de cambio; una de ellas aludió al dolor que supuso haber sido tratada como un "número" más; seis mujeres resaltaron la importancia de su propio papel en la decisión, el hecho de hacerlo por ellas mismas;

una interna aludió a que el único factor de relevancia había sido su fuerza de voluntad; siete aludieron a la pérdida de libertad; ocho mujeres al sentimiento de soledad intenso experimentado durante la ejecución de la condena y dos de ellas, al tiempo que habían perdido y que no podría ser recuperado.

Con ello, factores externos como la maternidad o la importancia de la familia serían las principales explicaciones ofrecidas por las internas en el proceso por el cual aparece la incipiente narrativa de desistimiento. Sin embargo, no es desdeñable la importancia de factores subjetivos, factores relacionados con los sentimientos de la propia interna que también fueron destacados con frecuencia, tales como la importancia de la libertad y el papel que la propia interna adopta de una manera activa en sus decisiones, tomándolas por sí misma para garantizar un futuro que consideran mejor para ellas.

En la penúltima pregunta se invitó a las internas a reflexionar sobre el mayor de los miedos al que se enfrentaban con respecto a su vida postpenitenciaria. Se obtuvo respuesta por parte de todas las internas en esta ocasión, indicando once de ellas, una cifra nada desdeñable, no tener miedo a nada.

> *COD-22: Miedo no tengo ya a nada, porque yo tengo a Dios conmigo, yo no me da miedo de nada, lo que Dios me tenga guardao´ pues será lo que tenga que ser, y que Dios me de fuerza para asumirlo, pero miedo no tengo yo.*
>
> *COD-1: No tengo miedo, estoy orgullosa de haber cambiado.*
>
> *COD-26: ¿Sinceramente? Creo que mis miedos se acaban el día 17.*

En relación a las mujeres que indicaron tener miedo o miedos: dos internas señalaron temor a volver a delinquir; tres a volver a entrar en prisión como consecuencia de una causa judicial penal anterior; una de ellas a que un familiar vuelva a entrar en prisión; tres mujeres drogodependientes manifestaron su temor a una futura recaída; dos de ellas mostraron temor a volver a defraudar a su entorno; una de ellas al miedo a la soledad; otra interna a que sus familiares no estuviesen bien; tres de ellas a que su salud empeorase; una de ellas mostró su miedo a no poder recuperar a sus hijos en el futuro, y otra, manifestó miedo a ser expulsada del país, a no encontrar empleo y a no ser aceptada por su familia tras su regreso. Se observa, por tanto, que el principal miedo de estas mujeres es a volver a delinquir, regresar a prisión o a recaer en sus adicciones. En el resto de los casos, los miedos se relacionan con las personas que forman parte de su entorno, principalmente defraudarles o no poder atenderles en caso de que así lo necesiten.

> *COD-27: Siempre voy a tener miedo de no de volver a la cárcel, pero yo qué sé, que pase algo y por el antecedente, yo qué sé, eso va a ser mi mayor miedo y de volver a defraudar a la gente que ha apostado por mí. Me "emparanoio", o que paso, veo una pelea y me piden el carné, ven que tengo antecedentes, ¿y qué?*

La última de las preguntas indagó en el deseo hacia el futuro de las internas. Solo una de ellas no respondió a la pregunta, de las respuestas obtenidas, once aludieron a la obtención de un empleo, ocho al mantenimiento del vínculo con la familia, otras ocho aludieron al bienestar de sus hijos y al mantenimiento de la relación con ellos, cuatro mujeres aseguraron desear obtener una vivienda, otras cuatro a cambiar de domicilio o de barrio, cinco mujeres aludieron al deseo de tranquilidad, otras tres al deseo de ser feliz y dos a llevar una vida "normal". El resto de los casos mencionaron deseos diversos: ser madre (2 casos), tener pareja sentimental (1 caso), la liberación definitiva de un familiar (1 caso), viajar (1 caso), estudiar (2 casos), no recaer en el consumo de estupefacientes (1 caso), poder regularizar la situación en España y residir aquí en el futuro (2 casos) y regresar al país de origen solo para visitar a algunos familiares con los que llevan mucho tiempo sin poder reencontrarse (2 casos).

> *COD-23: Ser feliz. Pues hacer una vida normal, trabajar y disfrutar de mi familia y de mis amigos. Disfrutar de mis hobbies pues lo que hace una persona normal, tus cumpleaños, tus nocheviejas, tus reyes alrededor de los tuyos, ser positiva, ser mejor persona porque la droga te anula mucho. Aunque tú quieras ser buena persona, tu cabeza no rige igual que si no te drogas, no piensas igual drogándote que sin drogarte. Me gustaría trabajar en una guardería, pero ahora por mi edad no sé si lo podré hacer. La prisión me limitará, yo tengo lo mío de autónoma, puedo pagar mi módulo de*

autónoma y seguir con mi trabajo. Pero vamos, trabajar, cómo he trabajado en tantas cosas me da igual en que sea, pero quiero conseguir dinero sin delinquir, como ya he aprendido, es que con lo de las falsificaciones… Para conseguir mi objetivo de no entrar en prisión no quiero delinquir, ni robar, porque es que lo de los hurtos lo hacía para drogarme. Quiero hacer una vida normal, tener mi trabajo, mis horarios de vida, mis hobbies, deporte y cine, el teatro, ir al Retiro, me gusta mucho el cine de ficción y mi música que yo soy heavy, me gusta mucho "Iron Maiden", "Metallica", "AC/DC".

COD-31: Pues vivir tranquila, estar con mis hijos, lo que me quede de vida, pues disfrutarlo, estar bien, con mis amistades, con mis hermanos, cuando encarta de reunirnos, con él, con mis hijos, que los tengo gracias a dios, con mis nietos, ser feliz, aunque soy feliz, no puedo decir que soy infeliz porque tengo lo que … no soy una persona que me gusta el lujo, nunca he querido nada, podía haber estado llena de todo, yo no me compro cosas caras porque no me gustan, para comprarme un vestido caro prefiero cinco baratos, no soy exigente ni en comida, ni en restaurantes, siempre he sido muy sencilla, no por ponerme bien puesta (…) Y eso, tener un trabajito, si puedo buscármelo cuando pase lo del Coronavirus, aunque él, cuando él llega a casa (su pareja) y cobra, y me pone el sueldo en la mesa y él se lleva 20 o 30 € y lo que pagamos es la luz y el agua, no pagamos más, tenemos el sueldo casi entero para disfrutar.

4.2. RESULTADOS DE LA SEGUNDA OLEADA DE ENTREVISTAS

En los cuatro casos en los que se pudo realizar la segunda oleada de entrevistas, nos encontramos ante situaciones de éxito en cuanto a desistimiento delictivo. De manera, que, para la exposición de los resultados, se ha considerado que lo más conveniente es hacer un estudio en profundidad sobre cada uno de los casos, estableciendo una comparativa entre los resultados obtenidos durante la primera oleada de entrevistas para cada interna y los resultados derivados de la segunda, conociendo la evolución ocurrida y la opinión de la interna sobre su vida postpenitenciaria.

1) Interna COD-4

Bloque I. Trayectoria postpenitenciaria

a) Datos sociodemográficos en la actualidad

La interna tenía 53 años en el momento de la primera entrevista, de origen paraguayo, soltera, con tres hijos mayores de edad, se encontraba cumpliendo una condena de prisión con una duración de 2 años y 2 meses en el centro penitenciario de Madrid I-Mujeres como consecuencia de la comisión de un delito de hurto.

En cuanto a la residencia, la interna extranjera, de origen paraguayo, planteó durante la primera entrevista que su deseo era permanecer en una ciudad española y trabajar en la ciudad. Este objetivo finalmente tuvo lugar, ya que, en la segunda entrevista, puso en conocimiento de la investigadora encontrarse residiendo en dicha ciudad. En primer lugar, estuvo alojada en una asociación hasta que, dos meses antes de que la entrevista tuviera lugar, pudo acceder a un alquiler en un piso compartido con personas desconocidas. En lo que refiere a la asociación que le proporcionó alojamiento durante los primeros meses, la interna aseguró que ya le habían proporcionado ayuda durante los permisos de salida disfrutados en la ejecución de la condena.

En la primera entrevista, la interna en aquel entonces manifestó que sabía que resultaría muy complicado acceder a un alquiler ella sola y que, con un alto grado de probabilidad, tendría que compartir gastos con otros inquilinos. En lo que refiere al entorno en el que vive, la exinterna solo refiere que le parece bien, sin aportar más detalles.

En la pregunta relativa al entorno en el que reside en el momento de la segunda entrevista, aunque no coincide con las expectativas que tenía antes de abandonar el centro penitenciario, reconoce que, finalmente, reside en un pueblo de la capital, dónde cuenta con un entorno que le permite realizar deporte, la cual es una de sus principales aficiones.

Una de las preocupaciones de la entrevistada durante la primera ola era la regularización de su situación en España, situación que desconocía cómo iba a desarrollarse. En el momento en el que ocurre la segunda entrevista, la exinterna narra que aún no ha logrado regularizar su situación como consecuencia de los antecedentes penales con los que cuenta.

> *COD-4(2): No, porque por los antecedentes no puedo, estoy trabajando y tengo el contrato y todo, pero hay que esperar 3 años y va a cumplir dos años en noviembre. Bastante, porque uno trabaja mejor con... si uno trabaja, como ilegal aquí y no tiene contrato no puedes tener nómina, muchas cosas que... no poder abrir una cuenta en el banco, muchas cosas.*

En cuanto al estado civil, la exinterna refirió durante la primera entrevista ser soltera, situación que se mantiene en el momento de la segunda oleada.

En lo que refiere a sus hijos, la exinterna tiene 3, no habiendo sido madre ni durante la ejecución de su condena, ni en el desarrollo de su vida postpenitenciaria. Sus hijos son adultos (todos ellos mayores de 24 años), de manera que no procede la pregunta relativa la persona o las personas que se encargaron del cuidado de sus hijos durante el desarrollo de la condena. La exinterna refirió durante la segunda entrevista que estos trabajaban, tienen sus respectivas familias y residen en Paraguay.

En la primera de las entrevistas, la interna refirió no tener estudios en el momento previo a su entrada en el centro penitenciario, aunque asistía a la escuela en prisión, encontrándose, en el momento de la primera entrevista, en segundo curso de Educación Secundaria Obligatoria (ESO). Afirmó, además, estar mejorando su alfabetización. En la segunda entrevista, la interna refirió que, a pesar de que estos estudios no continuaron durante el desarrollo de la vida postpenitenciaria, el paso por prisión le había ayudado a mejorar sus habilidades en cuanto a escritura y lectura, resultándole, según ella misma relataba, de gran utilidad.

> *COD-4(2): No, por eso, a mí esto lo que me sirvió es, porque yo aquí afuera hay que trabajar no se puede estudiar, y sin trabajo fuera es difícil de vivir y dentro yo hice... mejoré mi escuela, porque*

yo no estudié y mejoré bastante de escribir y leer, mejoré bastante e hice todo allá. Todo me sirvió para algo. Por eso digo, que yo no me quejo, mucha gente se queja, pero me viene bastante bien. No estudié de niña porque no tuve la posibilidad, tuve la mala suerte de que murió muy pronto mi madre, a los 8 años, y yo era la mayor, y con mi abuela a cargo de mis hermanos, y las circunstancias económicas.

b) Trayectoria laboral

En lo que concierne al empleo, la interna trasladó durante la primera oleada haber trabajado siempre en la limpieza doméstica, desde los 18 años de edad, habiendo cotizado de un modo no constante. En el momento previo a la entrada en el centro penitenciario, la interna trasladó que mantenía un empleo cuidando a una mujer anciana desde hacía cinco años y, además, manifestó como deseo futuro el encontrar un trabajo que le permitiera ayudar económicamente a su familia. En la segunda entrevista, la interna manifestó encontrarse empleada, con un "precontrato", ya que al carecer de documentación no podía beneficiarse de un contrato fijo de trabajo. Durante los 6 primeros meses tras el alcance de la libertad definitiva tuvo importantes dificultades para alcanzar un trabajo estable.

En general, se muestra satisfecha con su trabajo y asegura que las personas que la contrataron eran conocedoras de su condición de exreclusa y, agradece que en ningún momento supuso esto un problema para ella.

COD-4(2): Sí me gusta, yo el trabajo, me encanta trabajar, siempre que me traten bien. Aparte saben mi pasado de allá, gracias a Dios me tocó a personas que no te rechazan por esa razón, te dan la posibilidad para que salga para adelante, pero hay mucha gente que yo conozco que no te la da, y ellos me han dado la posibilidad, me quieren mucho, yo me llevo muy bien con ellos.

No, yo de trabajo no te puedo decir que aprendí en prisión, porque cuando yo empecé con 18 a trabajar, por mis hermanos y para poder salir adelante nosotros, de trabajo siempre, mi vida siempre ha sido trabajando, de eso no te puedo decir. A mí la prisión me vino bien para mejorar mi estudio, pero de trabajo, yo siempre trabajar, no me gusta estar sin trabajo. En prisión gracias a Dios, trabaje en prisión y me dieron trabajo, pero como me gusta trabajar lo que ellos me dieron certificado no era eso (…).

c) Trayectoria delictiva y relación con la justicia

La interna aseguró no haber vuelto a delinquir desde la obtención de la libertad definitiva, es más, se mostró segura de que no volvería a ocurrir. No había sido detenida durante este tiempo, ni había sido llamada a juicio por ninguna causa.

COD-4(2): No. Gracias a Dios y no va a haber más, porque yo eso que estuve ahí fue por una por mí, digamos que yo misma que no tenía que estar allí. Yo hice la forma en que no tenía que hacer, ignoraba la justicia, no hacía caso y por esa razón estuve pagando por el delito.

La interna había asegurado que durante su adolescencia e infancia ninguna persona de su entorno, incluyendo familiares y amistades, habían delinquido, ni habían cumplido una condena privativa de libertad en prisión. Aseguró también que ningún familiar había cumplido una condena por delitos contra la propiedad o por delitos contra la salud pública. Esta situación se mantiene durante la segunda oleada, ya que la interna asegura que ninguno de sus familiares tiene contacto alguno con la delincuencia.

La situación es diferente con relación a las amistades, la interna aseguró que durante su infancia y adolescencia tampoco había personas en su entorno de amistad que tuvieran contacto con la delincuencia. Sin embargo, durante la segunda entrevista, la interna afirmó haber conocido a personas dentro del centro penitenciario que habían vuelto a prisión tras alcanzar la libertad, no obstante, no conoce cuales fueron los delitos cometidos.

d) Salud

En lo que refiere al estado de salud, la interna manifestó en la primera entrevista no tener diagnosticada ninguna enfermedad que requiera tratamiento médico, solo aludió a un cuadro de ansiedad que surgió durante el cumplimiento de la condena. La interna tampoco tenía un problema de adicción al alcohol o a sustancias estupefacientes. La situación se mantuvo de esta misma manera en la segunda entrevista, en la que la interna aseguró no tener ningún problema de salud relevante, salvo cierto grado de ansiedad o un incipiente cuadro depresivo por el que, por el momento, no había recibido asistencia médica.

e) Trayectoria vital postpenitenciaria

Se indagó sobre la opinión de la interna sobre su vida postpenitenciaria y la respuesta fue la siguiente:

> *COD-4(2): Yo creo que tranquila, bien, normal, yo no soy de salir de farra, de tomar nada yo no tengo vicios, ni siquiera, no fumo y yo creo que nada más, me gusta hacer deporte, cuidarme de salud, de comida. Yo lo único que hago cuando vengo del trabajo, me cambio y voy a correr hasta las 9-9:30, luego me ducho, veo tele, ceno, me acuesto y mañana a trabajar. Los sábados y domingos, que no trabajo, me voy aquí cerca, hay un parque enorme con lago y todo, allí me relajo, corro, luego descanso, me gusta la naturaleza, ese es mi día. No me junto tanto con nadie nada. Me enfoco directamente en mí y en mi familia.*

En lo concerniente a las oportunidades que le han sido ofrecidas tras el abandono del centro penitenciario, la exinterna asegura que ha contado con ellas, que ha recibido una importante ayuda por parte de la asociación, tanto a nivel económico como emocional. De la misma asociación de la que recibió apoyo durante el desarrollo de la vida postpenitenciaria, la exinterna ya relató durante la primera oleada, al preguntarle si consideraba que recibiría ayuda en el futuro de algún tipo de entidad solidaria o de voluntariado.

Ante la pregunta de si durante el último periodo la exinterna podría haber cambiado algo que, de algún modo, hubiese mejorado su situación, respondió que la única cuestión que cree de relevancia y que ha supuesto un problema durante su reinserción es la falta de apoyo recibida para "salir adelante". La exinterna asegura que el hecho de no tener regularizada su situación en España tiene implicaciones importantes, en tanto que, aunque pueda obtener un puesto laboral, el sueldo es bajo, que no tiene posibilidad de acceder a Seguridad Social y que no tiene posibilidad de recibir asistencia médica gratuita.

La interna aseguró haber recibido ayuda emocional y apoyo por parte de su familia, sin embargo, no ha recibido ayuda económica por su parte, reconociendo que para ellos esto no es posible. Durante la primera entrevista la interna aseguró que recibiría ese apoyo emocional familiar y económico, en caso de ser necesario.

Con relación al apoyo recibido por parte de los amigos, durante la primera entrevista, la interna aseguró que podría recibirlo en el futuro, aunque finalmente, no la haya recibido.

Bloque II. Apoyo social y vínculos en la vida postpenitenciaria

La interna manifestó que no tenía pareja en el momento en el que tuvo lugar la primera entrevista, situación que se mantuvo en la segunda.

En lo que refiere a la definición que la exinterna hace sobre su relación familiar en el momento de la segunda entrevista, asegura que no se ha producido ningún cambio en ella, que se mantienen unidos y en contacto constante pese a encontrarse en el país de origen, esto ocurre con sus hermanos y con su familia amplia, con quienes mantiene conversaciones telefónicas y a través de redes sociales frecuentemente. La relación con sus hijos tampoco ha cambiado.

Resulta relevante lo relativo a las relaciones de amistad en el momento posterior a la obtención de la libertad. La exinterna asegura haber tenido conflictos con otra exinterna con la que mantenía relación de amistad durante el periodo de tiempo en el que convivieron en la asociación, tras el paso por el centro penitenciario. La anécdota que relata considera la investigadora, no tiene una especial relevancia para la investigación.

Se solicitó que definiera su entorno actual y si este había experimentado algún tipo de cambio, siendo la respuesta negativa. La exinterna aseguró que su entorno era el mismo y que había preferido no mantener vinculación con las demás exreclusas junto con quienes se alojaba en la asociación.

Aseguró la interna que continuó recibiendo apoyo emocional por parte de sus conocidos, que no había experimentado ningún tipo de cambio en sus relaciones y que eran conocedores de su condición de exreclusa.

La exinterna mantiene que en su entorno familiar no hay ninguna persona drogodependiente ni adicta a ningún tipo de sustancia, información que ya proporcionó durante la primera oleada.

En lo que concierne a la vinculación con la religión, la pertenencia a una comunidad religiosa y si ha habido algún tipo de cambio durante la vida postpenitenciaria, la exinterna traslada que es católica, que acude a misa de forma semanal, tal y cómo hacía durante el tiempo en el que cumplió condena en prisión y que no ha habido otra cuestión a destacar en este sentido.

Se le preguntó por el tipo de trato o la relación de la comunidad hacia ella tras su regreso, la respuesta es la siguiente:

> *COD-4(2): Sí, donde yo estoy. Yo no oculto donde he estado, pero no me gusta hablar de eso, eso sí, porque no, como que... me hace recuerdo de algo que no sé (...).*

La siguiente parte de la entrevista indaga en las relaciones con personas del interior del establecimiento penitenciario donde se ejecutó la condena. La exinterna asegura que había mantenido el contacto con otras exinternas, sin haber tenido ningún conflicto a destacar, salvo el indicado previamente. Además, aseguró no mantener el contacto con la persona de referencia que indicó durante la primera entrevista, en este caso uno de los educadores del centro penitenciario, pero sí con parte del personal del centro al que volvía a ver cada vez que visitaba a una compañera de prisión que permaneció en el centro tras su libertad definitiva.

La interna asegura que uno de los apoyos más importantes que ha recibido es el de la asociación que le acogió.

> *COD-4(2): Sí, yo estoy en contacto con ellos, a parte, la directora me dijo que cuando yo necesite que contara con ellos. Para mí es muy importante el apoyo que ellos me dieron, para mí es inolvidable. Si no estuviera la asociación no tengo ni idea de que hubiera*

pasado. Vivir en la calle, sin trabajo, ni dinero es muy difícil, yo no tengo cómo agradecer, porque me dieron una oportunidad que vale muchísimo.

Durante el cumplimiento de su condena, la interna refirió que sus familiares le habían pedido un cambio para el futuro en tanto a que no cometiera más errores, refiriéndose al hurto cometido. Sin embargo, durante la segunda oleada, la interna refirió que esto no había vuelto a ocurrir. Su familia no se encuentra preocupada porque vuelva a delinquir en el futuro. Tampoco sus amigos habían hecho este tipo de petición.

Se pidió a la exinterna que eligiera a una única persona, con la cual se sintiera más unida en ese momento. En la primera oleada de entrevistas, refirió a su madre, quien se encontraba fallecida. Sin embargo, en la segunda entrevista aludió a su amiga, también exinterna, con la que había tenido el conflicto relatado y, en general, con su familia, con sus hijos y hermanos. Sin embargo, las personas de las cuales recibió un mayor grado de apoyo durante el tiempo transcurrido desde la salida del centro penitenciario son la directora y la educadora de la asociación.

Bloque III. Papel de la agencia en el desistimiento

La última parte de la segunda de las entrevistas pretendía alcanzar a conocer cuál había sido el papel de la exinterna en lo referente al cambio que había tenido lugar. Se le preguntó sobre la persona o las personas que, desde su perspectiva, resultaban responsables del cambio positivo que había tenido lugar en su vida. La respuesta indica claros niveles de agencia al situarse en el papel principal del cambio.

COD-4(2): Yo creo que por mí (ríe), yo creo que porque nadie te puede... yo creo que fue por mí.

Se le preguntó directamente por el papel que a sí misma se atribuía en el proceso de cambio y la respuesta aludía a su personalidad, a su deseo de ayudar a los demás y, sobre todo, recalcó que se había ayudado a sí misma mucho durante el proceso.

> *COD-4(2): Yo creo que la bondad que yo tengo con la persona y mi personalidad, cómo te puedo decir, que soy una persona que le gusta ayudar, que le gusta apoyar a las personas si necesitan y yo creo que fue eso. Yo creo que a mí misma me he ayudado mucho.*

Asegura que en ella no se ha producido ningún cambio desde el paso por prisión, que siempre ha sido una persona trabajadora y que las decisiones tomadas habían sido las correctas. El principal factor de cambio, por tanto, asegura que ha sido ella misma.

En la primera oleada, la interna aseguró que sus principales deseos eran quedarse en España y obtener un empleo y, finalmente, han ocurrido.

Con relación al principal miedo sobre el futuro, en la primera entrevista respondió de una manera negativa, no tenía miedo a nada de lo que pudiese ocurrir en el futuro, confiaba en ella y en su capacidad de trabajo. En la segunda entrevista, este discurso se mantuvo, tan solo mostró preocupación ante la situación irregular con respecto a su residencia en España y la posibilidad de tener que regresar a su país.

2) Interna COD-15

Bloque I. Trayectoria postpenitenciaria

a) Datos sociodemográficos en la actualidad

La interna tenía 30 años en el momento en el que tuvo lugar la primera de las entrevistas, es española, soltera, no tiene hijos y se encontraba cumpliendo una condena privativa de libertad de una duración de 3 años y 8 meses como consecuencia de la comisión de un delito contra la salud pública.

En lo relativo a la residencia, la exinterna había relatado durante la primera de las entrevistas, su deseo de convivir junto a su marido, no concretando un lugar determinado en cuanto al barrio. En aquel momento, la interna refirió que residía en un lugar menos conflictivo con respecto al barrio de crianza. En la segunda entrevista, la interna aseguró seguir residiendo en la misma ciudad, pero en una casa diferente, ya que en el momento en el que abandonó el centro penitenciario se mudó. En la actualidad convive con su pareja y define su barrio actual como inseguro. No se muestra satisfecha con la zona en la que se encuentra situada su nueva vivienda.

> *COD-15(2): Mi barrio es un barrio conflictivo, totalmente, lleno de mierda y muy sucio. Seguro también delincuencia, no para aquí, pero seguro. No me gusta, tampoco es que salga mucho a la calle porque vengo del trabajo y duermo y después me voy a pasear o tomar algo y me vuelvo a dormir.*

En el momento en el que tiene lugar la segunda entrevista, la exinterna tiene pareja, son pareja de hecho, están casados por la "ley gitana" y es la misma que en el momento en la que tuvo lugar la primera de las entrevistas. Se trata de una relación sentimental que dio comienzo hacía, aproximadamente, 8 años y en la que no tienen hijos.

La exinterna refirió no haber dado continuidad a sus estudios académicos desde la obtención de la libertad definitiva. En el momento de la primera entrevista relató que antes de su entrada en el centro no había obtenido el título de la ESO y que tampoco participó en la escuela ni en otros cursos formativos durante la ejecución de su condena.

Cuando se le preguntó por el empleo en el momento de la segunda oleada, aseguró tenerlo.

b) Trayectoria laboral

Durante la primera entrevista, la interna aseguró que, de forma previa a su entrada en prisión, se encontraba trabajando en la limpieza de locales, sin contrato, y también cuidaba ancianas. Se encontraba en aquel momento en busca y captura y prefería no tener un contrato laboral. En lo que refería a su trayectoria laboral a lo largo de su vida, la interna relató que dio comienzo a los 16 años de edad y que había trabajado, principalmente en limpieza y hostelería, habiendo cotizado la menor parte del tiempo y sin la presencia de contratos laborales. En el momento en el que tuvo lugar la segunda entrevista, la exinterna aseguró estar en posesión de un empleo desde hacía 9 meses en una empresa de limpieza, concretamente pertenecía al equipo técnico y se encontraba próxima a obtener un ascenso laboral. Antes de eso, aseguró haber trabajado en otra empresa de limpieza durante, aproximadamente, 3 meses. En la actualidad contaba con un contrato laboral que, aunque todavía no definido, tenía perspectiva de convertirse en estable. La exinterna mostró satisfacción con su empleo actual y aseguró que durante su paso por el centro penitenciario no había realizado ningún curso formativo que le hubiese facilitado la realización de este empleo, ya que ella contaba con suficiente práctica en la limpieza, dada su trayectoria laboral. Fueron personas de su entorno, sin especificar, quienes le ayudaron a contactar con la empresa que finalmente le contrató.

> *COD-15(2): Te cansa mucho, pero sí, me gusta mi trabajo, me siento útil, me siento, no sé, me siento bien. Sí, en este puesto de trabajo me ayudaron, le dijeron "que tengo una amiga que está en otra empresa", dejé la otra y me vine aquí porque en la otra no me pagaban. En prisión no hice cursos de limpieza, allí la formación que hice fue de peluquería y de riesgos laborales, allí sí trabajé en limpieza, pero no hice ningún curso ni ninguna formación, era lo que ya sabía. Es que yo trabajé ya antes en limpieza.*

c) Trayectoria delictiva y relación con la justicia

Durante la primera entrevista, la interna manifestó que no deseaba volver a delinquir en el futuro pero que de hacerlo sería ante una situación económica adversa. En el momento de la segunda entrevista, la exinterna aseguró no haber delinquido, no haber sido detenida, no haber sido llamada a juicio desde su puesta en libertad y no haber cumplido una condena de prisión desde el alcance de su libertad definitiva.

En su entorno familiar no había personas que hubieran delinquido desde el momento de la finalización de su condena, tampoco que hubiesen sido detenidas o que hubiesen ingresado en prisión. La misma situación se dio en lo referente a sus amistades. La interna había referido que, en su familia, uno de sus hermanos había cumplido una pena de prisión, pero durante su infancia y su adolescencia.

La interna también refirió conocer a gente que había ingresado en un centro penitenciario desde el momento en el que alcanzó la libertad definitiva, aunque, en ningún caso, se tratara de gente de su entorno más próximo.

d) Salud

La exinterna no tenía ningún tipo de adicción a sustancias estupefacientes o alcohol de manera previa a la condena, ni tampoco ningún tipo de enfermedad a reseñar y por la cual estuviera sometida a algún tratamiento médico. Tal positiva situación se mantuvo hasta el momento de la segunda entrevista, en la que solo consideró destacables algunos problemas, como hipercolesterolemia y una afección en el oído por el que habría requerido ser sometida a una intervención quirúrgica.

e) Trayectoria vital postpenitenciaria

Su opinión sobre su vida postpenitenciaria fue la siguiente:

> *COD-15(2): Pues supongo que es la correcta, porque es trabajar para ganarte la vida y hay que luchar toda la vida entera pa´ tener algo.*

En el momento en el que se le preguntó por las oportunidades que se le habían presentado, ella refirió a oportunidades laborales exclusivamente y, aunque reconoció que hubo momentos en los que no fue sencillo, al final aparecieron y supo aprovecharlas.

Aseguró que no cambiaría nada, que hizo todo lo mejor que supo y que durante su vida postpenitenciaria solo había recurrido a la ayuda económica de su hermana cuando había sido necesario.

Bloque II. Apoyo social y vínculos en la vida postpenitenciaria

En lo que refiere a su relación de pareja, en la primera entrevista la interna aseguró que esta había dado comienzo hacía 6 años y que el paso por prisión había provocado un conflicto entre ellos que acabó solucionándose en uno de los permisos ordinarios de los que disfrutó. En la segunda entrevista, la interna aseguró que el paso por el centro penitenciario implicó simplemente una "parada" o un receso en la relación. Define su vínculo sentimental como bueno y asegura haber recibido apoyo por parte de su pareja, quien en ningún momento había mostrado preocupación porque ella reincidiera delictivamente.

En términos generales, durante la primera entrevista la interna aseguró que existía una buena relación, principalmente con sus hermanas, sintiéndose muy unida a ellas. Esperaba recibir apoyo emocional y económico por parte de su entorno familiar en el futuro postpenitenciario. En la segunda oleada, la exinterna definió su relación familiar como buena, con los conflictos habituales en cualquier relación personal, con una relación buena con sus padres y con sus hermanos, que no había cambiado como consecuencia de su condena. Además, afirmó recibir apoyo emocional y económico de estos. Donde sí pareció mostrar algunos conflictos fue con relación al vínculo con su familia en un sentido amplio.

En lo que refiere a las amistades, en la primera ocasión aseguró que en el futuro recibiría apoyo emocional y económico por su parte. Durante la segunda, aseguró que se había producido cierto distanciamiento con respecto a sus amistades como consecuencia del poco tiempo libre que le permitía su empleo pero que el paso por prisión no había tenido ningún tipo de influencia y que no había recibido apoyo económico de estos.

Al preguntarle por su entorno, la interna aseguró:

> *COD-15(2): Mi entorno es mi casa ahora mismo, mi casa, mi pareja, los niños de mi pareja, y no hay más en mi vida, no me da para más.*

Tanto su madre, como su padre y su hermana mayor se encontraban en prisión en el momento en el que tuvo lugar la primera entrevista al haber participado en la misma causa penal que ella. Sin embargo, durante la segunda entrevista, la interna aseguró que ninguno de sus familiares delinquía en la actualidad.

En lo que refiere a la religión, en un primer momento, aseguró ser creyente y sentirse muy cercana a Dios, así como asistir con gran frecuencia a ceremonias religiosas. Durante su permanencia en prisión, redujo de una manera considerable su asistencia a este tipo de eventos al no considerarlos tan serios como aquellos del exterior. En la segunda oleada, afirmó no asistir a la Iglesia y haber perdido el contacto con la mayoría de las personas de este entorno, ello como consecuencia principalmente de la falta de tiempo.

> *COD-15(2): La religión sí te ayuda en la paz interior, pero el que viva cerca de Dios, no vivo cerca de Dios, tengo mis creencias, pero no tengo una comunión con Dios diaria, no tengo la entrega que es lo que más se te requiere en esta religión, la fe la tengo íntima, yo y Dios, y punto final. No voy ahora, pero sí tuve mi época antes de ir a prisión que sí iba mucho, quizá en aquel tiempo estaba soltera tenía más tiempo para mí y me volqué totalmente en la religión, pero ya después me aparte de la religión, porque tenía esta causa, me sentía más afligida, y dejé de ir, a estas alturas de mi vida, no tengo problemas delictivos ni de ninguno, pero no tengo tiempo.*

En lo que refiere a la posibilidad de recibir ayuda por parte de asociaciones o de ONGs en el futuro postpenitenciario, la interna no respondió a esta pregunta durante la primera fase, sin embargo, en la segunda aseguró que, finalmente, había recurrido durante poco tiempo a asociaciones para obtener alimentos.

En lo que refiere a su opinión sobre el trato o la relación de la comunidad hacia ella tras su regreso, aseguró no haber tenido problemas, ya que su condición de exreclusa no es algo que trasladase habitualmente a sus conocidos.

> *COD15(2): A ver yo a nadie le he especificado mi vida, ni lo que ha pasado, ni por qué ni na´, la mayoría de personas no lo han sabido, me han tratado normal porque no le he especificado detalles a nadie. Por ejemplo, para que me pusieran una pulsera telemática sí tuve que decir que la necesitaba por esto, que, si no, no me ponían la pulsera y no tuve ninguna respuesta negativa, pero me contrataron igualmente, no sé si fue por lo bien que trabajaba. Me dieron el trabajo y me dijeron que no me preocupara. En plan otras personas, no me he sentido mal, pero me han hecho alguna pregunta de que cuanto tiempo ha sido, pero yo respondo lo básico, pero poco*

más. Después de la pulsera nadie más me ha preguntado ni he dado más explicaciones a nadie. Pues porque a nadie le tiene que importar, además, no es una cosa de la que la gente se pueda sentir orgullosa. Yo tengo compañeros de trabajo que hablan de cosas y yo nunca digo que yo estuve en la cárcel, yo eso como que ni por mi mente ha pasado, hablamos de mil millones de cosas, pero por mi mente no pasa decirles nada.

No mantiene contacto con ninguna interna del centro penitenciario o del Centro de Inserción Social ni con ninguna persona de referencia (no señaló a ninguna a lo largo de la primera entrevista) o trabajador del centro.

Asegura que su familia no le ha pedido ningún tipo de cambio en el futuro, tampoco sus amigos o amigas.

En la primera entrevista señaló que la persona a las que más unida se sentía era su pareja y siguió ofreciendo esta respuesta cuando se le preguntó por tal cuestión durante la segunda fase. Sin embargo, cuando posteriormente se le cuestionó sobre la persona o personas que le habrían proporcionado un grado mayor de apoyo, la respuesta se amplió a su pareja junto con sus hermanas.

Bloque III. Papel de la agencia en el desistimiento

En el momento en el que se le preguntó por el responsable o responsables de los cambios positivos en su vida, respondió que ella misma. La principal decisión adoptada para asegurar el cambio fue el empleo y la decisión de tener una vivienda. Considera que ha tomado las decisiones correctas y que ha tomado las oportunidades que iba surgiendo.

COD-15(2): Supongo que papel de superación, pero por mi persona. Yo siempre soy una persona que intento superarme a mí misma, aprender más, valerme por mi sola, conseguir lo que quiero y esas cosas (...).

El principal factor que, según la exinterna influyó en el cambio, fue una mejor calidad de vida, la estabilidad laboral y la vivienda.

En la primera entrevista no manifestó un deseo concreto a cumplir durante su vida postpenitenciaria, pero aseguró, durante la segunda entrevista, que todavía deseaba obtener una casa propia en una zona diferente, más tranquila, en un barrio normal.

3) Interna COD-21

Bloque I. Trayectoria postpenitenciaria

a) Datos sociodemográficos en la actualidad

La interna tenía una edad de 49 años en la primera entrevista, es española, viuda, con 3 hijos mayores de edad y se encontraba cumpliendo una condena de una duración de 3 años y 6 meses como consecuencia de la comisión de un delito contra la salud pública.

Durante la primera entrevista la interna manifestó su objetivo de vivir tras el alcance de su libertad definitiva junto a su nieto, en la misma vivienda y barrio en el que residían juntos antes de la ejecución de su condena a prisión. Se trataba de una casa ocupada situada en un barrio que definió como "un poquito conflictivo". La situación se mantuvo durante la etapa postpenitenciaria y así lo trasladó la exinterna a la investigadora. No obstante, de una forma posterior, sus dos hijos varones se trasladaron a su vivienda, al haber finalizado sus respectivas relaciones sentimentales. Aunque reconoce que, en ocasiones, le gustaría salir de su barrio y trasladarse a otra zona menos conflictiva.

> *COD-21(2): (...) Estoy mejor que en brazos, pa´ que estén pasándolo mal prefiero que estén conmigo, pero es que tengo una casa que es el "chabolo" de Alhaurín, pero bueno nos apañamos, ya me dará Dios pa´ otra más grande.*

> *COD-21(2): Pues, hombre mi barrio, (nombre del barrio), en verdad tiene muy mala fama, porque tiene muy mala fama, pero no es que sea el barrio entero malo, hay algunas calles, yo creo que más o menos como en todos los barrios. Ahora se ha puesto muy bonito con los patios, las calles preciosas, llenas de macetas, los*

> *vecinos hemos pintado los bloques, las fachadas, se está haciendo una asociación de (nombre del barrio), y están haciendo muchas cosas (…), cosas muy bonitas, cosas que hacían antiguamente, y ahora se están volviendo a hacer, y es lo que pega aquí en el barrio, joe, hacer cosas buenas no solo droga y maldad.*

En lo que refiere a su estado civil, en el momento de la primera entrevista la interna trasladó que era viuda, ya que su marido había fallecido. En el momento en el que la segunda oleada tuvo lugar, la exinterna seguía sin haber establecido ningún tipo de vinculación sentimental.

Tiene 3 hijos, 1 mujer y 2 varones con edades comprendidas entre los 31 y los 34 años. Durante la primera de las entrevistas, la interna aseguró que, en el momento previo a la entrada en prisión, 2 de sus hijos dependían económicamente de ella. La situación pareció ser similar posteriormente ya que, según la exinterna, solo uno de sus hijos se encontraba trabajando. Relató a lo largo de segunda entrevista que uno de sus hijos varones, durante el tiempo transcurrido desde el alcance de la libertad definitiva, había ingresado en prisión como consecuencia de la imposición de una condena con una duración de 4 meses.

En el momento en el que tuvo lugar la primera entrevista, la interna aseguró que solo había realizado sus estudios hasta "séptimo de E.G.B." ante la necesidad de comenzar a trabajar en el momento en que su padre fallece cuando ella era preadolescente. Durante su permanencia en el centro, participó en la escuela, de nuevo, sin obtener un graduado y en diferentes cursos formativos como peluquería, riesgos laborales o informática. A lo largo de la segunda entrevista aseguró no haber continuado con estudios académicos.

En lo que refiere al empleo, la interna aseguró en la segunda entrevista encontrarse trabajando sin contrato.

b) Trayectoria laboral

La entonces interna aseguró haber dado comienzo a su trayectoria laboral a la edad de 13 años en trabajos relacionados con la limpieza y la cocina. Tras haber permanecido en prisión preventiva, comenzó a trabajar en la limpieza de un restaurante y en cocina, previamente a su entrada para el cumplimiento de la condena. Según trasladó a la investigadora, nunca había cotizado a lo largo de su vida laboral, salvo el tiempo que se encontró en situación de empleo en el interior del centro penitenciario durante 15 meses.

En el momento de la segunda entrevista, la interna trasladó encontrarse en situación de empleo irregular ya que, al contar con una pensión de viudedad, no le resultaba posible acceder a un contrato de trabajo. Desde el mismo momento en el que alcanzó la libertad definitiva tuvo trabajo, ya que poseía contactos previos a su entrada.

> *COD-21(2): No, estoy trabajando. Sin asegurar, porque yo tengo una pensión de viuda, y no me puedo asegurar, pero tengo mis "casillas" porque si no, no llego a final de mes y también me entretengo, que si no tengo mucho tiempo pa´ pensar y pensar te vuelve loca (...) Sí, desde que lo dejé (Centro de Inserción Social), sí tenía contacto de cuando entré, tenía contactos y na´más que salí, pues busqué a la muchacha y ahí sigo. Nos conocemos de toda la vida, sabían de dónde venía, pero no importaba, es que nos conocemos.*

Durante su permanencia en el establecimiento penitenciario no recibió ningún tipo de formación laboral que encontrara relación con el empleo que llevaría a cabo durante su trayectoria postpenitenciaria.

c) Trayectoria delictiva y relación con la justicia

La interna aseguró durante la segunda entrevista no haber sido detenida, no haber cometido un nuevo delito ni haber sido condenada tras el alcance de su libertad definitiva.

En la primera entrevista aseguró que ninguna persona de su entorno familiar había cometido ninguna clase de delitos y que, por lo tanto, nunca habían ingresado en prisión. Sin embargo, la exinterna reconoció que, posteriormente, su hijo había permanecido durante cuatro meses en prisión preventiva a la espera de juicio, encontrándose en el momento de la segunda entrevista, en situación de libertad provisional. La interna no ofreció detalles sobre el delito por el que su hijo había sido detenido.

Ninguna persona de su entorno cercano, como amistades, había participado en hechos delictivos tampoco.

d) Salud

Durante la primera entrevista aseguró no tener ninguna enfermedad diagnosticada, solo recibir medicación como consecuencia del insomnio padecido. En la segunda, refirió un problema en la rodilla. Continuaba, además, sin manifestar adicciones al alcohol o a sustancias estupefacientes.

e) Trayectoria vital postpenitenciaria

Se indagó en la segunda fase sobre la opinión de la interna acerca su vida postpenitenciaria, y resaltó tener una vida tranquila donde la principal preocupación era su familia. En lo que refiere a la pregunta relativa a si podría haber cambiado algo que mejorara su situación, la interna respondió que no, que todo lo que había estado a su alcance, lo había hecho.

> *COD-15(2): Mmm, ¿mi vida después de salir de allí? La verdad bien, al principio, porque cuando está una en prisión se acostumbra a estar allí, me veía rara en la calle, al principio me acordaba del CIS, del office, de compañeros y compañeras, pero después, bien, tranquila, María. Es que yo en verdad soy una persona tranquila, antes era más de eso, con mi marido, ahora mis niños me dicen que me he "enviejado", ahora na´ más que quiero mi casa, ayudar con mis nietos y ya está, no soy persona de salir ni nada (…).*

En la segunda entrevista, manifestó que recibió ayuda por parte de todo el barrio en el momento en el que su hijo ingresó en prisión preventiva, puesto que debía sustentar a su hijo económicamente y le resultaba ciertamente difícil hacerlo por sí sola.

Bloque II. Apoyo social y vínculos en la vida postpenitenciaria

Tal y cómo se ha indicado en el primero de los bloques, la interna no tenía pareja en el momento de las entrevistas, de forma que no procedieron las preguntas relativa al apoyo de esta.

En cuanto a sus relaciones familiares, en el primer momento, la interna aseguró tener un vínculo muy estrecho con sus hijos, habiéndose, incluso, sentido más querida y valorada por ellos a raíz de su experiencia en prisión. No obstante, en lo relativo a sus relaciones familiares en el momento previo a la entrada en el centro, aseguró que su familia paterna le había apoyado y ayudado en todo momento, que el vínculo con ella era intenso y que siempre habían tenido una relación similar. En el momento de la segunda entrevista, la interna no hizo mención de cambios importantes en estas relaciones, definiendo la relación con sus hijos como "divina", al igual que la relación con su madre, hermanos y familia amplia. A la hora de definir su entorno, la interna lo limitaba a la relación con sus hijos y sus respectivas familias. De nuevo, aseguró que nadie de su entorno familiar delinquía, ni había sido detenido o condenado a una pena de prisión, salvo la detención de uno de sus hijos, como se ha comentado previamente.

En la primera entrevista, la interna aseguró que esperaba recibir apoyo emocional por parte de sus familiares, y también económica, principalmente con relación a sus hijos. Esto se mantuvo durante la segunda entrevista, asegurando que uno de sus hijos también le había apoyado económicamente.

En lo que refiere a las amistades, la interna esperaba asimismo recibir apoyo emocional por parte de sus amistades de largo recorrido y que no habían experimentado ningún cambio con su entrada en prisión, pero ningún apoyo económico. También esperaba recibir ayuda por parte de conocidos. Sin embargo, aquí sí resulta destacable la respuesta ofrecida a lo largo de la segunda entrevista:

> *COD-21(2): En verdad, conocida, porque verdaderamente amigos, amigos, hoy en día no hay. Mi padre decía un amigo si tiene 20 euros en el bolsillo, si no los tiene, no tiene amigos, y eso es una*

verdad como un templo. He tenido experiencias malas en verdad, pero eso llega en la vida un límite en que no te fías de nadie.

En la segunda entrevista, la interna aseguró haber recibido apoyo emocional de algunas amistades, pero no de todas, y ningún apoyo económico.

En lo que refiere a la religión, durante la primera fase, aseguró la interna ser creyente, rezar de una manera frecuente, aunque no resultaba habitual para ella acudir a ceremonias religiosas en el momento previo al paso por el centro penitenciario. Su relación con Dios no cambió durante la ejecución penitenciaria, seguía dialogando con él de una manera privada. En la segunda entrevista mostró algunos cambios en su relación con sus creencias.

COD-21(2): Sí, yo creo en Dios. Ahora mismo, la verdad, hay veces que me "inrrito" con Dios, no te lo puedo negar, porque cuando me pasa na´ más que problemas, digo por Dios no te acuerdes tanto de mí. Pero luego digo "él sabe cuándo tienen que pasar las cosas, buenas y malas, uno no puede cambiar el destino". Una muchas veces quiere cambiar el destino, pero el destino no se cambia. Será que Dios les manda las guerras a sus mejores guerreras, será por eso. No formo parte, no. No.

En la entrevista previa, la interna no refirió la posibilidad de recibir ayuda por parte de la Administración ni de Servicios Sociales, pero sí por parte de entidades solidarias, en cuanto a ayudas para alimentación de las que ya había recibido algún tipo de ayuda durante el cumplimiento del tercer grado y de la libertad condicional, así como en momentos previos a la ejecución de la condena. Sin embargo, en la segunda entrevista, la interna refirió no haber vuelto a requerir este tipo de apoyos.

Al preguntarle por el trato o la relación de la comunidad sobre ella tras su regreso, la interna respondió que bien, sin proporcionar una más amplia información.

A lo largo de la primera entrevista, la interna relató haber recibido un buen trato por parte del personal del centro, haber recibido atención a sus peticiones e indicó que dos funcionarias serían las personas de referencia que, desde su punto de vista, ayudarían en mayor grado sobre su proceso de reinserción. No obstante, en la segunda de las entrevistas, la interna puso de manifiesto que estas relaciones no continuaron durante su trayectoria postpenitenciaria.

En lo referente a la relación con otras internas, esta también fue señalada como buena al haberse sentido apoyada y ayudada por algunas de ellas. En este caso, algunas de las relaciones sí continuaron.

En la segunda entrevista, la interna manifestó que sus familiares nunca le habían pedido ningún tipo de cambio, ni se encontraban preocupados porque ella volviera a delinquir, ya que es algo que asumían.

En la primera de las entrevistas, en el momento en el que se le preguntó por la persona a la que más unida se sentía, la interna respondió que era una vecina del barrio a la que siempre había tratado como una hija más y con la que pasaba mucho tiempo en el que compartían confidencias y apoyo. En la segunda entrevista, esta mujer, de nuevo, fue mencionada como la persona con la que la unión resulto mayor.

Sin embargo, al preguntarle a la interna por la persona que consideraba le había proporcionado un mayor nivel de apoyo desde el momento de la obtención de la libertad definitiva, la interna mencionó a una compañera del centro penitenciario a la que conocía de forma previa al paso por el centro penitenciario y que, en todo momento, supuso una importante fuente de apoyo para ella.

> *COD-21(2): Pues la que más me ha apoyado con una muchacha que entré a prisión de mí mismo caso, pues esta chica ha sido un apoyo fuerte pa´ mí. Sí, sí, tengo contacto con ella, nos conocemos de muchos años, ella quiere muchos a mis niños, ha querido mucho a mi marido y yo me creía que a raíz de lo que pasó íbamos a tener problemas, pero qué va, al revés ella en lo que me pueda apoyar, me apoya, me da consejos, porque siempre dice que me ve que no salgo adelante después de lo de mi marido, antes me gustaba mucho la playa, la piscina y ahora es que ni me gusta nada de eso (…).*

Bloque III. Papel de la agencia en el desistimiento

Durante la segunda fase, se le preguntó por aquellos cambios positivos experimentados a lo largo de su vida, y quien o quienes eran las personas que, desde su perspectiva, habían tenido la responsabilidad sobre ellos. Lo cierto es que la respuesta que proporcionó no fue del todo exacta con respecto al contenido de la pregunta, ya que la interna indicó que para ella el regreso al centro penitenciario, tras haberse encontrado allí durante una primera experiencia en prisión preventiva y tras el fallecimiento de su marido, había supuesto un importante beneficio para ella. Acostumbrarse a la ausencia de su pareja implicó para la interna una ingente cantidad de dolor que superó gracias a su paso por el centro penitenciario, según ella misma cuenta.

Se le preguntó por el papel que a sí misma se atribuye sobre el cambio positivo, y la respuesta refirió a la importancia de no querer continuar participando en conflictos. La decisión de trabajar, de colaborar para que sus hijos no tuvieran problemas y tratar de "llevar a sus nietos por el buen camino" sería la que, según la exinterna, habría garantizado el cambio producido.

> *COD-21(2): Yo creo que el no meterme más en problemas. Que muchas veces la cabeza te disloca y aunque no te quieras meter en problemas, te metes, pero yo he salido concienciada de que no quiero problemas, porque ya me veo vieja y mis niños han pasado mucho mientras yo he estado en prisión. Porque yo tengo mi familia y to´ pero a la hora de la verdad, mi familia son mis hijos, y pa´ ellos soy su madre, el dejarlos solos... he pasado mucho, sobre todo mi nieto que él vive conmigo.... Y ha sido muy duro (...).*

Resulta interesante que, en la primera entrevista, la interna resaltó que no volvería a delinquir en el futuro porque ello implicaría perder una libertad que había aprendido a valorar durante el encarcelamiento. Manifestó desear trabajar para cuidar a sus hijos y nietos, y conseguir una vivienda propia en un terreno donde convivir con todos ellos. De nuevo, cuando a la interna se le preguntó por el factor que, desde su propia perspectiva, habría tenida mayor influencia en el proceso de cambio, volvió a mencionar la importancia de la libertad.

COD-21(2): La libertad, María, es que la libertad no tiene precio. La libertad es todo, la verdad, la salud y la libertad es lo principal en la vida, ni dinero ni nada. Porque la salud no se compra con dinero, ni la libertad tampoco. Perder la libertad fue mucho hasta el extremo de volverme loca por mis niños, en prisión, es mucho sufrimiento, tú estás encerrada sin saber qué les pasa a tus hijos, sin saber si les han dicho, si les han dejado de decir, si tienen problemas o no... eso es que te come por dentro, y encima encerrada que por mucho que yo patalee, no podía hacer nada (...).

4) Interna COD-13

Bloque I. Trayectoria postpenitenciaria

a) Datos sociodemográficos en la actualidad

La interna tenía 41 años en el momento en el que ocurrió la primera entrevista, es de origen rumano, soltera y tenía cuatro hijos, de los cuales uno de ellos había fallecido y solo uno era menor de edad en el momento en el que se le preguntó por primera vez. Se encontraba cumpliendo una condena privativa de libertad de una duración de once años como consecuencia de la comisión de un delito de robo con fuerza en las cosas.

En lo que concierne al lugar de residencia, la interna manifestó durante la primera entrevista que, en aquel momento, encontrándose en libertad condicional, residía en la vivienda de su suegra. La interna aseguró que su situación era algo complicada en tanto que la madre de su pareja tenía enfermedades mentales que dificultaban la convivencia. En principio el objetivo manifestado por la entrevistada era continuar residiendo en donde se encontraba hasta que la situación económica se lo permitiera. La vivienda se encontraba en un pequeño pueblo, tranquilo y sobre el que no profundizó. En el momento de la segunda entrevista, por el contrario, aseguró seguir residiendo en el mismo lugar, pero conviviendo exclusivamente con su pareja. En esta ocasión, reiteró que se trataba de un pequeño pueblo, tranquilo y donde no había mucha actividad.

En lo que refiere a la situación en el país, al tratarse de una interna rumana, país perteneciente a la Unión Europea, la interna aseguró en la primera entrevista que no tenía previsto recibir la nacionalidad española como consecuencia de sus antecedentes penales, nunca precisó un permiso de residencia y no manifestó ningún tipo de preocupación ante la posibilidad de expulsión. Aseguró tener una orden de expulsión administrativa por el perjuicio material derivado de su trayectoria delictiva en España que caducaba en el mes de noviembre (fecha próxima a la que tuvo lugar la primera de las entrevistas). En la segunda fase, la exinterna aseguró que, al contar en aquel momento con un contrato indefinido, estar en posesión del Número de Identificación de Extranjero (NIE) y encontrarse establecida en territorio nacional no precisaría de ningún tipo de permiso especial para continuar residiendo aquí.

En lo que refiere a su situación de pareja, en el momento de la primera entrevista refirió encontrarse soltera, ya que tenía pareja, pero se trataba en aquel momento de una relación de noviazgo. En la segunda entrevista aseguró que eran pareja de hecho.

La exinterna no ha tenido hijos durante su vida postpenitenciaria y tiene un total de tres hijos, mayores de 16 años. Manifestó durante la segunda entrevista que estos eran independientes económicamente, aunque les apoyaba. La interna aseguró durante la primera entrevista que sus hijos permanecían en Rumanía ante su imposibilidad de llevarlos a España, ya que en el país de origen tenían un entorno ya construido en el que eran felices y a ella le resultaba imposible estar con ellos en España sin garantías laborales. En aquel momento solo uno de ellos era menor de edad y se encontraban conviviendo con su abuela paterna con quien a pesar de no mantener una buena relación, se encontraba cuidado y alimentado, sintiendo agradecimiento por ello. En la segunda entrevista, aseguró que su hijo menor ahora se encontraba con su tío paterno, ya que su padre trabajaba fuera de Rumanía en ese momento.

En relación con los estudios académicos, la interna aseguró en la primera entrevista haber estudiado hasta primaria, sin haber llegado a obtener el graduado. En el centro penitenciario participó en la escuela para mejorar su gramática española sin llegar a obtener tampoco el graduado. En su vida postpenitenciaria tampoco dio continuidad a estudios de este tipo.

En la segunda entrevista la exinterna aseguró haber firmado un contrato de trabajo indefinido precisamente el mismo día en el que esta tuvo lugar. Antes de eso había trabajado de una manera discontinua.

b) Trayectoria laboral

Antes de su entrada en prisión, la interna no tenía un trabajo fijo, llevaba a cabo trabajos sin contrato laboral, principalmente de limpieza. Contaba, durante la primera entrevista, que su trayectoria laboral había dado comienzo a la edad aproximada de 12 o 13 años, también en la limpieza, y que, desde ese momento, la inestabilidad laboral había sido manifiesta, encontrando trabajos precarios que no le permitían siquiera la cotización. De hecho, la primera vez que aseguró encontrarse en mejores condiciones laborales fue en el interior del centro penitenciario donde trabajó en la cocina y, posteriormente, durante el disfrute de la libertad condicional en la hostelería.

Durante su vida postpenitenciaria, la exinterna relató haber llevado a cabo una ardua búsqueda de empleo, para lo cual los cursos formativos y experiencia laboral dentro de prisión no habían resultado de gran ayuda.

> *COD-13(2): Que lo conocía, me fui a todos los restaurantes de (nombre de la localidad en la que actualmente reside) y dejaba un currículum y me llamaron. Ah, no creo que me hayan servido, bueno a ver en cocina posiblemente un poquito me ayudó, ¿pero en el trabajo de hostelería? No, porque no tiene nada que ver con la cafetería que había allí fuera en la puerta con lo que hay acá. Nada que ver.*

c) Trayectoria delictiva y relación con la justicia

Durante la primera entrevista se alcanzó a conocer que la interna se encontraba cumpliendo una condena de 11 años de prisión aproximadamente, como consecuencia de una acumulación de delitos contra el patrimonio, principalmente robos. La interna, por aquel entonces, contaba con una amplia trayectoria delictiva, que definía, incluso, como un trabajo, tanto en España como en Rumanía. De hecho, la primera detención tuvo lugar en su país de origen habiendo sido puesta posteriormente en libertad al tener, en aquel momento, bajo su cuidado a un hijo menor de un año de edad. Su carrera delictiva dio comienzo a los 17 años de edad y finalizó aproximadamente entre los 21 y 22 años, sin haber sido detenida durante la minoría de edad y, por tanto, no haber entrado en contacto con el sistema de justicia penal juvenil. Su primera entrada en prisión tuvo lugar a los 22 o 23 años y su trayectoria con la justicia implicó un total de 3 condenas.

Cuando se le preguntó sobre la posibilidad de delinquir en un futuro, tras la obtención de la libertad definitiva, la interna aseguró que esto no ocurriría nunca. Incluso llegó a confirmar no haber planteado ningún tipo de situación adversa que le condujera a ello. Durante la segunda entrevista confirmó no haber delinquido tras su puesta en libertad y estar absolutamente convencida de ser esta una decisión que se mantendría en el tiempo y que se basaba en su propia felicidad. Era una decisión tomada por ella y para su propio beneficio. Tampoco había sido por tanto detenida ni había sido condenada a prisión.

> *COD-13(2): Yo no quiero. Porque no quiero yo, no lo haría por nada del mundo, aunque se retuerce el mundo al revés, no lo haría, es algo que no haría nunca. Tampoco me fui a un palacio, estar sin hijos, lejos de la gente que quieres, sin familia cerca, te sientes mal que no tienes a nadie, no sabes nada, pero no lo haría principalmente por mí, porque fui una "gilipollas" y perdí muchos años de la juventud por algo que no valió la pena. Perdí casi 12 años, más o menos con lo que he acumulado en Rumanía y con lo que hay aquí (...) No, no, no, yo he cumplido con mi deber y he pagado con la sociedad y la ley lo que debía, y ahora soy una más del montón.*

En la primera entrevista la interna aseguró que en su entorno cercano tan solo su padre había participado en hechos delictivos y, además, había sido condenado a pena prisión por delitos contra la propiedad, proxenetismo, tráfico de drogas, etc. Aseguró, durante la segunda de las entrevistas, no tener en su entorno próximo familiar, de amistades y de conocidos, personas relacionadas con la delincuencia, ni detenciones ni condenas a penas privativas de prisión.

d) Salud

Durante la primera entrevista, la interna manifestó no tener ningún problema de salud ni recibir tratamiento médico. Tampoco poseía, ni había poseído en el pasado, problemas de adicción a drogas o a sustancias estupefacientes. Esta situación se mantuvo cuando se le preguntó durante la segunda de las entrevistas.

e) Trayectoria vital postpenitenciaria

Al preguntarle a la exreclusa por su opinión, en términos generales, sobre su vida postpenitenciaria, trasladó lo siguiente a la investigadora:

> *COD-13(2): Pues... que está de maravilla, la libertad no se compra con nada, no hay dinero en este mundo que la pague.*

Durante la primera entrevista, y al preguntarle sobre el nivel de aceptación social que creía que recibiría tras su paso por el centro penitenciario, la interna manifestó creer que la sociedad posee muchos prejuicios en relación con las personas que cumplen o han cumplido una pena privativa de libertad. Sin embargo, aseguró que había contado con suficientes oportunidades durante este proceso de reinserción, que no cambiaría ninguna de las decisiones adoptadas en este tiempo y que no había recibido ningún tipo de ayuda por parte del entorno, salvo de su pareja, con quien, de una manera mutua, se apoyaban económicamente.

Bloque II. Apoyo social y vínculos en la vida postpenitenciaria

Indagando sobre su relación de pareja, la interna relató durante la primera entrevista que le había conocido a través de redes sociales hacía 3 años y que desde el momento en el que alcanzó la libertad condicional habían convivido. Además, cuando se le preguntó por la persona a la que más unida se sentía, respondió que, a su pareja, a pesar de considerarse ya una persona independiente tras haber crecido y aprendido a respetarse y "darse su lugar". En el momento de la segunda entrevista, la interna aseguró que la relación de pareja era buena, tranquila y normal, que él nunca se había relacionado con la delincuencia y que nunca se había sentido juzgada por él. En este momento aseguró que se había sentido muy apoyada por su pareja tras el abandono del centro penitenciario y que nunca se había preocupado porque ella volviera a delinquir en el futuro. Esto último fue reiterado en la primera de las entrevistas.

> *COD-13(2): Pues bien, bonito, nos conocimos cuando estaba en semilibertad yo, cuando estaba en cafetería del centro. Él no tiene nada que ver, él no ha robado un huevo en su vida (ríe), que me estás contando, su único delito es quererme y aguantarme. Es un hombre adicto al trabajo, es lo que me faltaba juntarme con un delincuente. No... nos conocimos por una aplicación de citas, yo me aburría mucho y estaba en la cafetería y dale que dale al teléfono y él, por otro lado, buscaba también a alguien... Pues muy fácil porque es una cosa que me atrajo de él, no me ha juzgado por mi pasado y ha dicho "si yo te conozco ahora en el presente y quiero conocerte a ti", es una de las cosas que más he valorado de él, me atrajo más que nada, no mucha gente te acepta y te da una oportunidad sin temor, ¿sabes?*

En lo que refiere a las expectativas en cuanto a la relación con su familia tras alcanzar la libertad definitiva, la interna negó la posibilidad de recibir apoyo emocional por parte de su madre y de su hermana, tampoco económico. Sin embargo, cuando se le preguntó a lo largo de la segunda entrevista por sus relaciones familiares, pareció haber ocurrido un cambio, asegurando que se trataba de una buena relación, principalmente con su hermana y su madre que se encontraban en Rumanía, su país de origen y aseguró haber recibido apoyo emocional por parte de ellas, aunque no económico. En su entorno familiar no había personas que delinquieran, ya que su padre había fallecido años atrás, ni que tuviesen problemas de adicciones al alcohol o a sustancias estupefacientes. El paso por prisión de la interna resultó doloroso para su madre y su hermana.

De un modo similar, opinó la entonces interna, sobre el apoyo emocional que recibiría por parte de sus amistades. En este primer momento, la interna aseguró haber comenzado a ser muy selectiva en relación con las personas que se encontraban en su entorno próximo, ya que, tras una ardua reflexión, había comprendido que no le resultaba conveniente ni beneficioso para ella tener amistades que apoyaran y alabaran su actividad delictiva. No obstante, aseguró que en caso de ser necesario podría recibir apoyo económico por parte de algunas amistades, incluyendo a otras internas del centro. En la segunda entrevista, confirmó lo dicho previamente, son pocas las amigas con las que contaba y, además, se trataba de relaciones posteriores a la libertad definitiva que desconocían sobre su pasado delictivo y su condición de exreclusa. No reconoció, en este segundo momento, haber obtenido un especial apoyo emocional por parte de ellos ni tampoco económico.

> *COD-13(2): Bueno, pues es que no, no es que soy muy amistosa, yo me lo escojo con mucho cuidado, aquí no sé si tengo una o dos amigas, pero amigas de verdad, el resto conocidos, compañeros... bueno, pero amigos, amigos los cuento con los dedos de la mano. No eran previas, después de salir, que no saben mi vida antigua y no hace falta contárselo, no es algo que tenga que contar vamos*

Es interesante ver el cambio que la interna manifiesta en cuanto a su entorno. Asegura que este ha cambiado radicalmente, pasando de relacionarse con personas vinculadas a la delincuencia a relacionarse con personas con vidas normalizadas.

> *COD-13(2): Hombre el entorno es totalmente diferente, antes andaba con conocidos que delinquían, gente que ha pasado por ahí o que iba a pasar, estaba muy mal, ahora no hay nada de eso es un cambio total, drástico. A ver, yo es que creo en mucho en eso de "dime con quién andas y te diré quién eres", no podemos juzgar por la portada, pero he preferido dejar a la gente con que me*

> *juntaba antes, no he querido más conectar con esa gente, supongo que he entendido que no me aportaba nada bueno. Sí, y antes de salir, cuando salía de permiso, tampoco contactaba con gente así, me veían conectada en Facebook porque entraba para hablar con mis hijos o con mi hermana, que son tres días de permiso cuando salía, pero, aun así, yo ya no conectaba con ellos.*

En relación con la posibilidad de recibir apoyo por parte de la Administración o de los Servicios Sociales, la interna aseguraba ser conocedora de que no podía resultar beneficiaria de ningún tipo de ayuda pública al no reunir los requisitos exigidos para ello, sin embargo, contaba con la posibilidad de obtener ayuda para la búsqueda de empleo por parte de entidades solidarias. En la segunda entrevista aseguró no haber recibido apoyo por parte de este tipo de asociaciones.

En cuanto a la relación de la entrevistada con la religión, en la primera ocasión aseguró no tener una relación excesivamente intensa con Dios, no se consideraba practicante, aunque sí creyente en la religión ortodoxa. Esto se mantuvo en el momento de la segunda entrevista, en la que aseguró que el paso por el centro penitenciario no había influido en la manera en que desarrollaba su relación con Dios.

Se indagó también en el trato que consideraba que la comunidad había tenido con respecto a ella durante este proceso de reinserción y aseguró no haber enfrentado ningún tipo de problema en este sentido en tanto que, ni siquiera en el ámbito laboral, proporcionaba información sobre su condición de exreclusa ante el miedo a que esto dificultara su acceso a diferentes oportunidades.

> *COD-13(2): Teniendo en cuenta que no saben de dónde vengo y cuál es mi pasado, bien. Muy bien, hombre ahora ya si lo hubieran sabido… tú imagina que yo lo hubiese dicho en el trabajo, "hola, soy expresidiaria y he estado doce años allí por robar", entonces no me mirarían con los mismos ojos. Esto es un empezar de cero. Claro, yo no he querido contarlo, no lo hago porque posiblemente me da miedo de lo que pensara la gente, pero al fin y al cabo es mejor que no lo sepa, es parte de mi pasado, lo he vivido yo, he pagado por lo que he hecho y punto.*

En relación con el vínculo que la interna mantiene con otras compañeras del centro penitenciario, aseguró durante la segunda entrevista tener algo de contacto con una exreclusa con la que mencionó sentirse especialmente unida durante la primera de las entrevistas. En un primer momento, la exinterna señaló como persona de referencia dentro prisión a una de las funcionarias, con la que mantiene el contacto de manera poco habitual desde su puesta en libertad. La exreclusa no mantiene relación con otras personas trabajadoras del centro.

Se le preguntó sobre si su familia se mostraba preocupada con relación a la posibilidad de que esta delinquiera en el futuro. En la primera entrevista, aseguró que su hermana sí había mostrado tal preocupación, ante lo cual ella respondía que debía mantenerse tranquila, ya que la decisión de delinquir o no, era suya y ya estaba tomada, había decidido un futuro alejado de la carrera delictiva. En la siguiente entrevista, por el contrario, utiliza un tono irónico para asegurar que no, que nadie de su entorno está preocupado ante esa posibilidad. Es muy interesante la reflexión que en este punto de la segunda entrevista hace la interna con relación a los motivos por los que no volvería a delinquir en el futuro, señalando que en su vida anterior nunca había pensado en las consecuencias que la comisión de sus actos delictivos tenía para las víctimas y que ahora esto era relevante para ella.

> *COD-13(2): No creo, "¿te preocupas?" (pregunta a su pareja que está al lado), se ríe, dice que no (La pareja le responde riéndose "no tienes huevos"). No haría eso por nada del mundo, aunque se muriera te lo juro, "el único delito que tengo ahora mismo es quererte" (dice a su pareja). No, en serio, fuera de bromas, no lo haría. Antes estaba preocupada, no pensaba en el futuro, decía "ahora me alegro de tener a mis hijos, ya Dios dirá", pero no pensaba en estar encerrada tantos años y que fueran lo pasaran mal. No pensaba en las consecuencias, en la gente a la que decía daño.... Cuando vas a tu vestuario, y vas a coger tu bolso y veían que había desaparecido... es que no es algo de lo que me sienta orgullosa.*

En la última parte de esta segunda entrevista, la exinterna aseguró que la persona a la que más unida se siente en su vida postpenitenciaria es su hermana y que su pareja, por el contrario, es quien mayor nivel de apoyo le ha prestado en este proceso.

Bloque III. Papel de la agencia en el desistimiento

Las respuestas ofrecidas por la exreclusa durante la última parte de la segunda entrevista resultan muy llamativas al ser un claro ejemplo de la importancia de la agencia, de la toma de decisiones y del autoconcepto en el proceso de desistimiento delictivo.

Así, al preguntarle que a quién o a quienes atribuía la responsabilidad del cambio positivo ocurrido en su vida respondió que, en primer lugar, debía situarse a ella misma, después a su pareja y, en último lugar, a su hermana.

Con relación a cuál es su papel en proceso de cambio y cuáles son las decisiones tomadas para garantizarlo, ella hace referencia a lo siguiente:

> *COD-24(2): Mi voluntad, el sufrimiento que he pasado, las lágrimas que he llorado, no sé, la vida que me tocó vivir.... (piensa) (...) Pues, en primer lugar, acostumbrarme a romperme el lomo y a no ganar el dinero fácil como estaba. Y, en segundo lugar, aprender de mis errores, ¿no? Y ver la diferencia de dormir tranquila, de no mirar atrás, de no estar con el miedo que te venga a levantar pa´ cumplir con lo que debes a la sociedad y a la ley, esa tranquilidad no la quita nadie. ¿Que hay preocupaciones? Claro, mira el gasoil que está, a 2,35 (ríe), nos matan, preocupaciones hay, pero menores.*

Destacó dos factores de influencia en su cambio: la soledad y el sufrimiento.

En la primera entrevista, la exinterna manifestó que su mayor miedo era no poder recuperar a sus hijos y su mayor deseo tener un trabajo estable, no depender de nadie y lograr estabilidad, independencia y una vida tranquila y feliz. En la segunda entrevista, la interna, precisamente, aseguró no poder pedir más ya que se encontraba tranquila y feliz.

Discusión y conclusiones

DISCUSIÓN

La investigación aquí presentada recoge las narrativas de cambio derivadas de las entrevistas con mujeres que se encontraban cumpliendo una pena privativa de libertad en centros penitenciarios y Centros de Inserción Social en España, un total de 27 mujeres condenadas como consecuencia de la comisión de delitos contra la propiedad y delitos contra la salud pública que se encontraban en una fase muy próxima a la finalización de su condena. Tras el análisis de los testimonios de las mujeres, se ha observado que, durante la primera oleada de las entrevistas, 23 de ellas manifestaban una narrativa de cambio en la que aseguraban que la delincuencia no formaba parte del futuro que ellas imaginaban y una en el que la respuesta, por el contrario, sí ponía de manifiesto la posibilidad de delinquir de una forma bastante rotunda. En cualquiera de los casos, debe incidirse que, dadas las limitaciones del presente estudio, en el que solamente pudieron analizarse cuatro casos de desistimiento transcurridos más de un año desde la finalización de la condena, en ningún caso la investigadora puede hablar de mujeres que hayan desistido de una manera definitiva, sino de mujeres en las que comienza a observarse un relato de desistimiento delictivo tendente al alejamiento de la actividad criminal tras la obtención de la libertad definitiva. Con ello, a continuación, se discuten aquellos hallazgos en relación con la literatura criminológica existente en cuanto a los factores de principal influencia en el desistimiento delictivo femenino y que han sido detenidamente analizados a lo largo del presente trabajo.

No queriendo centrar en exceso el contenido de la discusión en torno a las características compartidas sobre la trayectoria vital de las mujeres entrevistadas, sí puede discutirse con relación a ellas, siguiendo a Cid y Martí[415], la capacidad que las trayectorias de vida tienen para influir sobre las narrativas, en este caso principalmente de cambio, que desarrollaron las internas. Asumiendo la idea de que uno de los factores explicativos de la estabilidad de la trayectoria delictiva es la trayectoria del individuo[416], se procede a discutir algunas de las cuestiones que se obtuvieron como resultado de las entrevistas realizadas con relación a las vivencias durante la infancia y la adolescencia, así como en la adultez. Tal y como se desarrollará a continuación, no se encuentra esta investigación, como consecuencia de sus resultados, en condiciones de confirmar de un modo tajante los resultados a los que han llegado otras investigaciones sobre desistimiento delictivo, sobre el hecho de que las personas con trayectorias de vida problemáticas tienden, en mayor medida, hacia la reincidencia. Se observa que, en los casos de narrativas de desistimiento, las historias de vida resultan diferentes, existiendo algunas trayectorias durante la infancia problemáticas y otras que, por el contrario, resultaron plenamente normalizadas. Ello no impide que los discursos de cambio sean diferentes entre ellas.

Así, en general, todas ellas expusieron infancias y adolescencias normalizadas donde, por regla general, la convivencia en el hogar era buena y sobre las que mantienen un buen recuerdo, a pesar de la nada boyante situación económica en la que la mayoría de ellas se encontraban inmersas. Las situaciones de abusos familiares, experiencias de maltrato por parte de progenitores adictos al alcohol o las sustancias, generalmente por parte de los padres, y las situaciones de abandono no fueron habituales.

En lo que refiere a las relaciones establecidas durante la infancia y la adolescencia, las relaciones con la familia, en general, en todas las narrativas de desistimiento se definen como una relación

---

415 Véase, Cid, J. y Martí, J.: Op. cit. 2011.

416 Véase, Sampson, R. y Laub, J. (1997): "A life-course theory of cumulative disadvantage and the stability of delinquency". En Thornberry, T.P. (ed.). *Developmental theories of crime and delinquency.* NewBrunswick, NJ: Transaction Publishers. Citado en Cid, J. y Martí, J.: Op. cit. 2011.

normalizada y buena, principalmente, con los progenitores (salvo en los casos en los que las situaciones de abuso y maltrato fueron frecuentes), así como con los hermanos. Debiendo prestarse una especial atención a los resultados obtenidos con relación a las relaciones de amistad y grupos de pares durante la infancia y adolescencia. La mayoría de las internas apuntaron aquí hacia la existencia de relaciones de amistad con personas "sanas", con características prosociales, no adictas y alejadas de la delincuencia, siendo anecdóticos los casos de internas que reconocieron una influencia negativa por parte de amigos durante la adolescencia y cuya necesidad de ruptura de las relaciones sustenta, en parte, las narrativas de cambio que empiezan a vislumbrarse en su discurso.

La asociación entre la conducta antisocial y la existencia de amigos antisociales ha venido siendo defendida por parte de la literatura criminológica, como consecuencia de la influencia social[417], bien desde el punto de vista de la teoría del control social[418] en la que la ausencia de vínculos prosociales conduciría hacia las actividades antisociales, bien desde la perspectiva de la teoría del aprendizaje social[419]. Sin embargo, a la luz de los resultados obtenidos en la presente investigación, son anecdóticos los casos en los que las internas establecieron vínculos de amistad con individuos con características antisociales y, en estos casos, lo que puede confirmarse es que el cambio en las redes de amistad preexistentes forma parte de la narrativa de cambio en la que ponen de manifiesto su deseo de romper con ellas.

En cuanto al nivel formativo alcanzado por parte de las internas, muy pocas lograron acabar el graduado escolar, dado que en general las mujeres se vieron obligadas a colaborar en la satisfacción de las necesidades económicas del núcleo familiar, dando

---

417 Véase, Bartolomé, R., Montañés, M. y Montañes, J. (2008): "El papel de los amigos frente a la conducta antisocial en adolescentes". *International Journal of Developmental and Educational Psychology, 1*, 289-298.

418 Véase, Hirschi, T.: Op. cit. 1969.

419 Véase, Akers, R.: Op. cit. 1998. Citado en Bartolomé, R., Montañés, M. y Montañes, J.: Op. cit. 2008.

comienzo a su vida laboral de una manera temprana, incluso en la preadolescencia.

Es interesante detenerse aquí en el relato de la interna con una narrativa de persistencia, quien describió una infancia desarrollada en un barrio que definió como "bueno" pero sobre el cual no logró explicar con mucho detalle al no tener recuerdos claros. Aseguró no haber tenido una relación positiva con sus padres, una relación escasa con sus hermanos y una relación irrelevante en relación con las amistades. En cuanto a la formación, la interna aseguró haber dado comienzo a su asistencia a la Escuela a partir de los 14 años de edad.

En lo que refiere a la trayectoria de vida de las internas, se consideró importante no solo atender a las circunstancias relacionadas con su infancia y adolescencia, sino también a otros factores que se consideraron que podrían tener una importante influencia en la aparición de la narrativa de cambio hacia el desistimiento del delito y en el de persistencia, y que tienen que ver con su trayectoria delictiva, la mendicidad y los problemas de adicción al alcohol o a sustancias estupefacientes.

En cuanto a las trayectorias delictivas, debe prestarse una especial atención a la relación existente entre el comienzo de la carrera delictiva y la edad. Siguiendo a Maruna, la delincuencia callejera, al menos en el caso de los varones, da comienzo durante los primeros años de la adolescencia, alcanzando las mayores cifras durante los últimos años de esta o los primeros años de la adultez temprana, desapareciendo en el momento en el que el sujeto alcanza la edad de 30 años[420]. Tal y cómo ya se defendió a lo largo de este trabajo, la relación entre desistimiento del delito y edad ha sido estudiada ampliamente dentro del conocimiento criminológico y los resultados, principalmente orientados hacia las muestras masculinas, ponen de manifiesto que la edad en sí mis-

---

420 Véase, Maruna, S.: Op. cit. 2006.

ma es un elemento facilitador para el desistimiento delictivo[421]. En lo relativo a las mujeres, algunas investigaciones han demostrado que la curva edad-delito alcanza su máximo punto de un modo más temprano con respecto a los hombres[422].

Una de las limitaciones en el estudio es precisamente la incapacidad de casi la mitad de las internas para proporcionar la edad concreta en la que dio comienzo la carrera delictiva. Aunque de una manera no concluyente, ante la falta de respuesta de muchas internas, se observa, de acuerdo con la investigación internacional[423], que el inicio de la trayectoria delictiva femenina ocurre de una forma más tardía con respecto al hombre, donde el inicio de la trayectoria delictiva suele dar comienzo en la adolescencia, alcanzando su punto álgido al final de esta o al principio de la edad adulta. En el caso de la interna con una narrativa de persistencia, la edad de inicio se situó en los 18 años de edad, no encontrándose detenciones previas.

Se indagó en el número de condenas recibidas durante la edad adulta y se concluyó que la mayoría de las mujeres solo habían resultado condenadas una vez a lo largo de sus vidas, tratándose de la condena que las convirtió en objeto de la presente investigación. En el resto de los casos, y ante la imposibilidad de algunas internas para proporcionar este dato, las internas habían sido condenadas dos o más veces, aunque no siempre a una pena privativa de libertad en prisión.

En lo que refiere a las características de la trayectoria delictiva, se considera de una especial relevancia para la presente investigación, tal y cómo se ha venido defendiendo a lo largo del capítulo de resultados, la pregunta relativa a las motivaciones que conduje-

---

421 Véase, Moffit, T.E.: Op. cit. 1993.; Sampson, R.J. y Laub, J.H.: Op. cit. 1993 y Rocque, M.: Op. cit. 2015.

422 Véase, Kershaw, C., Nicholas, S. y Walker, A.: Op. cit. 2008. Citado en Loeber, R., y Farrington, D. P.: Op. cit. 2014.

423 Véase, Zahn, M. y Browne, A.: Op. cit. 2009. Citado en Vigna, A.: Op. cit. 2011.

ron a la comisión delictiva a estas mujeres. A pesar de que algunas mujeres rechazaron responder a esta pregunta y algunas negaron su participación en los hechos, en los 19 casos restantes, las respuestas resultan coherentes con la literatura sobre desistimiento. Así, en más de la mitad de los casos fue la necesidad económica la que condujo a la comisión del delito, bien para hacer frente al consumo de drogas que venían manteniendo, bien para hacer frente a las necesidades económicas, principalmente, del núcleo familiar ante el cual se encontraban a cargo. En el resto de los casos, las respuestas, aunque variadas, aluden a los factores que se han venido defendiendo a lo largo de la investigación: la influencia del grupo de pares, las situaciones de violencia de género padecidas, la influencia de familiares o la influencia de la pareja. En otros, aludieron al deseo de obtención de dinero fácil, a un error del que no derivó ninguna consecuencia positiva o al afán y disfrute, cuyo motivo desconoce, por apropiarse de cosas ajenas.

Tres de las mujeres que componían la muestra, siendo una de ellas la interna con una narrativa de persistencia delictiva, se encontraban en situación de mendicidad en el momento previo a su entrada en prisión. En el caso de la interna con un discurso de persistencia, la situación de calle resultaba una consecuencia directa de su adicción a las sustancias psicotrópicas y consecuente ausencia total de relación con personas de su entorno, dándose, de este modo, una falta total de apoyo que desencadenó en la imposibilidad, ante la falta de recursos y apoyo económico, de residir en una vivienda. En uno de los restantes dos casos, se observó una falta de apoyo por parte de los familiares y entorno cercano tanto en el momento previo al ingreso en prisión como durante la ejecución de la condena.

En lo que refiere a las adicciones, los resultados de la presente investigación no logran apoyar uno de los resultados más generalizados en el ámbito de la literatura de desistimiento, en tanto que no resultan del todo coherentes con la afirmación de que las personas que tienden hacia el desistimiento del delito tienden a tener menos problemas de adicción que aquellas que tienden hacia la reincidencia[424]. Benda, en su investigación en este sentido, detectó como la drogadicción conformaba uno de los principales factores de influencia en el fracaso del desistimiento delictivo femenino[425]. En todos los casos analizados, la drogadicción condujo a problemas familiares e incluso al distanciamiento con respecto a las personas de su entorno, siendo precisamente este el caso de la interna que mostró una narrativa persistente, siendo consumidora habitual de sustancias. En cuanto a las narrativas de desistimiento, se observa que en los casos de las mujeres que consideraban tener un verdadero problema de adicción aludían a la necesidad del mantenimiento del abandono del consumo una vez obtenida la libertad definitiva, siendo precisamente destacable el deseo futuro de abandonar el consumo y el miedo a no lograr acabar con el mismo cuando se encontrasen en libertad.

Se discute a continuación en torno a cinco de los factores externos que han sido detectados por la literatura criminológica tradicional como puntos de inflexión para el fenómeno del desistimiento del delito femenino en relación con los resultados obtenidos: el matrimonio y las relaciones de pareja, la maternidad, el empleo, la espiritualidad o la religión y las relaciones de amistad. A continuación, se pasará a centrar la atención en la discusión en torno a factores de corte subjetivo como las transformaciones cognitivas, las nuevas identidades y narrativas de cambio desarrolladas por las internas que pueden derivarse del discurso recogido en las entrevistas. Por último, se centrará la atención en la influencia que el paso por prisión y la manera en la que la ejecución de la condena ha sido experimentada por parte de las mujeres influye en dicha narrativa de cambio y de persistencia, en el caso.

---

424 Véase, Sampson, R.J. y Laub, J.H.: Op. cit. 1993, Kazemian, L.: Op. cit. 2007, Cid, J. y Martí, J.: Op. cit. 2011.

425 Véase, Benda, B.B.: Op. cit. 2005.

1. La influencia del matrimonio y las relaciones de pareja

En las diferentes narrativas analizadas, el matrimonio y las relaciones de pareja han mostrado tener un papel protagonista en la mayoría de los casos objeto de estudio. La literatura criminológica ha identificado que las vinculaciones sentimentales pueden tener un papel muy importante en el proceso de desistimiento delictivo de las mujeres al fomentar, entre otras cuestiones, la aparición del rol de esposa[426], la asunción de un compromiso prosocial y la asunción de un rol convencional[427] cuando la pareja posee características de carácter prosocial[428]. Lo cierto es que esta afirmación ha sido respaldada en parte por los resultados de la investigación en tanto que la mayoría de las mujeres entrevistadas que tenían pareja en el momento previo a la entrada en prisión y que, tal y cómo se ha venido estableciendo a lo largo del análisis, aseguraban que la delincuencia no entraba en sus planes de futuro, tenían parejas no delincuentes, se trataba de vinculaciones normalizadas y con características prosociales. Tal y cómo se ha destacado en el capítulo de resultados, son varios los casos en los que esta pareja tiene una influencia importante en el discurso de la entrevistada en cuanto a la manifestación de sus deseos de una vida futura alejada del delito.

En la mayoría de los casos las internas hicieron referencia a haber recibido un importante apoyo durante el cumplimiento de su condena por parte de sus parejas asegurando que, a efectos prácticos, dicho paso por prisión no había supuesto ningún tipo de cambio o alteración en la relación sentimental, aunque cuando la pregunta se redujo a que las internas entrevistadas mencionaran a la persona que se sintieran más unida en el momento en el que

---

426 Véase, Giordano, P.C., Cernkovich, S.A. y Rudolph, J.L.: Op. cit. 2002.

427 Véase, Benda, B. B.: Op. cit. 2005.

428 Véase, Giordano, P.C., Cernkovich, S.A. y Rudolph, J.L.: Op. cit. 2002 y Doherty, E.E. y Ensminger, M.E.: Op. cit. 2013 y Abrams, L.S. y Tam, C.C.: Op. cit. 2018.

tuvo lugar la primera de las entrevistas, tan solo tres de ellas mencionaron a su pareja.

Sin embargo, lo cierto es que, según los discursos de las internas entrevistadas, la relación entre la narrativa de desistimiento y las vinculaciones sentimentales resulta más compleja si se atiende al resto de los casos en los que las mujeres entrevistadas también tenían una pareja en el momento previo al ingreso en prisión. En diez de los casos analizados, las parejas sentimentales de estas mujeres no tenían características prosociales, muchas de ellas se habían conocido en contextos delictivos, habían dado comienzo a su trayectoria delictiva de forma conjunta, eran consumidores habituales de sustancias estupefacientes e incluso, se trataba de relaciones sentimentales que habían dado comienzo durante la ejecución de la condena en prisión por parte de ambos. Asumiendo que este tipo de circunstancias ocurre en once de los casos de mujeres entrevistadas, la presente investigación no permite determinar de un modo claro que las vinculaciones sentimentales con individuos con características no prosociales tengan una influencia negativa sobre la aparición de la narrativa de cambio, ya que el número de casos entre ambos grupos resulta muy similar. En algunos casos, puede determinarse una relación importante con el inicio de la trayectoria delictiva que no impide el deseo de cambio en estas mujeres.

Además de lo anterior, es destacable el caso en el que una mujer atribuyó la responsabilidad del inicio de su trayectoria delictiva a su pareja e incluso la necesidad de la ruptura del vínculo para lograr desistir en el delito tras el abandono del centro penitenciario o de la obtención de la libertad definitiva y también para lograr abandonar el consumo de estupefacientes. Leverentz[429], en este sentido, a partir de estudio basado en entrevistas a mujeres "desistentes", concluyó la existencia de un grupo numeroso que había decidido romper la relación sentimental con sus parejas que con-

---

[429] Véase, Leverentz, A.M.: Op. cit. 2006.

tinuaban con su actividad delictiva y con la drogadicción, con el objetivo de lograr su propia recuperación.

Es interesante observar que el único caso de la mujer con un discurso de persistencia delictiva no tenía una pareja en el momento previo de entrada en prisión.

En lo que refiere a las internas extranjeras, la mayoría aseguraron tener pareja en el momento de la realización de la entrevista, habiendo dado comienzo su relación una vez residían en España. En el caso de la interna paraguaya que había sido detenida en el aeropuerto cuando ejercía como "mula", la relación sentimental había dado comienzo durante la ejecución de la condena. En estos casos, la formalización de la pareja, la maternidad junto a ellas o la convivencia son importantes factores catalizadores para el cambio hacia el desistimiento del delito.

Aunque en la mayoría de los casos no se trate de la pareja que la mujer tenía en el momento del ingreso en prisión, se considera bastante relevante referenciar los casos de abuso en la pareja y maltrato a los que muchas de estas mujeres se han visto sometidas a lo largo de sus vidas. Poniendo con ello de manifiesto esa vinculación entre victimización previa y delincuencia que, aunque no siempre implica una motivación directa para la inmersión en el terreno delictivo, sí está presente en la historia de vida de muchas de las mujeres que se encuentran cumpliendo penas privativas de libertad en prisión. No obstante, es interesante ver que son pocas las mujeres que aseguraban que la relación de pareja existente justo en el momento de la entrada en prisión fuera abusiva.

2. *La influencia de la maternidad*

La maternidad, tal y cómo se ha defendido a lo largo del presente estudio, ha venido siendo apoyada por la literatura criminológica de un modo amplio como uno de los principales factores de influencia en el proceso de desistimiento del delito[430], bien como consecuencia de implicar un evento exógeno que derivaría en el rol de madre[431], bien como consecuencia de las transformaciones cognitivas que aparecen en las mujeres y las modificaciones identitarias que tienen lugar[432]. En general, la maternidad se asocia con la asunción de responsabilidades, la voluntad de evitar situaciones perjudiciales para los hijos y el desarrollo de un vínculo de carácter afectivo que tiene una influencia positiva sobre el fin de la trayectoria criminal.

Tan solo cinco de las mujeres entrevistadas no tenían hijos en el momento de su entrada en prisión, entre ellas aquella interna que puso de manifiesto una narrativa de persistencia. Del total de mujeres que tenían hijos, más de la mitad tenían más de 2. Es interesante destacar que la mayoría de estas mujeres tenían hijos menores de edad que quedaron al cargo de diferentes familiares o sus progenitores durante el cumplimiento de la condena. El grado de satisfacción con respecto al cuidado recibido por parte de sus hijos era alto en términos generales, pero en muchos casos aseguraban que ello no era suficiente para garantizar el bienestar de los hijos que precisaban del amor de sus madres, sintiendo un elevado grado de responsabilidad con respecto a ellos y su felicidad en el futuro. En general, las relaciones con sus hijos fueron definidas como positivas y normalizadas en los momentos previos al ingreso en el centro penitenciario, así como el nivel de apoyo percibido en aquel momento por parte de estos. Son destacables los casos donde el resentimiento del vínculo se debía a factores

---

430 Véase, Kreager, D.A., Matsueda, R.L. y Erosheva, E.A.: Op. 2010; Michalsen, V.: Op. cit. 2011.

431 Véase, Sampson, R.J. y Laub, J.H.: Op. cit.: 1992; Bachman, R., Kerrison, E.M., Paternoster, R., Smith, L. y O´connell, D.: Op. cit. 2016 y Graham, J. y Bowling, B. (1995): *Young People and Crime.* Home Office Research Study 145. London: Home Office. Citado en Gunnison, E.: Op. cit. 2014.

432 Véase, Giordano, P.C. Cernkovich, S.A. y Rudolph, J.L: Op. cit. 2002 y Giordano, P. C., Schroeder, R. D., y Cernkovich, S. A.: Op. cit 2007.

diversos como problemas familiares o la mala relación producida por las adicciones de la madre.

Es interesante destacar cómo la maternidad, a pesar de ser un importantísimo factor de influencia en el proceso de finalización de la trayectoria delictiva, también se convierte en un factor desencadenante de necesidades económicas que deriva, en algunas ocasiones, en la comisión delictiva como manera que asumen estas mujeres para satisfacerlas[433]. En definitiva, el delito se convierte en ocasiones en una vía para "dar de comer" a los hijos.

En el caso de las internas extranjeras, todas ellas tienen hijos, pero tan solo una de ellas tuvo a su hijo en el país de destino, quien contaba con tan solo 3 meses de edad en el momento del ingreso de la madre en prisión. En el resto de los casos las internas tuvieron hijos de una manera previa a que ocurriera su movimiento migratorio, residiendo estos en su país de origen y asegurando en la mayoría de los casos haber obtenido un gran apoyo por su parte a pesar de mantener contacto solo a través de vía telefónica, salvo uno de los casos en el que la extensa duración de su condena había conllevado la casi total pérdida del contacto con ellos, quienes se encontraban al cargo de otros familiares. Es especialmente destacable el caso de una mujer interna que tenía hijos menores de edad residiendo en el país de origen y que requería del envío de todo el sueldo obtenido tras la realización de diferentes empleos dentro de prisión para su manutención. Este caso resulta especialmente interesante en la medida en que la interna ha considerado recibir un apoyo constante de los niños, con quienes mantenía un contacto asiduo durante la ejecución de la pena privativa de libertad en prisión y con quienes lo mantiene durante la ejecución de su condena en tercer grado con telemática, pese a ser desconocedores del lugar en el que su madre se encontraba, habiendo sido engañados con la excusa de encontrarse trabajando fuera. Uno de los principales motivos que esta interna tenía para decidir sobre el cambio de rumbo en su vida era, preci-

433 Véase, Cid, J. y Martí, J.: Op. cit. 2011.

samente, el haberse encontrado alejada de sus hijos y su deseo de regresar junto a ellos. En lo referente a la motivación para el delito, la interna que había ejercido como mula aseguró que dicho viaje pretendía garantizar una mejora de la situación económica de su familia, entre quienes se encontraban sus hijos. Otra, inició el viaje migratorio para obtener mayores recursos económicos y cometió el delito una vez asentada y empleada en España para lograr enviar una mayor cantidad de dinero al país de destino.

Solo dos de las internas fueron madres durante la ejecución de su condena y en ambos casos sus hijos y la necesidad de retomar el contacto con ellos implicó una de las primeras causas que marcaron el cambio de rumbo que se planteaban hacia el futuro.

En la gran mayoría de los casos de las mujeres que tienen hijos, la necesidad de acompañarlos, cuidarlos o de recuperar el tiempo que, de alguna manera, el paso por prisión les había conducido a perder de su compañía, eran planes convencionales planteados en sus discursos y objetivos a cumplir tras la obtención de la libertad definitiva. Solo en dos de los casos las mujeres aseguraron desear tener hijos en el futuro, representando este deseo un evidente plan de vida convencional que favorecería el efectivo desistimiento de la trayectoria delictiva

3. La influencia del empleo

La obtención de un empleo es uno de los factores que también ha sido más asumido por parte de la literatura criminológica nacional e internacional en materia de desistimiento delictivo. Siendo esto, además, como consecuencia tanto de los ingresos fijos que proporciona a los individuos que evitarían las necesidades económicas que en muchas ocasiones derivan en el comportamiento delictivo[434], y también como consecuencia del control social ejercido por los compañeros y jefes laborales, el aumento de

---

434 Véase, Agnew, R.: Op. cit. 2001.

estructuras y actividades cotidianas y la limitación del tiempo libre disponible para la comisión delictiva[435]. No obstante, tal y cómo ya se ha venido defendiendo a lo largo del segundo capítulo, aún no se puede hablar de un consenso criminológico total sobre la influencia diferenciada del empleo en el desistimiento delictivo entre hombres y mujeres[436]. De hecho, algunas investigaciones han llegado a asegurar la falta de influencia en la carrera delictiva de las mujeres por parte del empleo[437] e incluso otras aseguraron que este era un indicador delictivo para el colectivo de mujeres como consecuencia de su cada vez mayor acceso al trabajo, a la esfera pública y, por tanto, a las oportunidades delictivas[438].

En cualquiera de los casos, la investigación no permite concluir una separación clara entre trayectoria delictiva y empleo. Ello como consecuencia de que la mayoría de las internas aseguraron contar con un trabajo en el momento previo a la entrada en prisión. En el resto de los casos en los que la respuesta fue negativa, salvo en los casos en los que las mujeres se encontraban en situación de calle, incluyendo aquella mujer que manifestó una narrativa de persistencia delictiva, estas contaban con diferentes ayudas sociales y de desempleo que les permitía su sustento económico.

La mayor parte de las mujeres entrevistadas aseguraron que el inicio de su trayectoria laboral dio comienzo a una edad muy temprana, no logrando identificar muchas de ellas de un modo claro la edad exacta, aunque en muchos casos los primeros empleos fueron obtenidos durante su adolescencia. Solo una de las internas aseguró no haber ocupado ningún puesto laboral de forma previa a la entrada en prisión durante su trayectoria vital Es

---

435 Véase, Cohen, L.E. y Felson, M.: Op. cit. 1979 y Jahoda, M.: Op. cit. 1982.

436 Véase, Verbruggen, J., Blokland, A.A. y Van der Geest, V.R.: Op. cit. 2012.

437 Véase, Simons, R.L., Stewart, E., Gordon, L.C., Conger, R.D. y Elder, G.H.: Op. cit. 2002.

438 Véase, De Li, S. y MacKenzie, D.L.: Op. cit. 2003.

cierto que, en la gran mayoría de los casos, se trataba de empleos poco cualificados, en muchas ocasiones sin contrato laboral, con la imposibilidad consecuente para la cotización, con salarios bajos y relativos principalmente a ocupaciones como la limpieza, el cuidado de terceros dependientes o la venta ambulante. Ello provocaría, siguiendo a Vigna, que estos empleos nunca logren alcanzar a representar un verdadero eje estructurador de la vida de estas mujeres promoviendo la no delincuencia[439].

Debe determinarse, por tanto, que el empleo no es siempre un factor capacitado para prevenir la inmersión de las mujeres en la carrera delictiva, de hecho, la mayor parte de ellas se encontraban ocupando un puesto laboral en el momento de la condena. En ocasiones, empleo y delincuencia tenían lugar de forma paralela, entendiendo en ocasiones el delito como un modo de obtención de mayores cantidades de dinero, cantidades que, con los sueldos derivados del empleo, probablemente, nunca lograrían alcanzar.

En la mayoría de los casos, las internas entrevistadas consideraron la importancia que el empleo tendría en su desarrollo de vida postpenitenciaria, encontrando muchas de ellas la necesidad de participar en diferentes cursos formativos durante el desarrollo de la vida penitenciaria, aunque en muchos casos el objetivo de participación en este tipo de cursos residía simplemente en mejorar su experiencia penitenciaria. En otros, las mujeres eran conscientes de que toda formación laboral podría resultarles de utilidad para el futuro. Ello conllevaba en ocasiones cierta sensación de decepción y malestar al no poder acceder a ellos dentro del centro penitenciario como consecuencia de las características de sus condenas o del elevado nivel de demanda que los empleos tenían en los centros. En esta línea, más de la mitad de las internas entrevistadas aseguraron haber participado en algún trabajo retribuido durante el tiempo de ejecución de sus condenas, aun asumiendo los bajos salarios que percibían, debido a que resulta-

---

439 Véase, Vigna, A.: Op. cit. 2011.

ban ser absolutamente necesarios para lograr sustentarse económicamente a ellas mismas o a sus familias.

El empleo resultó incluso representar una fuente de tensiones cuando se consideraba que desde el interior del centro penitenciario resultaban absolutamente incapaces de realizar cualquier tipo de gestión para asegurar contar con un puesto laboral en el momento de obtención de la libertad definitiva. Este es el caso de una interna extranjera, sometida a una orden de expulsión, que reclamaba la importancia de contar con un contrato laboral en el momento del abandono de la prisión para lograr permanecer en España. Una preocupación reiteradamente manifestada por las internas tenía que ver con las consecuencias que el paso por prisión tendría para garantizar el alcance de un empleo, ya que muchas de ellas consideraban que la negativa opinión socialmente generalizada hacia las mujeres exreclusas implicaría una importante limitación para competir en igualdad de condiciones con otras personas a la hora de beneficiarse de un empleo.

Cuando se indagó en la opinión de las internas sobre la posibilidad de sustentarse económicamente en el futuro, la mayoría de las respuestas positivas se orientaron hacia su identidad como "mujeres trabajadoras" y a su deseo de acceso a un puesto laboral, en caso de no haberlo obtenido ya durante el cumplimiento de la última parte de su condena en tercer grado o libertad condicional, en cuyo caso el objetivo pasaba a ser el mantenimiento de este. Se observa en este sentido, a partir del relato de las internas, que la experiencia laboral y el hecho de haber recibido formación profesional suponen un refuerzo para muchas de las internas, quienes muestran un elevado nivel de confianza y seguridad en cuanto a sus posibilidades de obtención de un puesto en el trabajo tras la obtención de la libertad definitiva. En ocasiones, ellas mismas señalan su deseo de trabajar, no planteándose, además, que el puesto laboral a alcanzar debiera cumplir con demasiados requisitos, siendo uno de los principales obstáculos las dificultades para obtener contratos laborales cuando los contratadores tengan conocimiento de su condición de exinternas.

Es relevante destacar que únicamente dos internas consideraron la importancia del empleo para evitar la delincuencia en el futuro, entendiendo que preferirían trabajar en cualquier cosa antes que volver a delinquir o que la única cuestión que en un momento dado les podría conducir al delito era, precisamente, su incapacidad para obtener un puesto de trabajo. Cuando se indagó en el mayor deseo de las internas en el futuro en libertad, once de las 25 internas con una narrativa de desistimiento aseguraron que era la obtención de un puesto de trabajo. Otra interna hizo referencia al trabajo, no solo como un deseo que le permitiera sustentación económica, sino también como un medio que permitiera el establecimiento de nuevas relaciones de amistad con personas con características prosociales, refiriéndose a ello como la necesidad de "hacer amigos en el entorno de trabajo" (COD-5).

Por último, en relación con la narrativa de persistencia detectada, la interna carecía de un empleo en el momento previo a la entrada en prisión y, en lo referente a su trayectoria laboral, cabe destacar que su primer empleo fue obtenido durante la adolescencia, donde ejerció la prostitución junto a algunos otros trabajos poco cualificados. Es interesante ver cómo a pesar de mostrar un relato de persistencia delictiva en tanto que asegura que volvería a delinquir en el futuro, lo cierto es que en la pregunta relativa a la posibilidad de sustentarse económicamente el futuro por sí misma, la interna hablaba de su deseo de obtener un empleo y de reinsertarse.

4. La influencia de la espiritualidad y la religión

La influencia de la espiritualidad y la religión en el proceso de desistimiento delictivo es, en términos generales, un ámbito escasamente estudiado y donde, de nuevo, los resultados no parecen concluyentes. En un principio, la investigación criminológica ha apuntado hacia la capacidad que estos factores tienen como instituciones sociales formales con capacidad de control de los individuos, así como consecuencia de los lazos que dentro de este tipo de contextos religiosos se establecen, lazos de carácter prosocial[440].

La literatura ha hecho referencia en ocasiones a la oportunidad que la cárcel representa para los individuos para contactar por primera vez con la religión pasando a convertirse en una segunda oportunidad en la vida[441]. Sin embargo, es cierto que los resultados de la presente investigación no se orientan en este sentido, sino que, por el contrario, el paso por prisión puede implicar retomar el contacto, previamente olvidado, con el mundo de la espiritualidad y la religión para estas internas, de acuerdo con la investigación de O´Connor y Duncan[442].

Siguiendo a Giordano y sus colaboradores[443], esta investigación pone de manifiesto que algunas de las mujeres hicieron referencia a su espiritualidad en lo que refiere a sus relatos de vida, principalmente quienes pertenecían a la etnia gitana. Algunas investigaciones han asegurado que el contacto con la religión es un factor de influencia en el proceso de desistimiento delictivo[444], sin embargo, no es algo que permita afirmarse a partir de los resultados de investigación de este trabajo. Aunque la mayor parte de las mujeres con narrativa de desistimiento aseguraron ser creyentes y religiosas, incluso la mujer con narrativa de persistencia, lo cierto es que, en general, las respuestas fueron variadas, algunas eran especialmente practicantes durante su trayectoria vital, otras, por el contrario, aludían a una espiritualidad interna que no tendían a exteriorizar mediante la realización de prácticas religiosas. La gran mayoría de las internas manifestaron además haber tenido la posibilidad de participar en actividades religiosas durante el cumplimiento de su condena.

---

440 Véase, Bakken, N.W., DeCamp, W. y Visher, C.A.: Op. cit. 2014.

441 Véase, Maruna, S., Wilson, L. y Curran, K.: Op. cit. 2006.

442 Véase, O'Connor, T. P. y Duncan, J. B.: Op. cit. 2011.

443 Véase, Giordano, P. C., Longmore, M. A., Schroeder, R. D. y Seffrin, P. M.: Op. cit. 2008.

444 Véase, Gunnison, E.: Op. cit. 2014.

Los resultados obtenidos no han permitido concluir ni una importante influencia en la narrativa de cambio de quienes plantean un futuro alejado de la delincuencia, ni tampoco que los lazos sociales que se generan en este tipo de contextos hayan tenido una especial influencia en la aparición de tal discurso.

5. La influencia de las relaciones de amistad

En lo que refiere a las relaciones de amistad, ya se ha venido estableciendo a lo largo de capítulos anteriores el elevado nivel de influencia que pueden tener sobre el proceso de desistimiento del delito. Son numerosas las investigaciones que han concluido el importante papel que las relaciones interpersonales juegan en el proceso de desistimiento y en el desarrollo de la vida postpenitenciaria de las mujeres exdelincuentes[445], siendo las relaciones de amistad las que han recibido una menor atención. Algunas investigaciones demostraron la menor influencia que sobre las mujeres tenía el grupo de amigos y su mayor concienciación sobre la necesidad de establecimiento de vínculos prosociales con individuos no delincuentes para lograr el desistimiento con respecto a los hombres. Estudios orientados sobre muestras femeninas compartieron estas conclusiones, llegando a considerar el papel fundamental de las relaciones de amistad sobre el desistimiento delictivo de las mujeres[446].

Tal y cómo ya se ha defendido al inicio del presente capítulo, el contacto con amistades con características antisociales durante la infancia o adolescencia no puede conformarse, según los resultados de la presente investigación, como un factor con influencia directa sobre la aparición de conductas antisociales y delictivas en las internas objeto de estudio. De hecho, son anecdóticos los casos en los que las internas aseguran haber podido observar por ellas mismas cómo la influencia de sus amistades había sido negativa so-

445 Véase, Maidment, M. R.: Op. cit. 2006.
446 Véase, Cobbina, J.E.: Op. cit: 2010

bre ellas y, en cierto modo, ello habría derivado en su trayectoria delictiva. En estos casos, la narrativa incipiente de desistimiento incluye la necesidad de abandonar esas relaciones de amistad. En el momento en que se indagó sobre las personas con las que las internas consideraban que desearían mantener el contacto tras alcanzar la libertad definitiva, fueron escasos los casos en los que refirieron a antiguas amistades, ya que normalmente las respuestas se orientaban hacia el deseo de permanecer con hijos, parejas y familiares cercanos. Son destacables algunos casos en los que las internas consideraron como un requisito para lograr llevar a cabo una vida alejada de la delincuencia cortar el contacto con otras compañeras del centro e incluso con amistades previas al cumplimiento de su condena, siguiendo de este modo algunas de las conclusiones proporcionadas por Brown y Bloom[447]. En ocasiones, alejarse de las amistades implicaba para estas mujeres facilitar también el proceso de abandono del consumo de sustancias que deseaban lograr tras el abandono del centro.

Sin embargo, lo que sí se observa en muchos de los casos analizados en la presente investigación y de acuerdo con otras investigaciones[448], es que las internas pusieron de manifiesto que las amistades ya no representaban un primer plano en sus vidas, de manera que el número de amistades era reducido, dedicando la mayor parte del tiempo a la pareja, a los hijos y a las familias. Así, cuatro de las mujeres negaron haber recibido ningún tipo de apoyo ni económico ni emocional durante la ejecución de la condena.

---

447 Véase, Brown, M. y Bloom, B.E. (2018): "Women´s desistance from crime: A review of theory and the role higher education can play". *Sociology Compass, 12*, 1-11.

448 Véase, Giordano, P.C., Cernkovich, S.A. y Holland, D.D.: Op. cit. 2003.

6. La aparición de transformaciones cognitivas, nuevas identidades y narrativas de cambio

La investigación en materia de desistimiento ha venido resaltando la importancia de las transformaciones cognitivas en dicho proceso. Giordano y sus colaboradores aseguraban que la exposición de los individuos delincuentes a conductas prosociales, nuevas oportunidades, reflexión sobre la vida pasada y el planteamiento de una identidad nueva alejada de la delincuencia generaba un cambio a nivel cognitivo que se asociaba al éxito en la finalización de las trayectorias delictivas[449]. La investigación criminológica centrada en el análisis femenino ha llegado a detectar que aquellas mujeres que adoptan sus propias decisiones y motivaciones hacia el cambio actúan orientando sus conductas y contextos de manera que el cambio se propicie, favoreciendo la autosuficiencia[450]. La investigación sobre mujeres también ha aludido a la importancia de la agencia y la reflexión y balance realizados sobre la trayectoria delictiva sobre el fin de esta. Todo ello derivaría en una nueva identidad alejada del delito que resultaría con un mayor peso siempre que se viera reforzada por parte de las personas del entorno de las mujeres[451].

No han sido frecuentes los casos en los que las mujeres han verbalizado estas cuestiones durante las entrevistas, sin embargo, se observa la asunción de la agencia por parte de algunas de las mujeres de la muestra y cómo ellas mismas definen que el cambio se produce como consecuencia de una decisión propia ante la que actúan consecuentemente. El autoconcepto resulta también destacado, la percepción sobre la propia capacidad para "salir adelante" y cambiar el rumbo de sus vidas se identifica en algunos testimonios.

---

449 Véase, Giordano, P.C., Cernkovich, S.A. y Rudolph, J.L.: Op. cit. 2002.

450 Véase, O'Brien, P. y Harm, N. J.: Op. cit. 2002. Citado en Bui, H.N. y Morash, M.: Op. cit. 2010.

451 Véase, Stone, R., Morash, M., Goodson, M., Smith, S. y Cobbina, J.: Op. cit. 2016.

Resultan de un especial interés las reflexiones sobre el proceso de construcción de identidades entre hombres y mujeres. La investigación de Herrschaft y sus colaboradores[452] concluyó la importancia del cambio a nivel interno para ambos colectivos, sin embargo, los procesos resultaron ser diferentes. En el caso del hombre, se observó que en primer lugar ocurría una vinculación con eventos externos que derivarían en reconocimiento social que, a su vez, provocaría el cambio en el autoconcepto, derivando ello en la construcción de la nueva identidad. En el caso de las mujeres, por el contrario, el cambio cognitivo tendría lugar como consecuencia de las relaciones interpersonales, logrando un cambio en la autopercepción.

Lo cierto es que resulta bastante complicado identificar este fenómeno en los casos objeto de investigación en este análisis, ya que, como se ha afirmado previamente, no son muchos los casos en los que se logra detectar en la narrativa de las internas estos cambios a un nivel subjetivo. Sin embargo, algunos de los testimonios encontrados en esta investigación han puesto de manifiesto que, en primer lugar, se produce la adopción de una nueva identidad, unos nuevos objetivos de vida y es en base a estos cuando se produce la conducta prososocial en estas mujeres. Además, esa adopción de la nueva identidad ocurre durante la ejecución de la condena, donde la reflexión sobre la trayectoria de vida pasada lleva a plantear la necesidad de cambio al obtener la libertad definitiva.

Resultan también interesantes algunos casos en los que las mujeres ponen de manifiesto optimismo y esperanza con respecto al futuro, principalmente, estas se concretan con relación a la probabilidad con la que consideran que serán capaces de no volver a delinquir en el futuro. Ello estaría en consonancia con la investigación de Friestad y Skog Hansen[453], que apuntó al hecho de que,

---

452 Véase, Herrschaft, B.A., Veysey, B.M., Tubman- Carbone, H.R. y Christian, J.: Op. cit. 2009.

453 Véase, Friestad, C. y Skog Hansen, I. L.: Op. cit. 2004.

durante esta narrativa incipiente de desistimiento, las mujeres tienden a considerar el fin de su trayectoria delictiva con una muy alta probabilidad de ocurrir.

7. La influencia de la prisión

Lo que aquí se pretende discutir son los resultados obtenidos en la investigación en relación con la medida en la que el modo en el que se desarrolla la ejecución penitenciaria y los servicios a los que las internas pueden acceder durante la misma, favorecen o influyen en la incipiente narrativa de desistimiento.

Una de las cuestiones que la literatura ha venido considerando de especial relevancia es que las internas logren mantener el contacto con las personas de su entorno más cercano. Para ello se requiere no solo que dicho contacto sea posible, sino también que las personas de su entorno puedan, desde un punto de vista material, acceder a visitar a las internas, por lo que resulta imprescindible que los centros penitenciarios se sitúen en un lugar próximo al lugar de residencia de estas mujeres. Ello garantizaría el mantenimiento de los vínculos y lazos sociales que, tal y cómo se ha venido defendiendo a lo largo de la investigación, asegurarían o, al menos, tendrían un papel de gran influencia en el proceso del desistimiento del delito en mujeres. Ya se ha discutido a lo largo del primer capítulo sobre las limitaciones existentes a nivel nacional en esta materia[454]. Según los resultados de la presente investigación, la mayoría de las internas mostraron acuerdo con el cumplimiento de la condena en el centro penitenciario en el que

454 Véase, C Cerezo Domínguez, A.I. (2015): "La aplicación de las reglas de Bangkok a la normativa penitenciaria española". En Acale Sánchez, M. y Gómez López, R. (eds.) *Derecho Penal, género y nacionalidad. Proyecto I+D Igualdad y Derecho Penal: el género y la nacionalidad como factores primarios de discriminación 2010-19781.* Granada: Comares y Juanatey Dorado, C. (2018): "Delincuencia y población penitenciaria femeninas: situación actual de las mujeres en prisión en España". *Revista Electrónica de Ciencia Penal y Criminología, 20*(10), 1-32.

se encontraban o se habían encontrado. En los casos en los que la respuesta mostraba cierto grado de desacuerdo lo hacía como consecuencia, principalmente, de la imposibilidad de ver con la frecuencia que desearían a sus familiares, al encontrarse ellas en una provincia diferente a la de origen.

En lo referente a la ejecución de la condena, en general, ninguna de las internas fue clasificada en primer grado y sólo cuatro de ellas recibieron sanciones en celdas de aislamiento, describiendo esta experiencia como complicada y generadora de elevados niveles de ansiedad.

Existen investigaciones que demuestran que existen relaciones entre los servicios a los que las internas accedieron durante el cumplimiento de sus condenas y la posibilidad de no reincidencia en el futuro, destacando el importante papel que el personal tiene para su eficacia, siempre que su actitud se base en el interés, atención sobre la interna y se muestre optimista y confiado en su reinserción[455]. Los resultados de la presente investigación, en este sentido, pusieron de manifiesto que las internas drogodependientes participaron en muy pocas ocasiones en programas destinados a la deshabituación, fueron pocos los casos en los que las internas participaron en programas ofertados dentro de los centros penitenciarios destinados al manejo de la ansiedad y de otras enfermedades o trastornos mentales, así como en los cursos dirigidos al fomento del autocontrol y resolución de conflictos. Sin embargo, el número de internas que participaron durante la ejecución penitenciaria en la escuela para mejorar su nivel formativo fue elevado, aunque resultaron anecdóticos los casos en los que lograron terminar el graduado escolar. Por el contrario, tal y cómo se ha desarrollado previamente, resultó más frecuente la participación en programas y cursos orientados hacia la formación profesional, entendiendo con ello que las internas consideran que el empleo es uno de los objetivos a cumplir tras el alcance de la libertad definitiva en muchos de los casos estudiados. Interesantes también

---

455 Véase, Trotter, C., McIvor, G. y Sheehan, R.: Op. cit. 2012.

han sido los resultados relativos al trabajo remunerado realizado durante su estancia en prisión, dado que más de la mitad de las internas asumieron empleos relacionados con la cocina, lavandería, limpieza o venta en el economato de la prisión. Si bien es cierto que no era generalizada la valoración de estos trabajos como útiles para obtener experiencia profesional que ayudara en la búsqueda posterior de empleo, se consideraron útiles para obtener un sueldo con el que cubrir sus necesidades económicas y las de su familia, en su caso.

Es importante detenerse en la valoración que las internas hacen sobre el trato recibido por parte de las autoridades y personal penitenciario. La investigación de Maidment sugirió que, principalmente en el caso de aquellas mujeres con largas estancias en instituciones penitenciarias, las relaciones establecidas con el personal, por ejemplo, el personal de libertad condicional, el personal psiquiátrico o con los consejeros, no resultaba siempre positiva debido a la ausencia de confianza que para ellas suscitaban. Muchas mujeres consideraban que la posibilidad de compartir con el personal determinados aspectos de sus vidas, podría conllevar que este reportara a sus superiores información sobre ellas teniendo consecuencias negativas durante su condena. De otro lado, el personal puede representar uno de los principales apoyos para las internas que nunca antes habían sido institucionalizadas o que no cuentan con ningún tipo de apoyo por parte de su entorno próximo[456].

Es cierto que ambas polaridades fueron identificadas en la presente investigación. Así, en la mayoría de los casos, las internas calificaron la relación con el personal penitenciario como buena, basada en el mutuo respeto y asumiendo que el papel que este tiene es el de control sobre las reclusas. Son anecdóticos los casos en los que parece aludirse a una relación algo más estrecha, basada en la confianza y en el apoyo. Consideraban, además, que sus peticiones eran, por lo general, atendidas y justificadas en caso

---

456 Véase, Maidment, M.R.: Op. cit. 2006.

de no haber sido resueltas de manera satisfactoria para ellas. El mayor nivel de desacuerdo surge en cuanto a las decisiones de la Junta de Tratamiento con relación a la progresión en grado, ya que en ocho ocasiones estas consideraron injusto el rechazo de su solicitud.

Sin embargo, y pese a que la relación con el personal penitenciario era buena, lo cierto es que cuando se cuestionó a las internas sobre su opinión acerca del papel que una persona de referencia podría tener en relación con el apoyo y la preocupación por su futuro, hubo varias respuestas que aludían a su inexistencia. En el resto de los casos, se señaló como persona o personas de referencia, primordialmente, al funcionariado del centro.

La investigación sobre desistimiento delictivo femenino ha venido también poniendo de manifiesto la importancia de las relaciones entre internas dentro de los centros penitenciarios. Los resultados obtenidos mostraron una buena relación con respecto a otras internas que representaron un importante apoyo durante la ejecución de la condena, pero también deben destacarse aquellas situaciones en las que las internas deciden que dichas relaciones no se extiendan a lo largo del tiempo para evitar conflictos en el futuro que frustren sus planes futuros. Se trataba, en general, de relaciones de apoyo económico y emocional mutuo. Las agresiones físicas no se detectaron, aunque en varios casos se aludió a agresiones de carácter verbal. Aproximadamente, la mitad de las internas consideraron la inexistencia de miedo en el ambiente penitenciario observado, aunque también cerca de la mitad de las internas refirieron amenazas y sometimiento entre ellas.

En lo que refiere al mantenimiento de las relaciones con las personas de su entorno, la investigación ha venido poniendo de manifiesto la importancia del sustento familiar como factor de influencia en el surgimiento de narrativas de desistimiento[457]. Además, el sentimiento de deuda con respecto a los familiares

457 Véase, Sampson, R.J. y Laub, J.H.: Op. cit. 1993; Cid, J. y Martí, J.: Op. cit. 2011.

por el apoyo y el esfuerzo requerido durante la ejecución de la condena es uno de los factores presentes en la narrativa de desistimiento[458]. Con lo anterior, resulta indispensable que durante la ejecución penitenciaria este contacto a través de comunicaciones y visitas se garantice. En general, son pocos los casos en los que las internas aseguraron no haber tenido ningún tipo de contacto con personas de su entorno y esto ocurría, principalmente, en los casos en los que las mujeres carecían de apoyo familiar ya en un momento anterior a la entrada en el centro. En general, las mujeres se mostraron conformes con la frecuencia en el contacto y con las visitas, con la salvedad de las mujeres extranjeras cuyos familiares directos se encontraban en el país de origen. El nivel de apoyo familiar recibido fue considerado como elevado en la gran mayoría de los casos objeto de análisis. El sentimiento de deuda con la familia fue destacado en muchos de los casos, en los que se trataba de una deuda principalmente emocional por el apoyo recibido durante la ejecución de la condena, por el sufrimiento causado o por haberse hecho cargo del cuidado de los hijos que se encontraban en el exterior.

La interna que puso de manifiesto una narrativa de persistencia aseguró haber participado en cursos de formación educativa y profesional, haber trabajado durante la ejecución de su condena, pero no haberse sometido a ningún tipo de programa de deshabituación pese a ser consumidora habitual de sustancias estupefacientes. Consideró el trato recibido por parte del personal como bueno, aunque sus peticiones no se vieron atendidas de la manera en la que hubiese deseado. En relación con la persona de referencia dentro de prisión, la interna aludió a la asistente social del centro, quien había puesto en marcha los trámites necesarios para asegurarle una plaza en un albergue social tras la obtención de la libertad definitiva, lo cual resultaba importante en una situación de mendicidad como la que experimentó durante los años previos a la entrada en prisión. En cuanto a sus relaciones con otras

---

458 Véase, Cid, J. y Martí, J.: Op. cit. 2011.

internas, las respuestas fueron neutras, destacando existir cierto grado de apoyo, sin haberse generado especiales vinculaciones emocionales con ninguna de ellas. Las relaciones con el entorno durante la ejecución de la condena fueron nulas, no por falta de posibilidades materiales, sino por la ausencia de estos vínculos de forma previa a la entrada en el centro.

Lo que a continuación se procede a discutir son los resultados relativos a la segunda oleada de entrevistas en la que se obtuvo una muestra de cuatro mujeres que habían desistido en la trayectoria delictiva transcurrido más de un año desde la obtención de la libertad definitiva.

Durante la primera de las entrevistas, se indagó sobre los deseos de las internas en cuanto al *lugar en el que residirían durante su futuro postpenitenciario.* Se observó que todas las exinternas lograron sus objetivos en cuanto al lugar de residencia esperado durante la primera fase. La exinterna extranjera de nacionalidad no española, había manifestado su deseo de residir en Madrid y gracias al apoyo de una Asociación de ayuda a la reinserción logró materializarlo. En la actualidad comparte piso con compañeras en un barrio que define como normalizado. La segunda exinterna se vio obligada a mudarse junto a su marido, con quien esperaba convivir, mostrando insatisfacción con el barrio en el que residía actualmente al que consideraba conflictivo. La tercera mujer entrevistada aseguró seguir residiendo en la misma vivienda junto a su nieto, tal y cómo tenía previsto, además de junto a dos de sus hijos que, por motivos personales y ante necesidades económicas, decidieron trasladarse también junto a ella. La última de las mujeres entrevistadas continuaba residiendo en el lugar que refirió en la primera entrevista durante su libertad condicional, junto a su pareja en un pequeño y tranquilo pueblo. En la mayoría de los casos, por tanto, la residencia en barrios normalizados y no conflictivos es un factor a tener en cuenta en la finalización de la trayectoria delictiva.

Se indagó en la opinión que, en términos generales, las exinternas tenían en relación con su vida postpenitenciaria. Todas ellas aseguraron estar satisfechas y haber contado con oportunidades y apoyo por parte de diferentes instituciones para el éxito en su reinserción, así como por parte de los núcleos familiares y de amistad. Las decisiones que tomaron, en general, fueron las acertadas durante su vida postpenitenciaria.

Dos de las mujeres entrevistadas en la segunda fase eran extranjeras, la primera, de origen paraguayo, continuaba sin lograr obtener la nacionalidad española y la segunda, de origen rumano, tampoco lo había conseguido, en ambos casos como consecuencia de los antecedentes penales con los que contaban. Ambas tenían una orden de expulsión del país que no ha llegado a materializarse al haber obtenido un contrato laboral.

Con relación a *los estudios académicos*, ninguna logró dar continuidad a los mismos durante el desarrollo de la vida postpenitenciaria.

En lo relativo a *la pareja*, la primera de las exinternas continua en la segunda entrevista soltera, sin mantener ningún tipo de vinculación sentimental; la segunda mantiene la misma pareja que refirió en el momento de la primera; la tercera, viuda, continua sin establecer ninguna relación sentimental y, además, manifiesta su deseo de no hacerlo en el futuro; la cuarta de las exinternas continuaba su relación con una pareja de características prosociales a quien conoció durante la última fase de la ejecución de la condena y habiendo formalizado la relación convirtiéndose en pareja de hecho durante su vida postpenitenciaria.

En lo relativo a los *hijos*, la primera exdelincuente tiene 3 hijos, todos ellos mayores de edad en ambos momentos y que residían en su país de origen; la segunda no tiene hijos; la tercera mujer entrevistada tiene 3 hijos adultos, de los cuales uno de ellos había ingresado en prisión tras haber obtenido ella su libertad definitiva y a los que se sentía, incluso, más unida tras el abandono del centro penitenciario; la cuarta exinterna tiene un total de tres hijos, de los cuales dos son mayores de edad y uno es adolescente, permaneciendo todos ellos en su país de origen y a quienes ayudaba económicamente.

Las *relaciones familiares* de las mujeres exdelincuentes se mantuvieron estables durante el proceso. La primera de las mujeres aseguró no haberse producido ningún tipo de cambio en cuanto a la vinculación con su familia, siendo una relación buena desde el inicio, y encontrándose uno de sus familiares en contacto con la actividad delictiva en la actualidad. La segunda mantuvo una explicación similar incidencia en la estrecha y satisfactoria vinculación con sus hijos. Así, la última de las mujeres entrevistadas aseguró haber recibido un apoyo emocional inesperado por parte de algunos de ellos.

Es interesante analizar lo relativo a las relaciones de amistad. En ninguno de los casos se refiere la presencia de amistades con características antisociales y, por el contrario, en general, muchas de ellas continúan teniendo las mismas amistades con las que contaban durante la primera entrevista. No obstante, resulta interesante la intervención de la cuarta de las mujeres entrevistadas, quien aseguró mantenerse firme en la idea de evitar el contacto con compañeras reclusas del centro penitenciario y contar con nuevas amistades que desconocían acerca de su situación de exreclusa y de quienes no consideraba haber recibido un especial apoyo. Es interesante observar cómo su entorno cercano ha sufrido una modificación muy notoria con respecto al que existía en los momentos previos a la entrada en prisión, habiendo establecido nuevos vínculos con personas no asociadas al delito.

Todas las internas entrevistadas durante la segunda oleada mantenían un *empleo,* aunque los detalles ofrecidos sobre él no siempre resultaron igual de amplios. La primera de las mujeres exdelincuentes, presentaba una larga trayectoria laboral en puestos de trabajo relacionados con el cuidado y la limpieza que dio comienzo en la temprana adultez y que no siempre se había caracterizado por la regularidad. En el momento de la segunda entrevista aseguró haberse encontrado con dificultades a la hora de acceder a un trabajo estable, encontrándose en el momento actual con un precontrato, ya que al no contar con "papeles" no podía beneficiarse de un contrato. En cualquier caso, asegura que su condición de exreclusa no implicó ningún tipo de problema para la obtención de este. La segunda entrevistada dio comienzo su trayectoria de empleo durante la adolescencia, principalmente en limpieza y hostelería, habiendo cotizado escasamente. En el momento de la segunda entrevista, contaba con un contrato de trabajo desde hacía 9 meses. La tercera exinterna había dado comienzo a su trayectoria laboral a una edad muy temprana, a los 13 años, de nuevo en trabajos relacionados con la limpieza y la cocina, en los que nunca cotizó, salvo el tiempo en el que estuvo empleada durante la ejecución de la condena. En el momento de la segunda entrevista, la mujer exdelincuente contaba con un trabajo en el que carecía de contrato y aseguró no haber experimentado dificultades para la obtención de un puesto de trabajo en su vida postpenitenciaria. En el cuarto de los casos, la mujer había obtenido un contrato indefinido de trabajo. El inicio de su trayectoria laboral también dio inicio a los 13 años de edad, no teniendo trabajos fijos y estando todos ellos orientados principalmente a la limpieza. Según esta, el proceso de búsqueda de empleo postpenitenciario fue complicado, asegurando no haber recibido ningún tipo de beneficio por parte de los cursos y la experiencia laboral obtenida durante la ejecución de la condena.

Se observa, por tanto, de acuerdo con la literatura en materia de desistimiento delictivo femenino, la importancia de la obtención de un empleo por parte de las mujeres que abandonan la trayectoria delictiva. La estigmatización provocada por la condición de exreclusas no siempre supone un problema de gran significancia para la obtención de este, aunque lo supone la situación de irregularidad en la que se encuentran las mujeres que no poseen la nacionalidad española y que, en ocasiones, les complica la obtención de contratos indefinidos.

Ninguna de las mujeres entrevistadas en la segunda fase había delinquido desde la obtención de la libertad definitiva y, además, todas ellas aseguraban que era algo que no volvería a ocurrir en el futuro. En ningún caso se produjeron nuevas detenciones ni procesamientos judiciales.

En lo que refiere a la *religión,* las respuestas obtenidas resultaron variadas. La primera de las exreclusas aseguró ser practicante de la religión, no considerando tener esta cuestión ningún tipo de relevancia en lo planteado a lo largo de la entrevista. Fue la segunda mujer entrevistada la que sí ofreció una respuesta más impetuosa en cuanto a la vinculación y sentimiento de cercanía con la religión durante la primera entrevista, situación que aseguró haber cambiado como consecuencia de la ausencia de tiempo libre disponible por el trabajo. La tercera entrevistada consideraba sentirse unida a Dios, sin embargo, en la segunda entrevista puso de manifiesto cómo dicha relación había empeorado ante el desarrollo de situaciones vitales que consideraba injustas, como la entrada de uno de sus hijos en prisión. La última de las mujeres aseguró no tener una especial vinculación a la espiritualidad durante la primera de las entrevistas, situación que se mantuvo en la segunda.

Se indagó en la *relación* que, durante su vida postpenitenciaria, las mujeres mantenían *con otras internas del centro penitenciario o del Centro de Inserción Social, así como con el personal.* En el primer caso, se mantuvo el contacto con algunas excompañeras del centro, así como con algunos funcionarios, aunque no con la persona de referencia que indicó en la primera entrevista, el educador. La segunda exinterna no mantiene relación ni con excompañeras ni con ningún miembro del personal. La tercera, por el contrario, mantuvo relación con alguna de las excompañeras, a la que considera uno de sus especiales apoyos durante su vida en libertad. En el último de los casos, la exreclusa aseguró mantener un infrecuente contacto con una de las exreclusas a las que consideró un especial apoyo durante la ejecución de la condena y con una de las funcionarias a la que consideró persona de referencia.

En todos los casos, las internas pusieron en conocimiento de la investigadora que la familia ya no se encontraba preocupada en relación con la posibilidad de reincidencia delictiva, a pesar de haberlo estado de forma previa en dos de los casos.

Interesantes son los resultados obtenidos en cuanto al papel ejercido por la *agencia* durante el proceso de desistimiento del delito en la muestra. Así, la primera de las internas asumía un rol protagonista en su proceso de desistimiento. La segunda asegura de nuevo ser su papel de superación el factor de mayor influencia así, como las decisiones adoptadas en cuanto a la obtención de empleo y de vivienda. Destacó esta interna que los principales factores de influencia en el bienestar y alejamiento del delito durante la trayectoria postpenitenciaria fueron la calidad de vida, la posesión de una vivienda y la estabilidad laboral. La tercera mujer entrevistada aseguró como principal factor de influencia en el proceso de finalización de la trayectoria delictiva su decisión de alejarse de los conflictos, obtener un empleo y colaborar en que sus hijos y nietos no se vieran involucrados en mayores conflictos. La cuarta exinterna ofreció respuestas muy interesantes en la valoración de la agencia como factor de influencia en la efectiva finalización del contacto con la delincuencia. En primer lugar, se situaba a ella misma como principal factor de cambio, su voluntad, el sufrimiento que había experimentado y el hecho de haber aprendido de sus propios errores.

CONCLUSIONES

La investigación que aquí se ha presentado trata de indagar en los factores de influencia sobre las incipientes narrativas de desistimiento delictivo en mujeres condenadas en prisión. Se consideró que todas las narrativas aparecidas durante la primera de las oleadas de entrevistas correspondían a mujeres "desistentes", a excepción de una de ellas quien manifestó que volvería a delinquir en el futuro tras el abandono del centro penitenciario.

Para la realización de la presente investigación se tomó como herramienta de investigación la entrevista, que ha resultado notablemente útil en tanto que permite alcanzar a conocer a partir del testimonio de las mujeres participantes en la investigación, de un modo holístico, cuáles han sido y son sus experiencias vitales, la manera en la que ellas mismas las describen y la manera en que fueron experimentales. Maruna y Matravers[459] aseguraban que "se hace evidente que la exploración profunda de la(s) narrativa(s) de vida de un solo individuo puede generar al menos tanta comprensión sobre ofender como conocer un poco a 200 o 2000 seres humanos en una encuesta a gran escala" (p. 437).

La investigación permite concluir con relación a las trayectorias de vida de las mujeres que no puede determinarse una relación directa entre trayectorias problemáticas durante la infancia y adolescencia con la aparición de narrativas de persistencia. Veintitrés mujeres adoptaron una narrativa de desistimiento y contaban con trayectorias vitales muy distintas, desde situaciones absolutamente normalizadas hasta experiencias de maltrato, abusos y precariedad económica.

Otros factores que forman parte de la trayectoria de las mujeres entrevistadas y que no se limitan a conformar el contexto en el que se desarrolló su infancia y adolescencia, sino que incumben a la edad adulta, fueron *la trayectoria delictiva, la situación de mendicidad y los problemas de adicción al alcohol o a sustancias estupefacientes.* En la mayoría de las internas con una narrativa de desistimiento, la edad de inicio de la carrera delictiva se sitúa, por lo general, por encima de los 40 años de edad y las motivaciones se orientan, generalmente, a la necesidad económica.

En lo referente a la influencia de las *adicciones a las sustancias estupefacientes,* cabe asegurar que en la mayoría de los casos en los que el consumo se inició a una edad temprana, principalmente durante la adolescencia y los primeros años de la adultez, este se prolongaba a lo largo de la trayectoria vital de las mujeres. En la mayoría de los casos en los que las internas se consideraban adictas a las drogas en el momento previo a la entrada en prisión, estas aseguraron que el delito cometido se había visto motivado por la necesidad de hacer frente a la adquisición de estas sustancias, de

---

459 Véase, Maruna, S. y Matravers, A. (2007): "N = 1: Criminology and the Person". *Theoretical Criminology, 11*(4), 427-442.

manera que, en las narrativas de desistimiento del delito, se observa cómo apuntan en su mayoría a la necesidad de abstinencia para lograr mantener un futuro en el que la delincuencia deja de tener cabida. La drogadicción estaba también presente en la interna con una narrativa persistente.

Entre las conclusiones de la presente investigación en lo referente al papel de la *pareja* en el desistimiento delictivo femenino, no puede concluirse una relación exacta. En algunos casos, incluso por parte de las mujeres, es precisamente el no establecer este tipo de vinculaciones en el pasado, ni siquiera plantearlo como un objetivo de vida, un factor de influencia en el proceso de finalización de la trayectoria delictiva, en otros, más escasos, el mantenimiento del vínculo sentimental con la pareja e, incluso lograr obtener una pareja estable, son objetivos que orientan el proceso de cese delictivo.

En lo relativo la *maternidad,* además de haber sido uno de los factores externos que mayor apoyo científico ha recibido en el contexto del desistimiento delictivo de las mujeres, es el factor que, según reflejan los resultados obtenidos en esta investigación, se considera de mayor importancia a la hora de adoptar la decisión de finalizar la trayectoria delictiva y, por tanto, se trata de uno de los principales factores de influencia en la aparición de la narrativa de cambio. En lo que refiere al factor de la maternidad, se observa de una manera reiterada y evidente que una de las principales cuestiones y, por ende, factor de influencia a destacar es la necesidad de retribuir o compensar a sus hijos, principalmente en el caso de hijos menores de edad por el tiempo que se han visto distanciados y, sobre todo, por el sufrimiento que la ejecución de la condena ha supuesto para ellos.

El *empleo* no parece resultar un verdadero factor de protección a la hora de evitar la delincuencia, aunque sí resultó uno de los factores que fueron mencionados como relevantes en la inmensa mayoría de los casos de narrativas de desistimiento, en los que el alcance de un puesto de trabajo era uno de los principales objetivos a cumplir para evitar el delito en el futuro tras la obtención de la libertad definitiva. La posesión de un oficio y el hecho de encontrarse preparadas a un nivel formativo para el desempeño de puestos laborales parece ser uno de los factores de relevancia en la construcción de esta narrativa de desistimiento, en tanto que promueve cierto grado de confianza y esperanza en el futuro y en la posibilidad de desarrollo de una vida alejada de la delincuencia donde el sustento económico de ellas mismas y de sus familias, en su caso, dependa exclusivamente de su propio esfuerzo laboral.

Por su parte, la *religión* no se ha observado que resulte un factor de importancia a destacar en su influencia sobre la aparición de las narrativas de cambio. Sigue siendo este aún un factor a explorar con mayor profundidad mediante la comparativa de muestras más variadas desde un punto de vista de la raza y la etnia.

Las *relaciones de amistad*, según los resultados obtenidos del testimonio de las mujeres en realidad no se han considerado que tengan un relevante papel de influencia sobre la trayectoria delictiva de las mismas, ello porque solo dos mujeres de la muestran señalaron que sus relaciones con personas antisociales incidieron sobre su trayectoria con el delito. La realidad es que, en la mayoría de los casos, las relaciones de amistad de las mujeres en las que apareció una narrativa temprana de desistimiento eran normalizadas en el momento de entrada en prisión y se esperaba mantener el contacto con ellas en su vida penitenciaria. No obstante, la amistad no siempre jugaba un papel prioritario en las vidas que estas mujeres esperaban encontrar tras su salida de prisión, dándole prioridad a sus hijos, parejas y familiares.

En lo que refiere a las *transformaciones cognitivas, las nuevas identidades y las narrativas de cambio*, se han podido identificar pocos casos en los que las mujeres lograron manifestar de un modo contundente el papel que la agencia tenía sobre la construcción de su narrativa de desistimiento. No obstante, en los casos en los que esto fue observado, las mujeres partían de que el cambio futuro hacia la no delincuencia dependía exclusivamente de una decisión propia en virtud de la cual darían comienzo a la adopción de decisiones concretas de actuación que no les permitieran alejarse del camino decidido.

En todos los casos, las transformaciones internas y las nuevas identidades, aunque ayudan notoriamente al éxito tras la liberación, no dejan relevado a un segundo plano la necesidad de contar con recursos materiales, como, por ejemplo, el empleo.

Puede concluirse según los resultados obtenidos que las *prisiones,* en términos generales, garantizan el mantenimiento del contacto con las personas del entorno de las reclusas, lo cual resulta indispensable para el surgimiento de las narrativas del cambio hacia la no delincuencia. Fue generalizada también la consideración como positivas de las relaciones con el personal y autoridades penitenciarias, con quienes en algunas ocasiones se establecían vinculaciones y recibían apoyo en relación con su futuro postpenitenciario. El nivel de participación en programas formativos y laborales fue también elevado y, en muchas ocasiones, como consecuencia de la utilidad que las internas consideraban que tendrían para la inserción en el mercado laboral al alcanzar la libertad definitiva. Destacados cuales son los factores de principal influencia en la narrativa de desistimiento delictivo incipiente, cabe concluir que las prisiones representan un papel fundamental en tanto que deben promover y asegurar las relaciones familiares y sociales que se han venido definiendo ya como esenciales en el proceso.

En cuanto a las conclusiones relativas a los factores de influencia en el desistimiento del delito en el caso de las cuatro mujeres entrevistadas durante la segunda oleada de entrevistas, puede asegurarse que el factor pareja sentimental no estaba presente en la mitad de los casos, de manera que dicha parte del trabajo permite concluir que no es la existencia de una pareja de características prosociales el factor de principal influencia. Sin embargo, la maternidad estaba presente en tres de los casos estudiados y la relación era buena en todos ellos. El empleo sí resultó un factor de gran importancia además de haber sido uno de los principales objetivos planteados para su consecución durante la vida postpenitenciaria.

Las cuatro mujeres "desistentes" se atribuyeron un papel protagonista en el cambio hacia la no delincuencia, destacando que las decisiones tomadas y orientadas hacia la consecución de una vida normalizada y prosocial habían resultado las correctas. La reflexión sobre el sufrimiento y las experiencias pasadas habían promovido este cambio. La identidad como mujeres no delincuentes ya se vislumbraba en el momento de la primera entrevista y se mantuvo durante la segunda. Esta nueva identidad era apoyada por parte del entorno de las mujeres que dejó de mostrar preocupación alguna por la posibilidad de regreso al contacto con la delincuencia por parte de ellas.

A pesar de que las limitaciones principales de la investigación aquí presentada han venido destacándose a lo largo del trabajo, pasan ahora a enumerarse de modo más detallado.

En primer lugar, deben destacarse algunas carencias metodológicas, especialmente las relacionadas con la imposibilidad de retomar el contacto con la mayoría de las internas que, en el primer momento, conformaban la muestra objeto de investigación. Pese al acuerdo y compromiso verbal que las internas establecieron con la investigadora para someterse a la segunda de las entrevistas, tan solo se pudo obtener una muestra de cuatro mujeres "desistentes" transcurrido el periodo de tiempo que se estableció en la metodología de investigación. Ello ha provocado que la presente investigación, aunque se considera capacitada para ofrecer explicaciones concretas y veraces a los factores de principal influencia en la aparición de la narrativa de desistimiento, solo resulta capaz de establecer explicaciones en relación con el desistimiento delictivo de las mujeres exdelincuentes en cuatro ocasiones, no incluyendo, además, testimonios de internas que fracasaron en su proceso de desistimiento delictivo.

Son destacables también limitaciones en cuanto a la amplitud de la muestra seleccionada, no pudiéndose haber realizado un trabajo de campo en un mayor número de centros penitenciarios y Centros de Inserción Social en España.

Una de las primeras limitaciones del estudio a las que se desea hacer mención es a la imposibilidad de establecer resultados concretos en relación con la edad de inicio de la trayectoria delictiva, siendo imposible, por tanto, observar la relación existente entre edad y desistimiento delictivo o, al menos, la aparición de la narrativa de cambio en las mujeres. Esto se debe a que 12 de las 27 encuestadas no lograron ofrecer una respuesta exacta sobre la edad en la que la trayectoria delictiva dio comienzo. Es cierto que no era uno de los objetivos de la presente investigación. Además, para alcanzar a conocer esta información no solo debería haberse recurrido a la edad exacta en la cual dio comienzo la carrera delictiva, sino que debería haberse logrado obtener una muestra mayor con relación a la muestra que compuso la segunda oleada de entrevistas y que sería capaz de ofrecer información sobre la edad en la que, efectivamente, se produjo el desistimiento del delito.

Se considera también importante destacar que, dada la escasez de investigaciones en materia de desistimiento delictivo femenino, se asume que las carencias son aún mayores en lo referente a la introducción de variables como la raza o la etnia. Con ello, se destaca aquí que una de las principales limitaciones metodológicas de la investigación es no haber sido capaz de abordar una población más amplia perteneciente a diferentes nacionalidades y minorías étnicas que permitiera indagar con una mayor profundidad en las características de la narrativa de desistimiento en función de tales factores. Con ello, se plantea una línea de investigación futura que, sin duda, colaboraría en el desarrollo del cuerpo de literatura criminológica en España en materia de desistimiento delictivo y género.

Bibliografía

Abrams, L. S. y Tam, C. C. (2018): "Gender differences in desistance from crime: how do social bonds operate among formerly incarcerated emerging adults?". *Journal of Adolescent Research, 33*(1), 34-57.

Agnew, R. (2001): "Building on the foundation of general strain theory: specifying the types of strain most likely to lead to crime and delinquency". *Journal of research in crime and delinquency, 38*(4), 319-361.

Alarid, L. F., Burton Jr, V. S. y Cullen, F. T. (2000): "Gender and crime among felony offenders: Assessing the generality of social control and differential association theories". *Journal of Research in Crime and Delinquency, 37(2),* 171-199.

Amaiquema Márquez, F. A., Vera Zapata, J. A. y Zumba Vera, I. Y. (2019): "Enfoques para la formulación de la hipótesis en la investigación científica". *Revista Conrado, 15*(70), 354-360.

Andenaes, J. (1968): "Does punishment deter crime?". *Criminal Law Quarterly, 11*(1), 76-93.

Arévalo Navarro, C. y Gómez Baeza, F. (2014). *Factores transicionales y narrativas de cambio en jóvenes infractores de ley. análisis de las narrativas de jóvenes de la zona sur y oriente de Santiago de Chile que se encuentran cumpliendo condena por la Ley de Responsabilidad Penal Adolescente.* Memoria para optar al título de psicóloga, Facultad de Ciencias sociales, Universidad de Chile.

Bachman, R., Kerrison, E.M., Paternoster, R., Smith, L. y O´connell, D. (2016): "The complex relationship between motherhood and desistance". *Women and criminal justice, 26*(3), 212-231.

Bakken, N.W., DeCamp, W. y Visher, C.A. (2014). "Spirituality and desistance from substance use among reentering offenders". *International Journal of Offender Therapy and Comparative Criminology, 58*(11), 1321-1339.

Barry, M. (2013): "Desistance by design: Offenders' reflections on criminal justice theory, policy and practice". *European Journal of Probation, 5*(2), 47-65.

Bartolomé, R., Montañés, M. y Montañes, J. (2008): "El papel de los amigos frente a la conducta antisocial en adolescentes". *International Journal of Developmental and Educational Psychology, 1,* 289-298.

Bartusch, D. et al. (1997): "Is age important? Testing a general versus a developmental theory of antisocial behavior ". *Criminology, 35*(1), 13-47.

Benda, B. B. (2005): "Gender differences in life-course theory of recidivism: A survival analysis". *International Journal of Offender Therapy and Comparative Criminology, 49*(3), 325-342.

Bersani, B. E. y Doherty, E. E. (2013): "When the ties that bind unwind: examining the enduring and situational processes of change behind the marriage effect". *Criminology, 51*(2), 399-433.

Bersani, B. E., Laub, J. H. y Nieuwbeerta, P. (2009). "Marriage and desistance from crime in the Netherlands: do gender and socio-historical context matter?". *Journal of Quantitative Criminology, 25*(1), 3-24.

Blasco Romera, C., Fuentes-Peláez, N. y Pastor Vicente, C. (2014): "Aproximación a los factores explicativos del desistimiento en jóvenes infractores". *Educació Social. Revista d'Intervenció Socioeducativa, 58,* 186-203.

Blokland, A. y Nieuwbeerta, P. (2005): "The effects of life circumstances on longitudinal trajectories of offending". *Criminology 43*(4), 1203-1240.

Blumstein, A. Cohen, J. y Farrington, D. P. (1988): "Criminal career research: its value for criminology". *Criminology, 26,* 1-35.

Blumstein, A., Cohen, J., Roth, J. A. y Visher, C. (eds.). (1986). *Criminal careers and "career criminals"* (Vol. 1). Washington, D.C.: National Academies Press.

Bottoms, A., Shapland, J., Costello, A., Holmes, D. y Muir, G. (2004): "Towards desistance: theoretical underpinnings for an empirical study". *The Howard journal, 43*(4), 368-389.

Braithwaite, J. y Mugford, S. (1994): "Conditions of successful reintegration ceremonies: Dealing with juvenile offenders". *British Journal of Criminology, 34*(2),139-171.

Brown, M. y Bloom, B.E. (2018): "Women´s desistance from crime: A review of theory and the role higher education can play". *Sociology Compass, 12,* 1-11.

Brown, V., Melchior, L. y Huba, G. (1999): "Level of burden among women diagnosed with several mental illness and substance abuse". *Journal of Psychoactive Drugs, 31*(1), 31-40.

Bui, H.N. y Morash, M. (2010): "The impact of network relationships, prison experiences, and internal transformation on women's success after prison release". *Journal of Offender Rehabilitation, 49*(1), 1-22.

Burnett, R. y Maruna, S. (2004): "So "prison works", does it? The criminal careers of 130 men released from prison under home secretary, Michael Howard". *The Howard Journal, 43*(4), 390-404.

Bushway, S.D., Piquero, A.R., Broidy, L.M., Cauffman, E. y Mazerolle, P. (2001): "An empirical framework for studying desistance as a process". *Criminology 39*(2), 491- 516.

Bushway, S.D., Thornberry, T. y Krohn, M. (2003): "Desistance as a developmental process: A comparison of static and dynamic approaches". *Journal of Quantitative Criminology, 19*(2), 129-153.

Capaldi, D. M., Kim, H. K. y Owen, L. D. (2008): "Romantic partners' influence on men's likelihood of arrest in early adulthood". *Criminology, 46*(2), 267–299.

Capaldi, D.M., Kim, H.K. y Shortt, J.W. (2007): "Observed initiation and reciprocity of physical aggression in young, at-risk couples". *Journal of Family Violence 22,* 101-111.

Cerezo Domínguez, A.I. (2015): "La aplicación de las reglas de Bangkok a la normativa penitenciaria española". En Acale Sánchez, M. y Gómez López, R. (eds.) *Derecho Penal, género y nacionalidad. Proyecto I+D Igualdad y Derecho Penal: el género y la nacionalidad como factores primarios de discriminación 2010-19781.* Granada: Comares.

Cid, J. et al. (2016): "Estudio longitudinal sobre el proceso de reinserción de personas encarceladas". *Centro de Estudios Jurídicos y Formación Especializada (Departamento de Justicia).*

Cid, J., y Martí, J. (2011): "El proceso de desistimiento de las personas encarceladas. Obstáculos y apoyos". *Documentos de trabajo. Barcelona: Centre d'Estudis Jurídics i Formació Especialitzada.*

Cobbina, J. E. (2009). *From prison to home: Women's pathways in and out of crime.* University of Missouri-Saint Louis.

Cobbina, J.E. (2010): "Reintegration success and failure: factors impacting reintegration among incarcerated and formerly incarcerated women". *Journal of Offender Rehabilitation, 49*(3), 210-232.

Cobbina, J.E., Huebner, B.M. y Berg, M.T. (2010): "Men, women and postrelease offending: an examination of the nature of the link between relational ties and recividsm". *Crime & Delinquency, 20*(10), 1-31.

Cohen, L. E. y Felson, M. (1979): "Social change and crime rate trends: A routine activity approach". *American Sociological Review, 44,* 588-608.

Covington, S. S. y Bloom, B. E. (2003): "Gendered justice: Women in the criminal justice system". *Gendered justice: Addressing female offenders,* 3-23.

Craig, J. y Foster, H. (2013): "Desistance in the Transition to Adulthood: The Roles of Marriage, Military, and Gender, Deviant Behavior". *Deviant Behavior, 34*(3), 208-223.

Crespo, F. y Bolaños, M. (2009): "Código del preso: acerca de los efectos de la subcultura del prisionero". *Capitulo criminológico, 37*(2), 54-72.

Cullen, F. T. (2017): "Choosing our criminological future: Reservations about human agency as an organizing concept". *Journal of Developmental and Life-Course Criminology, 3*(4), 373-379.

Dannefer, D. (1984): "Adult development and social theory: a paradigmatic reappraisal". *American Sociological Review, 49,* 100-116.

De Li, S. y MacKenzie, D.L. (2003): "The gendered effects of adult social bonds on the criminal activities of probationers". *Criminal Justice Review 28*(2), 278-298.

Díaz Bravo, L., Torruco-García, U., Martínez- Hernández, M. y Varela-Ruiz, M. (2013): "La entrevista, recurso flexible y dinámico". *Investigación en educación médica, 2*(7), 162-167.

Dmitrieva, J., Monahan, K.C., Cauffman, E. et al. (2012): "Arrested development: The effects of incarceration on the development of psychosocial maturity". *Development and Psychopathology24*(3), 1073-1090.

Doherty, E. E. y Ensminger, M. E. (2013): "Marriage and offending among a cohort of disadvantaged African American". *Journal of Research in Crime and Delinquency, 50*(1), 104-131.

Healy, D. (2012). *The dynamics of desistance: charting pathaways through change (2º ed.).* New York: Routledge. Taylor & Francis Group.

Herrera, V. M., Wiersma, J. D. y Cleveland, H. H. (2011): "Romantic partners' contribution to the continuity of male and female delinquent and violent behavior". *Journal of Research on Adolescence, 21*(3), 608-618.

Horney, J., Osgood, D.W. y Marshall, I.H. (1995): "Criminal careers in the short-term: Intra-individual variability in crime and its relation to local life circumstances". *American Sociological Review, 60*(5), 655-673.

Fagan, J. (1989): "Cessation of family violence: Deterrence and dissuasion". *Crime and Justice, 11,* 377-425.

Farrall, S., Hunter, B., Sharpe, G. y Calverley, A. (2016): "What 'works' when retracing sample members in a qualitative longitudinal study?". *International Journal of Social Research Methodology, 19*(3), 287-300.

Farrall, S. y Maruna, S. (2004): "Desistance-focused criminal justice policy research: Introduction to a special issue on desistance from crime and public policy". *The Howard Journal of Crime and Justice, 43*(4), 358-367.

Farrington, D. P. (1986): "Age and crime". *Crime and justice: A review of research,* 7, 189-250.

Friestad, C. y Skog Hansen, I. L. (2010): "Gender differences in inmates' anticipated desistance". *European journal of criminology,* 7(4), 285-298

Gendreau, P., Goggin, C. y Cullen, F.T. (1999). *The effects of prison sentences on recidivism.* Ottawa: Solicitor General Canada.

Giordano, P.C., Cernkovich, S.A. y Holland, D.D. (2003): "Changes in friendship relations over the life course: implications for desistance for crime". *Criminology, 41(2)*, 293-328.

Giordano, P.C., Cernkovich, S.A. y Rudolph, J.L. (2002): "Gender, crime and desistance: toward a theory of cognitive transformation". *American Journal of Sociology, 107(4)*, 990-1064.

Giordano, P. C., Longmore, M. A., Schroeder, R. D. y Seffrin, P. M. (2008): "A life-course perspective on spirituality and desistance from crime". *Criminology, 46*(1), 99-132.

Giordano, P. C., Schroeder, R. D. y Cernkovich, S. A. (2007): "Emotions and crime over the life course: A neo-Meadian perspective on criminal continuity and change". *American Journal of Sociology, 112*(6), 1603-1661.

Giordano, P. C., Seffrin, P. M., Manning, W. D. y Longmore, M. A. (2011): "Parenthood and crime: The role of wantedness, relationships with partners, and SES". *Journal of Criminal Justice, 39*(5), 405-416.

Griffin, M.L. y Armstrong, G.S. (2003): "The effect of local life circumstances on female probationers' offending". *Justice Quarterly, 20*(2), 213-239.

Gunnison, E. (2014): "Desistance from criminal offending: exploring gender similarities and differences". *Criminology, Criminal Justice, Law & Society, 15*(3), 75-95.

Herrschaft, B.A., Veysey, B.M., Tubman- Carbone, H.R. y Christian, J. (2009): "Gender differences in the transformation narrative: implications for revised reentry strategies for female offenders". *Journal of offender rehabilitation, 48*(6), 463-482.

Hirschi, T., y Gottfredson, M. R. (1983): "Age and the explanation of crime". *American Journal of Sociology, 89*(3), 552-584.

Jahoda, M. (1982). *Employment and Unemployment: A Social-Psychological Analysis.* Cambridge: Cambridge University Press.

Juanatey Dorado, C. (2018): "Delincuencia y población penitenciaria femeninas: situación actual de las mujeres en prisión en España". *Revista Electrónica de Ciencia Penal y Criminología, 20*(10), 1-32.

Kanazawa, S. y Still, M.C. (2000): "Why men commit crimes (and why they desist)". *Sociological Theory, 18*(3), 434-447.

Kazemian, L. (2007): "Desistance from crime: Theoretical, empirical, methodological, and policy considerations". *Journal of Contemporary Criminal Justice, 23*(1), 5-27.

King, R.D., Massoglia, M. y MacMillan, R. (2007): "The context of marriage and crime: gender, the propensity to marry, and offending in early adulthood". *Criminology 45*, 33-65.

King, S. (2013): "Early desistance narratives: a qualitative analysis of probationers´transitions towards desistance". *Punishment and society, 15*(2), 147-165.

Kirk, D. S. (2012): "Residential change as a turning point in the life course of crime: Desistance or temporary cessation?". *Criminology, 50*(2), 329-358.

Kreager, D.A., Matsueda, R.L. y Erosheva, E.A. (2010): "Motherhood and criminal desistance in disadvantaged neighborhoods". *Criminology, 48*(1), 221-258.

Kurlychek, M. C., Bushway, S. D. y Denver, M. (2016): "Understanding and identifying desistance: An example exploring the utility of sealing criminal records". En Shapland, J., Farrall, S. y Bottoms, A. (eds.). *Global perspectives on desistance: Reviewing what we know and looking to the future.* London: Routledge.

Langan, P. A. y Levin, D. J. (2002): "Recidivism of prisoners released in 1994". *Federal Sentencing Reporter, 15*(1), 58-65.

Laub, J.H. y Sampson, R.J. (2001): "Understanding desistance from crime". *Crime and Justice 28,* 1-69.

LeBel, T. P., Burnett, R., Maruna, S. y Bushway, S. (2008): "The "chicken and egg" of subjective and social factors in desistance from crime". *European Journal of Criminology, 5,* 131-159.

Leverentz, A.M. (2006): "The love of a good man? Romantic relationship as a source of support or hindrance for female ex - offenders". *Journal of Research in Crime and Delinquency, 43(4),* 459-488.

Liebling, A. y Maruna, S. (2013): "Los efectos del encarcelamiento reexaminados". *Informes en Derecho. Estudios de Derecho Penal Juvenil IV.*

Loeber, R., Farrington, D. y Redondo Illescas, S. (2011): "La transición desde la delincuencia juvenil a la delincuencia adulta". *Revista Española de Investigación Criminológica, 9,* 1-41.

Loeber, R., y Farrington, D. P. (2014): "Age-crime curve". En Bruinsma, D. y Weisburd, D. (eds.). *Encyclopedia of criminology and criminal justice.* New York: Springer.

Loeber, R. y Le Blanc, M. (1990): "Towards a developmental criminology". *Crime and justice, 12,* 375-473.

Lozares, C. y Verd, J.M. (2008): "La entrevista biográfico-narrativa como expresión contextualizada, situacional y dinámica de la red socio-personal". *Revista hispana para el análisis de redes sociales, 15*(6), 95-125.

Lyngstad, T. H., y Skardhamar, T. (2013): "Changes in criminal offending around the time of marriage". *Journal of Research in Crime and Delinquency, 50*(4), 608-615.

Maidment, M. R. (2006). *Doing time on the outside: Deconstructing the benevolent community.* Toronto, Ontario, Buffalo, New York, London, England: University of Toronto Press.

Maruna, S. (1997): "Desistance and development: the psychosocial process of "going straight"". *The British Criminology conferences: selected proceedings, 2.*

Maruna, S. (2006). *Making good: how ex – convicts reform and rebuild their lives.* 5º edición. Washington, D. C.: American Psychological Association.

Maruna, S. (2007): "After prison, what? The ex - prisoner´s struggle to desist from crime". En Jewked, Y. (ed.). *Handbook on prisons.* New York: William Publishing.

Maruna, S. (2011): "Reentry as a rite of passage". *Punishment & Society, 13*(1), 3-28.

Maruna, S., Immarigeon, R. y Lebel, T. (2011): "Ex – offender reintegration: theory and practice". En S. Maruna y R. Immarigeon (eds). *After crime and punishment: pathways to offender reintegration (2º ed.).* New York: Routledge. Taylor & Francis Group.

Maruna, S., LeBel, T.P., Mitchell, N. y Naples, M. (2004): "Pygmalion in the reintegration process: desistance from crime through the looking glass". *Psychology, crime and law, 10*(3), 271-281.

Maruna, S. y Matravers, A. (2007): "N = 1: Criminology and the Person". *Theoretical Criminology, 11*(4), 427-442.

Maruna, S., Porter, L. y Carvalho, I. (2004): "The Liverpool Desistance Study and probation practice: Opening the dialogue". *Probation Journal, 51*(3), 221-232.

Maruna, S., Wilson, L. y Curran, K. (2006): "Why God is often found behind bars: prison conversions and the crisis of self-narrative". *Research in Human Development, 3*(2-3), 161-184.

McNeill, F. (2012): "Paradigma del desistimiento para la gestión de delincuentes". *Documento de trabajo nº 27, Unidad de Defensa Penal Juvenil.*

McNeill, F. (2017): "Las consecuencias colaterales del riesgo". (Javier Velásquez Valenzuela. Trad). *InDret: Revista para el análisis del derecho, 1,* 1-19. (Obra original publicada en 2016).

Meade, B., Steiner, B., Makarios, M. y Travis, L. (2013): "Estimating a dose–response relationship between time served in prison and recidivism". *Journal of Research in Crime and Delinquency, 50*(4), 525-550.

Meisenhelder, T. (1977): "An explanatory study of exiting from criminal careers". *Criminology, 15*(3), 319-334.

Meldrum, R. C., Young, J. T. y Weerman, F. M. (2009): "Reconsidering the effect of self-control and delinquent peers: Implications of measurement for theoretical significance". *Journal of Research in Crime and Delinquency, 46*(3), 353-376.

Merton, R.K. (1938): "Social structure and anomie." *American Sociological Review* 3(5), 672 - 682.

Michalsen, V. (2011): "Mothering as a life course transition: do women go straight for their children?". *Journal of offender rehabilitation, 50*(6), 349-366.

Moffit, T.E. (1993): "Adolescence-Limited and Life-Course-Persistent Antisocial Behavior: A Developmental Taxonomy". *Psychological Review, 100*(4), 674-701.

Nagin, D.S. (1999): "Analyzing developmental trajectories: A semiparametric, group based approach". *Psychological Methods, 4*(2), 139-157.

O´Brien, P. (2001): ""Just Like Baking a Cake": Women Describe the Necessary Ingredients for Successful Reentry After Incarceration". *Families in Society: The Journal of Contemporary Human Services, 82*(3), 287-295.

O'Connor, T. P. y Duncan, J. B. (2011): "The sociology of humanist, spiritual, and religious practice in prison: Supporting responsivity and desistance from crime". *Religions, 2*(4), 590-610.

Ouellet, F. (2019): "Stop and go: Explaining the timing of intermittency in criminal careers". *Crime & Delinquency, 65*(5), 630-656.

Paternoster, R. (2017): "Happenings, acts, and actions: Articulating the meaning and implications of human agency for criminology". *Journal of Developmental and Life-Course Criminology, 3*(4), 350-372.

Paternoster, R. y Bushway, S. (2009): "Desistance and the feared self: toward an identity theory of criminal desistance". *Journal of criminal law and criminology, 99*, 1103-1156.

Paternoster, R., McGloin, J. M., Nguyen, H. y Thomas, K. J. (2013): "The causal impact of exposure to deviant peers: An experimental investigation". *Journal of Research in Crime and Delinquency, 50*(4), 476-503.

Paul, K. I. y Moser, K. (2009): "Unemployment impairs mental health: Meta-analyses". *Journal of Vocational behavior, 74*(3), 264-282.

Pérez-Luco Arenas, R., Chitgian-Urzúa, V. y Mettifogo-Guerrero, D. (2019): "Desistimiento delictual en mujeres chilenas que han estado privadas de libertad". *Rev. Crim, 61*(2), 59-78.

Piquero, A., Farrington, D. y Blumstein, A. (2003). "The criminal career paradigm". *Crime and Justice, 30,* 359-506.

Piquero, A. R., MacDonald, J. M., y Parker, K. F. (2002): "Race, local life circumstances, and criminal activity". *Social Science Quarterly, 83*(3), 654-670.

Pyrooz, D. C., Mcgloin, J. M. y Decker, S. H. (2017): "Parenthood as a turning point in the life course for male and female gang members: a study of within-individual changes in gang membership and criminal behavior". *Criminology, 55*(4), 869-899.

Rocque, M. (2015): "The lost concept: The (re) emerging link between maturation and desistance from crime". *Criminology & Criminal Justice, 15*(3), 340-360.

Rocque, M. y Slivken L. (2019): "Desistance from Crime: Past to Present". En Krohn, M., Hendrix, N., Penly, H. G. y Lizotte, A. (eds). *Handbook on Crime and Deviance.* Suiza: Springer Nature Switzerland.

Rodermond, E., Kruttschnitt, C., Slotboom, A. M. y Bijleveld, C. C. (2016). Female desistance: A review of the literature. *European Journal of Criminology, 13*(1), 3-28.

Rumgay, J. (2004): "Scripts for safer survival: pathways out of female crime". *The Howard Journal, 43*(4), 405-419.

Salvatore, C. y Taniguchi, T.C. (2012): "Do social bonds matter for emerging adults?". *Deviant behavior, 33*(9), 738-756.

Sampson, R.J. y Laub, J.H. (1993). *Crime in the making: pathaways and turning points through life.* Cambridge, M.A.: Harvard University Press.

Sampson, R.J. y Laub, J.H. (2003): "Life-course desister? Trajectories of crime among delinquent boys followed to age 70 ". *Criminology, 41*(3), 555-592.

Sampson, R.J., Laub, J.H. y Wimer, C. (2006): "Does marriage reduce crime? A counterfactual approach to within-individual causal effects". *Criminology, 44*(3), 465-508.

Serrano Tárraga, M.D. (2010): "La consideración del género en la ejecución de las penas privativas de libertad". *Estudios Penales y Criminológicos, 30,* 481-544.

Settersten, R. y Mayer, K. (1997): "The measurement of age, age structuring and the life course". *Annual Review of Sociology, 23,* 233-261.

Simons, R.L., Stewart, E., Gordon, L.C., Conger, R.D. y Elder, G.H. (2002): "A test of life-course explanations for stability and change in antisocial behavior from adolescence to young adulthood". Criminology 40, 401-434.

Snyder, C.R. et al. (1991): "The will and the ways: development and validation of an individual-differences measure of hope". *Journal of personality and social psychology, 60*(4), 570-585.

Soyer, M. (2014): "The imagination of desistance. a juxtaposition of the construction of incarceration as a turning point and the reality of recidivism". *British Journal of Criminology, 54,* 91-108.

Spjeldnes, S. y Goodkind, S. (2009): "Gender differences and offender reentry: A review of the literature". *Journal of Offender Rehabilitation, 48*(4),314-335.

Stalans, L.J. y Lurigio, A.J. (2015): "Parenting and intimate relationship effects on women offenders' recidivism and noncompliance with probation". *Women & Criminal Justice, 25*(3), 152-168.

Stone, R., Morash, M., Goodson, M., Smith, S. y Cobbina, J. (2016): "Women on parole, identity processes, and primary desistance". *Feminist Criminology, 1,* 1-22.

Taylor, A. (2008): "Substance use and abuse: Women's criminal reoffending in New Zealand". *Affilia, 23*(2), 167-178.

Trotter, C., McIvor, G. y Sheehan, R. (2012): "The effectiveness of support and rehabilitation services for women offenders". *Australian Social Work, 65*(1), 6-20.

Uggen, C. (2000): "Work as a turning point in the life course of criminals: a duration model of age, employment and recidivism". *American Sociological Review, 65*(4), 529-546.

Uggen, C. y Kruttschnitt, C. (1998): "Crime in the breaking: gender differences in desistance". *Law and society review, 32*(2), 339- 366.

Vaughan, B. (2006): "The internal narrative of desistance". *The British Journal of Criminology, 47*(3), 390-404.

Verbruggen, J., Blokland, A. A. y Van der Geest, V. R. (2012): "Effects of employment and unemployment on serious offending in a high-risk sample of men and women from ages 18 to 32 in the Netherlands". *British journal of Criminology, 52*(5), 845-869.

Veysey, B.M., Martinez, D.J. y Christian, J. (2013): ""Getting out:" a summary of qualitative research on desistance across the life course". En Gibson, C.L. y Krohn, M.D. *Handbook of life-course criminology. Emerging trends and directions for future research.* New York: Springer.

Vigna, A. (2011). *Persistencia y abandono del mundo del delito: diferencias de género en los procesos de desistimiento.* Tesis de maestría, Universidad de la República (Uruguay). Facultad de Ciencias Sociales. Departamento de Sociología.

Vigna, A. (2012): "¿Cuán universal es la curva de edad del delito? Reflexiones a partir de las diferencias de género y del tipo de ofensa". *Revista de Ciencias Sociales, DS-FCS, 25,* 13-36.

Walker, K., Bowen, E. y Brown, S. (2013): "Psychological and criminological factors associated with desistance from violence: a review of the literature". *Agression and Violent Behavior, 18,* 286-299.

Ward, T. y Stewart, C. A. (2003): "The treatment of sex offenders: Risk management and good lives". *Professional Psychology: Research and Practice, 34*(4), 353-360.

Warr, M. (1998): "Life- course transitions and desistance from crime". *Criminology, 36*(2), 183-215.

Welsh, B. C., Zane, S. N. y Rocque, M. (2017): "Delinquency prevention for individual change: Richard Clarke Cabot and the making of the Cambridge-Somerville Youth Study". *Journal of Criminal Justice, 52,* 79–89.

Woodward, L. J., Fergusson, D. M. y Horwood, L. J. (2002): "Romantic relationships of young people with childhood and adolescent onset antisocial behavior problems". *Journal of Abnormal Child Psychology, 30*(3), 231-243.

Yagüe Olmos, C. y Cabello Vázquez, M.I. (2005): "Mujeres jóvenes en prisión". *Revista de estudios de juventud, 69,* 30-48.

Anexo I.

Consentimiento informado trasladado durante la primera oleada de entrevistas

Dña____

con DNI/NIE ____________________ declaro que:

- He sido informada verbalmente sobre la investigación que está siendo llevada a cabo.

- He tenido oportunidad de efectuar preguntas sobre la misma.

- He recibido respuestas satisfactorias.

- He hablado con la investigadora.

- Entiendo que la participación en la investigación es voluntaria.

- Entiendo que puedo abandonar la investigación cuando lo desee, sin necesidad de proporcionar explicación alguna y sin que ello genere ningún tipo de beneficio penitenciario.

- He sido informada de forma clara y suficiente de las siguientes cuestiones en relación con los datos personales que se contienen en este consentimiento:

    - Estos datos serán tratados y custodiados respetando mi intimidad y la normativa vigente en materia de protección de datos.

    - Sobre estos datos poseo derechos de acceso, rectificación, cancelación y oposición que podré ejercitar mediante solicitud ante la investigadora responsable del estudio.

Por ello, firmo este consentimiento informado de manera voluntaria para manifestar mi deseo de participar en la investigación "Desistimiento delictivo y género: un estudio cualitativo en

España", hasta que decida lo contrario, a los únicos efectos de investigación científica.

En ____________________, a _______ de ________ de 20__

Anexo II.

Hoja explicativa

DESISTIMIENTO DELICTIVO Y GÉNERO: UN ESTUDIO CUALITATIVO EN ESPAÑA

Antes de empezar esta entrevista le queremos agradecer que haya aceptado hablar conmigo para ser informada de la investigación para la que necesito su colaboración. Se trata de una investigación que está dirigida a conocer los elementos de influencia en el proceso de desistimiento del delito de las mujeres en España. Para ello el objetivo es realizarle una serie de preguntas acerca de su historia de vida, de su propia experiencia y paso por el centro penitenciario y, principalmente, sobre sus expectativas de vida en el futuro, una vez que abandone el centro.

La entrevista es absolutamente anónima, solo la investigadora que le realiza la entrevista podrá tener acceso a la información que usted proporcione y, en ningún caso se hará referencia a ningún dato sobre usted.

Si por algún motivo no quisiera contestar a alguna pregunta se pasará a la siguiente. Si por algún motivo no quisiera seguir contestando a la entrevista podrá hacerlo en cualquier momento.

Tenga en cuenta que ninguna persona relacionada con Instituciones penitenciarias tendrá ninguna clase de acceso a sus respuestas.

Anexo III.
Entrevista primera oleada

Fecha de realización de la entrevista: ___/____/_____

Lugar de realización de la entrevista:

____

DESISTIMIENTO DELICTIVO Y GÉNERO: UN ESTUDIO CUALITATIVO EN ESPAÑA

ENTREVISTA

Antes de empezar esta entrevista le queremos agradecer que haya aceptado hablar conmigo y cooperar con esta investigación que está dirigida a conocer los elementos de influencia en el proceso de desistimiento del delito de las mujeres en España. Todo lo que Ud. indique en esta entrevista es estrictamente confidencial y sólo será utilizado por la investigadora para presentar datos agregados de la investigación, sin ninguna referencia personal. Si por algún motivo no quisiera contestar a alguna pregunta se pasará a la siguiente. Si por algún motivo no quisiera seguir contestando a la entrevista podrá hacerlo en cualquier momento.

Tenga en cuenta que ninguna persona relacionada con Instituciones penitenciarias tendrá ninguna clase de acceso a sus respuestas.

Le rogamos que nos conteste con la máxima sinceridad posible.

BLOQUE I: INFORMACIÓN BIOGRÁFICA, TRAYECTORIA LABORAL, SITUACIÓN FAMILIAR EN EL PASADO, CIRCUNSTANCIAS PREVIAS A LA ENTRADA EN PRISIÓN, RELACIÓN CON LA JUSTICIA Y TRAYECTORIA DELICTIVA

I. A) DATOS SOCIODEMOGRÁFICOS

1. ¿Cuál es su año de nacimiento? ¿Qué edad tiene?
2. ¿En qué país nació? ¿Cuál es su nacionalidad?
3. ¿En caso de no haber nacido en España, a qué edad vino a vivir a España? ¿Cuáles fueron las razones que motivaron su llegada a España, en ese caso?
4. En caso de no tener nacionalidad española (o UE), ¿ha tenido en el pasado o actualmente, permiso de residencia en España?
5. En el caso de no tener nacionalidad española (o UE) ¿Cree que será expulsado de España al acabar su condena?
6. ¿En qué país nació su madre?
7. ¿En qué país nació su padre?
8. ¿Cuál es tu estado civil actualmente? ¿Ha sido siempre el mismo?
9. ¿Tienes hijos? ¿Cuántos hijos tienes? ¿Qué edad tienen tus hijos? ¿Cómo es la relación con tus hijos?

I. B) INFANCIA Y ADOLESCENCIA: CIRCUNSTANCIAS FAMILIARES Y CARACTERÍSTICAS DEL ENTORNO

10. ¿Cómo describiría su infancia? ¿Cómo describiría su adolescencia? ¿Considera de especial importancia alguna situación vivida durante estas etapas?
11. Durante su infancia y adolescencia, ¿Cómo era el barrio o zona dónde usted residía? ¿Cómo lo describiría?
12. ¿Con quién convivía usted? ¿Cómo era la convivencia?
13. ¿Asistía usted a la escuela? ¿Cómo describiría su experiencia en ella? ¿Hasta qué edad asistió usted a la escuela?
14. ¿Cómo era la relación con sus padres durante la infancia y la adolescencia? ¿Se sentía usted apoyado por su familia? ¿Cómo se sentía?

15. ¿Tiene hermanos? ¿Cómo era su relación con ellos?

16. ¿Tenía amigos cercanos durante la etapa de la infancia o de la adolescencia? ¿Cómo describiría a estas personas? ¿Cómo era su relación con ellos?

17. Durante su infancia y adolescencia, ¿Había algún familiar o persona de su entorno de iguales (amigos) que cometieran delitos como hurtos, robos o tráfico de drogas?

18. Durante su infancia y adolescencia, ¿Había algún familiar o persona de su entorno de iguales (amigos) que tuviera algún tipo de adicción, como a drogas o alcohol?

19. Durante su infancia o adolescencia, ¿Consumías alcohol o algún tipo de droga? ¿Cuáles? ¿Con qué frecuencia se producía el consumo?

I. C) CIRCUNSTANCIAS ANTES DE ENTRAR EN PRISIÓN

20. ¿Qué edad tenía en el momento de la entrada en prisión?

21. ¿Dónde residía antes de la entrada en prisión? ¿Con quién convivía?

22. ¿Cuál es el grado máximo de estudios con el que contabas en ese momento?

23. ¿Cuál o cuáles son los motivos por los que no continuaste con los estudios?

24. ¿Tenía empleo antes de su entrada en prisión? ¿Cuál era este empleo, en caso afirmativo? ¿Cuál era su principal fuente de ingresos, en caso negativo?

25. ¿Cuál era su situación de pareja en el momento en el que entró en prisión?

26. ¿Cuántos hijos tenía antes de entrar en prisión? ¿Qué edad tenían en este momento? ¿Cómo era su relación con ellos en ese momento? ¿Dependían económicamente sus hijos de usted en este momento?

27. ¿Cómo era la relación con sus familiares antes de la entrada en prisión? ¿Se sentía unida a ellos? ¿Cuál es la persona de su familia a la que se sentía más unida?

    (apoyo recibido, apoyo dado, buenos ratos, sentimiento de cercanía, conflictos, discusiones, confianza, consejos, sentimiento de decepción, entendimiento, cariño, críticas, apoyo económico,

28. En el momento de la entrada en prisión, ¿consumía algún tipo de sustancia como el alcohol o estupefacientes? ¿Cómo era ese consumo? En caso afirmativo, ¿trató en algún momento de abandonar la adicción? ¿Recibió ayuda para ello?
29. En caso afirmativo al uso de sustancias de forma previa a la entrada en prisión, ¿considera que dicho consumo le condujo a conflictos familiares, problemas en el trabajo o en los estudios, conflictos o peleas con terceros, a detenciones o problemas de salud?
30. ¿Cómo de importante ha sido la religión en su vida? ¿Por qué? ¿Considera que la religión le ayuda a lidiar con sus problemas?" (Stansfield, 2017)
31. ¿Cómo te sientes cercana a Dios la mayor parte del tiempo? ¿Con qué frecuencia asistes a la iglesia? (Giordano, Longmore, Schroeder y Seffrin, 2008)

I. D) TRAYECTORIA LABORAL

32. ¿A qué edad comenzaste a trabajar? ¿Cuáles han sido los trabajos que has venido realizando a lo largo de tu vida? ¿Ha tenido empleos de forma regular? ¿Han sido empleos estables o no?

33. ¿En los periodos en los que usted ha estado trabajando ha estado cotizando a la seguridad social? ¿siempre, la mayor parte del tiempo, la menor parte del tiempo o nunca?

I. E). TRAYECTORIA DELICTIVA Y RELACIÓN CON LA JUSTICIA

34. ¿A qué edad fuiste detenida por primera vez acusada de algún delito?

35. ¿Cuántas veces fuiste detenida acusada de algún delito entre los 14 y los 17 años?

36. ¿Cumplió alguna medida de la justicia juvenil (Internamiento en centro, libertad vigilada, prestaciones en servicio de la comunidad, mediación u otras)? ¿Cuáles? En caso afirmativo, ¿alguna en centro juvenil de internamiento o en un centro de protección de menores?

37. En su vida adulta (mayor de 18 años), ¿Cuántas veces ha sido condenada penalmente?

38. ¿Cuáles son las razones por las que delinquió?

39. ¿Cuántas condenas ha cumplido en prisión? (No tenga en cuenta las entradas en prisión preventiva)

40. ¿A qué edad tuvo su primera entrada en prisión?

41. ¿En su familia hay alguna persona condenada por delitos contra la propiedad o por tráfico de drogas? ¿Quién o quiénes?

42. ¿En su familia hay alguna persona condenada por delitos violentos? ¿Quién o quiénes?

43. ¿Algún familiar suyo ha cumplido una pena en prisión? ¿Quién o quiénes?

BLOQUE II. SITUACIÓN EN PRISIÓN O EN EL CENTRO DE INSERCIÓN SOCIAL EN RELACIÓN A LA CONDENA ACTUAL

II. A) CARACTERÍSTICAS DE LA CONDENA Y CLASIFICACIÓN

44. ¿Cuál es la duración de la condena que se encuentra cumpliendo? ¿En qué fecha espera alcanzar la libertad definitiva?

45. ¿Estuvo en prisión preventiva por la presente condena? ¿Cuánto tiempo?

46. ¿Está de acuerdo con el hecho de cumplir esta condena en este centro penitenciario o, por el contrario, preferiría haberla cumplido en otro lugar? ¿Por qué?

47. ¿Cuál es el delito principal que ha dado lugar a esta condena?

48. ¿Cuál fue la clasificación inicial que tuvo en la presente condena?

49. ¿En qué grado de clasificación está en el momento actual?

50. ¿En qué grado de clasificación prevé finalizar la condena actual?

51. ¿Ha estado clasificada en primer grado o ubicado en un módulo de régimen cerrado? ¿Cómo describirías tu experiencia?

52. ¿Ha estado alguna vez sancionado a celda de aislamiento? ¿Cómo describirías tu experiencia?

53. ¿Ha estado en algún momento de su condena clasificada en régimen semi-abierto (art. 100.2 RP)?

54. ¿Ha estado en algún momento de la condena clasificada en tercer grado? ¿Cómo describirías la experiencia?

55. ¿En el período de segundo grado ha disfrutado de algún permiso ordinario de salida? ¿Recuerdas cuantos? ¿A dónde fuiste y cómo tu experiencia?

56. ¿Han sido frecuentes durante el cumplimiento de su condena las sanciones disciplinarias? En caso afirmativo, ¿Cuáles dirían que han sido los motivos principalmente de las mismas?

II. B) PARTICIPACIÓN EN PROGRAMAS/ACTIVIDADES

57. ¿Ha participado en algún programa dirigido a la deshabituación del alcohol o de las drogas ilegales o de psicofár-

macos? ¿Qué tipo de programas? En caso afirmativo, ¿consideras que fueron de ayuda o te sirvieron para afrontar la dependencia a sustancias? (charlas, mantenimiento con metadona, comunidad terapéutica)

58. ¿Ha participado en algún programa dirigido a mejorar su ansiedad, depresión u otros problemas relativos a su salud mental? ¿Considera que han mejorado su bienestar?

59. ¿Ha participado en cursos de formación dirigidos a mejorar su nivel educativo (Cursos de alfabetización, de formación reglada)? ¿Considera que han sido útiles para mejorar su nivel educativo? ¿Consideran que le han ayudado a vivir mejor su condena?

60. ¿Ha participado en cursos de formación dirigidos a mejorar su formación profesional? ¿Considera que han sido útiles para mejorar su formación profesional? ¿Consideran que le han ayudado a vivir mejor su condena?

61. ¿Ha participado en programas de tratamiento dirigidos a fomentar el autocontrol, la capacidad de resolución de problemas u otros semejantes? ¿Consideras que han sido útiles para ello?

62. ¿Ha participado en alguna clase de programa educativo, formativo o de tratamiento, distinto de los anteriores? En caso afirmativo, ¿Cuál?

63. ¿Ha realizado trabajo retribuido durante la presente condena dentro de prisión? ¿Cuál o cuáles? ¿Cómo fue su experiencia en él/ellos? ¿Considera que le han ayudado a mejorar sus capacidades profesionales?

64. ¿Ha realizado trabajo retribuido durante la presente condena fuera de prisión? ¿Cuál o cuáles? ¿Cómo fue su experiencia en él/ellos? ¿Considera que le han ayudado a mejorar sus capacidades profesionales?

65. En caso de no haber participado en ninguno de los programas anteriores, ¿Cuál señalaría usted que es el principal motivo para ello?

66. ¿Considera que ha tenido oportunidad de continuar llevando a cabo prácticas o actividades relacionadas con la religión que usted practica dentro de prisión? ¿Por qué? ¿Cómo describiría su religiosidad en estos momentos?

II. C) TRATO RECIBIDO POR PERSONAL Y AUTORIDADES

67. ¿Cómo describiría usted el trato recibido por el personal y autoridades penitenciarias durante su condena?

68. ¿Considera que es un trato similar al del resto de mujeres u hombres que cumplían condena con usted?

69. ¿Consideras que el personal y autoridades penitenciarias le permitieron exponer sus peticiones y atenderlas?

70. En caso de que en algún momento hayan tomado decisiones sobre cuestiones de importancia para usted, ¿cree que han estado motivadas?

71. En caso de que en algún momento hayan tomado resoluciones no satisfactorias para usted, ¿considera que ha sido posible recurrirla ante la autoridad?

72. ¿Considera que durante el periodo transcurrido en segundo grado se la han concedido los permisos que ha merecido? ¿Por qué?

73. ¿En algún momento sufrió una regresión a segundo grado desde el tercer grado? ¿Cómo consideraría esta decisión?

74. ¿Considera que las clasificaciones que ha tenido durante el tiempo de su condena han sido las que usted ha merecido?

75. ¿Cómo describiría las sanciones disciplinarias que sobre usted han impuesto?

76. ¿Cree que sus oportunidades para participar en los diferentes programas de tratamiento o en trabajos retribuidos han sido suficientes? ¿Por qué? En caso de haber trabajado de forma retribuida, ¿Qué opina sobre la retribución?

II. D) PERSONA DE REFERENCIA DENTRO DE PRISIÓN

(persona del personal penitenciario o de entidades colaboradoras con la que usted ha tenido más relación en la fase final del cumplimiento de su condena y que ha intervenido en su reinserción. Persona con la que ha tenido mayor relación y mejor conoce su situacion personal: educador, psicólogo, jurista-criminólogo, trabajador social, voluntarios, etc.)

77. ¿Quién es su persona de referencia? ¿Considera que esta ha mostrado interés en su proceso de reinserción y ha ayudado en tal proceso?

78. ¿De qué manera considera que esta persona de referencia ha ayudado en el proceso de reinserción?

II. E) RELACIÓN CON OTROS INTERNOS O CON OTRAS INTERNAS

79. ¿Cómo describiría su relación con otras personas encarceladas?

80. ¿Se ha sentido apoyada o ayudada por ellas? ¿En qué medida?

81. ¿Considera que usted ha ayudado a estas personas?

82. ¿Se ha sentido especialmente unida a alguien o a algunas personas internas? Por ejemplo, ¿Consideraría que le escuchan, le ayudan y que le harían algún favor si lo necesitado?

83. En relación a estas personas a las que se ha sentido especialmente unida, ¿estas han realizado algún tipo de delito durante su estancia en prisión?

84. ¿Ha sido víctima de agresiones, humillaciones, insultos o amenazas por parte de otros internos durante su estancia en prisión?

85. Por el contrario, ¿en algún momento ha sido usted la persona que agredía, humillaba, insultaba o amenazaba a otros internos?

II. F) AMBIENTE EN PRISIÓN

En esta ocasión no queremos indagar sobre las relaciones concretas que usted estableció en el interior del centro, si no sobre el ambiente en el interior del mismo desde su propia perspectiva.

86. ¿Usted considera que en el ambiente se observa miedo de unos internos sobre otros?
87. ¿Son comunes las amenazas y el sometimiento de unos ante otros?
88. ¿Las personas que ingresan por primera vez son sometidos a amenazas?
89. ¿Son comunes las agresiones entre los internos?
90. ¿Hay conflictos entre bandas o grupos?
91. ¿Cómo describiría el trato por parte del personal y autoridades penitenciarias sobre los internos? ¿Considera que existe algún trato determinado sobre algunos grupos o colectivos?

II. G) RELACIONES CON LA FAMILIA DURANTE EL CUMPLIMIENTO DE LA CONDENA

Cuando referimos nos familiares hablamos de: familiares, pareja, amigos y amigas de especial importancia.

92. En lo que refiere al contacto con familiares, ¿Considera que ha sido lo suficientemente frecuente? ¿Le gustaría haber podido contactar con ellos o ellas de un modo más habitual? ¿Qué medios ha utilizado generalmente para ello?
93. ¿Se ha sentido suficientemente acompañada por ellos y ellas?
94. ¿Quién o quienes considera que le han brindado su apoyo y compañía en mayor medida? ¿Se ha sentido querida?

95. ¿Ha recibido ayuda económica por parte de ellos en caso de haberlo necesitado?

96. ¿Se siente "en deuda" con ellos por el apoyo que le han proporcionado?

97. ¿Su familia le ha pedido que usted cambie en el futuro?

98. ¿Su familia le ha motivado a que participe en diferentes actividades durante el periodo de encarcelamiento? ¿En cuáles? ¿Quién le ha motivado en mayor grado?

99. En caso de tener hijos, ¿Cómo ha sido su relación con ellos durante el encarcelamiento? ¿Cuáles eran sus sentimientos respecto a ellos?

II. H) SITUACIÓN FAMILIAR EN EL MOMENTO PRESENTE

100. En el momento actual, ¿tiene pareja sentimental? ¿En qué momento dio comienzo esa relación?

101. Si la relación dio comienzo de forma previa a su entrada en prisión, ¿considera que esto influyó sobre la misma?

102. ¿Ha sido usted madre durante el cumplimiento de la presente condena?

103. En caso de que usted haya tenido hijos menores de 3 años durante el encarcelamiento. ¿Han estado con Usted sus hijos durante el cumplimiento de la condena?

104. ¿Qué edad tienen sus hijos?

105. ¿Quién se hace cargo del cuidado de sus hijos en la actualidad? ¿Cómo es su relación con la persona que cuida de sus hijos? ¿Considera que sus hijos están bien en el lugar en el que están?

106. ¿Apoya económicamente usted a sus hijos?

107. ¿Apoya usted económicamente a otra persona en la actualidad?

108. ¿Con cuantas personas de su familia se siente muy unida en la actualidad? ¿Quiénes son? ¿Considera que ellas se preocupan porque usted no vuelva a delinquir?

109. Si tuviera que elegir solo a una persona, a la que más unida se sienta, ¿quién sería?

II. I) ESTADO DE SALUD PRESENTE

110. ¿Cómo describiría su estado de salud en la actualidad? ¿Tiene diagnosticada algún tipo de enfermedad y recibe tratamiento por ella?

111. En el caso de que antes de empezar el actual período de encarcelamiento usted tuviera problemas con el alcohol o las drogas ¿cómo definiría su situación actual en comparación con la que tenía antes de empezar el encarcelamiento?

BLOQUE III. EXPECTATIVAS SOBRE EL FUTURO CUANDO SE ALCANCE LA LIBERTAD DEFINITIVA

III. A) EXPECTATIVAS SOBRE RESIDENCIA Y CONVIVENCIA

112. ¿En qué lugar espera vivir en el momento en que alcance la libertad definitiva? ¿Cómo espera conseguir vivir en ese lugar? ¿Necesitará ayuda para ello?

113. ¿El barrio en el que se plantea vivir es el mismo que el barrio en el que usted vivía antes? En caso afirmativo, ¿Cómo describiría ese barrio? ¿Cuáles son las razones por las que se plantea volver a él? En caso negativo, ¿Cómo describiría el nuevo barrio? ¿Cuáles son las razones por las que se plantea trasladarse a él?

114. ¿Con quién espera convivir en el momento en que alcance la libertad definitiva?

115. ¿Con qué personas espera estar en contacto cuando alcance la libertad definitiva?

116. ¿Cómo cree que será la relación con sus hijos en ese momento?

III. B) EXPECTATIVAS SOBRE APOYO FAMILIAR Y APOYO COMUNITARIO

117. ¿Cree que será apoyada emocionalmente por su familia en el momento de alcanzar la libertad? (consejos, compartir preocupaciones, comprensión de los problemas, sentirse querida...) En caso afirmativo, ¿A qué familiar o familiares se refiere?

118. ¿Cree que será apoyada emocionalmente por sus amigos en el momento de alcanzar la libertad? (consejos, compartir preocupaciones, comprensión de los problemas, sentirse querida...).

119. ¿Cree que será apoyada emocionalmente por sus conocidos en el momento de alcanzar la libertad? (consejos, compartir preocupaciones, comprensión de los problemas, sentirse querida...)

120. ¿Cree que recibirá apoyo económico por parte de su familia, en caso de necesitarlo?

121. ¿Crees que recibirá apoyo económico por parte de sus amigos, en caso de necesitarlo?

122. ¿Considera que la administración y los servicios sociales le ayudarán a resolver sus problemas personales?

123. ¿Considera que alguna entidad solidaria o de voluntariado le ayudará a resolver sus problemas personales?

III. C) POSIBLES PROBLEMAS A ENCONTRAR AL ALCANZAR LA LIBERTAD

124. ¿Considera probable que usted sea socialmente aceptado tras haber estado en prisión?

125. ¿Considera probable que usted pueda sustentarse económicamente? En caso de que proceda, ¿Considera probable que usted pueda hacerse cargo económicamente de sus hijos?

126. ¿Considera que puede surgir algún problema relacionado con el mantenimiento de su trabajo? ¿Considera complicado encontrar trabajo cuando se encuentre en libertad?

127. ¿Considera que pueden surgir conflictos con su familia? ¿Qué tipo de conflictos?

128. ¿Considera que pueden surgir conflictos con sus hijos? ¿Qué tipo de conflictos?

129. ¿Considera que usted puede volver a tener contacto con drogas o alcohol?

130. ¿Considera que usted puede volver a delinquir? ¿Cuáles serían las causas principales para ello?

III. D) PREGUNTAS GENERALES

131. ¿Durante tu estadía en prisión, ha sucedido alguna cosa importante en tu vida que te lleve a reflexionar sobre tu vida y decidir ponerle otro rumbo, tales como el nacimiento de un hijo, formar una pareja estable, acercarte o alejarte de algunas personas?

132. ¿Cuál es su mayor miedo en lo que refiere a su vida en libertad?

133. ¿Cuál es su mayor deseo en lo que refiere a su vida tras la condena? ¿Cree que podrá llegar a cumplirlo?

Anexo IV.

Consentimiento grabado y entrevista segunda oleada

CONSENTIMIENTO GRABADO

Dña____

________________con DNI/NIE ___________________ declaro que:

- He sido informada verbalmente sobre la investigación que está siendo llevada a cabo.

- He tenido oportunidad de efectuar preguntas sobre la misma.

- He recibido respuestas satisfactorias.

- He hablado con la investigadora.

- Entiendo que la participación en la investigación es voluntaria.

- Entiendo que puedo abandonar la investigación cuando lo desee, sin necesidad de proporcionar explicación alguna y sin que ello genere ningún tipo de beneficio penitenciario.

- He sido informada de forma clara y suficiente de las siguientes cuestiones en relación con los datos personales que se contienen en este consentimiento:

- Estos datos serán tratados y custodiados respetando mi intimidad y la normativa vigente en materia de protección de datos.

- Sobre estos datos poseo derechos de acceso, rectificación, cancelación y oposición que podré ejercitar mediante solicitud ante la investigadora responsable del estudio. Por ello, firmo este consentimiento informado de manera voluntaria para manifestar mi deseo de participar en la investigación "Desistimiento delictivo y género: un estudio cualitativo en España", hasta que decida lo contrario, a los únicos efectos de investigación científica.

ENTREVISTA SEGUNDA OLA

Fecha de realización de la entrevista: ___/____/______

Lugar de realización de la entrevista: ______________________________

DESISTIMIENTO DELICTIVO Y GÉNERO: UN ESTUDIO CUALITATIVO EN ESPAÑA

Antes de empezar esta entrevista le queremos agradecer que haya aceptado hablar conmigo y cooperar con esta investigación que está dirigida a conocer los elementos de influencia en el proceso de desistimiento del delito de las mujeres en España. Todo lo que Ud. indique en esta entrevista es estrictamente confidencial y sólo será utilizado por la investigadora para presentar datos agregados de la investigación, sin ninguna referencia personal. Si por algún motivo no quisiera contestar a alguna pregunta se pasará a la siguiente. Si por algún motivo no quisiera seguir contestando a la entrevista podrá hacerlo en cualquier momento.

Tenga en cuenta que ninguna persona relacionada con Instituciones penitenciarias tendrá ninguna clase de acceso a sus respuestas.

Le rogamos que nos conteste con la máxima sinceridad posible.

BLOQUE I. TRAYECTORIA POSTPRENITENCIARIA (CON LAS MISMAS CATEGORÍAS QUE EN EL PRIMER ANÁLISIS)

A) DATOS SOCIODEMOGRÁFICOS EN LA ACTUALIDAD

(lugar de residencia, estado civil, hijos y formación/empleo)

1) ¿Cuál es su edad en estos momentos?

2) ¿Cuál es su lugar de residencia en estos momentos? (País, ciudad, domicilio, barrio, etc.) ¿Ha sido el mismo desde que abandonó el Centro Penitenciario o CIS?

3) ¿Con qué personas convive?

4) En caso de no tener regularizada la situación en el país, ¿en qué punto se encuentra la situación? ¿Tienes algún tipo de inquietud sobre tu futuro en este sentido?

5) ¿De qué manera definiría el entorno en el que vive, por ejemplo, su barrio? ¿Ha habido en él algún tipo de cambio con respecto al momento de la obtención de la libertad?

6) ¿Se encuentra usted residiendo donde refirió en la primera entrevista o se ha producido algún cambio? En este último caso, ¿a qué se debe?

7) ¿Cuál es su estado civil actualmente? ¿Ha sido el mismo desde que abandonó el Centro Penitenciario o CIS?

8) ¿Tiene hijos? ¿Ha tenido usted hijos durante el tiempo de cumplimiento de la condena o posteriormente a ella? ¿Qué edad tienen tus hijos en estos momentos?

9) ¿Quién se hace cargo del cuidado de sus hijos en estos momentos? ¿Les proporciona usted apoyo económico en la actualidad?

10) ¿Considera usted que sus hijos han recibido el cuidado adecuado durante su permanencia en prisión?

11) ¿Ha continuado con sus estudios académicos desde el abandono del Centro Penitenciario o CIS?

12) ¿Tiene usted empleo en la actualidad? ¿Cómo ha evolucionado la trayectoria laboral desde el abandono del centro penitenciario o CIS?

B) TRAYECTORIA LABORAL

13) Entonces, ¿en estos momentos te encuentras trabajando? ¿Cuál es tu puesto laboral? ¿Cómo es tu contrato? ¿Te encuentras cotizando a la seguridad social?

14) En caso afirmativo, ¿Cuál es tu opinión sobre tu trabajo? ¿Crees que has recibido algún tipo de ayuda para poder acceder

a él? ¿Los programas formativos y laborales o el trabajo realizado dentro del centro penitenciario o CIS han podido tener algún tipo de influencia?

15) En caso negativo, ¿Cuáles son, según tu punto de vista, los motivos principales por los que no has podido acceder a un empleo en la vida postpenitenciaria?

C) TRAYECTORIA DELICTIVA Y RELACIÓN CON LA JUSTICIA

16) ¿Has cometido algún acto delictivo desde tu puesta en libertad? ¿Cuáles son los motivos de ello?

17) ¿Has sido detenida desde tu puesta en libertad?

18) ¿Has sido llamada a juicio desde tu puesto en libertad, bien sea por una causa nueva o antigua?

19) ¿Has estado en prisión nuevamente?

20) ¿Alguna persona de tu entorno familiar ha cometido delitos en este periodo? De ser así, ¿De qué tipo de delito se trata?

21) ¿Alguna persona de tu entorno cercano (amistad) ha cometido delitos en este periodo? De ser así, ¿De qué tipo de delito se trata?

22) ¿Alguna persona de tu entorno familiar ha sido detenida en este periodo? De ser así, ¿De qué tipo de delito se trata?

23) ¿Alguna persona de tu entorno cercano (amistad) ha sido detenida en este periodo? De ser así, ¿De qué tipo de delito se trata?

24) ¿Alguna persona de tu entorno familiar ha ingresado en prisión en este tiempo? De ser así, ¿De qué tipo de delito se trata?

25) ¿Alguna persona de tu entorno cercano (amistad) ha ingresado en prisión en este tiempo? De ser así, ¿De qué tipo de delito se trata?

D) SALUD

26) ¿Cómo describiría su estado de salud en la actualidad? ¿Tiene diagnosticada algún tipo de enfermedad y recibe tratamiento por ella?

27) ¿Tiene usted algún problema de adicción a sustancias?

28) En caso afirmativo, ¿se trata de una adicción previa a la entrada en el centro penitenciario o posterior a ella?

29) ¿Ha tenido usted algún problema de salud desde el abandono del centro penitenciario o CIS? En caso afirmativo, ¿se encuentra usted siguiendo algún tipo de tratamiento médico?

E) TRAYECTORIA VITAL POSTPENITENCIARIA

30) ¿Cuál es su opinión sobre su vida postpenitenciaria?

31) ¿Cuál es su opinión sobre las oportunidades que ha tenido tras la puesta en libertad?

32) ¿Crees que en este último periodo podrías haber cambiado algo que hubiese mejorado tu situación?

33) ¿Has precisado ayuda de alguien en este proceso tras el abandono del centro penitenciario (familia, amigos, organizaciones, etc.)? ¿De qué tipo de ayuda se trata?

BLOQUE II: APOYO SOCIAL Y VÍNCULOS EN LA VIDA POSTPENITENCIARIA

34) ¿Tiene usted pareja? ¿En qué momento dio comienzo la relación sentimental? En caso de haber dado comienzo de manera previa a la entrada en prisión, ¿considera a día de hoy que esta se haya visto influida por todo este proceso? ¿En qué consiste esa influencia?

35) ¿Cómo definiría en estos momentos su relación de pareja?

36) ¿Se ha sentido apoyada por su pareja durante este tiempo tras el abandono del centro penitenciario o CIS? ¿A qué tipo de apoyo se refiere, en caso afirmativo?

37) ¿Su pareja se preocupa por usted y porque no vuelva a delinquir en el futuro?

38) En términos generales, ¿Cómo es su relación familiar en la actualidad? ¿Ha cambiado esta desde el momento de abandono del Centro Penitenciario o CIS?

39) ¿Cómo es su relación con sus padres en la actualidad? ¿Ha cambiado esta desde el momento de abandono del Centro Penitenciario o CIS?

40) ¿Cómo es su relación con sus hermanos en la actualidad? ¿Ha cambiado esta desde el momento de abandono del Centro Penitenciario o CIS?

41) ¿Cómo es su relación con su familia amplia (tíos, abuelos, primos, familia política, etc.) en la actualidad? ¿Ha cambiado esta desde el momento de abandono del Centro Penitenciario o CIS?

42) ¿Cómo es su relación con sus hijos en la actualidad? ¿Ha cambiado esta desde el momento de abandono del Centro Penitenciario o CIS? ¿Dependen económicamente de usted?

43) ¿Cómo es su relación con sus amigos en la actualidad? ¿Ha cambiado esta desde el momento de abandono del Centro Penitenciario o CIS?

44) ¿De qué manera definiría a su entorno próximo en la actualidad? ¿Ha experimentado este algún tipo de cambios desde el momento de abandono del Centro Penitenciario o CIS?

45) ¿Existen en su entorno familiar personas que tengan algún tipo de adicción, como drogas o alcohol? ¿Ha habido algún cambio en este sentid desde su puesta en libertad?

46) ¿Existen en su entorno familiar personas que delincan en la actualidad? ¿Ha habido algún cambio en este sentido?

47) En términos generales, ¿considera que ha existido algún cambio en las relaciones con su familia desde el momento de la entrada en prisión hasta la actualidad? ¿Este suceso ha tenido algún tipo de influencia en su relación?

48) En términos generales, ¿considera que ha existido algún cambio en las relaciones con sus amigos desde el momento de la entrada en prisión hasta la actualidad? ¿Este suceso ha tenido algún tipo de influencia en su relación?

49) ¿Cuál es su relación en la actualidad con la religión? ¿Formas parte en la actualidad de alguna comunidad religiosa? ¿Considera que haya existido algún cambio desde el abandono del centro penitenciario o CIS?

50) ¿Has sentido apoyo emocional por parte de tu familia en este periodo en la vida postpenitenciaria?

51) ¿Has sentido apoyo emocional por parte de tus amistades en este periodo en la vida postpenitenciaria?

52) ¿Has sentido apoyo emocional por parte de conocidos en este periodo en la vida postpenitenciaria?

53) ¿Has recibido apoyo económico por parte de tu familia en este periodo en la vida postpenitenciaria?

54) ¿Has recibido apoyo económico por parte de tus amistades en este periodo en la vida postpenitenciaria?

55) ¿Has recibido apoyo económico por parte de alguna asociación u ONG?

56) ¿Cómo definiría el trato o la relación de la comunidad hacia usted tras su regreso?

57) ¿Mantienes relación con alguna compañera interna del centro penitenciario o CIS? ¿Cómo es esta relación?

58) ¿Mantienes relación con las personas de referencia que me indicaste en la entrevista anterior del centro penitenciario o CIS? ¿Cómo es esta relación? ¿Consideras importante esta relación en tu trayectoria postpenitenciaria?

59) ¿Mantienes relación con personal del centro penitenciario o CIS? ¿Cómo es esta relación? ¿Consideras importante esta relación en tu trayectoria postpenitenciaria?

60) ¿Mantienes relación con algún tipo de asociación u ONG con el que entraste en contacto durante tu permanencia en el centro penitenciario o CIS? ¿Cómo es esta relación? ¿Consideras importante esta relación en tu trayectoria postpenitenciaria?

61) ¿Tu familia te ha pedido a lo largo de este tiempo algún cambio?

62) ¿Tus amistades te han pedido a lo largo de este tiempo algún cambio?

63) ¿Cuáles han sido tus sentimientos con respecto a tu familia durante este tiempo?

64) ¿Cuáles han sido tus sentimientos con respecto a tus amistades durante este tiempo?

65) ¿Su familia se preocupa por que usted no vuelva a delinquir?

66) Si tuviera que elegir solo a una persona, a la que más unida se sienta en estos momentos, ¿Quién sería?

67) Si tuviera que elegir solo a una persona, la que más le ha apoyado a partir del momento de la salida en libertad ¿Quién sería?

BLOQUE III: PAPEL DE LA AGENCIA EN EL DESISTIMIENTO

68) En caso de haber existido un cambio positivo en su vida, ¿A qué o a quien le atribuye usted la responsabilidad de ello?

69) En caso de haber existido un cambio negativo en su vida, ¿A qué o a quien le atribuye usted la responsabilidad de ello?

70) ¿Cuál ha sido el papel que se atribuye a sí misma en este cambio?

71) ¿Qué decisiones ha tomado usted para contribuir al cambio?

72) ¿Considera que esas decisiones ha sido las correctas?

73) ¿En la actualidad considera que hubiese sido necesario haber tomado decisiones diferentes?

74) Por favor, destaque el factor de influencia principal en este cambio.

75) ¿Ha logrado los deseos que manifestó en la entrevista previsita?

76) ¿Han ocurrido aquellas circunstancias o hechos que le generaban miedo en la entrevista anterior?